Het boek van licht en schaduw

Van dezelfde auteur:

Nachtrituelen
Duivelsritueel

Michael Gruber

Het boek van licht en schaduw

2008 – De Boekerij – Amsterdam

Oorspronkelijke titel: The Book of Air and Shadows (HarperCollins)
Vertaling: Hugo Kuipers
Omslagontwerp: Wil Immink Design

ISBN 978-90-225-4937-7

Voor E.W.N.

Al onze vreugde is nu over: al onze spelers
(Zoals ik u voorzegde) waren slechts geesten,
En zij zijn opgegaan in lucht, in ijle lucht.
Zoals het weefsel van wat wij ons verbeelden,
Torens tot in de wolken, schitterende paleizen,
Plechtige tempels, ja ook de grote globe zelf,
Zal al wat tot ons komt opgaan in niets.
En zoals deze denkbeeldige stoet spoorloos
Is verdwenen, zo zijn ook wij als datgene
Waarvan dromen gemaakt zijn en is ons leven
Omgeven door slaap…

WILLIAM SHAKESPEARE,
De storm, vierde bedrijf, eerste toneel

I

Tik-tik doen de toetsen en daar komen de woorden op het kleine scherm, en ik weet niet wie ze zal lezen. Misschien ben ik al dood als iemand dit onder ogen krijgt, net als bijvoorbeeld Tolstoj. Of Shakespeare. Maakt het, als je iets leest, uit of degene die het heeft geschreven nog in leven is? Eigenlijk wel, denk ik. Als je iets leest van een schrijver die nog leeft, kun je op zijn minst in theorie een brief sturen, misschien zelfs echt contact tot stand brengen. Ik denk dat veel lezers dat gevoel hebben. Er zijn ook lezers die brieven schrijven aan fictieve personages en dat is nog een beetje griezeliger.

Nu zal duidelijk zijn dat ik nog niet dood ben, al kan daar elk moment verandering in komen. Dat laatste is een van de redenen waarom ik dit schrijf. Het is bij het schrijven een feit dat de schrijver nooit weet hoe het de tekst die hij heeft gewrocht zal vergaan, want papier heeft nog veel meer toepassingen dan dat je er woorden in een bepaalde volgorde op kunt zetten, en de minuscule elektromagnetische veranderingen die ik in deze laptop teweegbreng zijn ook niet immuun voor aantasting door de tijd. Bracegirdle is wel degelijk dood. Ergens aan het eind van oktober 1642 is hij bezweken aan verwondingen die hij had opgelopen tijdens de slag bij Edgehill in de Engelse Burgeroorlog. Denken we. Maar dood is hij, al heeft hij voor zijn dood het manuscript van tweeënvijftig bladzijden geschreven dat min of meer mijn leven heeft verwoest, of mijn dood heeft veroorzaakt, dat weet ik nog niet. Of misschien was het vooral de schuld van de kleine professor, Andrew Bulstrode, want hij wierp mij die dingen in de schoot en werd toen zelf vermoord. Ik kan de schuld ook aan Mickey Haas geven, mijn oude studievriend die Bulstrode op mij af heeft gestuurd. Mickey is voor zover ik weet nog in leven. Of het meisje, de vrouw moet ik zeggen: haar treft ook enige blaam, want ik betwijfel sterk of ik me hierop zou hebben gestort als ik haar lange witte hals niet boven dat kraagje had zien uitsteken, daar in de Brooke Russell Astor-studiezaal van de openbare bibliotheek van New York. Ik wilde die hals zo graag kussen dat mijn kaken er pijn van deden.

En Albert Crosetti en zijn ongewone moeder en zijn nog vreemdere vriendin Carolyn, als ze zijn vriendin al is. Allemaal ontdekkers, en verklaarders, en ontcijferaars, van Bracegirdle, mijn eeuwige plaaggeest, zonder wie...

Ik vergeet de echte misdadigers niet, maar eigenlijk kan ik hun niets kwalijk nemen. Misdadigers zijn er gewoon, net als roest, dof en bijna chemisch in de stompzinnige eenvoud van hun hebzucht of trots. Als je nagaat hoe gemakkelijk het is om die eigenschappen te vermijden, is het vreemd dat het ons bijna nooit lukt. Om van koningin Maria van Schotland (over stompzinnigheid gesproken) nog maar te zwijgen: weer een complot aan haar lijst toegevoegd, al deed ze in dit geval niet anders dan simpelweg bestaan. Natuurlijk neem ik het mijn vader kwalijk, de oude crimineel. En waarom ook niet? Ik geef hem ook de schuld van al het andere.

Ik zie dat ik dit niet goed doe. Oké, laat ik het systematisch aanpakken. Eerst de feiten op een rijtje, te beginnen met de schrijver zelf, met mij dus, Jake Mishkin, advocaat van beroep, gespecialiseerd in intellectueel eigendom, ie-recht. Ik geloof dat in de nabije toekomst gangsters zullen proberen me te vermoorden. Hoewel er advocaten zijn die vanwege hun werkzaamheden een zekere mate van fysiek gevaar kunnen verwachten, ben ik niet zo'n soort advocaat, met opzet niet. In mijn jeugd heb ik zulke advocaten goed gekend. Enkelen van hen zijn voor zover ik weet inderdaad het slachtoffer van geweld geworden. Dus toen ik advocaat werd, lette ik er wel op dat ik een specialisatie koos waarbij ik niet te maken zou krijgen met mensen die met pistolen rondliepen. Het ie-recht heeft zijn portie agressieve gekken (misschien wel meer dan dat), maar als ze scheldwoorden schreeuwen en jou en je cliënt dreigen te vermoorden, is dat bijna altijd figuurlijk bedoeld.

Zelfs dan is een groot deel van het venijn gericht op procesvoerende advocaten, en dat ben ik niet. Daar heb ik de persoonlijkheid niet voor. Ik ben een vreedzaam mens, iemand die gelooft dat bijna alle gerechtelijke procedures, vooral die met betrekking tot intellectueel eigendom, stompzinnig zijn, vaak op het absurde af, en dat bijna al die geschillen binnen twintig minuten tot een oplossing kunnen worden gebracht wanneer de betrokkenen als redelijke mensen om de tafel gaan zitten. Dat is niet de mentaliteit van een succesvolle procesvoerder. Ed Geller, onze senior partner, is een procesvoerder. Hij is een strijdlustig, agressief, flamboyant, venijnig klein mannetje, zo'n type waaraan je denkt als iemand een hatelijke advocatengrap vertelt, en toch weet ik zeker dat er op Ed (iemand voor wie ik overigens in professioneel opzicht het grootste respect heb) nooit een kogel is afgevuurd en dat hij nooit met gevaarlijke gangsters overhoop heeft gelegen; twee dingen die ik nu tot mijn persoonlijke ervaringen mag rekenen.

Laat ik eerst zeggen dat het IE-recht ruwweg te verdelen is in enerzijds industriële aangelegenheden, zoals handelsmerken en patenten – en waarschijnlijk valt software daar ook onder – en anderzijds auteursrecht, waar alle vormen van kunst en individuele creativiteit onder vallen: muziek, boeken, films, beeldende kunst, Mickey Mouse enzovoort. Laat ik hier even vermelden dat ik eerst instinctief een © achter de naam van dat kleine knaagdier had gezet, maar dat ik dat tekentje weer heb verwijderd, omdat het een nieuwe 'ik' is die dit schrijft. Mijn firma, Geller Linz Grossbart & Mishkin, is een auteursrechtfirma, en hoewel elk van de partners het volledige spectrum van het auteursrecht behandelt, zou je kunnen zeggen dat ieder van ons zijn eigen specialisme heeft. Marty Linz doet tv en films, Shelly Grossbart doet muziek, Ed Geller is, zoals gezegd, onze procesvoerder, en ik doe de literaire zaken. Dat betekent dat ik vaak met schrijvers te maken heb, vaak genoeg om te weten dat ik niet een van hen ben en ook nooit zal worden. Nogal veel van mijn cliënten hebben, vaak op neerbuigende toon, tegen me gezegd dat er in elke advocaat een gemankeerde dichter schuilt, waarbij ze dat citaat aan allerlei verschillende auteurs toeschreven. Ik stoor me nauwelijks aan zoiets, want in het echte, en dus niet denkbeeldige universum zijn al die mensen zo hulpeloos als pasgeboren poesjes. Ik kan ook met scherpe ironie uit de hoek komen als ik dat wil, wat niet vaak het geval is, want als ik eerlijk moet zijn heb ik de grootste bewondering voor hen. Ik bedoel: in je hoofd een verhaal verzinnen en het dan zo opschrijven dat iemand anders, een volslagen vreemde, het kan lezen en begrijpen en echte gevoelens voor fictieve personages kan ontwikkelen! Heb je ooit de pech gehad in een stampvol vliegtuig of een stampvolle trein vóór een paar idioten te zitten die elkaar anekdotes vertelden? Die zou je uit pure ergernis de keel willen doorsnijden, nietwaar? Of ze vermoorden. Wat ik bedoel, al geloof ik dat ik mezelf nu aan het herhalen ben, is dat het verdraaid moeilijk is om een samenhangend verhaal te vertellen. Een van mijn cliënten heeft me verteld dat je, om een verhaal te schrijven, begint met alles wat wie dan ook ooit is overkomen en dan de dingen weglaat die je niet kunt gebruiken. Maar dat was als grap bedoeld. Al lijkt het erop dat ik nu iets soortgelijks doe.

Maar misschien ben ik te beschroomd. De advocatuur heeft ook haar creatieve kant. Wij schrijven veel. Bijna alles wat we schrijven is alleen van belang voor andere juristen, maar evengoed vertellen we een verhaal, vermelden we omstandigheden, zetten we de feiten en veronderstellingen achter elke zaak uiteen. De jonge Charles Dickens begon als rechtbankverslaggever, en deskundigen geloven dat hij in die tijd het gevoel voor menselijke dramatiek heeft opgedaan dat zo duidelijk naar voren komt in zijn romans. Bovendien gaan zijn romans bijna allemaal over misdaad, vaak van het witteboordentype. Ik heb dat van Mickey Haas, en hij kan het weten, want hij is hoogleraar Engelse literatuur aan het Columbia College. En hij vormt tevens het begin van dit verhaal.

Hoeveel moet je van Mickey weten? Wel, je weet meteen al iets, want alleen een bepaald type volwassen man laat zich als een schooljongen aanspreken met zo'n verkleinende roepnaam. Ik geloof niet dat 'Jake' ook zo'n roepnaam is. Hij is beslist mijn oudste vriend, maar hij is absoluut geen serieuze persoon. Als hij een beetje serieuzer was geweest, zou hij de kleine professor hebben afgescheept, en dan zou dit alles niet zijn gebeurd. Het is dan ook wel passend dat ik uiteindelijk in Mickeys huis terecht ben gekomen, een vakantiehuis aan Lake Henry, diep in het Adirondack State Park, waar ik momenteel… In feite houd ik me hier schuil, al heb ik er moeite mee om zo'n dramatische term te gebruiken. Laten we zeggen dat ik me hier heb afgezonderd en dat ik gewapend ben.

Ik ken Mickey (of Melville C. Haas, zoals op de ruggen van zijn vele boeken staat) al sinds mijn jeugd. We leerden elkaar kennen in ons tweede jaar aan Columbia, toen ik reageerde op een advertentie waarin een huisgenoot werd gevraagd voor een klein appartement aan 113th Street, bij Amsterdam Avenue. Het was typisch iets voor Mickey om die advertentie niet bij de studentenbond of de huisvestingsdienst van de universiteit op te hangen, maar in de etalage van een Chinese wasserij aan Amsterdam Avenue. Toen ik hem vroeg waarom hij dat had gedaan, antwoordde hij dat hij een huisgenoot zocht die professioneel gereinigde en gestreken overhemden droeg. Vreemd genoeg behoorde ik juist niet tot die groep mensen; ik bezat maar één overhemd, een witte De Pinna die van mijn vader was geweest, en ik was naar de wasserij gegaan om hem te laten strijken voor een sollicitatiegesprek.

In die tijd woonde ik in een groezelig gebouw dat uitsluitend uit aparte kamers bestond. Ik was kort daarvoor van huis weggelopen – achttien jaar oud en zo arm als een kerkrat – en die kamer kostte me vijftien dollar per dag, met een gezamenlijke keuken en dito badkamer op de gang. Beide vertrekken stonken, op verschillende maar even onaangename manieren, en de stank bleef ook niet beperkt tot die vertrekken zelf. Ik zat dus nogal omhoog, en het was een leuk appartement: drie kamers met nog net zicht op de kathedraal, en hoewel het donker was, zoals appartementen in dat deel van de stad vaak zijn, was het redelijk schoon, en Mickey leek me een fatsoenlijke vent. Ik had hem al op de campus gezien, want hij viel nogal op: groot (bijna net zo groot als ik), roodharig en met de neerhangende lip en naar voren stekende, door zware wenkbrauwen overwelfde blauwe ogen van een minder geslaagde Habsburger. Hij droeg tweedjasjes en flanellen broeken en bij koud weer liep hij in een wijde kameelkleurige echte duffelse jas van Royal Navy. Hij sprak met het precieze, grappig aarzelende, anglofiele accent dat we kenden van Columbia's beroemde hoogleraren Engelse literatuur die de pech hadden gehad in de Verenigde Staten te zijn geboren.

Ondanks die geaffecteerdheid was Mickey een provinciaal, zoals de meeste verfijnde New Yorkers en in tegenstelling tot mij. Hij kwam uit… ik zou echt niet meer weten hoe de plaats heette. Niet uit Peoria, maar wel zoiets. Kenosha. Astabula. Moline misschien. Een van die kleine industriele stadjes in het Midden-Westen. Zoals hij me in dat eerste gesprek vertelde, was hij 'een telg uit een klein zakelijk imperium' dat industriële sluitingen maakte. Ik vroeg hem wat dat voor dingen waren en hij zei lachend dat hij geen idee had, maar dat hij zich altijd een enorme rits ter grootte van een goederentrein voorstelde. Zijn overgrootvader had het geld verdiend, en Mickeys pa en ooms zaten alleen maar in de raad van commissarissen, golfden veel en deden goed werk voor de samenleving. Het schijnt dat er duizenden van zulke families in dit land zijn, afstammelingen van mensen die in de tijd dat er nog geen belastingen en globalisatie bestonden een fortuin vergaarden en dit behielden door het veilig te beleggen en zich niet over te geven aan verkwisting.

En natuurlijk kwam het gesprek toen op mij. Aangemoedigd door zijn eerlijkheid, en door mijn gevoel dat hij graag een interessante stedeling als huisgenoot wilde, vertelde ik hem dat ik een zoon was van Isaac Mishkin, bij de FBI en onder georganiseerde misdadigers van hier tot Las Vegas ook wel bekend als Izzy the Book, of soms als Izzy Numbers, een accountant en boekhouder die voor de maffia werkte. Zijn reactie had ik al veel vaker gehoord: 'Ik wist niet dat er joodse gangsters waren.' En dus vertelde ik hem over Murder Inc., Louie Lepke, Kid Reles en Meyer Lansky. Laatstgenoemde was trouwens pa's leermeester en mentor geweest. Het was geloof ik de eerste keer dat ik mijn familiegeschiedenis als gespreksonderwerp gebruikte, en het betekende dat er een eind was gekomen aan de schaamte waaronder ik mijn hele middelbareschooltijd gebukt ging. Waarom kon ik het wel allemaal aan Mickey vertellen? Omdat hij er duidelijk geen idee van had wat het allemaal betekende en het alleen maar als iets schilderachtigs zag, alsof ik in het circus of in een zigeunerwagen geboren was. En er was natuurlijk nog meer.

Mickey stelde de gebruikelijke vraag: 'Dus je bent joods?' Ik kon zien dat hij verbaasd was toen ik zei dat dat niet zo was.

Nu hoor ik het geluid van een motorboot op het meer, gebrom in de verte. Het is midden in de nacht. Niemand gaat 's nachts vissen. Of toch wel? Zelf vis ik niet. Misschien zijn er vissen die in het donker bijten, net als muggen. Misschien is nachtvissen net zoiets als ijsvissen, een onwaarschijnlijke sport die toch nog door vrij veel masochistische fanaten wordt beoefend. Of misschien zijn zij het.

Weer terug. Ik ben met mijn wapen in de hand naar buiten gegaan en heb staan luisteren, maar ik hoorde niets. Het moet een automatische motor zijn geweest die in een van de andere huisjes aansloeg. Er staan er hier enkele tientallen, ver uit elkaar, en nu, in de periode tussen de zomer en het wintersportseizoen, zijn ze zo te zien verlaten. Bovendien weet ik dat geluid ontzaglijke afstanden over water kan afleggen, vooral in zo'n kalme nacht. Ik had ook een zaklantaarn bij me en was zo dom hem aan te doen, zodat ik een volmaakt doelwit vormde voor iemand daar in het donker. Hoewel ze me niet zomaar zouden willen doodschieten, o nee, zo gemakkelijk zou het niet gaan. Het was zwaarbewolkt en voordat ik besefte hoe idioot het was wat ik deed, zag ik tot mijn schrik dat het zwarte meer de dunne straal helemaal opslokte. Ik vond dat benauwend, deprimerend, die zwakke lichtstraal die verloren ging in de immense duisternis. O, beluister ik hier een klein memento mori? Of heeft het alleen maar te maken met de extreme afzondering waarin ik momenteel verkeer?

Nu ik dit overlees, merk ik dat ik nog steeds verstrikt ben in het verre verleden. Als ik niet uitkijk wordt dit een soort *Tristram Shandy* en moet je een eeuwigheid wachten voor ik ter zake kom.

Maar om het samen te vatten: Mickey Haas hield van exotische dingen en die middag was ik hem daarin ter wille door hem wat meer over mijn persoonlijke geschiedenis te vertellen. Nee, ik was niet joods (er volgde een korte uiteenzetting over de matrilineaire afstammingsregel), want mijn moeder was katholiek en als in die tijd katholieken met niet-katholieken trouwden, werden ze geëxcommuniceerd, tenzij ze de kerk tevredenstelden, en dat hield vooral in dat ze zwoeren hun kinderen met het geloof op te voeden, en dat gebeurde dan ook met ons allemaal; met mijn oudere broer Paul, mijzelf en mijn zus Miriam, de jongste. We doorliepen het hele programma: doop, catechisatie, eerste communie, en wij jongens werden koorknaap. Natuurlijk vielen we allemaal van het geloof af, behalve Paul, al viel hij wel eerst met een dreun, tot hij weer opklom en zijn roeping kreeg.

En wat nog het mooiste was? Oké, weer een flashback, maar ik geloof wel dat ik tijd heb, want ik besefte opeens dat ze heus niet zo dom zijn om in deze duisternis op Lake Henry te gaan varen; en waarom zouden ze ook? Dat betekent dat ik de hele nacht heb. Hoe dan ook, stel je mijn vader voor, achttien jaar oud, gangster in opleiding uit Brooklyn, bookmaker in de dop. Helaas werd zijn carrière gedwarsboomd, want het was 1944 en hij werd opgeroepen voor dienst. Natuurlijk ging hij met zijn oproep naar de gangsterbazen, maar die zeiden dat hij moest gaan, tenzij hij wilde dat iemand een ijshaak in zijn oren sloeg, dwars door zijn trommelvliezen heen. Als hij dat laatste wilde, zouden ze hem graag van dienst zijn. Hij ging niet op die uitnodiging in.

Ongeveer een jaar later begint mijn vader als codeerman op het hoofdkwartier van het Derde Leger, een goede baan voor een sympathieke joodse jongen, altijd binnenshuis, nooit een vijandelijk schot in de buurt. Het is inmiddels maart 1945 en voor de Amerikaanse troepen in Europa is het prettige deel van de oorlog net begonnen. De Wehrmacht was in het westen al min of meer opgehouden met vechten en de Duitse legioenen sjokten gedwee de krijgsgevangenkampen binnen. De Amerikaanse soldaten ontdekten algauw dat er in ruil voor Amerikaanse sigaretten van alles te krijgen was – antiek, erfstukken, meisjes, onbeperkte hoeveelheden bedwelmende middelen – en pa had meteen in de gaten dat dit een unieke kans was om kapitaal te vergaren.

Hij was gestationeerd in Ulm, waar zijn officiële taak, het coderen van radioberichten, niet te veel van hem vergde. Zijn echte werk was de zwarte handel: het overhevelen van brandstof en voedsel uit legermagazijnen naar de hongerige burgereconomie. Het kostte hem geen moeite om een organisatie op te zetten, want in die tijd was er in Duitsland geen gebrek aan werkloze misdadigers. Die kerels hadden de nazi-insignes die ze twaalf jaar hadden gedragen gewoon weggegooid, en stonden nu open voor het ontplooien van criminele activiteiten die niet door de staat werden bevolen maar die op de vrije markt werden ontplooid. Pa kon hen natuurlijk aan denazificatiepapieren helpen en gebruikte zijn boekhoudkundig vernuft om zijn plunderingen te camoufleren. Hij zag er geen been in om de vroegere Gestapo bij zijn zakelijke activiteiten te betrekken. Het zal hem wel goed hebben gedaan dat die kerels zich als makke schapen door een jood lieten commanderen. Van tijd tot tijd leverde hij er heimelijk eentje aan de autoriteiten uit of, erger nog, aan het joodse verzet, dat in die tijd op wraak belust was. Dat hield de rest in het gareel.

Hoewel hij officieel in de kazerne van de hoofdkwartiercompagnie van het Derde Leger was ondergebracht, zat mijn vader het grootste deel van zijn tijd in een suite die hij in het Kaiserhof Hotel in Ulm had gehuurd. Nu is het een van de eigenaardigheden van mijn vader dat hij een openbare gelegenheid nooit door de gewone ingang binnengaat, maar altijd door een dienstingang. Ik denk dat hij dat heeft overgenomen van de gangsters uit de jaren veertig, die dezelfde gewoonte hadden, als ze bijvoorbeeld het Copa of het El Morocco binnengingen. Het kan iets met de veiligheid te maken hebben, of misschien deden ze het alleen omdat ze het kónden doen; wie zou hen tegenhouden? Hoe dan ook, toen hij op een avond in de winter van 1946 van een nachtclub terugkwam en het Kaiserhof via de keukendeur wilde binnengaan, zag hij mijn moeder daar buiten tussen straatkinderen en oude dames in de vuilnisbakken wroeten. Zoals gewoonlijk negeerde hij hen, en zij negeerden hem, op één persoon na, die haar hoofd uit de viezigheid opstak en zei: 'Geef me een sigaret, Joe.'

Hij keek, en daar was – slechts voor een deel verhuld door het vuil en de smerige lap om haar hoofd – dat gezicht. Ik heb foto's uit die tijd gezien en het is verbijsterend. Ze lijkt net een jongere Carole Lombard, blond en belachelijk geraffineerd. In de week daarvoor was ze zeventien jaar geworden. Natuurlijk gaf hij haar sigaretten, natuurlijk nodigde hij haar in zijn suite uit voor een bad, nylonkousen, schone kleren. Hij stond er versteld van. Hoe had dit wezentje het Duitsland van 1945 kunnen overleven zonder dat iemand haar had opgeëist? Een tijdje later, toen ze schoon en fris uit het bad kwam en in een roze zijden ochtendjas gehuld was, en hij op de gebruikelijke tegenprestatie aandrong, kwam hij erachter hoe. Ze had een pistool en richtte het vastbesloten op hem. Ze zei dat ze, oorlog of geen oorlog, een net meisje was, dochter van een officier, en dat ze al drie mannen had neergeschoten en dat ook met hem zou doen als hij een poging deed haar te onteren. Pa was stomverbaasd, gecharmeerd, gefascineerd. Per slot van rekening was het een tijd waarin je voor een pond suiker een gravin kon neuken. Het feit dat ze haar lichaam met succes had kunnen verdedigen tegen een massa rondzwervende ontheemden en ontsnapte gevangenen, plus de droesem van een verslagen leger, plus de troepen van drie zegevierende legers, wees op meer dan een gebruikelijke hoeveelheid lef.

Dus toen hij dat pistool zag ontspande hij. Ze dronken en rookten wat samen en wisselden, beiden nog tieners, hun levensgeschiedenissen met elkaar uit. Ze heette Ermentrude Stieff. Haar ouders waren dood. Haar vader, de officier, was in de zomer van 1944 gesneuveld, en haar moeder was in de laatste weken van de oorlog omgekomen door een afgedwaalde bom. Dat was in Regensburg geweest. Daarna had ze door de chaos tijdens de laatste dagen van het Reich gedwaald, met het koffertje dat ze in haar vakje in het ziekenhuis had bewaard. Mensen deden in die tijd verstandige dingen om ook onder de ergste omstandigheden niet alles kwijt te zijn. Soms trok ze met groepen vluchtende burgers mee en had dan twee dingen bij zich om vriendschappelijke contacten te leggen, afhankelijk van de aard van de groep. Het ene voorwerp was een gele jodenster; het andere was een smalle strook zwarte stof waarop de woorden DAS REICH geborduurd waren en die door de soldaten van de Tweede ss-Panzerdivisie om de linkermouw van hun uniform werd gedragen. Ze heeft pa nooit verteld hoe ze aan die gele ster kwam, maar die ss-band had ze van *Hauptsturmführer*-ss Helmut Stieff, haar vader, gevallen voor het vaderland in Normandië en, tussen haakjes, uiteindelijk ter aarde besteld op de begraafplaats bij Bitburg waar president Reagan in de jaren tachtig nog even in de problemen kwam.

Dit verhaal zegt iets over de slinksheid van mijn beide ouders, en ook over mijn eigen karakter, als je bedenkt dat ik Mickey Haas die middag in 113th Street vanwege deze hele geschiedenis op een etentje trakteerde om hem te amuseren of te imponeren. Het is typisch iets waarover veel mensen het liefst zouden zwijgen. Mijn moeder heeft die charmante ontmoeting trouwens altijd ontkend. Ze beweerde dat zij en pa elkaar op de dansvloer hadden ontmoet en dat ze hem een echte heer had gevonden. Ze had nooit in vuilnisbakken gewroet en nooit iemand doodgeschoten. Ze erkende dat haar vader ss-officier was geweest, maar ze wees ons kinderen ook zorgvuldig op het verschil tussen de Waffen-ss en de Allgemeine ss, die verantwoordelijk was voor de concentratiekampen. De Waffen-ss bestond uit dappere soldaten die tegen die afschuwelijke communistische Russen vochten.

Maar ik dwaal af. Wie kan het op dit moment ook maar iets schelen? Eigenlijk is er maar één punt van belang, namelijk dat de waarheid in de handen van mijn ouders altijd erg kneedbaar is geweest. Niet alleen het verre verleden was in het geding, ook waren ze het vaak hevig oneens over gebeurtenissen van de avond ervoor. Daardoor sta ik van jongs af cynisch tegenover historische feiten, en dat maakt de situatie waarin ik momenteel verkeer – het feit dat ik het slachtoffer dreig te worden van verschillende versies van vierhonderd jaar oude gebeurtenissen – bijzonder ironisch.

Hoe dan ook, we moeten nu zo'n twintig jaar in de tijd vooruit. Zoals ik al heb gezegd werd ik advocaat, gespecialiseerd in intellectueel eigendom, en het is Mickey gelukt om op bijna een steenworp afstand te blijven van de plaats waar we elkaar voor het eerst hebben ontmoet, want hij is hoogleraar Engelse literatuur aan het Columbia College. Mickey schijnt veel respect te genieten in kringen van literaire critici. Een paar jaar geleden was hij voorzitter van de Modern Language Association, en ik neem aan dat je dan wel iets hebt bereikt. Ook wordt zijn gezag, zij het niet altijd van harte, erkend door de meeste interpretatieve vorstendommetjes waarin de wereld van de literaire kritiek tegenwoordig verdeeld schijnt te zijn. Hij doet onderzoek naar de toneelstukken van William Shakespeare, en heeft zo Bulstrode leren kennen. Professor Bulstrode was gastdocent aan Columbia. Hij kwam van de universiteit van Oxford en was ook een Shakespearekenner. Het schijnt dat Bulstrode op een dag op Mickey af stapte en zei: 'Zeg, kerel, jij kent toch niet toevallig een advocaat die in intellectueel eigendom is gespecialiseerd, hè?' En Mickey meteen: 'Nou, toevallig wel.' Of zoiets.

Laat me teruggaan naar die dag. Het was 11 oktober, een woensdag, een beetje kil, waardoor je wist dat de zomer definitief voorbij was. Regen op komst. Mensen hadden regenjassen aan, ik ook. Ik zie mijn jas voor me, een geelbruine Aquascutum, hij hing aan een kapstok in de hoek van mijn kantoor, dat nogal klein is voor een kantoor van een partner, maar comfortabel genoeg. Ons gebouw staat aan Madison Avenue, met een nummer ergens in de vijftig, en door mijn raam kan ik een van de vermanende torenspitsen van de St. Patrick-kathedraal zien, een uitzicht dat zo ongeveer mijn enige band vormt met de religie van mijn jeugd. Mijn kantoor is op een onpretentieuze, vaag moderne manier ingericht en doet denken aan Jean-Luc Picards werkkamer in het ruimteschip Enterprise. Mijn diploma's en vergunningen hangen aan de muur, samen met drie foto's in chromen lijsten: een professioneel portret van mijn twee kinderen zoals ze er een paar jaar geleden uitzagen, en een van mij en mijn zoon Niko waarop ik met hem meedraaf terwijl hij leert fietsen, een vrij goede opname, gemaakt door zijn moeder. Het enige voorwerp in de kamer dat je ongewoon zou kunnen vinden is de derde foto, waarop je een grote jonge man met gemillimeterd haar ziet. Hij draagt een gewichthefferspak in de kleuren van de Amerikaanse vlag en houdt een brede, zware halter omhoog. De halter is zo zwaar dat hij aan beide uiteinden een beetje doorbuigt, want deze sportman behoort tot de gewichtsklasse van meer dan negentig kilo, de zwaarste, en hij heft meer dan tweehonderdveertig kilo. Tweehonderdtweeënveertig om precies te zijn. Die persoon ben ik, en de foto is gemaakt tijdens de Olympische Spelen in Mexico in 1968, toen ik deel uitmaakte van het olympisch team van de Verenigde Staten. Het was een zwaarder gewicht dan ik ooit met stoten omhoog had gekregen en het had me de bronzen medaille moeten opleveren, maar ik verprutste het stoten, en de medaille ging naar Joe Dube. Ik ben daarna altijd blijven trainen, op een lager niveau natuurlijk, maar ik kan nog steeds meer dan tweehonderd kilo boven mijn hoofd tillen.

Het is volslagen nutteloos om zoiets te kunnen, en juist daarom bevalt het me en ben ik er indertijd mee gestart. Toen ik tien was begon ik met een stel zelfgemaakte gewichten, en als scholier en student ben ik het altijd blijven doen. Momenteel ben ik iets meer dan een meter vijfentachtig en weeg ik om en nabij de honderdvijftien kilo. Mijn hals is vijfenveertig centimeter in omtrek, mijn borst honderddertig, en de rest past daarbij qua afmeting. Veel mensen beschouwen me als een dikke man, maar dat ben ik beslist niet. Sinds de opkomst van Arnold Schwarzenegger verwarren veel mensen gewichttraining om het lichaam te modelleren met competitief gewichtheffen. Het zijn twee totaal verschillende dingen. Gewichtheffers hebben bijna nooit een fraai gemodelleerd lichaam, wat trouwens meer te maken heeft met de afwezigheid van onderhuids vet dan met kracht. Elke serieuze gewichtheffer uit de hoogste gewichtsklasse kan Mr. Universe over zijn knie leggen en breken. Dat wil zeggen, in theorie: het is mijn ervaring dat grote, sterke mensen een mild karakter hebben, tenzij ze aan de steroïden zijn, en dat komt steeds meer voor, vrees ik. Maar ik blijf onsteroïdaal mild.

Ik merk dat ik weer afdwaal. Ik wilde alleen maar vertellen dat ik op die bewuste dag in mijn kantoor zat, een vrij eenvoudig kantoor dus. Die ochtend had ik een bespreking gehad over Chinese t-shirtpiraterij van een afbeelding op een rockalbum, een steeds vaker voorkomend onderdeel van de ie-praktijk. Bedaarde gesprekken, declarabele uren, het inschakelen van deskundigen en de delicate suggestie dat gerechtelijke procedures grotendeels tijdverspilling zijn in deze branche, want Chinese piraterij hoort er nu eenmaal bij als je zakendoet in onze gedegenereerde wereld. Na deze bespreking ging ik terug naar mijn eigen kantoor – het was twintig voor twaalf en ik keek al uit naar de lunch – maar toen ik langs het bureau van mijn secretaresse liep, sprak ze me aan. Mijn secretaresse is Olivia Maldonado, een zowel decoratieve als competente jonge vrouw. Veel mensen op kantoor hebben een oogje op haar, ikzelf incluis, maar het is hier bij Geller Linz Grossbart & Mishkin een ijzeren regel dat we niet met het personeel rotzooien; een regel waar ik volkomen achter sta. Het was bijna mijn enige geval van onthouding op dat terrein, en dom genoeg was ik er trots op.

Ik weet nog dat ze een kledingcombinatie droeg die mij bijzonder aanstond: een grijze, enigszins strakke rok en een roze truitje waarvan de bovenste twee knoopjes los waren. Parelgrijze knoopjes. Haar glanzende haar zat om haar hoofd gewonden en was vastgezet met een amberkleurige kam, zodat je een bruin schoonheidsvlekje kon zien onder aan haar hals. Ze had altijd vaag de geur van irissen om zich heen.

Er zat een man op me te wachten, zei ze; hij had geen afspraak. Kon ik hem ertussen wurmen? Een zekere meneer Bulstrode. Het gebeurt in ons vak niet vaak dat mensen zomaar binnen komen lopen – we zitten niet naast het politiebureau – en ik was nieuwsgierig.

Ik liep mijn kamer in en ging achter mijn bureau zitten. Even later liet Olivia de man binnen; hij had een aktetas bij zich. Bulstrode had zijn gezette lichaam in een driedelig bruinig pak van enigszins versleten tweed gehesen en droeg een bril met een schildpadden montuur op zijn kleine mopsneus. Een oude Burberry over zijn arm, goede wijnrode schoenen aan zijn voeten en een geruite pochet in zijn borstzak; dun, tamelijk lang tabakskleurig haar over de schedel gekamd, een tikje ijdel dus. Zijn gezicht was rood van het blozen vanaf de hals en over de wangen. Hij knipperde met zijn kleurloze ooghaartjes naar me toen we elkaar een hand gaven (zacht, vochtig). Ik dacht 'professor' en had dat goed gezien: hij stelde zich voor als Andrew Bulstrode, inderdaad hoogleraar en momenteel verbonden aan de universiteit van Oxford in Engeland en gastdocent op Columbia; professor Haas was zo goed me uw naam te geven...

Ik nodigde hem uit te gaan zitten en na het gebruikelijke praatje vroeg ik wat ik voor hem kon doen. Hij zei dat hij advies over intellectueel eigendom wilde. Ik zei dat hij daarvoor aan het juiste adres was. Hij vroeg of hij een hypothetisch geval aan me mocht voorleggen. Ik houd niet van hypothetische gevallen, want als cliënten daarmee komen, betekent het meestal dat ze gaan liegen over het echte geval. Toch knikte ik. Stel, zei hij, dat ik een manuscript van een literair werk ontdekte, een verloren gegaan literair werk. Wie zou daar dan de rechten op hebben? Dat hangt ervan af, zei ik. Auteur dood? Ja. Voor of na 1933? Daarvoor. Erfgenamen of rechthebbenden? Nee. Ik vertelde hem dat volgens de U.S. Copyright Revision Act van 1978 ongepubliceerde manuscripten die voor 1 januari 1978 zijn vervaardigd, van auteurs die voor 1933 zijn gestorven, sinds 1 januari 2003 tot het publieke domein behoren. Zijn gezicht betrok een beetje. Blijkbaar had hij een ander antwoord willen horen, bijvoorbeeld dat hij het auteursrecht kon verwerven op wat hij had ontdekt. Hij vroeg of ik toevallig wist welke wet daarop in Groot-Brittannië van toepassing was, en ik kon hem tot mijn genoegen mededelen dat ik dat wist, want onze firma houdt zich bezig met zaken aan weerskanten van de Atlantische Oceaan. Ik vertelde hem dat Groot-Brittannië schrijvers vriendelijker gezind was dan de Verenigde Staten: de auteur had een onbegrensd auteursrecht op ongepubliceerd werk. Als het werk werd gepubliceerd of op het toneel werd uitgevoerd, bleef het auteursrecht vijftig jaar na die eerste publicatie of uitvoering bestaan. Omdat de auteur in dit geval dood was, ging ik verder, zou het auteursrecht vijftig jaar blijven bestaan vanaf het kalenderjaar waarin deze bepaling van de Copyright Act van 1988 van kracht was geworden, dat wil zeggen, vijftig jaar vanaf 1 januari 1990.

Nu knikte hij en vroeg naar de eigendom: wie bezat het auteursrecht op een ongepubliceerd manuscript van een overleden auteur? Ik legde uit dat volgens het Britse erfrecht het auteursrecht aan de kroon vervalt, ten-zij er testamentair over is beschikt. Ik mag dat trouwens graag zeggen, de kroon. Ik zie koningin Elizabeth dan voor me die van pret in haar handen wrijft als het geld binnenstroomt, en de corgi's die keffend om al die blin-kende guinea's heen rennen.

Dat wilde hij evenmin graag horen. Dat kon toch niet zo zijn? zei hij. Wie iets vindt mag het toch houden? Hebben is hebben en krijgen is de kunst?

Daarop antwoordde ik dat die gezegden best waar konden zijn, maar dat hij, als hij zo'n werk zou publiceren of uitvoeren, erop kon rekenen dat hij de kroon achter zich aan kreeg. Als hij het in de Verenigde Staten publiceerde of uitvoerde, zou het hem grote moeite kosten zijn auteurs-recht tegen openlijke piraterij te beschermen. En wilde hij nu het hypo-thetische geval laten varen en me vertellen wat er aan de hand was?

Ik zei dat op een manier alsof ik hem een goede dag wenste als hij niet bereid was me meer tegemoet te komen. Hij dacht even in stilte over mijn verzoek na, en ik zag dat er zich zweetdruppeltjes hadden verzameld op zijn voorhoofd en bovenlip, hoewel het koel was in mijn kantoor. Op dat moment dacht ik dat hij misschien ziek was. Het kwam niet bij me op dat hij doodsbang was.

Ik zit lang genoeg in dit vak om te merken of een cliënt de waarheid spreekt of niet, en professor Bulstrode behoorde duidelijk tot de laatste categorie. Hij zei dat hij in het bezit was gekomen (dat is een uitdrukking waarvan mijn nekhaartjes altijd overeind gaan staan) van een document, een manuscript uit de zeventiende eeuw, een persoonlijke brief van een zekere Richard Bracegirdle aan zijn vrouw. Hij dacht dat het manuscript echt was en dat het gewag maakte van het bestaan van een zeker literair Werk dat van enorm belang kon zijn voor de wetenschap: een Werk waar-van niemand ooit iets had vermoed. Alleen al dit manuscript was genoeg om een heel onderzoeksterrein op te zetten, maar als iemand Het Werk zelf in bezit zou hebben…

Toen hij Het Werk zei, hoorde ik de hoofdletters, en daarom heb ik ze hier ook gebruikt.

Wat is Het Werk? vroeg ik.

Nu aarzelde hij en vroeg naar de geheimhouding tussen advocaat en cliënt. Ik legde uit dat ons gebruikelijke voorschot vijfentwintighonderd dollar was en dat, als ik zijn cheque eenmaal in handen had, geen macht ter wereld ook maar iets uit me los kon krijgen over een gesprek tussen hem en mij, behalve als hij me vertelde dat hij op het punt stond een mis-drijf te plegen. Toen ik dat had gezegd, haalde hij een in leer gebonden chequeboek tevoorschijn, schreef de cheque uit en gaf hem aan mij. Hij vroeg of we een kluis in ons kantoor hadden. Ik zei dat we afgesloten, ge-pantserde, brandvrije kasten hadden. Dat was niet goed genoeg. Toen zei ik dat we een regeling hadden met de Citibank onder ons kantoor, een groot safeloket. Hij maakte zijn aktetas open en gaf me een zorgvuldig met tape dichtgeplakte, bruine envelop. Zou ik die tijdelijk voor hem wil-len bewaren?

Daar is dat motorgeluid weer.

DE BRIEF VAN BRACEGIRDLE (1)

Banbury, 25 oktober Anno Domini 1642

Mijn dierbare echtgenote mogen de zegeningen van de almachtige God u & onze zoon ten deel vallen. Wel Nan ik ben gedood gelijk ge voorzegde & ik smeek u prudent te zijn met uwe voorzeggingen opdat men u niet voor een heks zal houden, want ik ben door het gedarmte geschoten met een kogel in mijn ruggengraat stekende althans dat verklaart de chirurgijn alhier; hij heet Tolson & is een ware Christen: Tom Cromer mijn matrosse ge zult u hem herinneren een goede trouwe jongen zij het vluchtende in de strijd keerde weer & mij tussen de gevallenen vindende & een paard vindende, bracht mij alhier in de stede Banbury. De heer Tolson verschaft mij onderdak voor twee shilling per dag een goede prijs in deze tijden maar hij zegt mijn geval is zodanig dat ik nimmer zelfs maar een shilling zal betalen & derhalve schrijf ik mijn laatste woorden voordat ik ten hemel zal rijzen of (waarschijnlijker) naar de vurige hel zal dalen, gelijk mijn overtuiging is want ik ben niet een der uitverkorenen. Maar het is in Gods handen & ik lever mij uit aan Zijn genade.

Het is als volgt voorgevallen. Ge weet dat we des nazomers uit Londen marcheerden met het geschut van mijn Heer Essex' leger, de Koning hebbende het Parlement zijn rechten ontzegd & hebbende zijn macht tegen zijn eigen volk uitgeoefend teneinde hun vrijheden te verpletteren. In Northhampton vernemende dat de Koning zich in Worcester bevond & zich zuidwaarts begaf, trachtten wij ons te spoeden om onze legers tussen hem & Londen te brengen. Daarin faalden wij bij gebrek aan vaart & onze legermacht was nu verspreid over het land: echter vernemende dat de Koning van zins was Banbury aan te vallen schaarden wij ons wederom aaneen & stelden wij ons op ten noorden van die stad in de nabijheid van de plaats Kineton & en daar trok de Koning tegen ons ten strijde.

Nu weet ge Nan dat Oorlog is gelijk het spel dat kinderen met papier, steen en vuur spelen: papier bedekt steen, et cetera & de figuur die ik beoog is als volgt – paarden kunnen zegevieren over kanonnen, want al lossen wij een salvo, zij zijn bij ons alvorens wij nogmaals kunnen vuren. Voetvolk vermag paarden te verslaan, want de ruiters tarten de muur der pieken niet, zodat uw voetsoldaten de kanonnen moeten bewaken: de kanonnen kunnen de piekbataljons des vijands in wanorde brengen, zodat de paarden hen kunnen naderen. Derhalve is het de kunst der generaals om allen te doen samenwerken. Aldus stelden wij onze batterij op & weerden ons duchtig die ochtend hebbende meer kanonnen dan de koninklijken & lossende een schot op des Konings gezelschap maar missende de dracht hetgeen spijtig was maar konden hem onder het koninklijk banier zien & Prins Rupert mitsgaders anderen van zijn gevolg. Wij werden ter voorzijde beschermd door sir Nicholas Byrons troepen zijnde de laatsten aan de linkerflank van onze troepen onze flank rustende op een heg en enig woud.

Vervolgens trokken des Konings ruiters ter onzer rechterzijde ten aanval & wij zagen de rook & vliegende vaandels & onze rechterzijde werd achterwaarts gedreven, onze linkerzijde daarheen verwezen, hetgeen zeer gebruikelijk is in de strijd & een wijze remedie. Evenwel deze kerels zijn weinig geschoold in de krijg & zij verplaatsten zich & aldus kwam onze linkerflank los van de heggen & hing in de lucht. Wel Nan het was nimmer goede praktijk om een flank aan Rupert van de Rijn bloot te stellen. Ge weet goed ik heb gezeid het zijn gemeenlijk malloten die de Koning dienen maar niettemin zijn het cavaliers & al wat zij kunnen is ten aanval gaan met zwaard en pistool: aldus met grote strijdkreet deden zij dit. Zij troffen ons deerlijk & rolden ons voetvolk op gelijk laken & toen waren zij bij de kanonnen. Ik griste een hellebaard & maakte mij op om mijn stuk te verdedigen (want schoon de kanonnen geen vaandels dragen en derhalve geen eer hebben, zoude ik mij schamen indien mijn stukken voetstoots genomen werden) maar een cavalier hield halt & schoot met zijn karabijn op mij & ik viel & lag daar geheel de dag, niet bij machte mijn benen te voelen of te bewegen tot bij het naken der duisternis de jonge Tom mij vond & mij droeg tot waar ik nu ga sterven. Nog immer weet ik niet wie de zege heeft behaald.

U nu schrijvende is dat het leste op aarde hetgeen ik doe & me dunkt schoon God mij niet riep teneinde onder de groten te verkeren, ben ik niettemin een man en geen kinkel & mijn verhaal mag worden ver-

teld, ware het slechts ten behoeve van mijn zoon, die nu tot manheid moet komen zonder zelfs het povere voorbeeld dat ik wellicht had kunnen verschaffen.

2

Op de dag van de kleine brand, de brand die zijn leven veranderde, zat Albert Crosetti zoals gewoonlijk in het souterrain te werken. Daardoor was hij de eerste die er iets van merkte. Hij zat daar omdat Sidney Glaser Rare Books zijn computers in het souterrain had staan. Glaser hield niet van die apparaten en ergerde zich er mateloos aan dat je ze tegenwoordig niet meer kon missen als je de kost wilde verdienen in de boekenbranche. Hij bood zijn schatten liever persoonlijk aan, in een goed verlichte, gelambriseerde ruimte met vloerbedekking, zoals de toonzaal van zijn winkel. Niettemin had hij zich enige jaren geleden, toen hij een verkoper zocht, bij de realiteit neergelegd en alle kandidaten gevraagd of ze genoeg van computers wisten om een internetcatalogus op te zetten en te onderhouden. Vervolgens had hij de eerste niet-roker aangenomen die deze vraag bevestigend had beantwoord. Dat was Albert Crosetti, destijds vierentwintig jaar oud. Crosetti kwam uit Queens en woonde daar nog steeds bij zijn moeder in een bakstenen bungalow in Ozone Park. Zijn moeder, een weduwe, was tot haar pensioen onderzoeksbibliothecaresse geweest, en hij had een goede relatie met haar, die nauwelijks te lijden had van freudiaans gekrakeel. Crosetti hoopte ooit films te kunnen maken en spaarde om naar de beroemde filmopleiding van de New York University te gaan. Hij had aan Queens College gestudeerd en was binnen een maand na de diploma-uitreiking voor Glaser gaan werken. Hij was blij met zijn baan; de werktijden waren regelmatig, het salaris was redelijk, en hoewel Glaser een beetje gek was als het op oude boeken aankwam, besefte de oude man dat hij het met Crosetti goed had getroffen en liet hij hem met weinig toezicht zijn gang gaan met het internetbedrijf en alle daarmee verbonden elektronische ballast.

Zijn werkruimte bestond uit een nis waarvan de muren in beslag werden genomen door planken, vitrinekasten en kisten, allemaal vol boeken. Hier beheerde hij de onlinecatalogus aan de hand van lijsten die Glaser met zijn vulpen had opgesteld, in het fraaie handschrift uit vroeger tijden. Crosetti hield ook de inventaris up-to-date en ging de websites af waarop bibliofielen uit de hele wereld om bepaalde boeken verzochten. Die verzoeken drukte hij af voor Glaser. Verder verpakte en verzond hij boeken en verrichtte hij andere werkzaamheden die met de handel te maken hadden. Hij kwam bijna nooit boven in de toonzaal, waar bedaarde, goed geklede mensen oude boekwerken zo zorgvuldig en voorzichtig ter hand namen dat het leek alsof het om pasgeboren baby's ging.

Het enige onaangename aspect van dit werk was de stank, veroorzaakt door de combinatie van oude boeken, muizen, het gif om die diertjes te bestrijden, de afvoeren, de verf, en onder dat alles – als een bastoon van de reuk – de stank van bakvet. Deze laatste geur kwam van het etablissement naast hen, het Aegean, een zaak zoals je ze in het centrum van New York veel zag. 's Morgens verkochten ze Deens gebak, toast, eieren en slappe koffie, en rond het middaguur sandwiches, gebakken substanties en koolzuurhoudende dranken. Op deze mooie dag in juli was het middaguur net voorbij, en Crosetti dacht erover om zijn werk aan de website te onderbreken en een lunchpauze te nemen. Hij kon ook doorwerken en het Aegean bellen om een sandwich te laten bezorgen.

Of hij kon de lunch overslaan. Hij dacht vaak dat hij via zijn longen waarschijnlijk al genoeg calorieën van het Aegean binnenkreeg, vooral in de vorm van vet. Crosetti deed niet aan sport en hield van de kookkunst van zijn moeder. Er hing een dun zwembandje om zijn middel, en als hij bij het scheren in de spiegel keek, zag hij een gezicht dat vleziger was dan hem lief was. Hij dacht erover om de verkoopster uit de winkel, Carolyn Rolly, te vragen met hem mee te gaan, vooropgesteld dat ze van stoffen leefde die meer substantie bezaten dan de lucht die uit oude boeken opsteeg. Ze lunchte wel eens met Glaser, wist hij. Dan sloten ze de winkel en gingen ze uit, terwijl Crosetti beneden zat te zwoegen. Hij liet die fantasie even tot leven komen maar riep zichzelf toen tot de orde. Rolly was een boekenmens, en als het erop aankwam was hij dat niet, al had hij door zijn computerwerk veel over de boekenbranche geleerd (prijzen en voorwaarden en dergelijke). Als je pornobladen en -films als norm nam, was ze geen schoonheid. Ze was lang genoeg, maar wat steviger gebouwd dan momenteel de mode was. Crosetti had ergens gelezen over vrouwen die er zonder kleren beter uitzagen dan met, en hij dacht dat Rolly zo'n vrouw was. In elk geval was ze met kleren áán niet bijzonder om te zien: net als ieder ander droeg ze zwart.

Toch had ze iets wat de aandacht trok. Haar glanzende, gladde, donkere haar hing tot in haar nek en werd met een zilveren klem uit haar gezicht gehouden. Haar neus was spits en leek meer dan het gebruikelijke aantal botjes te hebben, zodat hij kleine vreemde rimpels vertoonde.

Haar lippen waren onmodieus dun en bleek, en als ze sprak zag je dat haar tanden ook vreemd waren. Vooral de snijtanden waren lang en zagen er gevaarlijk uit. Haar ogen waren belachelijk blauw, zoals (duh!) de hemel in de zomer, met, vond hij, onnatuurlijk kleine pupillen. Crosetti mocht dan geen boekenmens zijn, hij was wel een lezer, vooral van romans in de fantasy- en sciencefictionsfeer, en soms speelde hij met het idee dat Rolly een vampier was; dat zou de donkere kleren verklaren en haar uitstraling, die tanden… maar dan wel een vampier die overdag tevoorschijn kwam.

Hij kon haar uitnodigen om te gaan lunchen en het dan vragen. Dan hadden ze meteen een gespreksonderwerp, want hij zou niet weten waar ze het anders over konden hebben. Ze werkte al in de winkel toen Crosetti daar begon, en in de loop van de jaren hadden ze nooit meer dan enkele formele zinnen gewisseld. Omdat ze op de fiets naar haar werk kwam, zou ze wel ergens in de buurt wonen, waarschijnlijk in Murray Hill. En dat betekende dat ze geld had, want van het salaris dat Glaser betaalde kon je daar niet wonen. Het was Crosetti's ervaring dat jonge, aantrekkelijke, rijke vrouwen uit Manhattan niet naar enigszins dikke, bij hun moeder in Queens wonende Italiaanse mannen hunkerden. Aan de andere kant was Rolly misschien een uitzondering; je kon nooit weten…

Crosetti werkte aan een bijzonder lastig stukje HTML toen die prettige gedachten bij hem opkwamen. Hij dacht aan Rolly's ogen, de elektrische lading in haar blik waardoor hij naar meer oogcontact verlangde dan hij meestal kreeg. Zijn gedachten werden zozeer door die ogen en het computerwerk in beslag genomen, dat het even duurde voor hij merkte dat de baklucht ongewoon sterk was geworden en dat het niet meer alleen om een geur ging, maar ook om rook. Hij stond op, inmiddels een beetje hoestend, en liep naar de achterkant van het souterrain, zodat hij tegenover de muur stond die het souterrain van de boekhandel scheidde van het restaurant. De rook was hier dichter. Hij kon de roetzwarte slierten zelfs door de barsten in het oude metselwerk zien komen. En de muur voelde warm aan toen hij zijn hand ertegen hield.

Vlug ging hij de houten trap op naar de winkel. Die was verlaten en het bord met de kartonnen TERUG OM-klok hing op de deur, want het was lunchtijd en Glaser trakteerde zijn beschermelinge blijkbaar op een hapje eten. Crosetti liep de straat op en zag een kleine menigte voor de ingang van het Aegean staan. Uit de deur van het restaurant kwamen vettige, grijze rookpluimen. Hij vroeg een van de omstanders wat er aan de hand was. Brand in de keuken, zei de man. Nu hoorde hij sirenes. Een politiewagen kwam aanrijden en de agenten drongen de menigte terug. Crosetti ging de winkel weer in en liep de trap af. De rook was nu erg dicht, verstikkend en met een misselijkmakende bijsmaak van oud vet. Crosetti haalde zijn backup-cd uit de computer en rende toen naar boven, recht op de afgesloten vitrinekast af waarin de waardevolste boeken werden bewaard. Glaser had natuurlijk de sleutel, en na een korte aarzeling trapte Crosetti de ruit in. Het eerste wat hij pakte was *History of the Indian Tribes of North America* van McKenney en Hall, drie boeken in folioformaat, het pronkstuk van de winkel. Hij haalde ze uit de kast en legde ze op de tafel. Daarbovenop legde hij de drie delen van *Pride and Prejudice*, eerste druk, en toen de *Leaves of Grass*, ook een eerste druk. Er lag nu een stapeltje met een detailhandelswaarde van een kwart miljoen dollar. Hij pakte de boeken op, liep naar de deur, bleef staan en vloekte hartgrondig, want hij herinnerde zich dat de pas binnengekomen *Voyages* van Churchill nog beneden lag. Besluiteloos bleef hij staan: de boeken redden die hij in zijn hand had of naar beneden gaan om de *Voyages* te halen?

Nee, hij moest weer naar beneden. Hij legde de boeken terug op de tafel, maar toen hij bij de trap naar het souterrain was aangekomen, greep een krachtige hand de achterkant van zijn jasje vast en vroeg iemand waar hij verdomme dacht heen te gaan. Het was een grote brandweerman met een rookmasker, blijkbaar ook geen boekenmens, al mocht Crosetti de drie kostbare titels uit de vitrinekast mee naar buiten nemen. Toen Glaser en Rolly terugkwamen, stond de jonge verkoper buiten de politie-afzetting op het trottoir, hijgend, vuil, de boeken tegen zijn borst gedrukt. Glaser zag wat zijn medewerker vasthad en vroeg: 'En de Dickens?'

Hij bedoelde de editie uit 1902 met extra aquarelillustraties van Kyd en Green. Zestig delen. Crosetti zei dat het hem speet. Glaser wilde langs een paar agenten dringen, maar ze hielden hem tegen, grepen hem vast, schreeuwden tegen hem, en hij kwam terug.

Rolly keek op naar Crosetti en vroeg: 'Heb je de Churchill uit het souterrain mee kunnen nemen?'

'Nee. Dat was ik van plan, maar het mocht niet.' Hij vertelde over de grote brandweerman.

Ze snoof de lucht op. 'Alles daarbinnen ruikt straks naar mislukte patat. Maar je hebt tenminste de *Indian Tribes* gered.'

'En Jane en Walt.'

'Ja, die ook. Sydney dacht dat je niets van boeken wist.'

'Alleen wat ze kosten,' zei hij.

'Ja. Vertel eens. Als die brandweerman er niet was geweest, zou je dan de vlammen in zijn gerend om de *Voyages* te redden?'

'Er waren geen vlammen,' zei hij bescheiden. 'Althans, nauwelijks.' Ze glimlachte voor de allereerste keer naar hem, de grijns van een jonge wolf met ontblote tanden.

De volgende dag maakten ze de balans op en constateerden ze dat de toonzaal en de inhoud daarvan er goed vanaf waren gekomen, afgezien van wat rookschade en de stank. Het bleek dat er in de keuken van het restaurant naast hen een gat in de vloer zat, en dat de koks in de loop van de jaren steeds vet in dat gat hadden gegoten als het voor vet bestemde vat vol was of als ze het te druk hadden of te lui waren om het spul ergens heen te brengen waar het thuishoorde. Al dat vet had zich opgehoopt in de kelder, tussen de muren, en was tot ontbranding gekomen. Om een eind aan de brand te maken had de brandweer een gat in de tussenmuur geslagen, en als gevolg daarvan was een groot deel van de inhoud van hun souterrain verloren gegaan door hitte, instorting en water. De kist met de zes delen van de *Collection of Voyages and Travels* van Awnsham en John Churchill (de editie uit 1732) had helaas het meest van de instorting van de muur te lijden gehad. Die boeken lagen nu op een werktafel te midden van de ravage. Om de tafel heen stonden Glaser, Crosetti en Rolly. Ze leken net rechercheurs die naar een moordslachtoffer keken, of beter gezegd, de twee jonge mensen leken op rechercheurs en Glaser leek op de moeder van het slachtoffer. Voorzichtig streek hij met zijn vingers over het geplette, doorweekte en zwart uitgeslagen kalfsleren omslag van deel één.

'Ik weet het niet,' zei hij met een zachte, krakende stem. 'Ik weet niet of het zelfs de moeite waard is. Wat een kolossaal verlies!'

'Waren ze niet verzekerd?' vroeg Crosetti. Ze keken hem allebei vol walging aan.

'Natuurlijk waren ze verzekerd,' antwoordde Glaser nuffig. 'Daar gaat het niet om. Dit is waarschijnlijk het beste stel van Churchill 1732 op de hele wereld. Of dat wás het. Deze boekdelen stonden in de bibliotheek van een van de minder belangrijke Godolphins, waarschijnlijk nooit aangeraakt en nooit gelezen vanaf het moment waarop ze werden afgeleverd tot de opheffing van de bibliotheek na de dood van de laatste erfgenaam in 1965. Daarna zijn ze bijna veertig jaar van een Spaanse industrieel geweest, tot ik ze vorige maand op een veiling kocht. Ze verkeerden in perfecte staat, geen spoor van slijtage of verkleuring of... ach, laat maar. Niet meer te herstellen. We moeten ze uit elkaar halen voor de kaarten en illustraties.'

'O nee!' riep Rolly uit. 'Ze zijn toch wel te restaureren?'

Glaser keek haar over zijn bril met dikke halve glazen aan. 'Nee, dat zou gewoon niet economisch verantwoord zijn; niet als je nagaat wat de restauratie zou kosten en wat we voor een opnieuw gebonden en bewerkt stel zouden krijgen.' Hij zweeg even en schraapte zijn keel: 'Nee, ik ben bang dat we ze uit elkaar moeten halen.' Zijn toon was die van een oncoloog die 'melanoom fase vier' zei.

Glaser slaakte een heel diepe zucht en wuifde zwakjes met zijn handen, alsof hij muggen wegjoeg.

'Caro, ik laat het aan jou over. Doe het vlug, voordat de schimmel komt opzetten.' Hij schuifelde naar zijn kantoortje.

'Hij wil dat je de boekdelen uit elkaar haalt?' vroeg Crosetti.

'Het is geen moeilijk werk, maar we moeten ze wel drogen,' antwoordde ze met een peinzende blik. 'Weet je, ik heb daar hulp bij nodig.' Blijkbaar merkte ze hem weer op. Ze kreeg nu ook een smekende blik in haar ogen, een blik die hem wel beviel. Hij deed alsof hij zocht naar iemand die achter hem stond en zei toen: 'O, ik niet! Joh, ik ben gezakt voor vingerverven. Ik kon niet eens binnen de lijntjes kleuren.'

'Nee, hiervoor werk je met keukenpapier. Dat drogen moet dag en nacht doorgaan, misschien wel dagenlang.'

'En ons werk?'

Ze gebaarde vaag om zich heen. 'Deze winkel gaat toch een maand dicht. Zo lang zijn ze wel bezig met opknappen. En jij kunt het internetbedrijf toch vanaf elke computer runnen?'

'Ik denk het wel. Waar ga je het doen?'

'Bij mij thuis. Ik heb veel ruimte. Laten we gaan.' Ze zette twee van de folianten op haar heup.

'Je bedoelt nu?'

'Natuurlijk. Je hebt gehoord wat Glaser zei: hoe eerder we beginnen, des te minder vochtschade is er. Ga de rest halen. We verpakken ze in papier voor onderweg.'

'Waar woon je?' vroeg hij, terwijl hij de verwoeste boekdelen tegen zijn borst drukte.

'In Red Hook.' Ze stond al bij de verzendtafel en trok bruin papier van een grote rol.

'Kom je op de fiets uit Red Hook?' Crosetti was nooit in Red Hook geweest, een wijk aan de zuidoostelijke kust van Brooklyn, achter wat vroeger Brooklyns haven was. Er waren geen metrostations in Red Hook, want in de tijd voordat de havenindustrie naar New Jersey verhuisde, werkte iedereen daar aan de waterkant en gingen ze lopend naar hun werk. En buitenstaanders hadden geen enkele reden om erheen te gaan, tenzij ze hun schedel ingeslagen wilden hebben.

'Nee, natuurlijk niet,' antwoordde ze terwijl ze deel zes inpakte. 'Ik fiets naar de pier van 34th Street en neem daar de watertaxi.'

'Dat is toch heel duur?'

'Ja, dat is het, maar ik betaal niet veel huur. Je kunt dat deel beter in plastic verpakken.' Crosetti keek naar het boek dat hij in zijn handen had. Er was wat roetig vocht uit gesijpeld dat op zijn lichtbruine broek terechtgekomen was. Voor het eerst had hij er spijt van dat hij niet helemaal in het zwart gekleed was, zoals veel van zijn hippere leeftijdgenoten, of zoals Carolyn. Ze excuseerde zich en ging naar boven. Het verpakken van de rest van de boeken liet ze aan hem over.

Toen dat was gebeurd, vertrokken ze met zijn tweeën in oostelijke richting, met hun last in de draadgazen manden aan Rolly's fiets, een zwaar, oud rijwiel van het type dat populair was onder slagersjongens en, jaren geleden, de Vietcong. Omdat zijn nieuwe pogingen tot conversatie alleen korte antwoorden opleverden, deed hij er maar het zwijgen toe. De boodschap was duidelijk: we hebben geen date, jochie. Aan de andere kant was het een tamelijk mooie dag met een temperatuur boven de vijfentwintig graden en de luchtvochtigheid nog niet tropisch, en het was zelfs met een zwijgende Carolyn Rolly veel leuker om door de stad te lopen dan de balans op te maken in een naar vet stinkend souterrain. Crosetti keek hoopvol uit naar wat er in het appartement van de vrouw zou kunnen gebeuren.

Hij was nooit met een watertaxi geweest. De overtocht beviel hem veel beter dan een ritje met de metro. Rolly maakte haar fiets aan een stang voor op de boot vast en bleef ernaast staan, en hij stond weer naast haar, met zijn hand op dezelfde stang. De andere mensen in de boot leken toeristen.

'Gaat het?' vroeg Rolly toen ze over het midden van de East River deinden.

'Natuurlijk. Ik ben een oude zeerob. Als kind was ik de helft van de tijd met gammele huurbootjes op Sheepshead Bay aan het vissen. Zal ik je buiten de boeg laten hangen, zoals Kate Winslet op de Titanic?'

Ze keek hem met dat stalen gezicht van haar aan en richtte haar blik weer naar voren. Beslist geen date.

Carolyn Rolly woonde op de eerste verdieping van een zwart uitgeslagen bakstenen pakhuis uit de tijd van de Burgeroorlog, op de hoek van Van Brunt Street en Coffey Street. Crosetti hield de boekdelen in zijn armen terwijl zij haar fiets over de donkere, splinterige trap naar boven tilde. Er hing een zware lucht die hij niet kon thuisbrengen, zoet en chemisch tegelijk. Het appartement had een zware, houten deur beslagen met ijzer en grijs als een oorlogsschip.

Het bleek een zolderappartement te zijn, maar niet van het soort dat miljonairs in SoHo bewonen. Het was een ruimte van twintig bij tien meter, met donker gebeitste vloerplanken vanwaaruit ijzeren pilaren naar het grijze tinnen plafond reikten, hoog boven de vloer. De muren waren van rode baksteen met ruwe randen en afbrokkelend, vuil cement. De kamer had een kant op het oosten en een op het westen, en het licht viel aan beide kanten door de hoge vuile ramen naar binnen. Sommige ruitjes waren vervangen door triplex of grauwe, gehavende plastic plaatjes.

Rolly zette haar fiets naast de deur tegen de muur, liep naar het raam en legde een van de pakketten op een lange tafel. Crosetti volgde haar. Hij keek nieuwsgierig om zich heen, op zoek naar een deur of gang die naar het woongedeelte leidde. Rolly pakte al een boek uit. Toen hij dichterbij kwam, zag Crosetti dat de tafel handgemaakt was en dat het blad uit een groot aantal korte, met elkaar verlijmde plankjes bestond die vervolgens waren geschuurd en met licht glanzende lak waren afgewerkt. De zes stevige poten waren zo te zien van geel fiberglas. Hij legde de rest van de boeken erop. De tafel voelde net zo stevig aan als een plaat marmer en bezat de eenvoudige elegantie van het soort dingen dat je in designwinkels zag.

Ze pakte de boeken uit en legde ze naast elkaar op de tafel. Zelfs hij kon zien dat twee van de delen onherstelbare schade aan het omslag hadden opgelopen.

'Mooie flat,' zei Crosetti, toen duidelijk werd dat Rolly geen gesprek zou beginnen en hem ook geen thee of bier zou aanbieden. Geen reactie. Ze stond over het verwoeste omslag van deel één gebogen.

'Wat is dat voor lucht?' vroeg hij.

'Vooral mout. Dit gebouw is ongeveer honderd jaar lang een brouwerij geweest en in die tijd sloegen ze hier chemicaliën op.'

'Mag ik wat rondkijken?'

Rolly antwoordde: 'Er ligt een groot pak keukenpapier op die planken daar aan de muur aan de zuidkant. Haal dat eens op.'

Crosetti nam de tijd. Hij maakte een rondgang door de immense ruimte. In een hoek vond hij stapels houten pallets, tientallen, en ook stapels planken die van pallets afkomstig waren. De muur aan de zuidkant werd bijna compleet in beslag genomen door planken en kasten die van dat hout gemaakt waren. Het was glad geschuurd, gebeitst en gelakt. De planken stonden vol boeken, allemaal gebonden, de meeste met een stofomslag, sommige met een plastic omslag. Hij zocht vergeefs naar persoonlijke bezittingen, ingelijste foto's, souvenirs.

De werkoppervlakken in de keuken (die uit een dubbele kookplaat, een kleine magnetron en een porseleinen gootsteen met stukjes eruit bestond) waren gemaakt van dezelfde verlijmde, strak gelamineerde planken als de grote werktafel, maar met een dikke laag amberkleurige hars. Langs de muur aan de oostzijde stond een veldbed van pallets, met een opgerold slaapmatje erop. Hij zag ook een tafel die van een kabelspoel was gemaakt en twee van het soort stoelen dat je op vuilnisbelten vindt, bekwaam gerestaureerd en roomwit geverfd. Een stoel voor haar en een voor een bezoeker? Dat wees op een sociaal leven en hij vroeg zich af met wie. In de zuidoostelijke hoek was een gedeelte afgescheiden, eveneens met pallethout; vermoedelijk haar toilet. Er stond een grote gehavende kleerkast tegenaan, aan het oog onttrokken door een kamerscherm van verlakt hout en decoupagepapier. Interessant; ze woonde alleen maar had wel een kamerscherm gemaakt. Dat wees op seksuele activiteit.

Hij wilde net een blik achter dat scherm werpen toen Rolly geërgerd iets naar hem riep. Hij vond het sixpack keukenpapier en ging terug naar haar. Om de tien bladen van de vochtige boekdelen moesten twee vellen keukenpapier worden gelegd, en dat papier moest elk uur worden vervangen. Terwijl ze droogden, werden de natte boeken plat op de werktafel gelegd. Ze legden er stalen platen, met doek omwonden, bovenop om te voorkomen dat ze opzwollen.

'Wat ik niet begrijp,' zei Crosetti toen de boeken allemaal van papier en gewichten waren voorzien, 'is waarom je het hele stel boeken droogt als je er alleen maar kaarten en illustraties uit wilt halen. Je kunt toch ook het goede spul er gewoon uithalen en de rest weggooien?'

'Omdat dit de goede manier is om het te doen,' zei Rolly na een korte aarzeling. 'De platen zouden kromtrekken als je ze er nat uithaalde.'

'Ik begrijp het,' zei hij. Hij begreep het helemaal niet, maar zag de jonge vrouw nu in een heel nieuw en niet erg aantrekkelijk licht. Hij ging op een kruk zitten en bekeek haar van opzij. 'Dit... is interessant,' zei hij. 'Boeken droog zien worden. Ik geloof niet dat ik dat ooit eerder heb gedaan. Misschien kun je me op de hoogtepunten wijzen, dan mis ik niets.'

Hij keek haar grijnzend aan en werd beloond met een azuurblauw vonkje in haar ogen, waarbij ze haar mond hield als iemand die een glimlach wil bedwingen. 'Je mag onder het wachten best een boek lezen,' zei ze. 'Ik heb er een heleboel.'

'Aan de andere kant, we kunnen ook met elkaar praten. Ik kan je al mijn dromen en wensen vertellen, en jij de jouwe. Dan vliegen de uren voorbij en leren we elkaar kennen.'

'Ga je gang,' zei ze na een korte stilte, niet bepaald uitnodigend.

'Nee, dames gaan voor. Het lijkt erop dat jij een veel interessanter leven hebt gehad dan ik.'

Er kwam een geschokte uitdrukking op haar gezicht. Haar mond viel open, ze snoof, en toen kreeg ze een kleur. 'Sorry,' zei ze. 'O, god! Je zit er finaal naast. Waarom denk je dat? Dat ik een interessant leven heb gehad, bedoel ik.'

'O, zoals je hier woont bijvoorbeeld. Je woont in een pakhuis in Red Hook...'

'Het is een zolderappartement, een loft. In deze stad wonen duizenden mensen in lofts.'

'Nee, ze wonen in appartementen in voormalige fabriekspanden. En meestal hebben ze meubelen die in winkels zijn gekocht, en die zijn niet van pallets gemaakt. Zit je hier zelfs wel legaal?'

'De eigenaar heeft geen bezwaar.'

'Vooropgesteld dat hij het weet. En je bent ook boekbinder. Ongewoon, vind je niet? Hoe ben je dat zo geworden?'

'En hoe staat het met jóúw dromen en wensen?'

'En zie je? Je wilt ook niets over jezelf vertellen. Niets is interessanter dan dat. Oké. Ik vertel je alles. Ik ben achtentwintig en woon bij mijn moeder in Queens, in Ozone Park. Ik ben aan het sparen om een filmopleiding te kunnen volgen, en als het zo doorgaat, kan ik daar een maand na mijn tweeënvijftigste verjaardag aan beginnen. Ik zou een lening kunnen nemen, maar ik durf geen schulden te maken.'

'Hoeveel heb je gespaard?'

'Ongeveer drieënhalfduizend.'

'Ik heb meer opzijgezet.'

'Vast wel. Glaser betaalt jou waarschijnlijk meer dan mij, jij krijgt commissies op verkopen, je woont in Red Hook, en je bezit twee setjes kleren. Dat wat je nu aanhebt en dat met dat kraagje. Waar spaar je voor?'

'Ik wil naar Gelsenkirchen in Duitsland om in de leer te gaan bij Buchbinderei Klein.' Toen hij niet reageerde, ging ze verder: 'Blijkbaar heb je daar nooit van gehoord.'

'Natuurlijk wel. Buch-wat-dan-ook Klein. Zoiets als het Harvard van de boekbindwereld. Maar ik dacht dat je er alles al van wist. Je hebt alle spullen...' Hij wees naar de rekken met gereedschap op de werktafel, de snijpers en snijmachine, de wetstenen, messen, leren kussens en lijmpotten. Het zag er allemaal heel achttiende-eeuws uit. Crosetti stelde zich voor dat de *Voyages* van Churchill met soortgelijk gereedschap waren ingebonden.

'Ik weet bijna niets,' protesteerde ze.

'Echt niet?'

'Ik bedoel, in vergelijking met wat je moet weten om uit het niets een boek te maken. Ik kan repareren. Het is... Het is het verschil tussen een gebarsten porseleinen mingvaas repareren en zo'n vaas máken van klei en glas.'

'Ja. En nu we hier toch zo gezellig geheimpjes zitten uit te wisselen, wil je me misschien ook vertellen wat je met de Churchill gaat doen als je hem hebt gerepareerd.'

'Wat? Ik ga hem niet repareren. Ik ga hem in stukken breken.'

Er verschenen rode vlekjes op haar wangen en haar ogen gingen schichtig heen en weer: een meisje dat op een leugen is betrapt.

'Nee,' zei hij zelfverzekerd. 'Als je ze in stukken gaat breken, had je ze gewoon naar Andover gestuurd om ze mechanisch te laten drogen. Lekker makkelijk. Je krijgt ze droog en schoon terug en dan gaat het van knip knip. Je kijkt verrast. Ik ben niet wat je een boekenjongen zou noemen, maar ik ben ook niet achterlijk. Nou, wat ga je met die gerepareerde boeken doen?'

'Ze verkopen,' zei ze, neerkijkend op de doorweekte boekdelen.

'Als gerepareerd?'

'Nee. Iedereen weet dat wij een buitengewoon mooi stel hebben. Er zijn particuliere cliënten die van discretie houden. Ze hebben zwart geld dat ze in verzamelobjecten willen steken. Glaser doet dat zo vaak. Kijk, hij declareert deze boeken als total loss bij de verzekeringsmaatschappij en laat dan de facturen zien voor de onderdelen die eruit zijn gehaald. Die komen in totaal op niet meer dan, tja, vijfentwintighonderd dollar. De verzekeringsmaatschappij betaalt hem het verschil tussen dat bedrag en wat hij voor het hele stel heeft betaald. Dat zal een duizendje of twintig zijn.'

'En dat is ook ongeveer het bedrag dat jij in je eigen zak wilt stoppen als je de boeken aan je louche klant verkoopt. Is daar geen woord voor? Het begint met een s...?'

'Het is niet... Het is helemáál geen stelen. Hij zei dat ik de boeken uit elkaar mocht halen. Wat Glaser betreft bestaat dit stel boeken niet meer. Hij krijgt de schade vergoed door de verzekeringsmaatschappij en ik profiteer van mijn eigen kundigheid. Het is niets anders dan dingen maken van pallets die worden weggegooid.'

'Eh, nee, ik vind het heel iets anders, maar ja, ik heb dan ook op een jezuïetenschool gezeten. Zie je wel, jij bent écht interessant. Sluwheid is interessant. Hoe ga je de facturen voor de illustraties maken als je de boeken niet echt uit elkaar haalt?'

Ze haalde haar schouders op. 'Sidney bemoeit zich nooit met uit elkaar gehaalde boeken. Daar wordt hij depressief van. Hij noemt het voer voor de aasgieren.'

'Je hebt mijn vraag niet beantwoord, maar ik neem aan dat je het stel voor tweeëntwintigduizend gaat verkopen, Sidney een paar duizend geeft, hem het verzekeringsgeld laat innen en intussen een paar valse facturen uit de boekhouding tovert. Je besodemietert de verzekeringsmaatschappij, Glaser, je louche cliënt en de belastingdienst – allemaal tegelijk. Dat is nogal wat.'

'Je gaat me verlinken!' Crosetti had van vlammende ogen gehoord, maar tot nu toe had hij ze alleen in films gezien. Er sisten blauwe vonkjes door de lucht.

'Nee,' zei hij glimlachend. 'Dat zou saai zijn. Nou… hoe ga je de kapotte omslagen repareren?'

Hij zag de opluchting op haar gezicht. Ze was blij dat ze de ethiek kon laten rusten en het over de moreel neutrale techniek kon hebben.

'Nou, ik denk dat ik het leren omslag van deel één kan redden. Het voorplat, achterplat en de rug zijn gebarsten, maar ik kan het leer eraf halen en de binnenkant vervangen.'

Ze trok een dun, spatelvormig hulpmiddel uit een blik en haalde daarmee het gemarmerde papier weg waarmee het leren omslag aan de borden was bevestigd. Ze werkte zorgvuldig, en Crosetti vond het mooi om te zien hoe haar kleine, bekwame handen bezig waren. Toen ging de keukenwekker die ze had gezet en moest hij het keukenpapier tussen de opdrogende bladzijden vervangen. Toen hij daarmee klaar was, zag hij dat ze het leren omslag los had. Eronder, tussen het leer en het gebarsten karton, lagen vochtige vellen papier die met de hand beschreven waren, de regels dicht op elkaar. Ze legde ze weg en hield het leer in het licht dat door het raam kwam om het aandachtig te bekijken.

'Wat zijn dat voor papieren?' vroeg hij. Hij haalde de vochtige vellen van elkaar. Ze waren aan beide kanten met roestige zwarte inkt beschreven.

'Opvulling. Ze gebruikten kladpapier om de omslagen dikker te maken en het leer tegen het bord te beschermen.'

'In welke taal is dit geschreven?'

'Waarschijnlijk Engels. Gewoon wat papier dat ze toch wilden weggooien.'

'Het lijkt geen Engels. Ik kan Engels lezen. Tenzij die kerel een vreselijk slecht handschrift heeft…'

Ze nam het papier voorzichtig van hem aan en tuurde erop. 'Dat is vreemd. Het lijkt secretary-schrift.'

'Pardon?'

'Ik ben geen paleograaf, maar dat handschrift lijkt uit een andere tijd te komen dan het boek. Het lijkt uit een veel vroegere tijd dan 1732 te komen. Vreemd is dat.'

'Wat, iemand heeft een oud manuscript in het bindwerk verborgen?'

'Nee, natuurlijk niet. Boekbinders gebruikten oud papier om omslagen te verstevigen, wat voor oud papier dan ook, maar je zou bijvoorbeeld proefdrukken uit diezelfde tijd verwachten, of oude strooibiljetten, geen antiek manuscript.'

'Waarom zouden ze dat hebben gedaan? Ik bedoel, een oud manuscript zal toch ook waarde hebben gehad?'

'Welnee. In die tijd gaf niemand een cent voor oud papier. Dat kwam pas veel later. Oorspronkelijke manuscripten werden vernietigd zodra ze waren gedrukt. Er werd pulp van gemaakt, of ze werden gebruikt om de haard aan te maken of als bekleding van koekenpannen. Er was maar een handvol antiquairs die het behoud van voorwerpen uit het verleden belangrijk vond, en de meeste mensen dachten dat zíj gek waren. Daarom zijn er uit de vroege moderne tijd weinig handschriften bewaard gebleven, behalve juridische en financiële dossiers. Literaire handschriften hadden geen enkele waarde.'

'Dus het zou nu wél waardevol kunnen zijn. Dit document.'

'Ik weet het niet. Het hangt ervan af wat het is. En natuurlijk ook wie het heeft geschreven.' Ze hield het tegen het licht. 'O, nu snap ik het. Het was een drukkersexemplaar. Er zijn met potlood correcties op aangebracht. Interessant. Het is dus een boek geworden, waarschijnlijk gedrukt door degene die de Churchill-boeken voor John Walthoe heeft gedrukt.' Ze haalde het gewicht van het eerste boekdeel, opende het boek en keek naar het impressum. 'Peter Deane. Laten we nu ook maar het keukenpapier verwisselen.'

Toen dat was gebeurd, vroeg Crosetti: 'Wil je niet graag weten bij welk boek het manuscript hoorde? Als de rest van de vulling nu eens uit hetzelfde boek komt? Als het nu eens van een beroemde schrijver is, bijvoorbeeld van, weet ik veel, Donne, Milton of Defoe? Een holografisch manuscript van zo iemand zou een vermogen waard zijn, nietwaar?'

'Het zullen wel de overpeinzingen van een obscure geestelijke zijn. Een commentaar op de zendbrief der apostelen.'

'Maar dat weten we niet. Waarom maken we de andere omslagen niet open om te kijken?'

'Omdat het meer werk is. Ik zou ze moeten herstellen. En ik heb niet veel tijd.'

'We hebben nu tijd,' zei hij. 'We moeten toch wachten tot de boeken droog zijn. Kom op, je zou me er een dienst mee bewijzen. Ik bewijs jóú ook een dienst.'

Ze keek hem met haar blauwe ogen strak aan, in het besef dat ze werd gemanipuleerd, dacht hij. 'Als ik je er een plezier mee doe,' zei ze, en ze pakte haar spateltje weer op.

Een uur later keek Crosetti met genoegen naar wat op het eerste gezicht een verzameling wasgoed was, hangend aan koorden die hij tussen de steunpilaren had gespannen. Het waren de vochtige foliovellen die als opvulling in de zes delen waren gebruikt; vier vellen uit elk omslag, achtenveertig bladzijden in totaal. Om redenen die hem niet helemaal duidelijk waren, had hij na de ontdekking van manuscriptpagina's die meer dan tweeënhalve eeuw verborgen hadden gezeten minder moeite met het feit dat hij, zoals hij in zijn hart heel goed wist, medeplichtig was aan bedrog. Hij vond het nu zelf ook nogal schokkend dat hij haar zo brutaal onder druk had gezet om de omslagen open te maken en zo dit manuscript tevoorschijn te halen. Daarom hoopte hij vurig dat de papieren enig historisch of literair belang zouden hebben. Met veel ongeduld wachtte hij tot ze droog genoeg waren om ze in zijn handen te nemen.

Intussen moest het keukenpapier elk uur worden vervangen. Rolly vond het blijkbaar goed dat hij dat zonder toezicht deed, nadat ze bij de eerste paar keer had geconstateerd dat hij het goed aanpakte. Het was nu vooral zaak het proces niet te overhaasten door te veel keukenpapier in de boeken te doen of het tussen groepjes van minder dan tien bladen te leggen. Als ze dat deden, had ze uitgelegd, zou het boek opzwellen en vervormen en zou het bindwerk barsten. Om een uur of zes zei Crosetti dat hij honger had en kreeg hij te horen dat haar hele voedselvoorraad uit macaroni en afhaalvoedsel van uiteenlopende ouderdom bestond. Hij begreep nu waarom ze zo vaak met Glaser ging lunchen. Crosetti trotseerde het harde straatleven van Red Hook en kwam terug met twee flessen rode Mondavi en een grote pizza.

'Je hebt wijn gekocht,' zei ze toen hij binnenkwam en de boodschappentas op tafel zette. 'Ik koop nooit wijn.'

'Maar je drinkt het wel.'

'Ja. Dit is erg aardig van je. Dank je.' Weer dat wolvenglimlachje; nummer twee.

Hun werkgever vormde het voornaamste onderwerp van hun tafelconversatie, want verder hadden ze weinig met elkaar gemeen. Crosetti's belangstelling voor boeken als fysieke voorwerpen was ongeveer even klein als Rolly's belangstelling voor actuele films. Daarbij was hij nieuwsgierig naar de oude man en na enig aandringen was Rolly bereid hem informatie te verstrekken, vooral toen de wijn op haar inwerkte. Hij mocht haar graag zien eten; ze had grote trek en at alsof de stukken pizza elk moment konden worden weggegrist. Ze at de korsten tot de laatste kruimel op en likte aan haar vingers, en intussen vertelde ze hem alles wat ze wist. Het scheen dat Glaser eerst verzamelaar was geweest en geleidelijk in het boekenvak verzeild was geraakt, iets wat wel vaker gebeurde. Zijn familie was twee generaties geleden rijk geworden met warenhuizen en hij was opgegroeid in kringen van de hogere bourgeoisie in Manhattan. De Glasers hadden intellectuele pretenties: operaloges, concertkaartjes, Europese rondreizen à la mode enzovoort. In een groot appartement dicht bij Central Park hadden ze een indrukwekkende bibliotheek gehad. In de loop van de tijd waren de voorouderlijke warenhuizen opgeslokt door grotere concerns. Het geld was niet goed geïnvesteerd en de erfenis moest onder te veel familieleden worden verdeeld. Eind jaren zeventig had Sidney Glaser van zijn hobby zijn beroep gemaakt.

Volgens Rolly stelde hij als zakenman niet veel voor. Crosetti zei dat de zaak blijkbaar goed draaide en veel waardevolle objecten had.

'Dat is nou juist het probleem. Het is bijvoorbeeld niet verstandig van hem om die McKenney en Hall voor honderdvijftigduizend dollar te kopen. Dat is iets voor Bauman, Sotheby's en de andere grote jongens; en Glaser is geen grote jongen. Hij heeft de kleren en de air, maar niet de middelen. En evenmin de fijne neus. Iemand op zijn niveau zou boeken van duizend dollar voor tweehonderd dollar op de kop moeten tikken, geen boeken van honderdduizend dollar voor negenentachtigduizend vijfhonderd. En ze gaan ook nog de huur verhogen – die slokt al bijna de helft van de gemiddelde maandelijkse winst op; ik bedoel de papieren winst. Volgens mij heeft hij al in geen jaren meer echte winst gemaakt. Het is een bekend verhaal in het boekenvak. Een rijke verzamelaar denkt: ik koop toch al een heleboel boeken, waarom zou ik niet met mijn winst mijn hobby financieren?'

'Werkt het niet?'

'Soms. Maar zoals ik al zei moet je je eigen niveau kennen en je dan geleidelijk opwerken. Je mag niet verwachten dat je kunt gaan verkopen op het niveau waarop je als rijke verzamelaar opereerde, tenzij je bereid bent eigen geld in de zaak te steken en te verliezen. En dan is het niet echt een bedrijf, hè? Het is een nog duurdere hobby, met pretenties. Over pretenties gesproken: de kleine antiquarische boekhandelaar met de gelambriseerde winkel in East Side New York – dat is een volslagen anachronisme. Hij kan onmogelijk die huur betalen en met de grote huizen én de internethandelaren concurreren. Glaser redt het niet. Die brand was het beste wat hem kon overkomen. Hij geeft enkele tientallen voorwerpen als verloren op om de verzekeringsmaatschappij op te lichten, zegt dat ze total loss zijn en verkoopt ze dan als nagenoeg onbeschadigd. Dat levert hem weer wat werkkapitaal op, maar daar redt hij het op den duur ook niet mee…'

'Denk je dat hij de brand heeft gesticht?'

'Nee, hij is een boekenman. Hij zou nooit willens en wetens een boek vernietigen. Hij huilde bijna om die Churchill, dat heb je zelf gezien. Maar omdat er tóch brand is geweest, vindt hij het geen punt om daar zoveel mogelijk van te profiteren.'

'Net als jij.'

Ze keek hem met half dichtgeknepen ogen aan. 'Ja, net als ik. Maar ik heb tenminste een excuus, want ik woon niet in een appartement van achttien kamers aan Park Avenue. Ik heb geld nódig.' Ze schonk zichzelf nog wat wijn in, nam een slok en voegde eraan toe: 'En jij, Crosetti? Als die papieren die je te drogen hebt hangen het manuscript van John Lockes voorwoord voor Churchill blijken te zijn, wat doe je dan? Ga je ermee naar Glaser en zeg je: o, kijkt u eens wat ik heb gevonden, meneer Glaser, dit kunt u voor tienduizend dollar aan het Widener verkopen, en mag ik nu een schouderklopje?'

'Het is Locke niet. Niet als je gelijk hebt wat dat Jacobeaanse handschrift betreft.'

'O, dus nu is hij ook nog geletterd? Ik dacht dat jij alleen maar verstand van films en computers had.'

'Ik lees boekcatalogussen.'

'O, ja. Maar geen boeken. Je houdt niet eens van boeken, hè?'

'Ik hou er best wel van.' Hij bekeek haar in het zwakker wordende licht en zag een agressieve stand van haar kin die hem nog niet eerder was opgevallen, en een lichtelijk gekwetste uitdrukking op haar gezicht.

'Jij hebt toch geen kwade dronk, Carolyn?'

'Wel als ik dat wil. Het is mijn huis.'

'Ja. Maar ik hoef hier niet te blijven. Mijn papieren zien er droog genoeg uit. Ik kan ze gewoon meenemen en het aan jou overlaten om de luiers van je baby elk uur te verschonen, de hele nacht door.'

En dat zou hij ook hebben gedaan, als ze niet meteen nadat hij dat had gezegd in tranen was uitgebarsten. Ze huilde onbedaarlijk en wanhopig, en omdat hij nu eenmaal een fatsoenlijke kerel was, knielde Al Crosetti bij haar stoel neer en hield hij haar vast, terwijl ze heen en weer schudde en zijn schouder met haar tranen doorweekte.

DE BRIEF VAN BRACEGIRDLE (2)

Allereerst smeek ik de almachtige God om mij immer strikt op het pad der waarheid te houden aangezien ik veel van de oude Adam in mij heb zoals gij weet & wellicht heb ik u eerder iets hiervan verkondigd maar ge kunt het zijn vergeten en, wat God verhoede, sterven alvorens onze jongen de jaren des onderscheids bereikt. Derhalve is het beter het nu neer te schrijven.

Mijn vader was Richard genaamd. Zijn familie de Bracegirdles stamde uit Titchfield in de Weald, & waren ijzermakers sinds vroege tijden. Mijn vader slechts een jongere zoon zijnde werd in de leer gedaan bij zijn oom John Bracegirdle ijzerfactoor te Leadenhall. Zijn leertijd volbracht zijnde, vestigde hij zich als factoor in ijzerwaren in Fish Street bij Fenchurch Street. Hij gedijde daar dankzij zijn goede betrekkingen met de Bracegirdles uit Titchfield & me dunkt evenzeer vanwege zijn goede hoofd voor handel. Hij was een ernstig & nuchter man, met weinig geleerdheid maar een goed verstand. Op de leeftijd van 22 jaar werd hij tot het ware Christelijke geloof bekeerd door Gods genade & de preken van dr. Abernathy uit Water Street & leidde sedertdien een onberispelijk leven. Hij was een weldadig Christelijk mens & geen verschoppeling verliet zijn deur ongevoed indien hij genegen was iets van het Woord van God aan te horen; al haatte hij papen. Schoon hij nering had in pannen, ketels, haardplaten, et cetera, waren klokken & kanonnen zijn hoofdwerk. Hij zeide vaak dat indien een mens een groot lawijt in de wereld wilde maken, zij het in vrede zij het in oorlog, hij zich het best naar Bracegirdle van Fish Street kon begeven.

Mijn moeder was Lucinda genaamd. Haar familie was afkomstig uit Warwick van hogere stand dan de zijne, zijnde landedelen & verwant aan de Heer Arden: maar van verre, van verre, gelijk mijn vader al-

toos zeide. Haar vader Thomas Arden was in het tiende jaar van wijlen onze Koningin Elizabeth schuldig bevonden aan verraad & verloor alles. Later, haar moeder gestorven zijnde toen zij acht was, werd zij opgenomen door Margaret Brandell, een tante in Cheapside. Als meisje was mijn moeder bevallig genoeg, doch geen partij voor elkeen van waardigheid in het graafschap harer geboorte, zijnde behoeftig & benevens dochter ener verrader. Zij wenste zeer het huis harer tante te verlaten: een waarlijk Goddelijke vrouw, zeide mijn moeder, maar met een schamele tafel & stonk buitendien. Op een dag kocht zij een haardplaat van mijn vader, en twaalf maanden later huwden zij in St. Giles Cheapside & mochten elkander nu graag. Aanvankelijk was zij niet van de ware hervormde religie, doch kwam later daartoe: want de man is het hoofd van de vrouw, gelijk geschreven staat in de Schrift.

Nu, na vele vurige gebeden werd ik geboren op de vijfde dag van mei in het jaar Onzes Heren 1590, want zij hadden door het ondoorgrondelijke oordeel van de Almachtige God drie kinderen allen zuigelingen nog aan koortsen verloren. Ik evenwel was een blakende baby, gezond als een os, zo werd gezeid & leefde door Gods genade tot manheid. Mijn moeder baarde nog drie kinderen, een leefde tot zes jaren, de anderen niet tot een, mij alleen latende om tot volwassenheid te komen. Met vier jaren werd ik naar de school in onze straat gezonden & leerde mijn letters goed genoeg & vervolgens zond mijn vader mij als leerling naar de heer Eddingstone in Deal Street, die daar een school had. Het was mijn vaders wens mij een geleerd man te laten worden wellicht prediker doch zo mocht het niet zijn, want ik was onbeschaamd & wilde geen Latijn en waarlijk geen Grieks leren; hic haec hoc was mij een mengelmoes gelijk. Ooit vroeg ik de heer Eddingstone waarom wij, hebbende de Bijbel verengelst, niettemin de taal der heidenen moesten leren, doch ik werd gegeseld & niet slechts die keer: & ten leste zeide hij tot mijn vader dat het niet kon, ik was een geboren dwaas & zou deze blijven. Toen zeide mijn vader, wat zullen wij met u aanvangen, weshalve zond God mij zo'n blokhoofd als zoon, kunnen wij een factor van u maken, Goddank hebt ge tenminste een helder handschrift. Zodoende werd ik aan het kopiëren gezet, maar mijn handschrift was dermate krabbelig & ik vlekte zozeer dat hij in wanhoop verkeerde omtrent mij. Smid zult ge dan zijn & uw brood verdienen in het zweet uws aanschijns, zeide hij, een simpele smid, want uw rug is sterk, zie ik, en uw handen zijn al zwart als die eens smids met uwe vlekkerijen; waarop mijn moeder weende. Ze was immer goed voor mij zelfs bovenmatig voor een vrouw jegens een kind, te meer daar mijn vader misnoegd over mij was.

Dan gebeurde een ding wat al veranderde, hoe wonderbaarlijk is Gods plan voor ons zijn schepsels schoon zijn wegen ondoorgrondelijk voor ons zijn. Want wij hadden destijds een kostganger de heer Wenke: uit Leiden kwam hij, neef van een man met wie mijn vader negotie dreef in ijzer. Wij arbeidden stoel aan stoel in de factorij mijns vaders & op een dag aanschouwde ik hem werkende met een kleine pen & een papier & vroeg hem wat doet ge daar meneer. Hij zeide kijk & zie. Ik keek doch zag niet wat hij doende was. Ik zal nu zeggen wat het was. Hij goot sommen van onze rekeningen in een vorm die ik nimmer eerder had aanschouwd, doch hij instrueerde mij in zijn goedheid aldus: kijk ge hebt dit kwartaal zeven & tachtig kleine ketels verkocht voor 8s. 6d. elk & maakte op elk een profijt van 1s. 2d. Wat hebt ge totaliter vergaard & wat is onze winst? Ik zeide wij hebben telramen van node. Nee zeide hij ik kan het zonder enig telraam & kijkt ge naar me als ik schrijf & zal mijn methode uiteenzetten. Aldus deed hij & ik was verbaasd zo snel vloog zijn potlood & de omzet & winst alles helder & exact. Hij zeide dit is vermenigvuldiging per algoritme een woord ik nimmer gehoord haddende & hij zeide buitendien het is een deel van de kunst aritmetica gelijk heden wordt bedreven in banken en factorijen in Holland & Italië: wilt gij het leren want het zal u tot zeer veel profijt strekken? Ik zeide ja met gans mijn hart.

3

Ik ben terug van een ronde door het huis. Vanuit geen van de ramen is iets te zien, en ik heb geen zin om weer in dat donker te gaan rondlopen. Ik bedenk dat ik een ideaal doelwit vorm, zoals ik hier met mijn laptop onder een bureaulamp zit. Ik ben in de huiskamer, als je het zo kunt noemen, van dit huis. Eigenlijk is het een blokhut, op de traditionele manier gebouwd van echte blokken hout. Er is één grote kamer op de begane grond en er zijn drie slaapkamers op de bovenverdieping, die je bereikt via een trap naar een soort galerij boven mij. Er is nog een zolderkamertje in de nok van het dak; daar kom je via een schuifladder. Vroeger sliep het personeel daar, als dat er was. De wanden zijn alle van blank grenenhout, en er zijn ingebouwde boekenkasten, een mooie stereo-installatie en een natuurstenen haard die letterlijk groot genoeg is om er een os in te roosteren. Een kleine os. Er brandt ook een vuur in de haard, gevoed door een flinke partij eiken-, berken- en dennenhout uit de stapel buiten naast de keukendeur. Er hangen elandskoppen en hertengeweien onder de galerij. Ze bewijzen dat de mannen van Haas ooit ontzagwekkende jagers waren, zoals Mickey me heeft verteld. Op de begane grond is een keuken met een natuurstenen vloer, volledig uitgerust met apparatuur uit de jaren vijftig, en er zijn twee badkamers. Mickey heeft een bubbelbad laten installeren op het terras buiten, al is die nu leeg. Ik heb de indruk dat hij hier niet veel komt, hoewel de familie hier elke zomer kwam toen hij een kind was. Blijkbaar was het iets wat rijke families deden. Ik ben hier veel vaker geweest. Toen we nog jong waren, namen we hier vaak meisjes naartoe voor romantische weekends.

Om de draad weer op te pakken: professor Bulstrode gaf me het pakje; een dikke envelop met tape eromheen, zoals ik al zei. Ik vroeg hem wat erin zat, en hij zei dat het een manuscript uit 1642 was. Is dit Het Werk? vroeg ik. Nee, beslist niet. Dit bewees alleen maar dat Het Werk bestond. Dit is de brief van Bracegirdle. Maar is het op zichzelf niet waardevol? Niet als zodanig – van zuiver wetenschappelijk belang, zei hij, en met een nog nerveuzere stem drukte hij me op het hart dat de informatie in het pakje volstrekt vertrouwelijk was en absoluut geheim moest blijven. Daarom wilde hij dat het zo veilig mogelijk werd opgeborgen. Ik verzekerde hem dat het volkomen veilig zou zijn, onbereikbaar voor nieuwsgierige lieden. Blijkbaar stelde dat hem enigszins gerust. Vervolgens vroeg ik Olivia door de intercom om een standaardcontract en een kwitantie voor het voorschot.

Terwijl een en ander werd opgesteld, probeerde ik een praatje met professor Bulstrode te maken. Het lukte niet. Hij keek steeds naar de bruine envelop alsof het een bom was, en ik had de indruk dat hij bijna niet kon wachten tot hij de afstand tussen hem en de dreigende envelop zo groot mogelijk had gemaakt. Ten slotte vroeg ik hem of hij een kopie van het document in de envelop had gemaakt, en hij zei dat hij dat om veiligheidsredenen niet had gedaan, waarna hij mij plechtig liet beloven dat ik het ook niet zou doen. Nu ergerde ik me. Ik zei dat al die geheimhouding me geen goed gevoel gaf. Men nam juist een advocaat in de arm, zei ik, om iemand te hebben om vertrouwelijk mee te spreken. Blijkbaar voelde hij daar weinig voor, zei ik, en daardoor vond ik het niet zo prettig om hem te vertegenwoordigen. Het was mijn ervaring, voegde ik eraan toe, dat mensen zich zo tegenover hun advocaat gedroegen als ze iets van plan waren wat niet door de beugel kon. Misschien zou het voor alle betrokkenen beter zijn als hij zijn cheque terugnam; even goede vrienden enzovoort.

Nu brak het zweet hem opnieuw uit en liep zijn gezicht rood aan. Hij verzekerde me dat het niet zijn bedoeling was een mysterie in het leven te roepen, en natuurlijk was er ook beslist niets illegaals of onoorbaars aan wat hij van plan was. Maar wanneer het om unieke voorwerpen ging, was het in wetenschappelijke kringen gebruikelijk een zekere zwijgzaamheid in acht te nemen. Hij bood zijn verontschuldigingen aan als hij me had beledigd. Op dat moment kwam Olivia binnen en liet het contract op mijn bureau vallen, maar ik maakte geen aanstalten het op te pakken. Ze ging weg. Ik zei dat we misschien op de verkeerde voet waren begonnen. Ik wilde dat hij me vertrouwde. Dat was het geval, zei hij. Ik vroeg hem opnieuw te beginnen: wie was Bracegirdle, wat zat er in de envelop, en wat was Het Werk waarnaar het verwees?

En dus vertelde hij zijn verhaal. Hij was op het manuscript gestuit toen hij onderzoek deed naar trends in renaissancistische filosofie. Het manuscript bestond uit ongeveer zesentwintig dicht beschreven foliovellen en was gedateerd in 1642. Richard Bracegirdle was niemand in het bijzonder, een militair die kort na de slag bij Edgehill in de Engelse Burgeroorlog was gestorven. Het grootste deel van de tekst was van geen enkel belang, maar blijkbaar was Bracegirdle ingehuurd om de bezittingen van een edelman, lord Dunbarton, over te brengen. Bracegirdle en Dunbarton stonden in de oorlog beiden aan de kant van het parlement, en Dunbartons landgoed lag in een gebied dat door de koningsgezinden werd beheerst, of binnenkort zou worden beheerst. Hij was bang dat zijn kostbaarheden en documenten in beslag genomen zouden worden en had Bracegirdle in dienst genomen om bepaalde zaken, waaronder zeldzaamheden uit zijn bibliotheek, naar zijn huis in Londen over te brengen. Maar toen trokken de koningsgezinde troepen naar Londen en versperden Bracegirdles weg. En dus begroef hij de schat en stuurde Dunbarton een brief waarin hij hem vertelde waar de buit lag.

Een begraven schat, zei ik vrijblijvend, en ik vroeg hem wat dit met intellectueel eigendom te maken had. De bibliotheek, zei hij, de bibliotheek.

Ik vroeg hem wat er zich in die bibliotheek bevond, of hij dat wist.

Hij gaf geen antwoord. In plaats daarvan vroeg hij mij of ík wist wat de Leicester Codex was. Toevallig wist ik dat. Een van de dingen die de laatste tijd in de marge van het ie-spel opkomen, is de digitalisering van boeken, manuscripten en kunstwerken, alsmede de toekenning van de rechten daarop en de onderhandelingen daarover. De heer William Gates, de softwaremiljardair, speelt een grote rol op dit gebied, en ie-advocaten volgen zijn activiteiten op de voet. Ik zei tegen Bulstrode dat ik wist dat Gates zo'n tien jaar geleden voor dertig miljoen dollar de Leicester Codex, een van Leonardo's notitieboeken, had gekocht.

Nu gooide Bulstrode er opeens uit dat Dunbarton een manuscript van Shakespeare had bezeten. Kunt u zich de waarde van zoiets voorstellen? Al zijn zwijgzaamheid was op slag verdwenen en er schitterde nu een merkwaardig klein lichtje in zijn milde ogen.

Die ogen puilden steeds meer uit, en dus knikte ik en zei dat zo'n manuscript vast wel heel wat waard zou zijn. Tegelijkertijd had ik nu het loodzware, benauwende gevoel dat ik altijd krijg wanneer ik met maniakken te maken heb. Jammer genoeg is het een bekend gevoel, want wij ie-advocaten maken maar al te vaak kennis met krankzinnigen. Geen hit in de showbusiness, geen dieetboek dat de wereld verovert, geen enkel lucratief product van de menselijke fantasie verschijnt ooit op het toneel zonder dat er meteen een stel louche pretendenten komt aanzetten, met vettige mappen vol papieren die zouden bewijzen dat zij als eersten op het idee waren gekomen. En ze willen niet horen dat niemand het auteursrecht op een idee kan hebben. Ze willen niet horen dat ideeën als water, lucht of koolstof zijn, dat ze voor het oprapen liggen, en dat je alleen door middel van het auteursrecht een deel van de poet naar je toe kunt trekken als je over een specifieke verzameling woorden, muziekno-ten of chemische formules beschikt. Ik geef toe dat ik het type van het Geheime Document nog niet had meegemaakt, maar daar zat hij dan. Ik hoopte dat de cheque van die arme stumper gedekt was.

En dus liet ik de waanzin over me heen komen, een stroom van koortsachtig enthousiasme over het enorme belang van het verloren gegane manuscript, de literaire geheimen die erin onthuld konden worden, de herkomst, de geheime code die hij bijna had ontcijferd. Het verbaasde me wel dat hij na zijn onthullingen enigszins tot bedaren kwam. Misschien had hij er spijt van dat hij me zoveel had verteld en verwerkte hij mij al in zijn paranoïde gedachten: de zoveelste potentiële dief van zijn Schat.

We tekenden de contracten en hij ging weg. Ik stuurde Olivia naar beneden om de cheque bij de bank in bewaring te geven en het pakje in onze safe te leggen. Daarna ging ik, in weerwil van mijn knorrende maag die tegen het uitstel van de lunch protesteerde, achter mijn computer zitten en googelde Andrew Bulstrode. Ik vond veel meer over hem dan je bij een eenvoudige geleerde zou verwachten. Vijf jaar geleden, zo zag ik, was Bulstrode hoogleraar Engelse literatuur in Oxford geweest, een kenner van Shakespeare-uitgaven. Hij was destijds het slachtoffer geworden van een man die zich tot een van de grote vervalsers uit de moderne tijd ontpopte. Leonard Hastings Pascoe; zelfs ik herkende die naam. Hij was gespecialiseerd in vroege boekdrukkunst – incunabula – en manuscripten van belangrijke schrijvers, en hij was erg goed in wat hij deed. Hij beweerde een nieuw slecht kwarto van Hamlet te hebben ontdekt. Een slecht kwarto is een vorm van literaire piraterij uit vroeger tijden: drukkers stelden een toneelstuk samen uit het geheugen van acteurs en uit teksten die ze te pakken konden krijgen, en drukten het dan zonder toestemming van de auteur af.

Het was natuurlijk een grote vondst, want (dat bleek uit de gegoogelde artikelen) de drukgeschiedenis van *Hamlet* is uiterst complex. Er zijn een Eerste Kwarto (slecht), een Tweede Kwarto (goed, geautoriseerd door de schrijver) en het Eerste Folio, dat Shakespeares vrienden en theatercompagnons, Heminge en Condell, na zijn dood hebben samengesteld. Dat laatste is min of meer het stuk zoals wij het nu kennen. Het zogenaamde nieuwe slechte kwarto verschilde in veel fascinerende opzichten van het geautoriseerde stuk en zou inzicht in Shakespeares schrijfproces bieden. Het dateerde uit 1602, kort nadat *Hamlet* was geregistreerd en een jaar eerder dan het Eerste Kwarto, en het riep interessante vragen op: waren de verschillen slechts overschrijffouten of had de auteur zijn stuk veranderd nadat het op de planken was gebracht? Zulke dingen kunnen geleerden tot een orgasme brengen. De vaderlandslievende Pascoe gaf het British Museum de eerste kans het te onderzoeken, en het museum wilde het meteen voor de vraagprijs kopen, mits de vooraanstaande expert Andrew Bulstrode de echtheid ervan bevestigde.

En dat deed hij. Pascoe had gebruikgemaakt van echt zeventiende-eeuws papier en ossengalinkt van de juiste samenstelling en uit de juiste tijd. Om onderzoek naar de ouderdom van de inkt te kunnen doorstaan had hij via chemische extractie inkt aan bestaande documenten uit die tijd onttrokken. Zijn lettertype was nauwgezet gekopieerd van een van de slechte kwarto's in de Folger Library. Het museum kocht het ding voor achthonderdvijftigduizend pond. Bulstrode mocht er natuurlijk als eerste bij, en binnen zes maanden kwam hij met een magistraal werk, waarin hij aannemelijk maakte dat de auteur het belangrijke toneelstuk grotendeels had herschreven en dat het Pascoe Kwarto, zoals het werd genoemd, een belangrijke schakel vormde met de verschillende proto-Hamlets die Shakespeare als bronteksten had gebruikt. Sensatie onder de geleerden!

En het zou in de canon van de literatuurwetenschap zijn opgenomen, als L.H. Pascoe niet een voorliefde voor aanvallige jonge knapen met rokerige ogen en tuitende lippen had gehad, en als hij niet een van hen een reisje naar Cap d'Antibes had beloofd, met een bijpassende nieuwe garderobe, en als hij die belofte niet had verzaakt, zodat de jonge knaap, zoals begrijpelijk was, een boekje over hem opendeed. De politie deed een inval op een industrieterrein in Ealing en vond de handpers, het papier en de inkt, met de namaak-*Hamlet* nog in de matrijzen. Dat gebeurde ongeveer anderhalf jaar na de verkoop.

Het geld dat de vervalsing had opgebracht, was blijkbaar grotendeels opgegaan aan een losbandig leventje. De roddelpers smulde ervan en richtte met name giftige pijlen op de dwalende expert, Bulstrode. Te midden van deze ellende verscheen mijn oude vriend Mickey Haas op het toneel. Hij verdedigde zijn collega in de pers en zei dat Bulstrode een fout had gemaakt die elke andere expert ter wereld zou hebben gemaakt, inclusief professor Haas. Hij zorgde ervoor dat Bulstrode een gastdocentschap aan Columbia kreeg, in de hoop dat de gemoederen in Engeland tot bedaren zouden komen. En nu had blijkbaar iemand anders een document bij Bulstrode gedumpt. Dat vond ik vreemd, want hij was wel de laatste persoon aan wie je een belangrijk manuscript zou aanbieden, en ook de laatste die dat wereldkundig zou maken. Overigens ben ik het idee dat de mens uit ervaring leert allang kwijt. Ikzelf zou bijvoorbeeld nog gelukkig getrouwd zijn als ik van mijn fouten had geleerd.

Misschien was hij onder de druk bezweken. Professoren worden ook wel eens gek, misschien zelfs vaker dan andere mensen, al wordt die gekte minder gauw opgemerkt vanwege de positie die ze bekleden. Om zijn verhaal te controleren zocht ik op internet naar lord Dunbarton en constateerde met enige verbazing dat hij geen verzinsel was. Henry Reith (1570-1655), de tweede baron Dunbarton, was een puriteinse edelman. Zijn vader, de eerste lord Dunbarton, had zijn sporen verdiend als een van de roofzuchtige dienaren van Henry VIII, een 'bezoeker', zoals ze werden genoemd, die nonnen en monniken hun kloosters uit schopten en ervoor zorgden dat de protestantse hervorming elk plunderbaar kloosterbezit in Engeland trof. Hij werd beloond met een titel en een landgoed in Warwickshire, Darden Hall. De zoon werd aan het eind van Elizabeths bewind aan het hof geïntroduceerd, verwierf de gunst van lord Burghley en werd 'verspieder', zoals ze dat destijds noemden. Het was zijn werk om jezuïeten op te sporen en hun schurkachtige complotten tegen de koningin, en later koning James, bloot te leggen. Onder Karel I was hij een trouw aanhanger van het parlement, want net als zijn vader voelde hij goed aan hoe de wind waaide, al was hij blijkbaar ook een oprechte puriteinse fanaat die de niet-anglicanen in Warwickshire ijverig vervolgde. Tijdens de korte veldtocht die met de slag bij Edgehill eindigde, werd Darden Hall door koningsgezinde troepen bezet. Nergens werd melding gemaakt van bibliotheken, van Bracegirdles, van verdwenen Shakespeariana. Ik vond dat ik Mickey Haas moest bellen om het hele verhaal over de arme man te horen te krijgen, en dat deed ik, maar er werd me verteld dat dr. Haas naar een congres in Austin was en pas aan het begin van de volgende week terug zou zijn. En dus ging ik lunchen.

Op dit punt kijk ik in mijn agenda. Olivia Maldonado houdt als vanzelfsprekend mijn afspraken bij, en elke maandag krijg ik een lijst met wat er voor die week gepland staat. Die afspraken breng ik over naar een kleine, in leer gebonden agenda met lichtblauwe bladzijden, die ik in de borstzak van mijn overhemd draag. Echt verstrooid ben ik niet, maar ik ben wel eens in de bibliotheek bezig, of aan het telefoneren, en als ik niet zo nu en dan in dat kleine boekje kijk, mis ik afspraken. Zo wist ik dat ik professor Bulstrode op 11 oktober had gesproken, en nu ik weer in mijn boekje kijk, zie ik dat ik diezelfde dag vroeg mijn kantoor verliet om Imogen en Nicholas van school te halen en met hen naar een restaurant en een bioscoop te gaan. Op woensdagavond heb ik mijn officiële midweekcontact met mijn kinderen. Verder zijn ze om het andere weekend bij me en twee weken in de zomer.

Imogen, mijn dochter, is dertien. Ze heeft stroblond haar en grijze ogen en lijkt zo veel op haar moeder dat ze aan de moederplant ontsproten lijkt te zijn in plaats van via de gebruikelijke methode te zijn gemaakt. Dat lijkt trouwens een eigenaardigheid van onze familie. De Mishkingenen kunnen niet goed met andere samenwerken. Ze domineren volledig of lopen verontwaardigd het veld af. Wat dat betreft lijk ik op mijn vader, de stereotiepe jood, terwijl mijn broer en zus blond zijn en aan rekruteringsposters van de *Hitlerjugend* doen denken. Mijn zoon Nicholas, elf jaar oud, is een absurde kleine Jake. Toen ik verkering had met Amalie, wees mijn zus me erop dat ze net een jongere uitgave van onze moeder was. Ik kan niet zeggen dat ik het zelf ook heb gezien, al kwamen de teint en het gezichtstype duidelijk overeen. Duits, zou je kunnen zeggen. Als oom Paul en tante Miri ergens met Imogen heen gaan, denkt iedereen dat ze hun dochter is, en als ik bij haar ben, kijkt de gemiddelde voorbijganger ons onvriendelijk aan, alsof ik een viezerik ben die haar ontvoert.

Wat haar karakter betreft is Imogen, in tegenstelling tot haar moeder, een volmaakte Narcissus: alle andere mensen zijn slechts op de wereld om haar te aanbidden, en doe je dat niet, berg je dan maar! Ze is goed in sport, een zwemster met enig talent, en wil actrice worden, een ambitie waar ik achter sta, want ik acht haar ongeschikt voor elke andere manier van leven. Ik geloof dat ze die neiging van mij heeft. Toen ik in Brooklyn op de middelbare school zat, zei een leraar tegen me dat ik een goede stem had en aan toneel moest doen. Dat deed ik en ik kreeg de rol van Telegin in *Oom Wanja*. Het is een kleine rol, maar je kunt er iets memorabels van maken, zoals van alle rollen van Tsjechov. Ik denk dat ze geen Tsjechov meer spelen op middelbare scholen in Brooklyn, maar toen deden ze dat nog wel, naast vele andere culturele activiteiten die tegenwoordig niet meer mogelijk zijn. Telegin heet in het stuk Wafel omdat zijn gezicht pokdalig is, en het mijne was toen ik zestien was ook een slagveld. Mijn belangrijkste tekst was: 'Ik heb mijn geluk verbeurd doch mijn trots behouden.' Natuurlijk werd ik verliefd op Gloria Gottlieb, die Sonia speelde en niet wist dat ik bestond enzovoort, maar het was interessant dat zelfs als ik niet op het toneel stond, en zelfs nadat we onze drie voorstellingen in de naar sinaasappelen ruikende zaal hadden gespeeld, ik nog steeds het gevoel had dat ik Telegin was, en dat vond ik geweldig: dat een verzonnen persoon, gecreëerd door een man die allang dood was, in zekere zin mijn eigen persoonlijkheid kon vervangen.

Ik moet hier opmerken dat ik, totdat ik in dat stuk speelde, een miezerig type was, zelfs te onopvallend om het mikpunt van spot te zijn. Op zo'n grote, stedelijke middelbare school is het relatief eenvoudig om op te gaan in de menigte, maar ik had bijzondere redenen om een van de lichtbruine muurtegels te willen worden. Ik was een katholieke jongen met een joodse naam en een nazi-opa, op een school waar de aristocratie intellectueel en bijna geheel joods was. Daar kwam nog bij dat Izzy the Book zich in de belangstelling van de roddelpers mocht verheugen als iemand die vaak werd aangeklaagd maar nooit veroordeeld. Ik was voortdurend bang dat iemand (dat wil zeggen Gloria Gottleib) het verband zou leggen. Bovendien was mijn broer Paul, twee jaar ouder dan ik, een crimineel. Hij liet dat, zoals criminelen in die tijd deden, aan iedereen weten door een zwartleren jasje met opgestoken kraag te dragen en zijn haar in een kippenkontje te laten knippen. Ik was liever iemand die nauwelijks bestond dan dat ik beroemd was als Paulie Mishkins broer. Tot op zekere hoogte wist ik dat ik door zijn agressieve uitstraling werd beschermd tegen de kleine pesterijen die mij anders ten deel zouden zijn gevallen. Paul stond erop dat als ik op mijn donder kreeg, hetgeen vrij vaak gebeurde, het van hem alleen zou zijn. Het ergste gevecht dat ik in mijn jeugd heb gezien deed zich voor toen Paul twee jongens uit een bekende straatbende die mij op weg naar school van mijn lunchgeld hadden beroofd in elkaar sloeg. Hij gebruikte een baksteen.

Die obsessieve beelden. Daar wil ik helemaal niet over schrijven, al is het misschien wel vermeldenswaardig dat ik na die vechtpartij, en Pauls daaropvolgende schorsing van school, serieus aan gewichtheffen ging doen. Ik wilde niet meer afhankelijk zijn van mijn broer die voor me opkwam, en bovendien meende ik vechtpartijen te kunnen vermijden door een spierbundel te worden. Wat was ik nog groen.

Hoe dan ook, na *Oom Wanja* maakte ik me vreselijk belachelijk door min of meer voortdurend die rol te blijven spelen. Ik droeg een oud brokaten vest dat ik in een uitdragerij had gevonden, sprak met een licht accent, deed alsof ik naar een Engels woord zocht, mompelde in het Russisch, althans dat verbeeldde ik me. Ik werd een beetje populairder, zoals grappige gekken soms overkomt, en kreeg uitnodigingen voor chique feestjes van de populaire joodse meisjes. Het volgende toneelstuk dat we speelden, was *Romeo en Julia*, en ik was Mercutio. Die rol lag me eigenlijk beter dan die van Telegin, want iemand die de onschuldige lucht met gevatte onzin vult, oude poses aanneemt en op een absurde manier aan zijn eind komt, is in de ogen van jonge mensen algauw glorieus. En het is ook niet moeilijk om op die manier in klankrijke, vloeiende jamben te spreken tot iedereen in je omgeving wil dat je doodvalt. Voor een tienerjongen die Mercutio speelt, is het vooral moeilijk om de obsceniteiten uit te spreken zonder in lachen uit te barsten. Al dat gedoe over 'pikken' in het eerste bedrijf, het vierde toneel, is misschien nog wel moeilijker dan overtuigend gestalte geven aan Romeo. Wat Julia betreft… weet je, als IE-advocaat zou ik zeggen dat Shakespeares fameuze verbeeldingskracht niet goed in de verhaalstructuur tot zijn recht is gekomen. Al zijn stukken, op twee na, zijn ontleend aan eerdere bronnen, soms op flagrante wijze, en hij mocht blij zijn dat ze in die tijd geen auteursrecht hadden. We gaan naar uitvoeringen van zijn stukken om de taal, zoals we naar de opera gaan om de muziek. In beide gevallen is het verhaal van minder belang, ja zelfs triviaal, en toch – en tijdgenoten hadden dat reeds door – is niemand beter dan hij in staat iets uit het gewone leven te plukken en op het toneel te zetten. Het einde van het tweede bedrijf, het tweede toneel, is daar een goed staaltje van. Dat is de beroemde balkonscène, en ik heb het nu niet over het eerste deel, dat altijd geciteerd wordt, maar over de beschrijving van een kind dat aan het eind gek van liefde is. Een volwassene die dat speelt – Claire Bloom bijvoorbeeld – moet wel absurd overkomen, maar een zestienjarige kan het tot leven wekken, vooral wanneer je verliefd bent op het meisje, zoals ik was, en ik kan me nog heel goed het moment herinneren waarop ik, kijkend naar de goddelijke mejuffrouw Gottleib die het langdurige afscheid speelde, bij mezelf dacht dat dit voor mij het leven was. Dit was mijn lotsbestemming: me helemaal openstellen voor het genie, daardoor bezeten worden, vrij zijn van mijn miezerige eigen persoonlijkheid.

Dat was in de derde klas van de high school, een jaar waarin een lange schemerige periode voor de maffia in New York begon. In die tijd, dus voordat de zwijgcode werd verbroken door Valachi, kon je een top-Italiaan het best achter de tralies krijgen door hem van belastingfraude te beschuldigen, en mijn vader zat midden in de vuurlinie. Zoals gewoonlijk kwamen ze met een heleboel aanklachten tegen hem en zetten ze hem onder druk om hem tegen zijn bazen te laten getuigen. Als ze de moeite hadden genomen met zijn familie te praten, zouden ze nooit hebben gedacht dat hij zo laf zou zijn. De hele herfst van dat jaar, terwijl wij *Romeo en Julia* repeteerden, stond mijn vader terecht voor de federale rechtbank van het zuidelijke district van New York. Terwijl het bij ons thuis toch al nooit zo gezellig was geweest, was dit bij uitstek een sombere tijd.

Laat ik het nu even over het familiedrama hebben. Izzy en Ermentrude waren doorgegaan zoals ze begonnen waren: met het pistool in de aanslag, op zijn minst bij wijze van spreken. Ze zullen wel hebben geloofd dat ze van elkaar hielden, al verstonden ze daaronder dat ze voortdurend probeerden de ander hun wil op te leggen. Het volgende tafereel staat me nog helder voor ogen. Het is avond. Wij jongens zijn nog niet in de puberteit. Ik ben een jaar of acht, Paul is tien, het meisje is zes. We hebben plichtsgetrouw ons huiswerk gedaan en het door *Obersturmbannführer-Mutti* laten inspecteren. Er hangt nog een geur van machtig Duits eten in het huis. Het is nog de tijd van *Alles in Ordnung*, voor de ontdekking van Die Hoer, zijn maîtresse, waarna onze moeder het leven min of meer opgaf. Misschien kijken we naar een kleine zwart-wittelevisie, en misschien kibbelen we over de zenderkeuze. Het wordt zes uur en later en de spanning neemt toe. Zal hij komen? Zal hij in een goed humeur zijn of niet? Half zeven en moeder maakt lawaai met pannen, smijt laden dicht, mompelt in het Duits. We horen het tikken van fles tegen glas. Zeven uur. Een brandlucht van dure eiwitten die uitdrogen, van groente die tot oneetbare drab verpietert. We hebben razende honger, maar niemand durft naar de keuken te gaan.

Kwart over zeven en de deur gaat open. Zodra we zijn gezicht zien, weten we dat het mis is. Vanavond geen cadeautjes voor de kinderen. Hij zal de jongens niet stoer begroeten, het kleine meisje niet oppakken en rondzwaaien. Nee, vanavond gaan we meteen aan tafel, en het verpieterde eten wordt met veel gedreun en gekletter op tafel gegooid. Mijn vader zegt dat hij die troep niet eet, en dan is het raak tussen hen. Het gaat heen en weer, in het Engels en dan in plat Duits, waarin het geweld volkomen duidelijk doorklinkt, al kunnen we de exacte betekenis niet volgen. Na een tijdje vliegen borden en bestek door de kamer, en Miriam duikt onder de tafel en ik volg haar en houdt haar huilende hoofdje tegen mijn borst. Paul blijft gewoon op zijn stoel zitten, en ik kan hem van beneden zien, zijn gezicht wit, evenals de knokkels van de vuist die het tafelmes omklemt. De ruzie neemt in volume toe en eindigt meestal met 'vuile nazi' van hem en 'joods zwijn' van haar, en dan geeft hij haar een mep en gaat weg. *Beng!* En wij komen weer tevoorschijn en ze laat ons aan tafel zitten en het oneetbare voedsel tot op de laatste hap naar binnen werken, en intussen vertelt ze ons hoe het was om te verhongeren in dat arme Duitsland, na dzie oorlog, en duus moeten wai allez opeten. Toch is dat niet de reden waarom we het doen. Het is het enige wat we voor haar kunnen doen; daarom doen we het.

Maar toen het proces aan de gang was, deden we dat niet meer. Nu heerste er stilte. Mutti gooide opgewarmd blikvoer op tafel en trok zich dan in haar slaapkamer terug, waaruit de geluiden van de Duitse klassieken kwamen: Beethoven, Bruckner, Wagner. Ze dronk nu ook meer, en als ze veel ophad, draaide ze de volumeknop verder open. Dan trapte pa de deur in en gooide hij platen kapot, of hij ging gewoon weg en kwam dagenlang niet terug. Paul was ook bijna nooit thuis. Nadat hij met de hakken over de sloot zijn schooldiploma had gehaald, hing hij meestal met zijn bende rond, die inmiddels, zoals we gauw genoeg te weten zouden komen, was opgeklommen van kruimeldiefstal naar gewapende roofovervallen.

Zo werd het huishouden aan mij en mijn inmiddels veertienjarige zus Miriam overgelaten. Miri had al het opmerkelijke gezicht dat ze tot in haar volwassenheid zou houden; een gezicht waarvan de hoekige vlakken dezelfde werking hadden als die van een stealthbommenwerper: zonder zelf te worden opgemerkt drongen ze diep in vijandelijk territorium door, in dit geval de mannelijke sekse. Ik deed geen pogingen om echt invloed op haar uit te oefenen, want ik wist dat het zinloos was, maar ik kon er tenminste voor zorgen dat ze te eten kreeg en schone kleren aantrok; en Paulie en ik slaagden er samen (denk ik) vrij goed in om kerels van boven de dertig af te schrikken. Op een ochtend in oktober van dat jaar verscheen pa niet voor de rechtbank en kwam hij ook niet thuis. Natuurlijk vreesden we het ergste, namelijk dat zijn maffiavriendjes geen vertrouwen meer hadden in zijn stilzwijgen (want inmiddels was wel duidelijk dat hij op de voornaamste punten van de aanklacht veroordeeld zou worden als hij het niet met de aanklagers op een akkoordje gooide) en voor hun eigen oplossing hadden gekozen. Ik stelde me hem voor in een verzwaard olievat, of onder het asfalt van een snelweg. Dan probeerde ik bedroefd te zijn, maar dat lukte niet.

Maar ze hadden hem niet koud gemaakt. Na enkele weken vermeldden de kranten dat hij in Tel Aviv gesignaleerd was. Hij was op borgtocht vrij, en nu was hij ervandoor gegaan en was hij zijn mentor, Meyer Lansky, naar een comfortabel ballingsoord gevolgd. Geen kaartje voor ons, geen telefoontje. Later hoorde ik dat hij zijn naam had veranderd in iets wat Hebreeuwser klonk, daartoe aangemoedigd door de Israëlische overheid, al denk ik dat er genoeg Mishkins in dat land zijn. Dat gebeurde allemaal voordat mediahypes regel werden. Er kwamen dus maar een paar verslaggevers naar ons huis, en Paulie en een stel vrienden van hem sloegen ze in elkaar, gooiden camera's kapot enzovoort. In die tijd kon je de pers nog verrot slaan zonder dat er videobeelden van werden gemaakt, en als je het mij vraagt, kwam dat het beschavingspeil van de pers ten goede. Aangezien pa ons huis en de rest van zijn onroerend goed had ingezet om zijn enorme borgsom te betalen, en hij er met al het beschikbare geld vandoor was, hadden we helemaal niets meer. Na een redelijke termijn kwamen de deurwaarders om pa's Cadillac op te halen en ons een uitzettingsbevel te overhandigen.

In die tijd beleefden we een klein wonder. Op een zaterdagmorgen hoorde ik bij het wakker worden de geluiden van verwoed inpakken en *Parsifal* op de stereo. Mutti was terug. Ze had de leiding genomen en schreeuwde bevelen. Wij kinderen werden aan het werk gezet, en ook twee mannen die ik nooit eerder had gezien. Ze spraken Duits en waarschijnlijk waren het oorlogsmisdadigers die zich in Amerika schuilhielden en die Mutti ergens had opgeduikeld. Het was weer Regensburg 1945, Hitler was weg, de Roden kwamen eraan, en het leven moest uit de puinhopen worden opgebouwd. Ik heb gehoord dat Oekraïense dorpelingen stonden te juichen toen de nazi's in 1941 binnenkwamen, en wij kinderen waren er ongeveer hetzelfde aan toe: alles moest wel beter zijn dan wat we de laatste tijd hadden meegemaakt, en het fascisme van onze moeder was tenminste een bekende factor. De Duitse mannen hadden ook een vrachtwagen, en daarmee verhuisden we van ons comfortabele huis in Flatbush naar een kleine driekamerwoning in een gemeenteflat aan de rand van Queens.

Zo ging ons leven verder zonder pa. Het salaris dat Mutti als administrateur in het King's County Hospital verdiende, was net genoeg om ons van ondergoed en *bratwurst* te voorzien. Wij kinderen wijdden ons aan levens waarvan we dachten dat pa zich er heel kwaad over zou maken: Paul werd een domme in plaats van een slimme crimineel; ik werd een uitblinker op school (een *schmuck* dus); en Miri werd, om het maar ronduit te zeggen, een slet. Algauw ging Paul de gevangenis in voor de beroving van een slijterij, ging Miri er met een playboy vandoor en deed ik cum laude eindexamen en ging aan Columbia studeren, waar ik Mickey Haas leerde kennen. Ik hoop dat ik hiermee alle lijntjes tussen de punten heb getrokken.

Maar ik was aan deze lange uitweiding begonnen met een beschrijving van mijn kinderen, en ik zie nu dat ik nog niets heb gezegd over mijn zoon Nicholas, of Niko, zoals we hem noemen. We hebben een hele tijd gedacht – ik althans – dat er iets met hem aan de hand was, misschien een vorm van autisme of een van die kindersyndromen die ze de laatste tijd bedenken om de farmaceutische industrie aan nieuwe markten te helpen. Hij was laat met lopen en praten, en ik wilde met hem naar allerlei specialisten, al hield zijn moeder vol dat er niets ernstigs aan de hand was. Na verloop van tijd bleek zijn moeder gelijk te hebben. Hij begon te praten toen hij een jaar of vier was, en deed dat van het begin af aan in perfecte alinea's; en hij liet omstreeks dezelfde tijd zien dat hij zichzelf had leren lezen. Het is een soort wonderkind, maar we weten niet welk soort. Ik wil nu wel toegeven dat ik me in zijn bijzijn nooit helemaal op mijn gemak heb gevoeld. Tot mijn schande. Toen hij zes was, voor de scheiding dus, kwam hij vaak naar het kamertje dat ik als studeerkamer gebruikte, en dan stond hij daar naar me te kijken en wilde hij niets zeggen als ik hem vroeg wat hij wilde. Uiteindelijk negeerde ik hem, of dat probeerde ik tenminste. Soms verbeeldde ik me dat hij in mijn hoofd kon kijken, tot in mijn diepste gedachten en verlangens, en dat hij als enige van ons wist hoe door en door verrot ik was.

Hij gaat met Imogen naar de Copley Academy en krijgt speciale lessen wiskunde en informatica, twee vakken waarin hij uitblinkt. Izzy the Book heeft dus in zekere zin een sprong over een generatie gemaakt. Het talent heeft mij overgeslagen, want ik haalde nooit meer dan een zeven voor het beetje wiskunde dat voor mijn schoolopleiding nodig was. Niko is een onverstoorbare, ernstige kleine man en begint uiterlijk al op zijn opa van vaderskant te lijken, met die donkere, behoedzame, matte ogen, de grote neus, de brede mond, het dichte, donkere krulhaar. Voor zover ik weet heeft hij nooit iets van mij geleerd. Ik heb het voor het laatst geprobeerd toen ik hem wilde leren zwemmen. Dat mislukte volkomen, maar wat nog erger was: mijn pogingen brachten hem tot zo'n verregaande en langdurige hysterie dat niemand ooit nog heeft geprobeerd hem te leren zwemmen, en hij is nog steeds bang voor water. Op het droge is hij redelijk gelukkig, denk ik. Copley is het soort school waar ze je met rust laten als je niet al te lastig bent. Ze geven geen cijfers en brengen achtentwintigduizend vijfhonderd dollar per jaar in rekening. Met dat laatste heb ik geen enkele moeite, want ik verdien goed. Ik declareer gemiddeld zevenhonderdvijftig dollar per uur en de meeste jaren komt het aantal declarabele uren boven de tweeduizend. Reken het zelf maar uit. Ik heb geen dure hobby's (op een na, moet ik zeggen), ik hou niet van reizen en ik heb een bescheiden smaak. Ik heb een appartement in Tribeca gekocht voordat de prijzen de pan uit rezen, en Amalie leidt ook een vrij eenvoudig leven en heeft zelf een goed inkomen, al zou ze, als het aan haar lag, ons hele vermogen aan de armen en noodlijdenden geven en met de kinderen onder een brug gaan wonen in plaats van in een mooi herenhuis aan East 76th Street.

Ik hou meer van mijn kinderen dan van wie ook, al is dat eigenlijk niet zo veel. Ik kan met mijn fantasie een beeld van mezelf als goede vader oproepen, zoals ik dat ook kon oproepen van mezelf als goede zoon, goede broer, vriend enzovoort. Het is gemakkelijker om mensen in de maling te nemen dan je misschien zou denken, en voordat ik Amalie kende dacht ik dat iedereen zo was, dat mensen een script uit een culturele doos trokken en zich daar dan aan hielden. Ik dacht toen echt dat er geen verschil was tussen Jake Mishkin die Mercutio speelde en Jake Mishkin die Jake Mishkin speelde, behalve dat Mercutio beter geschreven was.

Dat was trouwens ook de reden waarom ik geen professionele acteur ben geworden. Ik zei tegen mezelf dat ik het theater opgaf (wat klinkt dat als absurd zelfbeklag!) omdat ik een vaste inkomstenbron nodig had om mijn gezin te onderhouden, maar in werkelijkheid zag ik van acteren af omdat ik me bijna niet meer los kon maken van een rol als ik me die eenmaal eigen had gemaakt. Wat op de middelbare school grappig en excentriek was geweest, werd grappig en vreemd toen ik wat ouder werd, en daarna helemaal niet meer grappig. Ik stelde me al voor dat ik mijn dagen zou slijten op een gesloten afdeling, hopeloos verstrikt in Macbeth of Torvald Helmer. Of Estragon. En er was ook, ik weet niet, iets bijzonder giftigs aan mensen uit het theatervak, of misschien verbeeldde ik me dat maar omdat ik bang was. En dus ging ik over op een rechtenstudie, en ik heb daarna weinig reden gehad om daar spijt van te hebben. Ik ga niet naar toneelstukken.

Ik ben terug na een pauze waarin ik koffie heb gedronken en een donut heb gegeten. Ik heb in Saranac Lake een zak met vierentwintig donuts gekocht en daar leef ik nu op, en op koffie. Dit huis is goed voorzien van blikvoedsel en voorraden, voor een deel aanzienlijk oud, en er is een diepvrieskist met vis en wild. Mickey heeft gezegd dat ik hier voor onbepaalde tijd mag blijven, al voegde hij daaraan toe dat ik het huis in het geval van een nucleaire aanval moet delen met hem en welke van zijn drie vrouwen hij ook maar meeneemt. Er is een plaats op veertig kilometer afstand, New Weimar, maar daar ben ik nog niet geweest. Het leek me beter als niemand uit de buurt wist dat ik hier was. Dit huis ligt afgelegen, aan het eind van een lang verhard pad dat op een grindweg uitkomt, die op zijn beurt weer een zijweg is van een landweggetje dat ten westen van Saranac Lake op Route 30 uitkomt. Toch is het isolement alleen geografisch van aard, want Mickey heeft enkele jaren geleden een schotelantenne geïnstalleerd, en dus kun je nu de gebruikelijke tweehonderd kanalen ontvangen, en wat nog belangrijker is: via die antenne heb je ook breedbandinternet. Ik vind het een prettig gevoel dat ik maar op een paar toetsen hoef te drukken om dit naar de hele wereld te kunnen sturen. Ik kan het misschien nog in onderhandelingen gebruiken, al weet ik nog niet met wie.

Nu ik dit overlees, zie ik dat ik de verhaallijn onherstelbaar overhoop heb gegooid. Het zou misschien beter zijn geweest als ik mijn levensverhaal gewoon vanaf het begin had verteld, alsof ik net als Bracegirdle op mijn sterfbed lag, in plaats van uit te weiden over de grote kans dat ik in de nabije toekomst op een gewelddadige manier aan mijn eind zal komen. De dood concentreert zich in de geest, denk ik, vooropgesteld dat je nog een geest hebt. Nu zit ik met het probleem dat ik een verhaal ben gaan vertellen zoals je dat vroeger in goedkope thrillers tegenkwam. Dit is het elektronische equivalent van de laatste woorden van een stervende, de cryptische tekens op de muur, de met bloed geschreven woorden: 'De smaragden zijn in de p (onleesbaar).' Of: 'Het was niet Har...' En daar komt het verhaal dan uit voort. Maar blijkbaar is mijn leven vermengd geraakt met het verhaal, zoals ook met Bracegirdle het geval was:

Schoon God mij niet riep teneinde onder de groten te verkeren, ben ik niettemin een man en geen kinkel & mijn verhaal mag worden verteld, ware het slechts ten behoeve van mijn zoon, die nu tot manheid moet komen zonder zelfs het povere voorbeeld dat ik wellicht had kunnen verschaffen.

Dat zeide Bracegirdle en dat zeg ik.

Om de draad weer op te pikken: ik zie in mijn agenda dat de volgende twee dagen zonder iets van betekenis verliepen, evenals het weekend, waarvan de pagina leeg is afgezien van 'Ingrid'. Dat laatste betekent dat ik naar Tarrytown moet zijn gegaan om te eten, te drinken, een stel tamelijk bevredigende seksuele handelingen te verrichten en dag-dag Ingrid.

Nee, nu doe ik een heel aardige vrouw tekort, een choreografe die ik op een gala van een muziekgezelschap heb leren kennen en die ik heb veroverd door hoffelijk, meevoelend, royaal en grootmoedig te zijn. Ze is niet de eerste, en niet de laatste, die deze misstap beging. Ik weet niet wat er tegenwoordig met mannen aan de hand is, maar in Manhattan zie je overal aantrekkelijke, stijlvolle, sexy vrouwen van tussen de dertig en de vijftig, getrouwd of niet, voor wie het bijna onmogelijk is een nummertje te maken. Ik doe mijn best, maar het is een trieste aangelegenheid. Laat me nu niet op dat alles ingaan.

Die maandag hadden we 's morgens onze gebruikelijke partnersvergadering en daarna belde ik, zoals gewoonlijk, mijn chauffeur en ging ik naar de sportschool. Ik schreef al dat ik een vrij eenvoudig leven leid, zonder dure hobby's enzovoort, maar je zou het feit dat ik voortdurend een chauffeur tot mijn beschikking heb misschien wel een extravagantie kunnen noemen. Met de auto erbij kost het me bijna vijftigduizend dollar per jaar, al zijn dat zakelijke onkosten en kan ik ze als aftrekpost opvoeren. Er is geen goede verbinding tussen mijn huis en mijn kantoor, en ik pas niet in een gewone taxi, tenminste, dat zeg ik tegen mezelf. De auto is een Lincoln Town Car, donkerblauw, om hem van alle zwarte te onderscheiden. Mijn chauffeur, die al bijna zes jaar voor me werkt, heet Omar. Hij is Palestijn en net als ik gewichtheffer in de hoogste gewichtsklasse. Toen we elkaar leerden kennen, was hij taxichauffeur. We klaagden allebei dat de reguliere taxi's die ze in New York hadden niet geschikt waren voor mensen zoals wij, of we nu passagier of chauffeur waren, en op grond daarvan besloot ik de Lincoln te nemen en Omar erin te laten rijden. Hij rijdt geweldig goed, zowel veilig als snel, drinkt niet en houdt de auto smetteloos schoon. Zijn enige gebrek (als je het dat kunt noemen) is dat hij, als het tijd is voor het gebed, zich verplicht voelt te stoppen, zijn kleedje uit de kofferbak te halen en op het trottoir neer te knielen. Dat is trouwens maar een paar keer gebeurd terwijl ik aan boord was.

Ik ben zelf niet vroom, al ben ik ook geen atheïst. Geen agnost, een standpunt dat ik absurd vind, en ook niet buitensporig godvrezend. Ik denk dat ik nog steeds katholiek ben, zij het niet-praktiserend. Net als de duivels in de hel geloof en beef ik. Als mensen ernaar vragen, zeg ik dat bepaalde standpunten van de kerk of het Vaticaan me tegenstaan, alsof de kerk niet helemaal goed genoeg is om de glorie van Jake Mishkin te bevatten, maar zo is het niet. Ik ga niet meer naar de kerk, zodat ik als een duivel met de vrouwen kan verkeren. Ja, mijn enige dure hobby.

Terug naar maandag... Ik was in de sportschool. Die zit aan 51st Street, bij Eighth Avenue. Een deel van het gebouw is een onopvallende Nautilus-vestiging voor buurtbewoners, maar de gewichtenkamer is buitengewoon goed ingericht, want de eigenaar, Arcady V. Demichevski, kwam vroeger als gewichtheffer voor de Sovjet-Unie uit. Arcady zal je adviezen over gewichtheffen geven als je hem ernaar vraagt, en hij heeft een stoomkamer in Russische stijl, en ook nog een masseur. Dit deel van de sportschool ruikt naar wintergroenolie, zweet en stoom. Arcady zegt dat de grote gewichtheffers meer met hun hoofd dan met hun lichaam tillen, en het is me gebleken dat hij daar gelijk in heeft. Het zou voor een mens, hoe gespierd ook, onmogelijk zijn tweehonderd kilo dood gewicht de lucht in te drukken, maar toch gebeurt dat regelmatig. Zoals ik al zei, heb ik het zelf ook gedaan. Het is allemaal een kwestie van concentratie en, wie weet, een vreemde vorm van telekinese. Ik vind het geweldig ontspannend om midden op de dag een uurtje gewichten te heffen. Als ik klaar ben met de gewichten en een stoombad heb genomen, ben ik bijna vergeten dat ik advocaat ben.

Hoe dan ook, ik was net klaar met een setje bankdrukken, honderdveertig kilo, met Omar als spotter. Terwijl ik mijn waterfles vulde bij het fonteintje aan de Nautilus-kant, zag ik twee mannen de sportschool binnenkomen. Ze spraken met Evgenia, Arcady's dochter die achter de balie stond, en ik zag haar naar mij wijzen. Ze kwamen naar me toe, lieten hun insignes zien en stelden zich voor als rechercheurs van politie: Michael Murray en Larry Fernandez. Door politieseries zijn we zo goed voorbereid op ondervraging door de politie, we hebben het immers al duizenden keren gezien, dat het een vreemde anticlimax is als het in het echte leven gebeurt. De echte rechercheurs zien eruit als de mannen die de tv-rol net niet hebben gekregen: een gewone New Yorker met een normaal postuur en een joods uiterlijk, en nog zo'n man, maar dan een latino. Murray was een beetje dikker dan ze graag op televisie laten zien, en Fernandez had misvormde tanden. Het kostte me moeite mijn gezicht in de plooi te houden toen ze me vroegen of ik Andrew Bulstrode kende, want ik stelde me voor dat we op het televisiescherm te zien waren en kreeg sterk de indruk dat zij zich dat ook voorstelden, ja, dat ze hun hele doen en laten hadden aangeleerd door naar *N.Y.P.D. Blue* en *Law & Order* te kijken.

Ik antwoordde dat hij een cliënt van me was, en ze vroegen wanneer ik hem voor het laatst had gezien, en ik zei dat de eerste keer ook de laatste keer was geweest, en toen vroegen ze of ik wist waarom iemand hem kwaad zou willen doen. Ik zei nee, maar ook dat ik hem niet zo goed kende, en ik vroeg hun waarom ze me kwamen opzoeken. Ze zeiden dat ze een advocatencontract in zijn kamer in een appartementengebouw aan upper Broadway hadden gevonden, een gebouw dat Columbia aan gastdocenten ter beschikking stelt, en toen vroeg ik hun of iemand hem kwaad hád gedaan. Ze zeiden dat iemand hem op zondagavond in dat gebouw had opgezocht, hem op een stoel had vastgebonden en hem toen blijkbaar had doodgemarteld. Ze vroegen me wat ik zondagavond had gedaan, en ik vertelde hun over Ingrid.

Doodgemarteld. Ze gaven geen bijzonderheden en ik vroeg er niet naar. Ik was geschokt, maar vreemd genoeg niet verrast. Ik vertelde de politie niet over het pakje dat hij me had gegeven, want ik vond dat het hun niets aanging, in elk geval niet voordat ik de tijd had genomen om het zelf te onderzoeken.

DE BRIEF VAN BRACEGIRDLE (3)

Aldus vingen wij aan & ik merkte geschikt te zijn voor dit werk – de cijfers beklijfden gelijk Latijn nimmer deed. Ik leerde tweemaal twee, tweemaal drie et cetera tot zestien maal zestien & hij verschafte uitleg & ik cijferde in mijn hoofd, mij daarbij bedienende van slechts een potlood & papier: & deelde ook, zo iemand wenste 2300 potten twaalf per kist te verpakken hoeveel kisten is hij van node & hoeveel in de laatste, en dat al zonder telraam. Hij gaf me ook een boek dat mij een wonder is, geheten Disme, oftewel de Kunst van Tienden van een Hollander Simon Stevins, & schoon het uw begrip te boven zal gaan, Nan, zeg ik u toch dat Disme een soort aritmetica is, bestaande uit karakters van cijfers; waarbij een zeker aantal wordt beschreven & waarbij ook al hetgeen in de menselijke negotie plaatsvindt in gehele getallen wordt vervat, zonder fracties & gebroken getallen. Toen ik had getoond dat meester te zijn toonde hij mij zijn Euclides onlangs verengelst door Billingsley burgemeester van Londen. Hetgeen ik tot mij nam gelijk een verhongerd man voedsel of gelijk een die in boeien is geslagen en plotsklaps vrijgelaten wordt. Daarnevens instrueerde hij mij in de kunst van de kwadrant & andere filosofische instrumenten die mij dunkt nimmer eerder in Fish Street aanschouwd zijn & leerde mij kaarten maken van metingen verricht met kwadrant & ketenen: benevens de elementen van astronomisch rekenen zoals het nemen van latituden van de zon & diverse sterren, ik die bij aanvang zou zweren geen latitude van een homp kaas te kunnen onderscheiden. Waarlijk het was mij een vreugde dit te verwezenlijken ik die op school voor traag was doorgegaan.

Dit alles in een zomer in mijn twaalfde jaar: maar mijn vader dit ziende zeide zijt gij niet alleen zelve lui maar neemt ge ook mijn klerk in uw luiheid mede? Maar heer Wenke stond pal gelijk een man en zeide deze jongen die u hebt is zo geschikt voor mathematica als elk-

een die ik heb gezien: in luttele maanden leerde hij bijna al wat ik hem leren konde & zal mij weldra overtreffen. Mijn vader zeide hoe doet die mathematica mij meer ijzer verkopen? Heer Wenke zeide wat ik de jongen leerde zal de boekhouding zeer versnellen, en tot mij zeide hij, toont uw vader uw mathematica.

Alzo nam ik potlood & een vel papier uit de haardkist & een ijdel vertoon wensende vermenigvuldigde ik twee getallen van elk zeven cijfers. Mijn vader keek & zeide poeh dat is slechts krabbelwerk. Nee heer, zeide heer Wenke, hij heeft het goed. Mijn vader zeide, hoe kunt ge dat zeggen? Want er zoude meer dan een uur van node zijn om met het telraam mijn rekenwerk na te gaan. En zo stonden wij; evenzo meende mijn vader dat zulke werkingen, komende wellicht uit Italië en andere landen onder bewind van de hoer van Rome, paaps waren.

Daags daarna zeide hij dat ik niet meer met heer Wenke zoude studeren & maakte mij ijzergieter, zeggende wij zullen zien wat ge hiervan giet & lachte hard om zijn geestigheid. Aldus onder vele tranen van mijn lieve moeder & ik evenzo bitterlijk wenend, werd ik naar mijn neven Bracegirdle te Titchfield gezonden. De avond voor mijn vertrek zocht heer Wenke me heimelijk op & verschafte mij de eerste tien boeken van zijn Euclides, zeggende ik ken ze in mijn hoofd & kan meer bij Pauls kopen indien van node & maakt ge er goed gebruik van. Aldus verliet ik mijn huis.

De fabriek mijner neven in Titchfield was zo ongelijk de factorij in Fish Street als men zich indenkt, want ijzer maken is zo ongelijk aan ijzer verkopen als ossen slachten ongelijk is aan vleespastei opdienen; daarmede maak ik gewag van vuil hard bruut werk. Mijn neef Matthew de meester van de plaats was hard als het ijzer dat hij vervaardigde. Op mij neerkijkende, een grote beer van een man, zeide hij wat een scharminkel zijt gij, doch wij maken u hard of doden u alvorens een jaar verstreken is, wij zullen zien wat het wordt & lachte. Doch schoon ik zwoegde als een slaaf & hard sliep op stro met andere leerlingen was dit niet het zwaarste van mijn nieuwe lot, want ik was gezegend met goede manieren nimmer een vloek in mijn huis & alles ordelijk, evenmin was ik ooit onder zondaren in het vlees geweest. Maar nu meende ik onder duivels te verkeren. Mijn meester, schoon het ware geloof voorwendende, was een vuige huichelaar zeer nuchter in de kerk op zondag doch overigens een losbandige schavuit hij had een lichtekooi in de stad & dronk & sloeg zijn wijf & dienaren indien zat & voedde ons leerlingen zeer slecht. De leerlingen zelf, ik zweer zij waren weinig meer dan beesten des velds, vechtende & stelende & drinkende zo zij smerig bier bemachtigden. Van aanvang af belaagden zij mij gelijk kraaien een karkas vanwege mijn manieren & een verwant des meesters & maakten mijn leven tot een hel, hetgeen ik onderging, wenende slechts heimelijk & biddende om bevrijding hetzij door de dood hetzij een andere genade het was mij om het even. Doch nu spiedde een van hen Jack Carey genaamd een schreeuwende lomperik mij bij mijn Euclides & maakte zich op het in het vuur te werpen, toen sprong ik op gelijk een wildeman, & nam een stok & sloeg hem op zijn hoofd zodat hij het boek liet vallen & bewusteloos neerzeeg & drie hunner moesten mij toen vasthouden of ik had nog groter kwaad hem aangedaan zelfs moord denk ik, zozeer bevangen door woede, moge God mij vergeven. Maar sedertdien verbeterde mijn omgang met hen.

4

Het huilen duurde ongeveer vijf minuten. Toen haalde ze een aantal keren diep en huiverend adem. Crosetti vroeg Carolyn verscheidene keren wat er mis was, maar kreeg geen antwoord. Zodra ze enigszins tot bedaren was gekomen, trok ze zich terug en verdween achter de scheidingswand van de badkamer. Hij hoorde water stromen, voetstappen, de heerlijke ritselende geluiden van een meisje dat andere kleren aantrekt. Ze doet iets gemakkelijkers aan, dacht Crosetti met ongewone spanning.

Maar toen ze tevoorschijn kwam, bleek ze een grijze monteursoverall te dragen en had ze haar haar strak in een indigoblauwe doek gebonden, waaronder haar gezicht helemaal schoongeboend was, zelfs ontdaan van het kleine beetje make-up dat ze meestal gebruikte. Op dat gezicht was ook geen spoor van de huilbui meer te zien. Ze leek een gevangene of een non.

'Voel je je beter?' vroeg hij toen ze langs hem liep, maar ze gaf geen antwoord. In plaats daarvan verving ze het keukenpapier in de natte boeken.

Hij liep naar haar toe en trok nat keukenpapier uit deel drie. Toen ze enkele minuten zwijgend hadden staan werken, vroeg hij: 'En...?'

Geen reactie.

'Carolyn?'

'Wat?'

'Gaan we praten over wat er zojuist is gebeurd?'

'Wat bedoel je?'

'Ik bedoel dat je daarnet hysterisch werd.'

'Ik zou het niet hysterisch noemen. Ik word een beetje huilerig als ik drink.'

'Een beetje huilerig?' Hij keek haar aan en zij keek terug. Haar oogleden waren nog een beetje rood, maar verder was niet te zien dat ze ooit iemand anders was geweest dan de onverstoorbare Carolyn Rolly. Die zei nu koel: 'Het spijt me als ik je aan het schrikken heb gemaakt. Ik wil er liever niet over praten.' En ze ging meteen weer aan het werk.

Crosetti moest daar genoegen mee nemen. Het was duidelijk dat ze niet tot intimiteit overging, geen duistere geheimen met hem wilde delen. En tot fysiek contact zou het ook niet meer komen. Ze werkten in stilte. Crosetti ruimde de weinige resten van hun maaltijd en het gebruikte keukenpapier op. Rolly ging op een kruk zitten en deed geheimzinnige dingen met haar middeleeuwse gereedschap en de half verwoeste boeken.

Een beetje verlegen met zichzelf pakte Crosetti de manuscriptpagina's, die nu amper nog vochtig waren, en spreidde ze op het aanrecht en de spoeltafel uit. Hij pakte een vergrootglas van Rolly's werktafel en bekeek een willekeurige pagina. Sommige letters waren goed herkenbaar – de klinkers leken op moderne letters, en korte, veelvoorkomende woorden als 'de' en 'in' pikte hij er ook gemakkelijk uit. Dat wilde niet zeggen dat hij de tekst kon lezen. Veel woorden leken niet meer dan gekartelde golven, en er waren genoeg totaal niet te ontcijferen letters om verreweg de meeste woorden onleesbaar te maken. Bovendien leek een aantal vellen papier beschreven te zijn in een onbekende buitenlandse taal, al was hij daar niet zeker van omdat de letters zo moeilijk te lezen waren. Stond daar echt een woord als 'hrtxd'? Of 'yfdpg'?

Hij negeerde de tekst en keek naar de structuur en de aard van de papieren. Alle achtenveertig vellen waren van folioformaat, en zo te zien waren ze in drie groepen te verdelen. De eerste groep bestond uit achttien vellen van fijn, dun papier, dicht beschreven, netjes maar met veel doorgestreepte woorden en lijnen. Deze papieren waren ooit scherp gevouwen geweest, zowel verticaal als horizontaal. De tweede groep bestond uit zesentwintig vellen van zwaarder papier, aan beide kanten beschreven, waarop het handschrift groter en rommeliger was, met vlekken; desondanks waren ze – tenminste voor zover Crosetti met zijn onervaren oog kon zien – in hetzelfde handschrift beschreven als de eerste achttien vellen. Op elke bladzijde van deze tweede groep was het papier aan één kant gelijkmatig doorgeprikt, alsof het uit een boek was gescheurd. Deze papieren hadden ook de eigenaardigheid dat er blijkbaar over verbleekte, bruinige rijen cijfers heen was geschreven. Het woord 'palimpsest' kwam bij Crosetti op en gaf hem een obscure voldoening, al begreep hij dat het niet klopte: palimpsesten waren doorgaans van perkament, oude manuscripten die waren afgeschraapt om plaats te maken voor nieuwe tekst. Maar het was duidelijk dat deze bladzijden beschreven waren door iemand die dringend papier nodig had. Op de vier papieren van de derde groep waren met potlood verbeteringen aangebracht: duidelijk een ander soort papier en een ander handschrift. Crosetti hield alle papieren in het licht van de plafondlampen en zag zijn vermoeden bevestigd: drie verschillende watermerken. De achttien vellen dun papier hadden een gekromde posthoorn als watermerk, met daarbij de letters 'A' en 'M'; de zesentwintig doorgeprikte vellen hadden een soort wapenschild; en de laatste vier vellen hadden een kroon.

Maar hoe was deze verzameling midden in de achttiende eeuw als opvulling in een reeks boeken terechtgekomen? Crosetti stelde zich een boekbinderij uit die tijd voor. Er lag een berg afvalpapier naast de tafel van de binder, een tafel die waarschijnlijk niet veel verschilde van die waaraan Rolly nu in het licht van een gelede bureaulamp aan het werk was, haar slanke hals glanzend en kwetsbaar afstekend tegen de donkere matte kleur van haar hoofddoek. Die tafel zou van stevig Engels eikenhout zijn geweest, gehavend en gevlekt, in plaats van gelamineerd pallethout. De boekbinder die ervoor zat, zou zijn hand in de stapel hebben gestoken en er zes vellen papier uit hebben gehaald, om ze vervolgens met een scheermesje langs een stalen liniaal op maat te snijden en netjes tegen de borden te leggen.

Het was zuiver toeval, dacht Crosetti, dat zo veel papieren met blijkbaar hetzelfde handschrift in dit exemplaar van de *Voyages* van Churchill terecht waren gekomen. Maar bij nader inzien misschien ook niet. Hij stelde zich een oude man voor die was gestorven, en de weduwe of de erfgenamen die de papieren van de overledene wilden opruimen. Ze leggen de bundels papier op de stoep en sturen een jongen om de handelaar in oud papier te halen. Die komt, doet een bod en neemt het spul mee. Nu hebben ze ruimte voor een echte voorraadkamer, zegt de vrouw van de erfgenaam, al die stoffige oude troep, bah! En de oudpapierman gooit alles in zijn bak, en na een tijdje krijgt hij een order van een Londense boekbinderij, een vaste klant, een order voor een baal afvalpapier…

En omdat de papieren met de potloodcorrecties niet in hetzelfde handschrift waren beschreven, moest de binder bij toeval wat drukproeven bij het afvalpapier van Crosetti's opruimende erfgename hebben gedaan. Ja, zo kon het zijn gegaan, en die gedachte deed hem goed: hij had geen behoefte aan een mengelmoes maar aan een ontdekking. Hoewel hij nu al zo lang door het vergrootglas tuurde dat hij er hoofdpijn van kreeg, vertikten die zwart-bruine krabbels het hun betekenis prijs te geven. Hij legde het vergrootglas neer en liep door het appartement.

'Heb je een aspirientje?' vroeg hij Rolly, en hij moest het twee keer vragen.

'Nee,' zei ze bijna snauwend.

'Iedereen heeft aspirine in huis, Carolyn.'

Ze gooide het instrument dat ze in haar hand had neer, slaakte een dramatische zucht, liet zich van haar kruk zakken, liep weg en kwam even later terug met een plastic buisje dat ze met zoveel kracht in zijn hand drukte dat het ratelde als een kleine castagnet. Motrin.

'Dank je,' zei hij formeel. Hij nam er bij het aanrecht drie in. Normaal gesproken zou hij even gaan liggen tot de stampende pijn ophield, maar bij Rolly kon je nergens comfortabel liggen en hij durfde haar bed niet te gebruiken. Daarom ging hij op een keukenstoel zitten en bladerde hij somber in de vellen oud papier. Als Carolyn Rolly een normaal menselijk persoon was geweest, dacht hij, hadden we hier samen aan kunnen puzzelen. Ze heeft waarschijnlijk wel boeken over watermerken en secretary, en in elk geval weet ze meer van die dingen dan ik...

Maar zodra die gedachte bij hem opkwam, klaarde hij op en haalde hij zijn mobieltje uit zijn zak. Hij keek op zijn horloge. Nog geen elf uur. Om elf uur keek zijn moeder naar de *Tonight Show* en zou ze een uur lang de telefoon niet opnemen, maar nu zou ze nog met een boek in haar leunstoel zitten.

'Ik ben het,' zei hij toen ze opnam.

'Waar ben je?'

'Ik ben in Red Hook, bij Carolyn Rolly thuis.'

'Woont ze in Red Hook?'

'Dat wordt opgeknapt, ma.'

'Het zijn daar bootwerkers en gangsters. Wat doet een chic meisje als zij in Red Hook?' Mevrouw Crosetti had Carolyn een paar keer in de winkel ontmoet. Daarna had ze haar beoordeling van het meisje aan haar zoon laten horen, met de implicatie, zo subtiel als een baksteen door een ruit, dat als hij ook maar een greintje verstand had hij werk van het meisje zou maken. Hoopvol ging ze verder: 'En waarom ben je daar? Je hebt iets met haar.'

'Nee, ma. Het komt door de brand. Ze moest bij haar thuis aan een stel zware boeken werken – ze is een soort amateurboekbinder – en ik heb haar geholpen ze uit de binnenstad hierheen te brengen.'

'En daarna ben je blijven hangen?'

'We hebben gegeten. Ik sta op het punt weg te gaan.'

'Dus ik hoef de zaal nog niet af te huren. Of pastoor Lazzaro te waarschuwen.'

'Ik denk het niet, ma. Sorry. Zeg, waarvoor ik belde... Weet jij iets van zeventiende-eeuwse watermerken, of een handschrift dat secretary heet? Ik bedoel, hoe je dat kunt ontcijferen?'

'Nou, wat dat handschrift betreft zou je Dawson en Kennedy-Skipton moeten hebben, *Elizabethan Handwriting, 1500-1650*. Dat is een handboek, al geloof ik dat er ook veel op internet te vinden is, interactieve handleidingen en zo. Wat de watermerken betreft is er Gravell... Nee, wacht, Gravell begint in 1700. Wacht even, laat me nadenken... O, ja, je moet Heawood hebben, *Watermarks Mainly of the 17th and 18th Centuries*. Waar gaat dit over?'

'O, we hebben een oud manuscript gevonden in de omslagen van een boekenreeks die ze wil repareren. Ik zou graag willen weten wat het is.' Hij noteerde de boektitels op een Visa-strook uit zijn portefeuille.

'Je zou met Fanny Doubrowicz van de bibliotheek moeten praten. Ik wil haar wel voor je bellen.'

'Nee, dank je. Waarschijnlijk is het haar tijd niet waard, totdat ik weet of het niet gewoon een oud boodschappenlijstje is of zoiets. Een deel ervan, een aantal bladzijden, is in een vreemde taal geschreven.'

'O, ja? Welke?'

'Dat weet ik niet. Wel een rare taal, geen Frans of Italiaans. Eerder Armeens of Albanees. Maar het kan er ook aan liggen dat ik het handschrift niet kan lezen.'

'Interessant. Goed. Als die hersenen maar werken. Ik wou dat je weer ging studeren.'

'Ma, dat ga ik ook doen. Ik spaar om weer te gaan studeren.'

'Echt studeren, bedoel ik.'

'De filmacademie ís echt studeren, ma.'

Mevrouw Crosetti zei niets, maar haar zoon kon zich de uitdrukking op haar gezicht wel voorstellen. Het deed er niet toe dat zij zelf pas voor haar beroep had gekozen toen ze al jaren ouder was dan hij nu. Ze zou hem graag financieel hebben geholpen als hij een serieuze studie ging doen, maar films maken? Nee, dank je! Hij zuchtte en ze zei: 'Ik moet ophangen. Kom je laat thuis?'

'Misschien heel laat. We leggen keukenpapier in natte boeken.'

'O, ja? Waarom gebruiken jullie geen stofzuiger of sturen jullie ze niet gewoon naar Andover?'

'Het is ingewikkeld, ma. Trouwens, Carolyn heeft de leiding. Ik ben maar het hulpje.' Hij hoorde muziek en applaus op de achtergrond, en ze zei hem gedag en hing op. Het verbaasde hem steeds opnieuw dat een vrouw die door haar vroegere werk over ontzaglijk veel kennis beschikte en het zondagse cryptogram van de *Times* in gemiddeld tweeëntwintig minuten kon oplossen, haar tijd verspilde aan een praatprogramma met beroemdheden en een matig getalenteerde komiek die treurige grappen vertelde, maar ze sloeg nooit een avond over. Ze zei dat ze zich daardoor 's avonds minder eenzaam voelde, en hij nam aan dat eenzame mensen het grootste publiek voor dergelijke programma's vormden. Hij vroeg zich af of Rolly naar de *Tonight Show* keek. Hij had geen televisie gezien. Misschien waren vampiers niet eenzaam.

Crosetti stond op van de vreselijke stoel en rekte zich uit. Zijn rug deed nu ook pijn. Hij keek op zijn horloge en liep door de zolderruimte naar de plaats waar Rolly nog over haar werk gebogen zat.

'Wat is er?' zei ze toen hij dichterbij kwam.

'Het is tijd om het papier te vervangen. Wat doe je?'

'Ik zet het omslag van deel vier weer in elkaar. Ik moet die van de delen een en twee helemaal vervangen, maar ik denk dat ik de vlekken uit dit omslag kan krijgen.'

'Wat gebruik je om de manuscriptpagina's als vulling te vervangen?'

'Ik heb wat foliopapieren uit die tijd.'

'Die heb je toevallig liggen, hè?'

'Ja, dat is zo,' snauwde ze. 'Er is een hoop van dat papier beschikbaar uit boeken die uit elkaar zijn gehaald voor hun kaarten en platen. Met wie praatte je door de telefoon?'

'Mijn moeder. Zeg…' Hij wees naar de muren vol boekenkasten. 'Heb jij toevallig een boek over watermerken? Ik heb een titel…' Hij pakte zijn portefeuille.

'Nou, ik heb Heawood natuurlijk.'

Hij vouwde het Visa-strookje open en zei glimlachend: 'Natuurlijk. En Dawson en Kennedy-Skipton?'

'Die ook.'

'Ik dacht dat jij geen paleograaf was.'

'Dat ben ik ook niet, maar Sidney heeft me gevraagd een cursus incunabelen en vroege manuscripten te volgen en dat heb ik gedaan. Iedereen op dat terrein gebruikt D & K-S.'

'Dus jij kunt dit lezen?'

'Enigszins. Het is al een paar jaar geleden.' Ook nu klonk er een toon in haar stem die hem ervan weerhield verder te vragen.

'Mag ik in die boeken kijken als we klaar zijn met het keukenpapier?'

'Ja,' zei ze, 'maar vroeg secretary-handschrift is erg lastig. Het is net of je helemaal opnieuw moet leren lezen.' Toen ze het keukenpapier hadden vervangen, pakte ze twee boeken van haar planken. Ze ging verder met haar werk aan de tafel en hij ging met de handboeken aan de spoeltafel zitten.

Het was inderdaad lastig. Zoals het voorwoord van D & K-S het stelde: 'De gotische cursieve handschriften van de vijftiende tot de zeventiende eeuw in Engeland en elders in Europa behoren tot de moeilijkst leesbare van alle handschriften waarmee paleografen doorgaans te maken krijgen.' Crosetti las dat de tijdgenoten van koningin Elizabeth en koning James I geen onderscheid maakten tussen een 'n' en een 'u', of een 'u' en een 'v', of een 'i' en een 'j', en ze zetten ook geen punt op hun 'i'. De 's' had twee verschillende vormen, de 'r' vier, en er waren vreemde koppelingen tussen de 'h', de 's', de 't' en andere letters, waardoor de vorm van die letters veranderde. Ze spelden en interpuncteerden naar goeddunken, en om duur perkament te besparen hadden ze tientallen onbegrijpelijke afkortingen bedacht, die zelfs na de komst van het papier in zwang bleven. Met de nodige volharding boog hij zich over de oefeningen die in het handboek werden gegeven, te beginnen met *An Exhortacion gyuen to the Serieaunts when they were sworne in the Chauncery in Anno domini 1559* van sir Nicholas Bacon. Toen hij regel drie had bereikt en bijna elk woord had vergeleken met de vertaling die in het boek stond, was het ruimschoots na middernacht. Rolly was nog aan het werk, en hij dacht dat als hij zijn ogen en zijn pijnlijke rug enkele ogenblikken rust zou geven, hij er weer tegenaan zou kunnen. Hij trok zijn sportschoenen uit en ging op een rand van de pallet liggen.

Opeens klonk er een vreemd kletterend geluid in zijn oor. Hij ging met een vloek rechtop zitten en greep in het beddengoed tot hij de bron in zijn hand had: een ouderwetse wekker zoals je in tekenfilms ziet, met twee bellen en een hamertje aan de bovenkant en een grote witte wijzerplaat; Carolyn had tape om de bellen gewonden, zodat zij er niet ook wakker van zou worden, een typische, elegante low-techoplossing. Hij zette hem uit en zag dat er met een stukje lint een briefje aan vastgemaakt was: *Jouw beurt; ik heb de laatste twee zelf gedaan.*

Het was met zwarte inkt op een stukje dik antiek papier geschreven, in stijlvol schuinschrift. Crosetti's hevige ergernis was op slag verdwenen. Hij keek naar de diep ademende figuur die naast hem in het bed lag en zag een bos haar op het kussen, een oor, een curve van een donzige hals. Voorzichtig boog hij zich naar haar toe en bracht zijn gezicht dichtbij, op maar enkele centimeters afstand. Hij ademde lang en diep adem in en rook zeep, shampoo, een vleugje lijm en oud leer, en daaronder iets persoonlijkers, een meisjeslucht. Crosetti kende de geneugten van vrouwen. Hij specialiseerde zich in degenen die van aardige jongens hielden, en dus niet in het type – dat volgens hem talrijker was – dat juist van de andere soort hield; en hij was er ook niet zeker van of hij deze vrouw graag mocht. Nee, eigenlijk was hij wel zeker van niet, maar hij wist ook dat hij nooit in zijn leven zo'n krachtige erotische lading had gevoeld als op dit moment, nu hij absurd genoeg aan de huid van Carolyn Rolly snuffelde.

Onbegrijpelijk, maar het was nu eenmaal zo. Hij keek onder het dekbed en zag dat ze een donker T-shirt droeg. Hij kon nog net de knobbels van haar wervelkolom door de dunne stof heen zien. Daaronder was er een vage witheid. Hij moest het weten, en dus stak hij zijn hand uit en raakte haar aan. Hij kwam nauwelijks met de rug van zijn hand tegen haar heup en voelde een strakke, gladde structuur. Hij voelde een schok als elektrische stroom door zijn arm omhooggaan; ze bewoog en mompelde.

Hij was in een ommezien uit bed en voelde zich een idioot, met (was dat mogelijk?) letterlijk knikkende knieën en een gezwollen penis. Allemachtig, zei hij een aantal keren tegen zichzelf, en toen: o nee, nee dank je, dit gebeurt níét. Hij marcheerde als een soldaat naar de gootsteen, waar hij koud water over zijn gezicht spoelde. Hij wou dat hij een douche kon nemen, maar die was er niet, en ook geen bad. Plotseling stond hem het beeld voor ogen van de bewoonster die naakt op een handdoek stond en met een warme spons over haar lichaam wreef. Hij zette dat beeld met pure wilskracht uit zijn hoofd en begon met het vervangen van het keukenpapier.

Daarna moest hij een hele tijd wachten tot de volgende vervanging, die voor vijf uur 's morgens op het programma stond. Hij dacht er even over om in Rolly's spullen te gaan snuffelen, haar ondergoed te bekijken, haar medicijnen, haar papieren. Hij speelde dat idee een tijdje af op zijn inwendige tv en zag er toen van af. Het was niet de bedoeling dat hij nog dieper doordrong in die vreemde toestanden van haar. Hij moest dit stomme project afmaken en er dan vandoor gaan. Dat waren de wijze woorden van de volwassen Crosetti aan Gekke Al, een nieuwe persoon die niets liever wilde dan weer onder dat dekbed kruipen en Carolyn Rolly's slipje omlaag trekken, of anders genoeg materiaal verzamelen om een succesvolle stalker te worden.

Hij ging wel op verkenning in de keuken en vond in een kast (gemaakt van de alomtegenwoordige palletplanken) een pak koekjes en een van die blikken instantkoffie met een smaakje, in dit geval hazelnoot, die hij vaak in de schappen van de supermarkt had zien staan en waarbij hij zich altijd afvroeg wie die rotzooi kocht. Nu wist hij het. Hij kookte water in een pannetje, maakte het walgelijke brouwsel, dronk het omwille van de cafeïne en at alle koekjes op, die oudbakken waren en naar zoet gips smaakten. Als je op haar voorraadkast mocht afgaan, hield Rolly blijkbaar van levende prooi.

Met nieuwe energie door de koffie en de zoete koekjes stelde Crosetti de wekker in op vijf uur en ging hij verder met zijn bestudering van de oude papieren. Binnen een half uur was hij ervan overtuigd dat hij óf gek werd óf dat de achttien papieren met het posthoornwatermerk allemaal in een taal beschreven waren die hij niet kende, of in code... nee, geen code, geheimschrift. Nou, dat zou interessant kunnen zijn. De vier vellen met het kroonwatermerk, beschreven met een ander, leesbaarder handschrift, waren blijkbaar een soort religieus traktaat:

Wereldse tranen vallen ter aarde, maar goddelijke tranen worden be-
waard in een fles. Oordeelt overvloedig wenen niet als heilig. De zonde
moet erin verdrinken of de ziel moet branden

Hij vroeg zich even af wat voor tranen Rolly had gehuild en legde de papieren toen weg. Hij interesseerde zich meer voor de zesentwintig papieren met een wapenschild als watermerk. Die vertoonden hetzelfde handschrift als de papieren die in de vreemde taal waren beschreven. Binnen
enkele minuten constateerde hij tot zijn tevredenheid dat dit blijkbaar
een Engelse tekst was. Hij zag bekende korte woorden – 'van', 'en', 'is' en
dergelijke – en na een tijdje vond hij ook het begin van het manuscript,
dat wil zeggen, hij dacht dat het daar begon. In de rechterbovenhoek, boven de eigenlijke tekst, zag hij een opschrift: de datum *25 oktober Anno
Dom. 1642* en de plaats *Baubnmy*. Nee, dat kon niet goed zijn, of misschien was het Welsh, of... hij bestudeerde de tekst nog eens, en plotseling ging er een lichtje bij hem branden en zag hij dat het *Banbury* was. Er
ging een vreemde huivering door Crosetti heen, te vergelijken met het
goede gevoel dat hij had als het hem lukte filmbeelden te editen: ruw materiaal dat betekenis krijgt. Het was een brief, ontdekte hij algauw, van
een zekere Richard Bracegirdle aan zijn vrouw, die Nan heette, en niet zomaar een brief, maar een laatste brief, en een... Crosetti wist dat er een
woord voor zo'n verklaring bestond maar kon er niet op komen. Blijkbaar was Bracegirdle dodelijk gewond geraakt in een veldslag, al wist
Crosetti nog niet waar die slag had plaatsgevonden, welke partijen daar
vochten en in welke oorlog het was. Zoals veel Amerikanen had hij maar
een vaag idee van Europese geschiedenis. Wat gebeurde er in 1642? Hij
zou het hebben opgezocht, zou dat meteen hebben gedaan, als een computer met breedbandtoegang niet ook een van de dingen was geweest die
Rolly niet bezat. Hij was klaar met de eerste bladzijde en pakte de volgende. Daar stond een handtekening op, dus blijkbaar was dat de laatste
bladzijde van de brief. Hij begon er toch aan, want de bladzijden waren
ongenummerd en hij kon ze niet in de juiste volgorde leggen zonder ze
eerst te lezen.

En zo ploeterde hij voort, regel voor regel. Geleidelijk werd hij er beter
in om Bracegirdles handschrift te ontcijferen. En toen kwam eindelijk het
moment waarop Crosetti besefte dat hij de tekst tamelijk vlot kon lezen
en dat de al lang dode militair net zo levend voor hem was als iemand met
wie hij in een chatroom communiceerde. Met dat besef werd zijn opwinding nog groter, en de romantiek van de paleografie trof hem als een mo-
kerslag: *niemand anders wist dit!* In meer dan drieënhalve eeuw had geen
enkel mens deze woorden gelezen. Misschien had zelfs niemand ze ooit

gelezen, behalve Bracegirdle en zijn vrouw. Het was of hij uit een achterraam van een flatgebouw keek en iets intiems in het huiselijke leven van vreemden zag.

Nog enige zaken van gewicht alvorens mijn tijd vervlogen is ik zie het papier ternauwernood al is het klaarlichte dag & ik verkeer in doodsstrijd ge kent goed mijn leren kist in mijn kast, daarin zult ge de brieven vinden in het geheimschrift dat ik heb bedacht. Bewaart ge ze secuur en toont ge ze aan geen. Zij alle vertellen het verhaal van mijn Heer D. zijn plan & onze spionage van de geheime paap Shaxpure. Of zo meenden wij schoon ik nu minder zeker ben. Op die manier & levenswijze was hij een Niets. Doch zeker schreef hij het stuk van Schot M. dat ik in naam des Konings van hem vroeg. Vreemd is dat schoon ik dood ben en hij evenals het stuk voortleeft, geschreven door zijn hand & liggend waar slechts ik weet & daar wellicht eeuwig zal rusten.

Crosetti was zo verdiept in het ontcijferen van al die Engelse woorden dat het hem de eerste keer ontging. Pas toen hij het gedeelte herlas, drong het verband tussen 'Shaxpure' en 'stuk' tot hem door. Hij verstijfde, liet zijn mond openvallen, vloekte; er kwam zweet op zijn rug. Hij staarde naar Bracegirdles gekrabbel en verwachtte dat het als klatergoud zou verdwijnen, maar de woorden bleven staan: 'Shaxpure', 'stuk'.

Crosetti was een voorzichtige man, en zuinig ook, maar een enkele keer deed hij mee aan de lotto, en hij had een keer voor zijn tv gezeten en gezien hoe het meisje de genummerde pingpongballen uit de trommel haalde. Hij had naar zijn formulier gekeken en een juichkreet uitgestoten toen de nummers overeenkwamen. Maar zijn moeder was op het geluid afgekomen en had hem verteld dat het winnende nummer de combinatie 8-3 had terwijl zijn formulier 3-8 had. Zijn hele leven had hij nooit iets gewonnen, en hij had dat ook nooit verwacht, want hij was opgegroeid als een tamelijk gelukkig kind uit een werkend gezin, zonder het gevoel dat hij recht had op meer. En nu dit.

Crosetti was geen geleerde, maar toen hij aan de universiteit studeerde, had hij Engels als hoofdvak gehad, en in zijn derde jaar had hij Shakespeare bestudeerd. Daarom begreep hij dat hij een kolossale vondst in zijn handen had. Shakespeare (want hij wist ook dat diens naam op een heleboel verschillende manieren kon worden gespeld) was voor zover hij wist nooit het onderwerp van een officieel onderzoek door de overheid geweest. En nog wel wegens papisme! In wetenschappelijke kringen was het nog steeds een grote vraag welke godsdienst William Shakespeare had aangehangen, en als een officiële tijdgenoot had geloofd dat het… en wie was die Heer D.? Trouwens, wie was Richard Bracegirdle? En wat nog het mooiste was: er was sprake van een manuscript dat tot minstens 1642 moest hebben bestaan. Crosetti vroeg zich af welk toneelstuk het kon zijn 'dat ik in naam des Konings van hem vroeg'. O, god! Waarom had hij op school niet beter opgelet? Wacht eens even! Het had iets met koning James te maken, een edelman had geprobeerd hem in een Schots kasteel te vermoorden, en met hekserij, iets in een BBC-documentaire die hij met zijn moeder op tv had gezien. Hij pakte zijn mobieltje – nee, het was nog te vroeg om te bellen; misschien Rolly – nee, hij moest er niet aan denken hoe ze zou reageren als ze om tien voor vijf wakker werd gebeld met een vraag over...

Opeens schoot het hem te binnen. Shakespeares toneelgezelschap, de King's Players, had een Schots stuk gewild om eer te bewijzen aan de nieuwe koning, om naar zijn ontsnapping aan de dood te verwijzen en hem te vleien met zijn voorouder Banquo. Ze wilden ook aan de obsessie van de monarch met hekserij appelleren. En zo was de toneelschrijver van het huis met *Macbeth* gekomen.

Crosetti merkte dat hij zijn adem inhield. Zijn mond viel open. Hij wist dat er geen handschriften van Shakespeare meer waren, afgezien van een paar handtekeningen en wat verdachte regels in een manuscript van een stuk waaraan hij vermoedelijk had gewerkt. Er bestond geen enkel manuscript dat door hemzelf was geschreven. De mogelijkheid dat er nog ergens in een Engelse kelder een door Shakespeare zelf geschreven manuscript van *Macbeth* lag te wachten... Zijn hoofd duizelde ervan. Crosetti wist ongeveer wat manuscripten waard waren en kon een schatting maken. Het was te immens om erover na te denken. Crosetti kon de gigantische mogelijkheden niet bevatten en dacht er simpelweg niet meer over na. Maar zelfs wat hij nu in zijn handen had, het manuscript van Bracegirdle plus misschien een verslag in geheimschrift van een onderzoek dat naar de van afvalligheid verdachte William Shakespeare was ingesteld, zou genoeg opleveren om hem op de filmacademie te krijgen. De filmacademie! Daar zou het genoeg voor zijn, en ook om zijn eerste film te financieren...

Vooropgesteld dat die achttien vellen dun papier met het posthoornwatermerk inderdaad de geheime brieven waren die Bracegirdle noemde – en dat het Engels in geheimschrift was en geen vreemde taal. Alles hing weer af van de theorie van de opruimende erfgename: papieren uit dezelfde stapel in de binderij die in de volgorde waarin ze op de stapel waren gelegd als vulling voor de delen van de *Voyage* waren gebruikt. Hij streek een van de vellen glad en bekeek het door het vergrootglas.

Of misschien ook niet. Misschien was die eerste reeks letters 'Ptmmg' of 'Ptmng'. Het lukte hem niet eens de letters van het geheimschrift te lezen, want voor het ontcijferen van secretary-handschrift was het belangrijk dat je de context kende, dat je wist welk Engels woord bedoeld werd. Dat gold in elk geval voor hem. Hij stelde zich voor dat de oorspronkelijke ontvanger Bracegirdles handschrift goed genoeg kende om de letters van het geheimschrift te lezen en er vervolgens gewone tekst van te maken. Crosetti wist weinig van geheimschrift, eigenlijk alleen wat hij van films, spionageromans en televisieseries had opgepikt. Hij wist hoe een boodschap in geheimschrift er moest uitzien: even grote blokken van vijf of zes letters of cijfers die over de bladzijde marcheerden. Zo zag dit er helemaal niet uit. Het leek op gewone tekst, met 'woorden' van verschillende lengte. Misschien was dat gebruikelijk voor geheimschrift uit die tijd. Hij wist daar niets van, maar als je naging wat er verder in de achterliggende eeuwen aan technische vooruitgang was bereikt, mocht je aannemen dat geheimschrift uit die tijd tamelijk primitief was. Terwijl hij daarover nadacht, herinnerde hij zich ook het verschil tussen een geheimschrift en een code. Voor een code had je een codeboek nodig, of een in je geheugen geprente lijst van woorden die iets anders betekenden dan je op het eerste gezicht zou denken. Maar dan had het meer op gewoon Engels moeten lijken. Dan had er bijvoorbeeld 'de dominee kocht het varken niet' gestaan, terwijl bedoeld werd: 'De persoon wordt ervan verdacht een priester te verbergen.' En dat zou de mogelijkheden van een verslag uitbrengende verspieder beperken. Nee, hij wist gewoon dat dit geheimschrift was, ja, Bracegirdle noemde het in zijn laatste brief zelf ook zo.

De wekker ging en Crosetti liep er vlug naartoe om hem uit te zetten. In het bed draaide Rolly zich mompelend om. Haar ogen gingen open. Crosetti zag een verschrikte uitdrukking op haar gezicht en er ging een schok door haar hele lichaam. Hij wilde net iets geruststellends zeggen toen ze haar ogen weer dichtdeed, zich omdraaide en het dekbed over haar hoofd trok.

'Carolyn? Gaat het?'

Geen antwoord. Crosetti haalde zijn schouders op en ging het keukenpapier vervangen. De luiers verschonen, noemde hij het. De papieren waren nu vochtig en de bladzijden van de boeken voelden bijna droog aan, misschien nog een beetje koel: het wonder van capillaire werking. Aan de randen waren de bladzijden nog omgekruld, zoals je kon verwachten van papier dat nat was geweest, en de vergulde randen van het tekstblok bezaten niet meer de volmaakte gladheid van een maagdelijk boek. Hij vroeg zich af hoe ze dat wilde verhelpen.

Terwijl hij aan het werk was, hoorde hij geluiden uit het slaapgedeelte: een keel die geschraapt werd, het ritselen van textiel, het geluid van stromend water, een tandenborstel in actie, nog meer textielgeluiden, weer het water, gerammel van een ketel, kasten die opengingen. Hij was net klaar met het laatste boekdeel toen ze naast hem kwam staan, gekleed in de overall van de vorige dag en hoge zwarte Converse-schoenen met lichtblauwe sokken. Ze had twee mokken met geurende slechte koffie en gaf hem een daarvan.

'Sorry dat ik geen koffiemelk heb. Of gewone melk.'

'Dat geeft niet,' zei hij. 'Sorry dat ik je aan het schrikken maakte toen de wekker ging. Je zag eruit alsof je uit je vel ging springen.'

Weer een nietszeggende blik, een licht schouderophalen. Ze maakte een deel van *Voyages* open en voelde het papier. 'Dit is goed. Het is bijna droog.'

'Wat ga je tegen dat opkrullen doen?'

'Platdrukken. Misschien gebruik ik warmte. Dit soort linnenpapier is te vergelijken met stof. Als het moet, strijk ik alle randen en breng ik nieuw verguldsel aan.' Ze keek hem aan en glimlachte. 'Bedankt voor je hulp. Het spijt me dat ik gisteravond boos op je was. Ik ben niet erg sociaal.'

Hij zei: 'Je hebt me op onze eerste date bij je laten slapen. Dat zou ik sociaal noemen.' Hij had meteen spijt van zijn woorden, want haar glimlach trok weg en maakte plaats voor een behoedzame blik en een gepast gesnuif. Toen deed ze, zoals haar gewoonte was, alsof er niets verkeerds was gezegd en maakte ze haar plannen voor die dag bekend. Ze moest leer gaan kopen voor de omslagen en ervoor zorgen dat de schutbladen opnieuw werden samengesteld; er waren in New York werkplaatsen die daarin gespecialiseerd waren.

'Wil je dat ik meega?' vroeg hij toen ze klaar was.

'Dat lijkt me niet nodig. Het is nogal saai. Het is een heel gesjouw.'

'Ik ben een sjouwer.'

'Nee, dank je. Ik denk dat ik dit zelf moet doen. En ik wil er graag meteen mee beginnen.'

'Schop je me eruit?'

'Zo zou ik het niet willen stellen. Je hebt vast wel dingen te doen…'

'Niets belangrijkers dan met jou meesjokken, met pakjes in mijn armen en met de hoop op een heel klein glimlachje.'

Dat kreeg hij, inderdaad heel klein. Om daarop voort te bouwen vroeg hij: 'Wil je niet zien wat ik ontdekt heb over die manuscripten die we in de omslagen hebben gevonden?'

'Wat dan?'

'Nou, om te beginnen zijn ze geschreven door iemand die William Shakespeare kende.'

Dat leverde hem een reactie op, al was het niet precies waarop hij had gehoopt. Haar ogen gingen wijd open van schrik en rolden toen van ongeloof. 'Dat kan ik moeilijk geloven.'

'Kom, dan laat ik het je zien,' zei hij, en hij leidde haar naar de spoeltafel, waar de foliovellen op een stapel lagen. Hij wees naar de tekstregels waar het op aankwam en vertelde over de bladzijden met geheimschrift. Ze keek langdurig door het vergrootglas naar de papieren. Hij ging naast haar zitten en rook de geur van haar haar. Hij kuste haar nek niet, al moest hij zijn tanden letterlijk op elkaar houden om zichzelf ervan te weerhouden.

'Ik zie het niet,' zei ze ten slotte. 'De naam Shakespeare kwam in sommige delen van Engeland vrij veel voor, en die naam zou ook "Shawford" of "Sharpspur" kunnen zijn, in plaats van "Shaxpure".'

'O, alsjeblieft!' riep hij uit. 'Een Sharpspur die toneelstukken schreef? Voor de koning? En die ook nog van papisme werd verdacht én belangrijk genoeg was voor een officieel onderzoek?'

'Shakespeare was geen papist.'

'Hij kan het zijn geweest. Ik heb een programma op PBS gezien waarin ze er vrij zeker van waren dat hij heimelijk katholiek was of op zijn minst katholiek was opgevoed.'

'Ja. Nou, denk je dat je op grond van – wat is het? – twee uur ervaring met het interpreteren van secretary en een televisieprogramma een grote literaire ontdekking hebt gedaan?'

'En dat geheimschrift?'

'Waarschijnlijk is het Hollands.'

'O, kom nou! Het is geheimschrift.'

'O, dus je bent ook een expert op het gebied van geheimschrift? Uit de zeventiende eeuw?'

'Oké, goed! Een van mijn moeders beste vriendinnen is Fanny Doubrowicz, het hoofd van de afdeling Manuscripten en Archieven van de New York Public Library. Ik zal het aan haar laten zien.'

Hij keek naar haar gezicht terwijl hij dat zei en kon dus zien dat ze een keer snel inademde en wit werd bij de neusgaten. Dat wees op... wat? Raderen die draaiden, plannen die werden gesmeed? Toen hij haar op haar beoogde truc met de boeken had aangesproken, had hij precies diezelfde reactie bij haar gezien.

Ze haalde haar schouders op. 'Doe maar wat je wilt, maar ik denk niet dat je in de New York Public Library gauw een echte expert op het gebied van secretary zult vinden. Negentig procent van hun bezit is Amerikaans. Ze hebben daar vooral papieren van plaatselijke schrijvers en vooraanstaande families.'

'Nou, blijkbaar weet jij alles, Carolyn. En blijkbaar ben ik een grote klootzak, van wie je nu' – hij pakte de manuscriptvellen met veel vertoon bij elkaar – 'verlost bent. Ik ga met mijn zielige hoopje papier naar mijn zielige, onbenullige expert die me natúúrlijk zal vertellen dat het een brief van een zeventiende-eeuwse lulhannes over zijn laatste jichtaanval is.'

Hij liep naar haar werktafel, pakte het bruine papier waarin ze de vorige dag de *Voyages* hadden verpakt en stopte het manuscript erin. Hij deed dat met de schokkerige, onhandige bewegingen die een teken van ergernis zijn.

'O, niet doen,' zei ze met een opvallend hoge stem achter hem. 'O, het spijt me, ik weet niet hoe ik me moet gedragen. Je was zo enthousiast en ik deed...'

Hij draaide zich om. Haar mond vormde een grappige omgekeerde u, zoals veel van die onduidelijke krabbels die het secretary-handschrift zo verwarrend maakten. Het leek op het begin van een nieuwe huilbui, maar ze ging met dezelfde gesmoorde stem verder: 'Ik ga nooit met mensen om. Ik heb geen leven. De enige met wie ik in jaren heb gepraat, is Sidney, en hij wil alleen maar mijn mentor zijn, wat betekent dat hij me betast en...'

'Sidney betast je?'

'O, het is onschuldig. Hij denkt dat hij een grote geilaard is, maar het gaat niet verder dan dat hij me op dure lunches trakteert en onder de tafel in mijn been knijpt. Soms doet hij zulke dingen ook in de winkel. Als we een grote zaak hebben gedaan, grijpt hij mijn billen een beetje te lang vast en kust hij me quasivaderlijk op de mond. Hij is de laatste man in New York die Sen-Sens kauwt. Zo ver gaat mijn liederlijkheid. Ik heb de baan en het eten nodig. Jij bent de enige aan wie ik dit ooit heb verteld. Over zielig gesproken. Ik heb geen vrienden, geen geld, geen plek om te wonen...'

'Je woont hier.'

'Illegaal, zoals je al vermoedde. Dit gebouw is onbewoonbaar verklaard. Vroeger lag hier DDT opgeslagen en het is volledig verontreinigd. De eigenaar denkt dat ik hier alleen maar werk. Hij mag me ook graag betasten. Jij bent de eerste van mijn eigen leeftijd met wie ik in... in jaren omga.'

En die er ook naar hunkert om je te betasten, dacht Crosetti, maar hij zei alleen: 'Goh, wat triest.'

'Ja, meelijwekkend. En jij bent aardig voor me en ik behandel je als oud vuil. Typisch! Als je een volslagen rotzak was, zou ik waarschijnlijk kwijlend aan je voeten liggen.'

'Ik kan probéren een rotzak te zijn, Carolyn. Ik kan me inschrijven bij de Rotzakkenacademie.'

Ze keek hem even aan en lachte toen. Het was een vreemd blafgeluid, zoiets als een snik. 'Maar je hebt nu een hekel aan me, hè?'

'Nee, dat heb ik niet,' zei Crosetti met zoveel oprechtheid als hij maar in die paar woorden kon leggen. Hij vroeg zich af waarom ze ervoor had gekozen zich zo van andere mensen te isoleren. Ze was geen dikzak, niet mismaakt, presentabel, 'chic', zoals zijn moeder had gezegd. Zo iemand had geen enkele reden om weg te kruipen in de schaduwen van de stad. En ze was misschien niet echt een schoonheid, maar wel een… wat was het woord? Een aantrekkelijke vrouw. Als ze haar gezicht beheerste, zoals nu, als ze niet kwaad of griezelig dof keek, had ze hem uit Zanzibar kunnen aantrekken.

'Integendeel,' voegde hij eraan toe. 'Echt waar.'

'Nee? Maar ik heb je zo slecht behandeld.'

'Ja, en nu geef ik je een minuut om te bedenken hoe je het goed kunt maken.' Hij keek neuriënd op zijn horloge en tikte met zijn voet.

'Ik weet wat ik ga doen,' zei ze even later. 'Ik breng je in contact met een échte kenner van zeventiende-eeuwse manuscripten, een van de grootste experts ter wereld. Ik bel hem en regel het voor je. En je mag met me mee de stad in en je stierlijk vervelen terwijl ik over gespleten kalfsleer en gemarmerde schutbladen praat. En dan gaan we naar Andrew.'

'Andrew?'

'Ja. Andrew Bulstrode. Sidney heeft ons aan elkaar voorgesteld. Bij hem volgde ik die cursus over Engelse manuscripten en incunabelen.'

'Wil hij je ook betasten?'

'Nee. Jij misschien wel.'

'Ik kan bijna niet wachten.'

'Dat zal toch moeten, nog even. Ik moet naar de badkamer en dan ga ik bellen. Wil jij beneden op me wachten?'

DE BRIEF VAN BRACEGIRDLE (4)

*Ondanks zijn onbetamelijk leven voer Matthew zeer wel, want hij
kende zijn kunst terdege, beter zeiden ze dan enig ander ijzermeester
in het Weald van Sussex. Hij leverde aan het Koninklijk geschut &
dat was ons voornaamste werk: ijzer maken & kanonnen gieten.
Zijnde onwetend van heel het ambacht, werd ik eerst aan het laden &
sjouwen & dergelijke ezelswerken gezet & al treurde ik om mijn verloren gemak & tijd om te studeren gelijk ik zo gaarne deed, desalniette-
min kwam ik niet in opstand, want gelijk God zegt: al wat uw handen
te doen vinden, doe het met heel uw macht: want daar is werk noch
plan, kennis noch wijsheid in het graf waarheen gij gaat.*

*Nu kunt ge ijzer slechts in winter en lente gieten: want des zomers
hebt ge niet de waterstroom die de molens aandrijven die de blaasbalgen de kracht geven om het vuur voor de ovens te maken & de hamers
voor het smeden van uw staafijzer & des zomers moet ge ijzersteen &
houtskool brengen & wegbrengen hetgeen ge hebt gemaakt, alvorens
de wegen tot modder vergaan. Alzo beulden zij ons in die luttele
maanden af: & in elk werk dat wij verichtten, zij het geuzen sjouwen
ofte ijzersteen torsen & houtskool aan de oven voeden, ofte mandrel
kleien, ofte gietvormen leggen, ofte de afgekoelde stukken uit de kuil
dragen, ofte de gietlopen wegslaan, ofte gladvijlen, de meester wees
naar mij als zijnde de luiste & domste & onhandigste van allen &
menige harde klap ontving ik van zijn hand of stok, & werd Richard
de Ezel & Luilak Richard & andere dezulke namen of erger genoemd.
Toch rebelleerde ik niet & keerde de andere wang toe, gelijk onze Heer
Jezus Christus heeft bevolen & ik zwoer het werk te zullen leren, hoezeer het mij tegen de borst stuitte, opdat hij geen reden zou hebben
mij te verachten of slechts een weinig. En in de hitte & rook van die
plaats die leek op wat wij geloven dat het lot aller zondaren zijn zal
(& dat is de Hel) vond ik tot mijn verrassing enige vreugde. Want het*

deed mij deugd om het vurig ijzer uit de oven in de gietvorm te zien vloeien, vonken opwerpende gelijk sterren aan de hemel & te denken dat het, zij het in het klein, gelijk het werk Gods was bij het scheppen onzer wereld: want al minde ik het werk zelve niet, ik minde het gedane werk. Want die kanonnen zouden een schild tegen de vijanden van Engeland & de hervormde religie zijn: gelijk allen erkennen hebben Engelse kanonnen hun gelijke niet ter wereld & zij schieten zo goed dus laat Spanje weeklagen.

Op deze wijze verstreek een jaar & twee & werd Maria-Boodschap in het Jaar Drie toen ik voor Meester Matthew stond om mijn loon te krijgen & hij zeide Richard denkt ge ik heb u afgebeeld? En eerlijk zijnde zeide ik ja Meester dat hebt ge. Hij lachte en zeide toch bent ge twee span gegroeid & meer dan twee steen in gewicht & niet meer zijt ge de kleine klerk die ge waart maar een ware ijzerman: want ge weet wij slaan op ijzer niet omdat wij het verachten maar om het sterk te maken.

Vervolgens behandelde hij mij beter & instrueerde mij in alle mysteries van het ijzergieten, namelijk te zien welk ijzersteen goed is, dat er genoeg schelp in is anders meer schelpsteen toevoegen & wanneer te verhitten & de lucht der blaasbalgen beheersen opdat de hitte het ijzer niet ziek maakt & waarvoor verscheidene hittes goed waren: de eerste slechts piekijzer, de tweede staaf & haardplaten, de derde gereedschap, de vierde kleine kanonnen, als valkenetten & alleen de laatste voor de grote kanonnen, als veldslangen, halfkanonnen & kanon royale, et cetera. Ook hoe de mandrel te bereiden met koord & klei & hoe de gietvorm zodanig te vullen dat dezulke barst noch lekt & hoe koorden & katrollen aan te brengen voor het heffen van grote gewichten. Zo verstreek weer een jaar, ik groeiende in kracht & bekwaamheid en grootte ook want hij zette mij aan zijn eigen tafel & voedde mij goed. En aan het eind dezer jaren toonde hij mij hoe de kanonnen te laden & te vuren.

Hoe moeilijk het voor u te begrijpen zal zijn Nan zijnde slechts een vrouw, maar toen ik ten eersten male de kanonnen hoorde bulderen was ik een verloren man ik had onnoemelijke lust het wederom te horen & de vlucht van de kogel te zien, het was dronkenschap van kracht & macht. Alzo mijn neef aanschouwt dat & zeide in zijn goedheid – het was nu zomertijd van het Jaar Vijf ik zijnde vijftien jaren & nog wat – jongen, ik moet blijven & toezien op het herstellen van molentocht & rad, gaat gij met ons koppel veldslangen naar de Tower

& laat ze essayeren door het Koninklijk geschut. Ik was zeer gretig al-
dus te doen hebbende mijn moeder & vader al die tijden niet aan-
schouwd, en zo reisde ik met twee wagens de kanonnen gebed in stro,
zes ossen voor elk & wagenvoerders gehuurd, van Titchfield naar
Portsmouth, vandaar per logger naar Gravesend & per schuit over de
rivier naar de Tower, ik nooit eerder op een boot geweest zijnde &
stond mij zeer aan, noch werd ik zeeziek gelijk anderen aan boord.

De kanonnen bij de Tower afgeleverd zonder tegenslagen waarvoor ik
God zeer hartelijk dankte want het verplaatsen van twee stukken van
48 centenaren is geen geringe zaak met de wegen gelijk ze in die dagen
waren & de wagenvoerders zeer geneigd tot drinken & de gevaren van
de zee. Ik begaf mij naar Fish Street & werd met warmte onthaald
door mijn familie dewelke zeer verrast was door mijn mannelijk
uiterlijk & hielden mij laat op met vertellen van al mijn wedervaren
in de jaren sinds ik hen het laatst had aanschouwd. Maar mijn vader
wenste mij te commanderen gelijk hij ooit deed hetgeen ik zwaar kon
verdragen, zijnde nu een man geen jongen, toch verdroeg ik het om-
wille van mijn moeder & voor de vrede van het huis & in navolging
van het gebod eert uw vader et cetera. Wij hadden een nieuwe diena-
res Margaret Ames een nors en bits wezen zij het een goed christen die
om redenen mij onbekend afkerig van mij was.

De volgende ochtend begaf ik mij naar de Tower voor het essayeren.
De officier van het geschut Peter Hastynges was zijn naam verbaasde
zich over mijn jeugd haddende verwacht mijn neef gelijk vorige keren.
Alzo werden beide veldslangen dubbel geladen om te zien of ze braken
doch goddank zij braken niet. Vervolgens zat ik bijeen met heer Has-
tynges & andere officieren, de kout zeer vrolijk doch onzedig aange-
zien velen van de compagnie kanonmeesters waren die onlangs uit de
Hollandse oorlogen kwamen. Zulke kout stond mij goed aan want ik
verlangde vertrouwd te zijn met deze kunsten & drong aan op ant-
woorden op mijn vragen, namelijk hoe een kanon te plaatsen voor het
meeste nut in het veld, hoe te richten om uw doelen te raken, de di-
verse soorten & kwaliteiten van kruit, hoe het te mengen & bewaren
& hoe te weten hoe verre is uw doel. Dat laatste bracht hen tot enige
twist want zij kibbelden onderling, een zeide vertrouw op het oog een
ander zeide nee beproef met vuur, goed kijkende waar de bal valt bij
elk schot toevoegende of afnemende het kruit & dit ook veranderende
naar de warmte van het kanon in het verloop van de dag, want een
heet kanon werpt verder met gelijke lading.

Alzo vroeg ik waarom zij niet de methode van driehoeken & sinussen benutten & daarop waren zij verbaasd nimmer eerder daarvan hebbende gehoord. Alzo ik vervaarde een kleine tekening, tonende hoe een kwadrant, een vierkant & een meetlat te benutten waren om de afstand van punt tot punt in de verte te bepalen. Zij moesten deze methode zonder uitstel zien & beproeven & ik deed zulks & nam een boom van verre & wij pasten het vervolgens af & zij waren zeer ingenomen met hoe de passen accordeerden met mijn meting. Toen klopte een grote man Thomas Keane op mijn schouder zeggende jongen ik zou een ware kannonnier van u maken, krijgt ge ooit genoeg van kanonnen maken ge kunt mij als matrosse naar de oorlog vergezellen & schieten op Spanjolen, want een matrosse is gelijk ge weet de helper van een kanonnier. Alzo ik dankte hem vriendelijk maar zeide ik had nog geen gedachte aan oorlog, hoe weinig weten wij Heer van Uw plannen en Uw werken.

5

Het strekt mij tot eer, mag ik wel zeggen, dat ik na het vertrek van de twee rechercheurs niet meteen naar mijn kantoor terugrende. Ik werkte mijn normale oefeningen op de sportschool af en nam een douche en een stoombad voor ik terugging. Wel geef ik toe dat ik in de auto niet zo levendig met Omar in gesprek was als gewoonlijk. Omar maakt zich nogal druk over onze aanwezigheid in Irak en over de betrekkingen tussen zijn nieuwe land en de islamitische wereld in het algemeen. Na 11 september 2001 heeft hij hier in New York niet zulke prettige ervaringen opgedaan. Terwijl op deze ochtend het laatste slechte nieuws murmelend uit de radio klonk, en Omar het van commentaar voorzag, was de enige wreedheid die mij bezighield het grimmige lot van wijlen mijn cliënt Bulstrode. Kon hij echt een document hebben gevonden dat de weg wees naar een manuscript van onschatbare waarde? En had iemand hem vermoord om erachter te komen waar dat document was? Daarop volgde een nog onaangenamere gedachte: er was gemarteld om aan informatie te komen, en welke informatie had Bulstrode anders kunnen geven dan de naam van degene aan wie hij zijn manuscript had gegeven, mijn naam dus? Ik kende de man niet, maar ik ging er zonder meer van uit dat hij, als hij gemarteld werd, direct zou vertellen waar die dikke envelop zich bevond.

Opnieuw had ik, net als bij die rechercheurs, het gevoel dat dit niet echt gebeurde, dat het fictie was. Toen ik mijn eindexamen had gedaan, was er nog dienstplicht, en omdat ik nu eenmaal geen opstandig type ben, had ik me bij het onvermijdelijke neergelegd en me vrijwillig aangemeld, als enige van mijn examenklas geloof ik. Ze maakten me geen infanterist maar ziekenbroeder, en ik kwam terecht in het Twaalfde Evacuatie Hospitaal in Cu Chi, in Zuid-Vietnam. In tegenstelling tot mijn ss-grootvader was ik een volkomen onopvallende soldaat. Ik was wat toen een achterhoedeklootzak werd genoemd, of een witte muis, maar ik zag wel een munitiedepot dat door een vijandelijke raket was getroffen spectaculair de lucht in vliegen, en ik herinner me dat alle getuigen steeds weer over die ervaring zeiden dat het 'net als in de film' was. Het leven is over het geheel genomen niet sensationeel, en als we dan iets meemaken wat in een film niet zou misstaan, kunnen we het niet echt bewust meemaken, want onze verbeelding wordt beheerst door de vertrouwde stijlfiguren van populaire fictie. Als gevolg van dat alles komt er een doffe verbijstering over ons, het gevoel dat wat het ook is het niet écht kan gebeuren. We denken dat zelfs letterlijk: dit overkomt mij niet echt.

Terug op kantoor haalde ik de sleutel van de safe van de plaats waar Olivia Maldonado hem bewaart, nadat ik eerst had gewacht tot ze weg was bij haar bureau. Toen ik de sleutel terugbracht, keek Olivia me onderzoekend aan, maar ik gaf geen uitleg en ze vroeg er ook niet om. Ik zei dat ik tot nader order niet gestoord wilde worden en deed de deur van mijn kamer op slot.

Ik ben geen expert, maar de papieren uit de envelop leken me echt oud. Natuurlijk zouden ze dat ook lijken als het vervalsingen waren, maar blijkbaar geloofde íemand in hun echtheid, als Bulstrode tenminste was gemarteld om hem te laten vertellen waar ze waren. Het waren twee afzonderlijke verzamelingen papieren, beide ongetwijfeld in het Engels, al kon ik het handschrift niet gemakkelijk lezen, op de korte woorden na. In een van de verzamelingen waren met een zacht potlood aantekeningen gemaakt.

Ik stopte de papieren in een nieuwe bruine envelop en voerde de oude envelop aan de papierversnipperaar. Vervolgens bracht ik ze terug naar de bank. De rest van de middag werd ik in beslag genomen door mijn gewone werkzaamheden. De volgende dag, zie ik in mijn agenda, had ik een lunchafspraak met Mickey Haas. We doen, of deden, dat gemiddeld eens per maand, waarbij hij meestal het initiatief neemt, zoals ook deze keer. Hij stelde voor dat we naar Sorrentino in de buurt van mijn kantoor zouden gaan, en ik zei dat ik Omar zou sturen om hem op te halen. Dat doen we meestal wanneer hij naar de stad komt. Sorrentino is een van de vele onderling verwisselbare Italiaansige restaurants in de zijstraten van de East Side van Manhattan. Deze restaurants kunnen zich handhaven door net iets te dure lunches te serveren aan mensen als ik. De welvarende gebruikers van het enorme areaal aan kantoorruimte in Manhattan hebben elk hun favoriete Sorrentino; het is een soort thuis, maar dan zonder de huiselijke stress. Ze ruiken allemaal hetzelfde, hebben allemaal een hoofdober die je kent en die weet wat je wilt eten en drinken, en in lunchtijd zitten er altijd minstens twee interessante vrouwen op wie de solitaire eter van middelbare leeftijd zijn oog kan laten rusten en zijn fantasie kan botvieren.

Marco (de hoofdober die mij het best kent) zette me aan mijn gebruikelijke tafel rechts achterin en bracht me uit eigen beweging een fles van zijn persoonlijke *rosso di Montalcino*, een fles San Pellegrino en een schaaltje met ansjovisbruchetta om op te knabbelen terwijl ik wachtte. Na ongeveer een half glas van de heerlijke wijn kwam Mickey binnen. Net als ik heeft hij in de loop van de jaren veel lichaamsmassa verworven, al vrees ik dat die van hem bijna geheel en al uit vetcellen bestaat. Zijn kin is verdubbeld, terwijl de mijne nog iets van zijn vroegere model heeft. Zijn haar daarentegen is vol en krullend, in tegenstelling tot het mijne, en zijn houding is zelfverzekerd. Ik herinner me dat hij er deze keer erg afgetobd uitzag voor zijn doen, of misschien is 'gekweld' een beter woord. De huid onder zijn ogen was blauwig en zijn ogen waren bloeddoorlopen en samengeknepen. Niet dat hij beefde of zo, maar er was iets mis. Ik ken de man al jaren en het ging niet goed met hem.

We gaven elkaar een hand, en hij ging zitten en schonk zichzelf meteen een glas wijn in, dat hij in één teug leegdronk. Ik vroeg hem of er iets mis was en hij staarde me aan. Iets mis? Er is net een collega van me vermoord, zei hij, en hij vroeg me of ik het niet had gehoord en ik zei van wel.

Nu ik dit nog eens doorlees, besluit ik om voortaan dialogen te bedenken, zoals journalisten tegenwoordig blijkbaar ook straffeloos kunnen doen, want het is lastig om steeds indirect weer te geven wat mensen hebben gezegd. Degene die de aanhalingstekens heeft bedacht was niet gek. Stel je voor dat hij het auteursrecht op die tekens had! Het gesprek ging aldus:

Ik vroeg: 'Wanneer hoorde je het?'

'Mijn secretaresse belde me in Austin,' zei hij. 'Ik had net mijn voordracht gehouden tijdens de ochtendsessie, en natuurlijk had ik mijn mobieltje uitstaan. Zodra ik het aanzette, zag ik Karens bericht. Ik ben meteen teruggevlogen.' Hij dronk zijn glas leeg en schonk opnieuw in. 'Kan ik echte drank krijgen? Ik zou hier nog alcoholist van worden.'

Ik maakte een gebaar naar Paul, onze ober, die direct bij ons was. Mickey bestelde een gincocktail.

'En toen ik terugkwam, heerste er natuurlijk grote chaos. De universiteit was in alle staten. Het hoofd van mijn faculteit, de lul, liet zelfs doorschemeren dat het best eens mijn schuld kon zijn. Hoe had ik iemand van dubieuze morele standing naar onze faculteit kunnen halen?'

'Was Bulstrode zo iemand?'

Mickey kreeg een kleur en snauwde terug: 'Hij is ook een van de grootste Shakespeare-kenners van zijn generatie. Onze generatie. En het enige misdrijf dat hij heeft begaan, is dat hij zich heeft laten oplichten, en dat had elk van de mensen die hem nu veroordelen kunnen overkomen, inclusief dat verrekte hoofd van mijn faculteit. Ken je dat verhaal?'

Ik verzekerde hem dat ik al het beschikbare materiaal op internet had doorgenomen.

'Ja, een regelrechte ramp. Maar daar interesseerde de politie zich niet voor. Ze hadden het lef om te suggereren dat hij… hoe wisten ze het ook weer delicaat te verwoorden? Dat hij er een ongeregelde levensstijl op nahield. Daarmee wilden ze suggereren dat hij homo was en dat zijn homoseksualiteit iets met zijn dood te maken had.' Hij dronk de gincocktail op. Paul kwam meteen naar ons toe, vroeg hem of hij nog een glas wilde en gaf hem een kaart die bijna zo lang was als de lijst met vertrektijden van de metro. Hij keek er zonder belangstelling naar, en dat bevestigde mijn eerdere indruk dat hij buitengewoon van streek was: Mickey houdt van voedsel, hij eet het graag, hij praat erover, hij maakt het klaar, hij roept het zich voor de geest.

'Wat neem jij?' vroeg hij.

'Wat neem ik, Paul?' vroeg ik de ober. Het is al jaren geleden dat ik hier zelf iets van het menu bestelde.

'*Carciofi alla giudia, gnocchi alle romana, osso buco.* De osso buco is vandaag erg goed.'

Mickey gaf hem de kaart terug. 'Dat neem ik ook.'

Toen Paul weg was, ging Mickey verder: 'Ze hadden de theorie dat hij zich met schandknapen inliet. De politie heeft wel fantasie, nietwaar? Ze zien een Engelsman die homo is, en dan zal hij wel een schandknaap hebben ingehuurd om hem vast te binden waarna het te ver ging.'

'Niet mogelijk?'

'Nou, natuurlijk is álles mogelijk, maar ik weet toevallig dat Andy een langdurige discrete relatie had met een mededocent in Oxford. Hij had niet zulke voorkeuren.'

'Hij kan veranderd zijn. Je weet het nooit.'

'In dit geval wel. Jake, ik heb die man meer dan twintig jaar gekend.' Hij nam een slok van zijn tweede gincocktail. 'Het zou net zoiets zijn als ontdekken dat jíj achter jongens aan zat.'

'Of jij,' zei ik, en na een korte stilte lachten we allebei.

Hij zei: 'O god, we zouden niet moeten lachen. De arme kerel! Nog een geluk dat ik hier meer dan duizend kilometer vandaan was toen het gebeurde. De politie heeft meer belangstelling voor mij dan me lief is. Ze snuffelen als het ware aan me, op zoek naar tekenen van perversie.'

'Heb je het over de rechercheurs Murray en Fernandez?'

Hij keek me aan; zijn glimlach verdween. 'Ja, hoe wist je dat?'

'Ze hebben ook met mij gepraat.'

'Waarom deden ze dat?'

'Omdat hij mijn cliënt was. Hij kwam bij me met een verhaal over een manuscript dat hij had opgeduikeld. Ik nam aan dat hij door jou was gestuurd.'

Mickey keek me met grote ogen aan. Paul verscheen en zette onze joodse artisjokken op tafel. Toen we weer alleen waren, boog Mickey zich naar me toe en zei met gedempte stem: 'Ik heb hem niet gestuurd. Nee, wacht eens even… Hij vroeg me een keer of ik een advocaat wist die in intellectueel eigendom gespecialiseerd was, en ik zei dat mijn beste vriend zo iemand was en noemde jouw naam. Ik vroeg hem waarom hij zo iemand zocht en hij vertelde me dat hij op manuscripten was gestuit die misschien publicabel waren. Hij wilde weten wat hun juridische status was. Dus hij is echt bij je langs geweest?'

'Ja,' zei ik. 'Hij zei dat hij een manuscript had waaruit de verblijfplaats van een onbekend manuscript van Shakespeare bleek…' Ik begon hem te vertellen wat ik tegen Bulstrode had gezegd, toen Mickey opeens een half artisjokhart doorslikte, hevig hoestte en het met San Pellegrino moest wegspoelen voordat hij weer kon praten.

'Nee, nee, hij had een manuscript waarin Shakespeare werd genóémd. Tenminste, dat beweerde hij. Ik heb het zelf niet gezien. Door die toestanden met Pascoe was hij nogal paranoïde geworden. Hij ging in die tijd naar Engeland – het was afgelopen zomer – en toen hij terugkwam, was hij, hoe zal ik het zeggen… Hij was niet meer de oude. Nerveus. Prikkelbaar. Hij wilde niet zeggen wat hij had, alleen dat het om een volkomen onbekende vermelding van William Shakespeare in een echt manuscript van een tijdgenoot ging. Hij heeft me trouwens niet verteld waar hij het had gevonden. Dat moet me een verhaal zijn!'

'Bedoel je dat een manuscript al waardevol is doordat iemand Shakespeare er alleen maar in verméldt?'

Hij had saus gedipt met brood, maar hield daar nu mee op. Opnieuw staarde hij me aan en toen liet hij een ongelovig lachje horen.

'Waardevol? Jezus, ja! Van wereldschokkend belang. De vondst van de eeuw. Ik dacht dat ik je dat al heel vaak had uitgelegd, maar blijkbaar niet vaak genoeg.'

'Doe het dan nog maar een keer.'

Mickey schraapte zijn keel en hield zijn vork omhoog alsof hij een leraar met een aanwijsstok was. 'Oké. Afgezien van zijn werk, de grootste literaire prestatie die in de hele geschiedenis van de mensheid ooit door iemand is geleverd, heeft William Shakespeare praktisch geen materiële sporen achtergelaten. Zo ongeveer alles wat we met zekerheid over hem weten, kun je op een visitekaartje kwijt. Hij werd geboren en gedoopt, trouwde, kreeg drie kinderen, schreef een testament, tekende een paar juridische documenten, stelde een grafschrift op, en ging dood. Het enige materiële bewijs voor zijn bestaan, afgezien van die papieren en zijn graf, is een verdacht stukje handschrift, dat misschien van hem is, op een manuscript van een toneelstuk dat *The Book of Sir Thomas More* heet. Geen enkele brief, geen opschrift, geen boek met zijn naam erin. Oké, de man was bijna twintig jaar een ster in de Londense theaterwereld, dus er zijn een heleboel verwijzingen naar hem, maar die stellen niet veel voor. De eerste is een aanval op iemand die 'Shake-scene' wordt genoemd door een klootzak die Robert Greene heet, en een verontschuldiging voor het afdrukken van een zekere Chettle. Francis Mere schreef een boek met de titel *Palladis Tamia, Wit's Treasury*, dat vergeten zou zijn wanneer hij Shakespeare niet de beste Engelse toneelschrijver had genoemd. Hij wordt genoemd door William Camden, het hoofd van de Westminster School, en door Webster in het voorwoord van *The White Devil*; en hij wordt door Beaumont vermeld in *The Knight of the Burning Pestle*. En zijn juridische papieren, contracten, dagvaardingen, huurovereenkomsten en allerlei theaterpapieren, plus natuurlijk het cruciale feit van het Eerste Folio. Zijn vrienden vonden hem belangrijk genoeg om na zijn dood al zijn toneelstukken in één boek te publiceren en hem als de auteur te vermelden. Dat is het wel zo'n beetje: enkele tientallen concrete maar onbeduidende vermeldingen door tijdgenoten. En daarop is een complete wetenschap gebaseerd. De geleerden zoeken in de toneelstukken en gedichten naar aanwijzingen over de man. Natuurlijk is dat volkomen speculatief, want we weten gewoon niets. We worden er gek van, want die vent is zo ongrijpbaar als rook. Ik bedoel, er is echt níéts.'

'Het was lang geleden.'

'Ja, maar we weten veel meer over Leonardo, om maar een voor de hand liggend persoon als voorbeeld te noemen, en die leefde een eeuw eerder. Ter vergelijking geef ik één voorbeeld: er is een brief van Spenser aan Walter Raleigh bewaard gebleven waarin hij uitleg geeft over allegorieën in *The Faerie Queenne*. We weten véél van Ben Jonson. Michelangelo… Er zijn bijna vijfhonderd brieven van hem bewaard gebleven, en notitieboeken, ja zelfs menukaarten. En van Shakespeare, de grootste schrijver aller tijden en ook nog een belangrijke theaterondernemer, hebben we niet één brief. En dan krijg je het probleem dat zo'n vacuüm vervalsingen naar zich toe zuigt. Er was al een complete industrie van Shakespearevervalsingen in de achttiende, negentiende eeuw, en ze komen nog steeds voor, zoals Bulstrode tot zijn schade heeft ondervonden. Om nog maar te zwijgen over alles wat er aan huisvlijt verschijnt over het zogenaamde vraagstuk van het auteurschap; we hebben niets van hem, alleen het werk, en dus heeft iemand anders het werk gemaakt – Southampton, Bacon, buitenaardse wezens. Ik kan niet onder woorden brengen hoe intens het verlangen is om dingen over die kerel te vinden. Als Bulstrode echt een manuscript van een tijdgenoot heeft gevonden waarin Shakespeare wordt genoemd, vooral als het concrete informatie bevat... Nou, hij zou zich meteen volledig hebben gerehabiliteerd.'

Als Mickey over zijn werk praat, is hij opeens twintig jaar jonger en lijkt hij meer dan anders op de jongeman die ik in dat armzalige appartement aan 113th Street ontmoette. Ik beken dat ik me in mijn geval niet zo'n transformatie kan voorstellen, ook niet als ik zou uitweiden over de finesses van bijvoorbeeld de Digital Millennium Copyright Act. Hij houdt van zijn vak en ik bewonder hem daarom. En ik ben ook een beetje jaloers, denk ik. Maar nu hij het over Bulstrode had, betrok zijn gezicht. En waren dat tranen? In het sfeervolle halfduister van het restaurant was het moeilijk te zien.

'Nou,' ging hij verder, 'nu natuurlijk niet meer. Maar ik zou er veel voor hebben gegeven om een blik op die papieren te mogen werpen. God weet wat ermee gebeurd is.'

Ik had de indruk dat hij me nu een beetje slinks aankeek. Alle fatsoenlijke advocaten houden hun mond over de zaken van hun cliënten; zelfs de dood van een cliënt laat hun lippen niet van elkaar komen, maar het zijn oppervlakkige roddelaars in vergelijking met ons ie-advocaten. Ik hapte dan ook niet toe, voor zover hij daar opuit was, maar vroeg: 'Is er iets mis?'

Hij zei: 'Je bedoelt, afgezien van het feit dat Bulstrode is vermoord? Is dat niet genoeg?'

'Je ziet eruit alsof er nog veel meer op je schouders drukt,' zei ik. 'Dat gevoel had ik de vorige paar keer ook. Je bent toch niet ziek of zo?'

'Nee, afgezien van het feit dat ik zo dik als een varken ben en geen lichaamsbeweging krijg. Ik ben net een paard. Slagaders als jachtgeweren, zegt mijn dokter. Nee, wat je voor je ziet, is de fysieke verschijningsvorm van de effectenmarkt.'

Nu moet ik even vermelden dat Mickey en ik verschillende opvattingen over beleggen hebben. Mijn vermogen zit in een beleggingsfonds dat in 1927 is opgericht en nooit veel meer of veel minder dan zeven procent per jaar heeft uitgekeerd. Mickey noemt dat onverantwoordelijk conservatisme, tenminste zo noemde hij het een aantal jaren geleden, toen de aandelenkoersen tot in de hemel stegen. Hij houdt van hedgefondsen, en hij vergastte me altijd op verhalen over zijn fantastische rendementen. Nu niet meer. Ik zei: 'Nou, je hebt de industriële sluitingen nog.' Waarop hij een schamper lachje liet horen.

'Ja, als ik die niet met twintig neven en nichten hoefde te delen. Mijn familie lijdt aan een overdaad aan erfgenamen.'

Omdat ik het gevoel had dat hij er niet meer over wilde praten, zei ik: 'Over erfgenamen gesproken, weet je of wijlen de professor die had? Ik neem aan dat hij geen kinderen had.'

'Hij had een nichtje, Madeleine of zoiets. Foto op zijn bureau. Kind van zijn overleden zus, en hij was gek op haar. Ik denk dat zij alles erft. Of zijn oude vriend.'

'Is ze in kennis gesteld?'

'Ja. Ze komt deze week hierheen.'

'Uit Engeland?'

'Nee, uit Toronto. De zus is jaren geleden geëmigreerd, met een Canadees getrouwd. Ze kreeg maar één kind. Aha, daar zijn onze gnocchi. Weet je, ik geloof dat ik mijn eetlust terugkrijg.'

Terwijl we van de boterzachte deegwaar genoten, zei ik: 'Dus het manuscript leidt niet verder. Het is niet de sleutel tot iets nog groters?'

Met zijn mond vol gnocchi antwoordde Mickey: 'Iets groters dan een contemporaine verwijzing naar Shakespeare? Ik kan me niet voorstellen wat dat zou kunnen zijn. Heeft hij je dat verteld?'

'Hij liet doorschemeren dat in zijn manuscript sprake was van een ander manuscript, maar dan van Shakespeare zelf.'

'Ja hoor! Pure fantasie, zou ik denken. Zoals ik al zei, was Andrew erop gebrand om weer serieus genomen te worden. Met reden. Als de erfenis is afgehandeld en hoe-heet-ze-ook-weer het manuscript in bezit heeft, zullen we er eens naar kijken. Maar gezien het wanhopige verlangen van de man om zich te rehabiliteren, denk ik dat het niet veel zal voorstellen.'

We praatten onder die lunch (Mickey kreeg inderdaad zijn eetlust terug en maakte grappen over de troep die ze in Texas te eten hadden gekregen) niet meer over Bulstrode, zijn raadselachtige manuscript of over zijn zelfs nog raadselachtigere dood.

Dat wil zeggen, voor zover ik me kan herinneren, want het bovenstaande is compleet verzonnen. Ik heb bij Sorrentino die gerechten gegeten en zulke wijn gedronken, misschien wel met Mickey Haas erbij, en Marco en Paul bestaan, maar ik kan niet met zekerheid zeggen dat we die dag, vele maanden geleden, die dingen hebben gegeten. Ik weet amper nog wat ik afgelopen dinsdag als lunch heb gehad, en dat geldt ook voor andere mensen. Ik kreeg het een en ander over Shakespeare te horen, maar ik zou niet kunnen zeggen of dat toen was of bij een latere gelegenheid. Ik herinner me dat Mickey van streek was, en ook dat ik voor het eerst van die jonge vrouw hoorde. Ze heet overigens niet Madeleine maar Miranda. Afgezien daarvan is het allemaal verzonnen, maar al terwijl ik het schreef, werd het de waarheid. Eigenlijk hebben we bijna nooit echte herinneringen. We verzinnen alles. Proust heeft het verzonnen, Boswell heeft het verzonnen, Pepys... Eigenlijk heb ik veel sympathie voor een steeds vaker voorkomend soort persoon, vaak iemand op een hoge positie, die op verzinsels wordt betrapt. Je bedoelt dat ik níét aan Harvard heb gestudeerd? Ik had geen seks met die vrouw... Wij werken ons niet dagelijks door het verval van de moraliteit heen (want ik denk dat een waarheid nog nooit gebaseerd is geweest op herinneringen), maar veeleer door de triomf van de intellectueel eigendom, die storm van verzonnen realiteiten: kunstmatige levens, gephotoshopte foto's, door ghostwriters geschreven romans, nagesynchroniseerde rockbands, in scène gezette realityprogramma's, het buitenlands beleid van de Verenigde Staten... Iedereen, tot en met de president, is tegenwoordig romanschrijver.

We kunnen, denk ik, Shakespeare verwijten dat hij daarmee begonnen is, want hij verzon mensen die levensechter waren dan de mensen die je kende. Richard Bracegirdle begreep dat en deed daarom zijn best om Shakespeare en al zijn werken te vernietigen. Ik heb colleges geschiedenis gelopen aan Columbia – Haas zal dat nog weten, want ik deed het op zijn aanbeveling – en die werden gegeven door een zekere Charlton. Het was Engelse middeleeuwse geschiedenis, en hoewel ik het Domesday Book en alle koningen en koninginnen uit mijn hoofd heb gezet, kan ik me zijn visie op geschiedenis in het algemeen nog goed herinneren. Hij zei dat er drie soorten geschiedenis zijn. Ten eerste is er datgene wat werkelijk is gebeurd, en dat is voorgoed verloren gegaan. Ten tweede is er datgene wat de meeste mensen dachten dat gebeurde, en dat kunnen we met grote moeite achterhalen. Ten derde is er datgene wat de mensen die aan de macht waren wilden dat toekomstige mensen zouden denken dat gebeurd was, en dat is negentig procent van de geschiedenis die in boeken staat.

(O, ja, nu ik die restaurantscène nog eens doorlees, ben ik er heel tevreden over. Ja, zo kan het zijn gegaan. Mickey is daar echt aan het woord en ik verwacht dat mensen die hem kennen het daarmee eens zijn als ze het bovenstaande te lezen krijgen. Ik merk ook dat de realiteit naar voren is gekomen en mijn verzonnen verhaal heeft overvleugeld. Als Mickey het zou lezen, zou hij ongetwijfeld zeggen: ja, zo herinner ik het me precies. En dus schrijf ik hier het tweede soort geschiedenis. Net als Bracegirdle dat deed, denk ik, al was hij een eerlijk man en ben ik dat niet.)

Ik moet nu vermelden dat ik kort na deze gebeurtenissen naar een van die elektronicawinkels aan Sixth Avenue ging om een batterijtje voor een mobiele telefoon te kopen, en om redenen die ik me niet goed herinner... nee, eigenlijk herinner ik het me wel. Zoals ik al zei, is mijn geest chaotischer dan mij lief is. Ik heb de gewoonte om achter in de eerdergenoemde agenda willekeurige dingen te noteren zodra ze bij me opkomen. Jammer genoeg kan ik soms niet lezen wat ik heb geschreven: 'afspr. urtie abt. srtnt' zou zo'n notitie kunnen zijn. Maar toen ik in die winkel was, viel mijn oog op een digitale voice-activated recorder, een Sanyo 32, en ik zag daar een mogelijke oplossing voor mijn probleem in en kocht hem voor tweeënzeventig dollar. Hij is zo groot als een mobieltje en je kunt er twee uur aan opnamen van hoge kwaliteit op zetten. Sinds ik hem heb gekocht, worden de laatste twee uur van de soundtrack van mijn leven bewaard voor later. Het apparaatje is van onschatbare waarde voor wat ik nu aan het doen ben.

Na de lunch bracht ik Mickey met de Lincoln terug. Hij had het grootste deel van de wijn gedronken, en ook die twee gincocktails, en hij was vrij ver heen. Als Mickey in de olie is, praat hij altijd over zijn drie vrouwen. De eerste mevrouw H. was het liefje uit zijn studententijd, Louise, een stevige blondine uit een goede oude New England-familie, die rechtop staand seksuele gunsten verleende onder het balkon en de hangende klimop van haar studentenhuis in Barnard, zoals we in die tijd allemaal deden, en gunsten van meer intieme aard in ons appartement. Ze liet zich pas door hem neuken toen ze in het laatste jaar van haar studie zijn ring had, ook een grappige traditie uit die tijd. Ik herinner me weekendochtenden in het appartement: Mickey die in zijn badjas van kastanjebruine velours (of kamerjas zoals hij hem pretentieus noemde) druk bezig was met het koffiezetapparaat, en Louise die de keuken in kwam banjeren en zich een beetje geneerde als ze mij aan de tafel zag zitten, maar zich er met klasse doorheen sloeg. Bij die gelegenheden droeg ze meestal een zwarte maillot met een van Mickeys overhemden daaroverheen, een combinatie die ik sindsdien altijd enorm erotisch heb gevonden. (Maillots werden in die tijd gebruikt als ondergoed; ik ben nooit helemaal gewend geraakt aan meisjes die door de stad rennen en hun lichaam erin showen – daar krijg ik altijd een zekere trilling in mijn scrotum van.) Ze verscheen ook zonder beha, en ze was een van de eersten, en die van haar waren mooi, spits en schommelend.

Die matinees suggereerden altijd dat Mickey de grote dekhengst met een maîtresse was, en ik de arme maar eerlijke seksueel misdeelde zwoeger, en wat konden we daar allemaal om giechelen! In werkelijkheid kreeg ik in die tijd meer seks dan ik aankon van een vrouw die Ruth Polansky heette, een zesendertigjarige bibliothecaresse van het Farragut-filiaal van de New York Public Library. Dat hield ik geheim voor mijn huisgenoot en alle anderen, uit schaamte voor mezelf en ook omdat ik misschien terecht bang was dat Ruth haar baan zou kunnen verliezen. Is dit van belang voor het verhaal? In zekere zin wel, al was het maar om te illustreren hoe vroeg ik al leerde mijn seksuele activiteiten te camoufleren. Ik geloof niet dat iemand zich tegenwoordig nog druk maakt om een verhouding van een tienerjongen met een wat oudere vrouw, een verhouding waarbij de capaciteit van de man en de hunkering van de vrouw beide op hun top zijn. De Fransen kijken met een zekere schroom tegen zulke verhoudingen aan en hebben een complete literatuur over dit onderwerp, maar in Amerika wordt het (Mrs. Robinson!) alleen maar als een klucht behandeld.

Onze specifieke verhouding was kluchtig genoeg, want ons grootste probleem was het vinden van een plaats waar we het konden doen. Ze woonde bij haar moeder en ik woonde bij Mickey Haas, we hadden geen van beiden een auto, ik was straatarm, zoals ik al zei, en een bibliothecaresse verdiende ook niet genoeg om zich hotelkamers te kunnen veroorloven. Mevrouw Polansky en ik kenden elkaar al jaren. Tijdens mijn puberteit had ze mijn groei en de daarmee gepaard gaande spiervorming geïnteresseerd gevolgd. Ze was een kleine, bleke vrouw met zijdezacht kleurloos haar dat ze in een staart droeg, zodat ze jonger leek dan ze was. Ze was gescheiden; dat was in die tijd ongewoon en maakte mijn fantasieën over haar, die ik ongeveer vanaf mijn twaalfde had, net iets pikanter. Als ik het (verkeerd, neem ik aan) reconstrueer, palmde ze me heel handig in. Ze gebruikte mijn belangstelling voor theater om mijn gedachten op het soort erotisch leven te richten dat indertijd doorgaans niet beschikbaar was op middelbare scholen. Ze gaf me boeken en toneelstukken: Williams, Ibsen, *Tea and Sympathy*, erotische Franse poëzie, en *Ulysses*; dat laatste te leen uit haar eigen collectie. Het is toch al niet moeilijk om op een druilerige wintermiddag een tienerjongen te verleiden in een naar boeken ruikende, smoorhete bibliotheek. Ze stoorde zich niet aan mijn puisten. Ze maakte me complimentjes met mijn ogen. Sexy, zei ze, slaapkamerogen.

De primaire verleiding vond plaats in de personeelskamer van de bibliotheek. Ze had een kwartier pauze en de andere bibliothecaresse zat achter de balie. We deden het in een stoel, dicht bij de radiator waaruit sissend stoom ontsnapte, al had dat geen enkel effect op mevrouw Polansky. Ik hield het maar een paar minuten vol, maar dat was genoeg om haar in een merkwaardig spasme te brengen, en in die tijd stootte ze, om niet de aandacht van de bibliotheekbezoekers te trekken, grote hoeveelheden lucht tussen haar op elkaar geklemde tanden uit. Sinds die dag heb ik het sissen van ontsnappende stoom altijd opwindend gevonden. Ik kreeg haar ongeremde kreet van extase pas te horen toen de gemeente de bibliotheken op dinsdag- en donderdagmiddagen ging sluiten en ik mijn oude kamer thuis kon gebruiken omdat Mutti in het ziekenhuis werkte.

We hadden ongeveer drie uur de tijd tussen twaalf uur 's middags en het moment waarop mijn zus uit school kwam, en een groot deel van die tijd ging op aan de metrorit tussen Manhattan en Brooklyn, zodat we elkaar de kleren van het lijf trokken zodra de voordeur zich met een klik achter ons had gesloten. Mevrouw Polansky had niet de luidruchtigste orgasmen die ik ooit heb meegemaakt, maar ze concurreerde serieus met de anderen en produceerde op het hoogtepunt een reeks diepe, luide, orgelachtige kreungeluiden. Gezien de kluchtige aard van onze verhouding was het alleen maar te verwachten dat we op een dag, na gedane zaken en met onze kleren weer in model, Mutti aan de keukentafel aantroffen. Ze had die middag vrij genomen, en ik heb nooit geweten hoe lang ze daar had gezeten. Toen ik mevrouw Polansky voorstelde als een wiskundeleraares die me met mijn algebra hielp, keek ze me ondoorgrondelijk aan. Ruth stak haar hand uit en Mutti schudde hem formeel en bood koffie aan.

Ik heb een hele tijd niet aan die middag gedacht. Ik vind het helemaal niet prettig om aan dat appartement te denken, en zeker niet aan die keuken.

Terug naar Mickey en zijn vrouwen. Zoals ik al zei, was Louise de eerste, en dat duurde de gebruikelijke zeven jaar. Inmiddels was de seksuele revolutie in volle gang, en Mickey wilde zijn deel, iets wat voor een professor helemaal niet zo'n probleem was. Nummer twee was Marilyn Kaplan, de eeuwige studente. Mickey had nu twee kinderen en een hond in zijn grote huis in Scarsdale, en dus kostte het hem een smak geld om zijn hunkering naar Marilyn te kunnen bevredigen. Van de drie echtgenotes is Marilyn het mooist in klassieke zin: grote zwarte ogen, glanzend lang kastanjebruin haar, het geweldige Amerikaanse meisjeslichaam, lange benen, smalle taille, borsten als kanonskogels. Ze was een fervent feministe uit de school van de jaren zeventig, met niets dan minachting voor mannelijke blikken, al trok ze die onophoudelijk aan en profiteerde ze van de voordelen die daaraan verbonden waren. Ze kreeg ook een kind en verdween na drie jaar met een man van, geloof ik, Berkeley; een biseksuele hermafrodiet van een volmaakte politieke correctheid, als ik het goed heb begrepen. Zoals Mickey het uitlegde, was het probleem grotendeels van intellectuele aard: hij zat gewoon niet met haar op één lijn als het om literaire theorie ging. Dat was voor haar bijna even belangrijk als seks, al was ze volgens Mickey in dat laatste opzicht de dominante partner geweest, altijd vol tomeloze energie en inventiviteit.

Ik heb haar een keer een lezing horen geven. Mickey nam me mee, de titel was zoiets als 'Het privilegiëren van de tekst in de late komedies: theorie van het spreken en redeneren bij Shakespeare'. Ik snapte er geen woord van en zei dat ook tegen Mickey, en hij vertelde me over Foucault, Althusser, Derrida en de door Marilyn aangehangen revolutie in de literatuurwetenschap, maar ik merkte dat hij er niet warm voor liep. Dat was Mickeys probleem, denk ik: terwijl hij de gangbare stromingen in de literaire kritiek kon napraten, ja dat zelfs verrassend goed kon, liep hij er niet echt warm voor, want hij híéld van Shakespeare. Hij hield van alles wat volgens de anderen een burgerlijke gekunsteldheid was waaronder de machinaties van de onderdrukkende patriarchie schuilgingen. Marilyn dacht dat ze hem kon veranderen, dat ze een frisse wind door zijn paternalistische, burgerlijke visie op de literatuur kon laten waaien, maar nee. En hij had haar nooit laten klaarkomen, niet zoals Gerald uit Berkeley dat kon, tenminste dat zei ze tegen hem. Ze liet wel het kind bij hem achter.

Nummer drie was, of is, Dierdre, zijn uitgeefster bij Putnam, een kevlar- en pianosnaartype dat in alles naar volmaaktheid streeft. Ze is nu (we zitten weer in de auto) het voornaamste onderwerp van zijn klachten, want Dierdre is tot het uiterste à la mode. Voor Dierdre zou het een soort maatschappelijke kanker zijn om de verkeerde koelkast te hebben, naar het verkeerde feest te gaan, in de verkeerde club te verschijnen of het verkeerde soort huis in de Hamptons te hebben. En nu wilde ze een volmaakt kind produceren. Van Mickey hoefde dat niet zo nodig, want hij had er al drie. Hij vertelde me een lange anekdote over...

Weet je, ik ben vergeten waar het over ging. Tegels? Een Duits keukenapparaat? Conceptiestrategieën? Wat maakt het uit, in elk geval kostte ze hem een vermogen, net als zijn eerste vrouw en het eerste stel kinderen. De jongen van Marilyn (Jason) gedroeg zich vreemd en Mickey gaf een fortuin uit aan bijzondere scholen en psychiatersrekeningen, en vanwege de beurs en de te talrijke erfgenamen die in de sluitingsakte werden genoemd zat hij lelijk in het nauw. (Ik bood hem een lening aan, maar hij lachte me uit, ha ha, zo erg is het nog niet.) Zulke klaagsessies vormen een normaal onderdeel van mijn vriendschap met Mickey. Hij heeft ook genoeg geklaag van mij te horen gekregen, al heb ik maar één echtgenote gehad. Het is trouwens wel bijzonder aan Mickeys vrouwen dat ik met alle drie heb geneukt, zij het niet in de tijd waarin ze met hem getrouwd waren. Dat zou ik nooit doen.

Ongeveer twee weken voordat Louise met hem trouwde, hadden zij en ik één lange middag met elkaar. Ze zei dat ze van hem hield en kinderen van hem wilde, maar dat ze niet tegen het idee kon dat ze het nooit meer met een andere man zou doen. Ze zei dat ze altijd verkikkerd op mij was geweest (haar woord) en wilde weten hoe het was voordat de poort met een dreun dichtviel. Ze was een enigszins nerveuze minnares, en het was duidelijk dat Mickey de beginnerscursus nog niet had afgewerkt, terwijl mevrouw Polansky mij de hele studie al had laten voltooien. Dat was dat, en ze sprak er nooit meer over, vroeg ook nooit om meer, en ik denk niet dat ze het Mickey ooit heeft verteld, zelfs niet toen hij het met Marilyn aanlegde.

Marilyn ontmoette ik op een literair cocktailfeestje waarvoor ik door een van mijn cliënten was uitgenodigd, ongeveer zes maanden voordat Mickey haar versierde. Ze ging tekeer over fascisten van de vakgroep Engelse literatuur, en ik maakte een milde opmerking over dat woord. Dat had een formele betekenis, zei ik, en het was niet erg verstandig om het in zo'n brede figuurlijke zin te gebruiken, want dan zouden we niet op onze hoede zijn als het echte fascisme kwam opzetten, wat heel goed zou kunnen gebeuren, aangezien het natuurlijk veel aantrekkingskracht had. Ze lachte om me, want in haar ogen was 'fascist' een woord voor mensen die je onsympathiek vond, en ze reageerden altijd met een ontkenning. Niemand, behalve achterlijke boeren uit Indiana of Idaho, gaf ooit toe het fascisme aan te hangen. Om voor de hand liggende redenen heb ik me grondig verdiept in de geschiedenis en literatuur van die filosofie, en omdat ik een beetje dronken was, gaf ik haar een fikse dosis van mijn kennis. Ik geloof niet dat ze ooit een samenhangend betoog had gehoord dat niet met háár uitgangspunten maar met heel andere uitgangspunten begon, bijvoorbeeld dat seksuele en raciale onderdrukking natuurlijk waren, en dat het even absurd was om je daarvoor te schamen of gevoelens erover te verdringen als om je te schamen voor seks; dat de absolute macht om je vijanden te vernietigen verrukkelijk was, en ook niet iets om je voor te schamen; dat democratie iets meelijwekkends was; dat het extatisch was om je wil ondergeschikt te maken aan die van een leider; dat oorlog de gezondheid van de staat weergaf...

Toen ik klaar was, zei ze dat niemand ooit ook maar iets van die onzin zou kunnen geloven, en ik merkte op dat door de tijden heen veel mensen dat wél hadden gedaan, dat die ideeën zelfs nog maar enkele tientallen jaren geleden enorm populair waren geweest bij mensen die net zo slim waren als zij, zoals Martin Heidegger en mijn grootvader, die, zo vertelde ik haar, lid van de Waffen-ss was geweest. Ze dacht dat ik een grapje maakte, maar ik verzekerde haar van niet, en ik nodigde haar uit om bij mij thuis mijn verzameling geërfde nazisouvenirs te bekijken, een uitnodiging zoals ze die waarschijnlijk nooit eerder had gehad. Ze kwam, ik liet haar mijn spullen zien en vertelde haar mijn verhalen. Ze hadden een pervers erotisch effect op haar, want ik denk dat ze de concretisering vormden van die beroemde dichtregel van Sylvia Plath, al houdt niet elke vrouw van mij en ben ik geen echte fascist. Maar ze wilde wel echt de laars in de nek, in de vorm van gewelddadige seks en meer van het ruige werk.

Ik geef niet veel om dat soort dingen, maar ik voelde me verplicht me bij deze gelegenheid als gentleman (bij wijze van spreken) te gedragen. Ze was zo iemand die schuttingtaal uitkraamt tijdens het orgasme, ook iets waar ik niet erg van houd, en ik belde haar niet nog een keer en zag haar verder ook niet terug totdat Mickey me enige tijd later voor een drankje uitnodigde om me met zijn nieuwe vriendin te laten kennismaken, en daar was ze dan. We deden alsof we elkaar nooit eerder hadden gezien.

Dierdre geeft een cliënt van mij uit. We ontmoetten elkaar in mijn kantoor. Het ging over personages die de auteur had gebruikt en die ook voorkwamen in eerder werk waarop een medeauteur een deel van de rechten bezat. We wisselden blikken. Ze droeg een glanzende blouse en een erg strakke broek, en toen ze opstond om iets uit haar tas te pakken, keek ik naar haar achterste en de slanke dijen die daaruit voortkwamen, en de strakke, interessante ruimte daartussen, zo breed als een spel kaarten. Ze keek me weer aan toen ze terugkwam. Er hing, moet ik toegeven, een sfeer van *Sex and the City*. Ik belde haar, en het ging zoals gewoonlijk. Ze bleek een van die vrouwen te zijn die graag gespiest op je zitten en dan masturberen. Ze was helemaal niet gevuld en ik hield aan het raggen een pijnlijke blauwe plek op mijn schaamstreek over. Daar stond tegenover dat ze geluiden maakte als een nachtegaal, en daar geniet ik altijd weer van, een lange serie melodieuze tonen tijdens haar verscheidene lange climaxen. We kwamen nog een paar keer bij elkaar – dit was ongeveer vijf jaar geleden – en toen belde ik en had ze geen tijd, en belde ik opnieuw met hetzelfde resultaat, en dat was dat. Ik vond het niet erg dat er een eind aan kwam. Ik denk dat ze mij een beetje conventioneel vond, en ik vond haar een beetje oppervlakkig. Toen ik haar enkele maanden voor haar huwelijk met Mickey ontmoette, deed ze ook alsof ze me nooit eerder had ontmoet, of misschien was ze ons routinematige avontuurtje echt vergeten.

Een beetje somber gestemd door deze herinneringen, tolereer ik ze alleen om het fundament te leggen voor het verhaal van mijn steeds grotere, meelijwekkende verlangen naar erotiek. Dierdre was sexy maar niet erotisch; er zat geen diep leven in haar. Ingrid is erotisch, zij het een beetje afstandelijk; er is altijd afstand als we bij elkaar zijn en dat zal ook wel de reden zijn waarom ik haar opzoek. Kunstenaars zijn vaak zo, heb ik ontdekt; het gaat allemaal in hun werk zitten. Mijn ex-vrouw, Amalie, is verreweg de meest erotische vrouw die ik ooit heb gekend; de levenskracht kolkt uit haar op en alles wat ze aanraakt wordt wondermooi. Behalve ik.

Heeft 'erotisch' een tegenovergestelde? Thanatotisch misschien. Is dat een woord? Het verschijnsel zelf is duidelijk echt, want genieten we niet allemaal van de dood? Vooral een gewelddadige dood, wat een vreugde! Laten we zo'n dood niet tienduizenden keren in al zijn fictieve details aan onze kinderen zien? Al is het niet de realiteit: nee, afgezien van NASCAR-races is dit het enige overgebleven terrein waarop we erkennen dat er verschil is tussen IE en het echte leven. De echte dood is het laatste waarvoor we ons generen. En er is beslist ook een esthetiek van de dood, het tegenovergestelde van al die opgewekte impressionistische taferelen en de weelderige naakten van Boucher; een esthetiek die naar mijn mening haar hoogtepunt bereikte ten tijde van het regime waarvoor mijn grootvader het ultieme offer bracht. In weerwil van Mies von der Rohe heeft deze aantrekkingskracht niets te maken met louter functionaliteit. De Amerikaanse P-47 Thunderbolt was een effectief en geducht wapen, misschien wel de beste jachtbommenwerper in de oorlog, maar hij ziet eruit als iets wat in de Disney-studio is bedacht: dik en bol, alsof die propeller eigenlijk uit een smiley zou moeten steken. De Stuka daarentegen ziet er precies zo uit als wat hij is: een verschrikking uit de hemel. De Sherman-tank ziet eruit als iets wat een peuter aan een touwtje zou voorttrekken, terwijl je meteen aan de Panzer VI Tiger ziet dat het een machine voor het doden van mensen is. Om nog maar te zwijgen van de geweldige uniformen, de insignes. En dit ding hier in mijn hand.

De Duitsers noemen het een *Pistole*-08, een *null-acht*, maar alle anderen noemen het een Luger. Dit is ook het feitelijke voorwerp waarmee werd gezwaaid toen ma en pa elkaar leerden kennen: ja, daar loog ze over, want hier heb ik het. Het is een speciaal presentatiemodel dat aan mijn oude opa werd toegekend toen hij het Ridderkruis met de Eikenbladeren en de Zwaarden kreeg. God mag weten wat het waard is, duizenden en duizenden dollars voor de eigenaardige mannetjes die dit soort spul verzamelen. Op de linkerkant van de walnoothouten kolf zit een ingelegde ruit, rood en wit gekwartierd met ingelegde zwarte letters in het midden:

II

Pz.

Aan de rechterkant zien we een ingelegd zilveren miniatuur van de onderscheiding. De naam en rang van de ontvanger en de datum zijn in het grendelhuis gegraveerd. Het schijnt dat Himmler dit wapen met zijn eigen dikke, witte handen heeft uitgereikt. Mijn moeder wist niet precies waarvoor haar vader die medaille had gekregen, maar in elk geval had hij een waarlijk spectaculair aantal Russen gedood toen hij in de nazomer van 1943 het bevel voerde over een Panzer-regiment aan het oostfront. Ik moet nog steeds een beetje zweten als ik ernaar kijk en het in mijn hand heb, zo afschuwelijk is het ding, maar om de een of andere duistere reden heb ik het nooit verkocht of in de rivier gegooid. Het is ook geladen, met de originele Parabellum 9mm patronen. En ik weet dat het werkt. Misschien ga ik er later nog mee paffen. Ik ben trouwens een vrij goede pistoolschutter. Mijn broer Paul heeft het me geleerd toen hij voor het eerst op verlof was uit dienst. Ik zocht hem op in Fort Bragg en we gingen op een middag de bossen in en knalden daar een eind weg met een militaire Colt .45 en een Russische Makarov 9mm die hij in Vietnam op de kop had getikt. Hij leerde me richten en schieten in militaire stijl; snelheid boven alles omdat het gemiddelde pistooldoel maximaal twee meter bij je vandaan was.

Hoe dan ook, ik zette Mickey af bij Columbia, en toen hij uit de auto stapte, zei hij: 'Geef me een seintje als dat nichtje belt. En als ze dat manuscript vindt, zeg dan tegen haar dat ik het heel graag zou willen bekijken.'

Ik zei dat ik dat zou doen en reed weg. Op de terugweg dacht ik aan al die jaren van mijn vriendschap met Mickey, vooral aan de seksuele aspecten daarvan. Ik moest erkennen dat ik een zekere minachting voor de man voelde. Zo'n minachting maakt, denk ik, onvermijdelijk deel uit van een echte, langdurige vriendschap. Mijn broer Paul zou zeggen dat dit gevoel met onze afvalligheid te maken heeft: we kunnen niet onvoorwaardelijk van iemand houden; we moeten degene van wie we houden in minstens één opzicht als minder dan onszelf beschouwen. Dat is beledigend, maar het is ook goed, denk ik. We hebben allemaal een neiging tot zelfaanbidding, en het is een van de primaire functies van een goede vriend dat je die neiging in bedwang houdt. Ik weet dat hij mij een saaie sok vindt, en lang niet zo intelligent als hij. Misschien is dat waar; in elk geval ben ik lang niet zo beroemd. Ik schrijf geen populaire bestsellers, ik word niet aanbeden door legioenen studenten, ik ben geen vooraanstaand lid van de National Academy of Arts and Letters, en ik heb ook nooit de Pulitzer Prize gekregen. Hij moet wel denken dat ik gek ben op liefde, en zeker op seks. In ieder geval kent hij het hele verhaal van mijn slippertjes, afgezien van de drie uitzonderingen die ik al heb genoemd. Hij was diep getroffen toen Amalie en ik uit elkaar gingen. Ze is de ideale vrouw voor jou, zei hij indertijd, en hij somde haar deugden op. Hij had gelijk. Ze is verreweg te ideaal, vind ik, maar het is moeilijk om dat een ander duidelijk te maken.

Een paar dagen later verbond Olivia Maldonado een beller met me door, zie ik in mijn agenda. Ik had haar voor die mogelijkheid gewaarschuwd en nadrukkelijk gezegd dat het belangrijk was. De stem klonk jong, sympathiek, een beetje hees. Je weet zeker wel waar ik het over heb, hè? Ze sprak met een Canadees accent. Buitenland en toch dichtbij, zoals ze in de reclame zeggen. Ik vond het meteen een prettig stemgeluid en nodigde haar uit op kantoor, maar daar ging ze niet op in. Ze wilde me liever op een neutrale plaats ontmoeten, om redenen die ze me bij die gelegenheid zou uitleggen. Waar dan? Ze zat, zei ze, in de New York Public Library, in de Brooke Russell Astor-studiezaal van de afdeling Zeldzame Boeken. Ik zei dat ik nog het een en ander te doen had, maar dat ik haar daar om vier uur kon ontmoeten. Ze zei dat ze zich op de ontmoeting verheugde.

Ik ging verder met mijn werk, in dit geval een procedure namens een gigantische onderneming tegen een arme stumper van een kunstenaar. Dat is het dagelijkse werk van de IE-advocaat. Iemand had het logo van een landelijke keten gebruikt om commentaar te leveren op de waanzin van het consumentisme. Het oorspronkelijke logo is al een beetje gewaagd (tieten), en de kunstenaar was nog wat verder gegaan. Het was op posters en T-shirts verschenen en de onderneming was daar niet blij mee. Ik kan dit soort eisen in mijn slaap formuleren, in dit geval met mijn gedachten bij het naderende afspraakje met de mysterieuze erfgename van Bulstrode, een vrouw van wie ik nu wist dat ze Miranda Kellogg heette.

Om kwart voor vier zette Omar me op Fifth Avenue af bij de ingang van het kunstzinnige paleis waarin de bibliotheek was gevestigd. De twee stenen leeuwen, Geduld en Vastberadenheid, die volgens de New Yorkers gaan brullen als een maagd de trap opgaat, zwegen in alle talen. Ik nam de lift naar de tweede verdieping en vroeg om toegang tot de besloten Astorzaal, die naast de grote leeszaal ligt. Herinneringen: een groot deel van mijn middelbareschooltijd heb ik aan die lange houten tafels gezeten. Ik nam in die tijd de metro uit Brooklyn en bleef de hele dag. Ik deed zogenaamd research voor een werkstuk (dit was natuurlijk in de tijd voor internet, en voordat mevrouw Polansky toesloeg), maar ik genoot vooral van de anonimiteit, het gezelschap van vreemden en geleerden en de absolute on-Mishkinheid van deze omgeving. Mijn eerste echt volwassen ervaring.

Ik zag haar meteen. Ze zat aan een lange tafel in een hoek. Afgezien van een man die de officiële balie bemande, zat ze alleen in de rijk gelambriseerde zaal. Ze had blond haar, samengebonden in twee kleine miniatuurvlechtjes boven haar oren. Amalie had haar haar ook zo gehad toen we verkering hadden, en hoe absurd het ook klinkt, ik val nog steeds voor die stijl. Haar hals was ontbloot en heerlijk kwetsbaar; vrouwenhalzen zijn volgens mij het meest onderschatte seksuele object in onze cultuur, en ik word er altijd door getroffen. Ik stond daar een hele tijd te kijken terwijl ze bladzijden omsloeg. Toen merkte ze dat ik keek, op die raadselachtige manier die mij nooit goed is uitgelegd. Ze draaide zich abrupt om en we keken elkaar aan. Ik knikte. Ze glimlachte oogverblindend, stond op en kwam naar me toe. Ze leek niet echt op de jonge Amalie, niet als je ieder kenmerk van haar bekeek, maar ze had diezelfde leeuwinnengratie. Ze was iets kleiner dan gemiddeld, droeg een korte grijze rok en een prachtig glanzende roze zijden blouse. Donkere kousen, elegante enkels. Ze stak haar hand uit en ik pakte hem vast. Ze had druifgroene ogen, net als Amalie. Ze zei: 'U moet meneer Mishkin zijn. Ik ben Miranda Kellogg.' Enkele ogenblikken kon ik geen woord uitbrengen. De elektriciteit golfde door mijn arm omhoog en ik ben bang dat ik haar hand een beetje te lang vasthield. Dit is belachelijk, dacht ik.

DE BRIEF VAN BRACEGIRDLE (5)

Bij het naderen van mijn huis hoorde ik het gerucht van vrouwenkreten & binnengaande vond ik mijn vader slaande mijn arme moeder hard met zijn stok, die ik nimmer tevoren had aanschouwd en niet had gepeinsd te aanschouwen. Het was aldus: Margaret de meid had in de kast mijner moeder een paapse crucifix & kralen ontwaard & ze direct aan mijn vader getoond, & hij denkende al die jaren tafel & bed te hebben gedeeld met een geheime paapse ontstak in toorn & sloeg met razernij, mijn moeder protesterende dat die snuisterijen alles waren wat zij van haar moeder had, doch bereikte niets. En schoon ik wist dat mijn vader in het recht stond kon ik het niet aanzien & greep zijn arm zeggende heb genade zij is uw vrouw: doch hij tierde zij is niet mijn vrouw meer & sloeg mij ook & ik duwde hem weg & hij viel hard op de vloer. Wij twee — ik bedoel mijn moeder & ik knielden neer om hem te helpen als we vermochten: evenwel hij was niet gewond doch in zijn trots gekrenkt & schreeuwde de pest hale u beiden, ge zult geen nacht meer in mijn huis vertoeven, ik heb geen vrouw en zoon meer.

Alzo bitter huilende ging ik heen met mijn moeder & weinige bezittingen van ons, ik hurende een kruiwagen om deze zaken te transporteren, zij nagenoeg stervende van schaamte. Nu bezat ik bij toeval het goud dat voor de kanonnen was betaald (68 12s., zodat wij niet verpauperd waren & konden huren een kamer voor de nacht in een herberg de Iron Man in Hart Lane bij de oude Crutchedfriars, 3d. de nacht & de kost. De volgende morgen nam ik, een weinig geld bij mijn moeder latende, de boot naar Gravesend & toen weder naar Titchfield gelijk ik gekomen was. Mijn meester was zeer verheugd zijn kanonnen goedgekeurd doch fronste toen ik hem zeide wat was voorgevallen in het huis mijns vaders & fronste nog meer toen ik zeide dat ik zijn goud had benut om ons een nacht onderdak te verschaffen &

mijn moeder nog enkele dagen: & ik beloofde hem elke penny terug te betalen, & bepleitte de noodzaak. Maar hij gaf me de leugen, zeggende ik had het vergokt of opgedronken & hoopte hem te misleiden met verhalen over papen: kortom, wij twistten, ik niet in staat vrees ik de Christelijke verdraagzaamheid in acht te nemen en mijn meester te eren gelijk mij betaamde, want ik verdroeg zijn huichelarij niet hijzelf een grote leugenaar zijnde & ook nog een lichtekooi onderhouden. Hetgeen ik verkondigde aan het hele huis & zijn vrouw ook aanwezig & was grote onenigheid in het huis daarna. De volgende dag werd ik heengezonden met slechts de kleren aan mijn lijf & geen reisgeld.

Titchfield zijnde 65 Engelse mijlen van Londen vergde het mij enige tijd om wederom te lopen, slapende onder heggen & fruit stelende & eieren moge God mijn zonden vergeven. Laat in de Iron Man arriverende, vond ik mijn moeder in goed gezelschap van een schone jonge maagd de dochter van de meester des huizes, dat was gij mijn Nan wij zagen elkaar ten eersten male & minden elkaar, zoals ge weet. Doch wellicht groeit onze zoon tot de jaren des onderscheids, moge de goede Heer dat geven, en weet het dan niet dus vertel ik het hier.

Nu moest ik ons brood & onderdak verdienen, ik een knaap van nog geen 16 jaren & ik peinsde aan de Tower & hen die ik daar had ontmoet & zouden zij mij werk geven & derhalve begaf ik mij derwaarts & vroeg naar heer Hastynges: hij komende, ik zeide hem van heel ons klaaglijk lot gelijk ik hier heb verteld & hij zeide me in mijn oor, wel, jongen, we kunnen papen noch puriteinen in de Tower hebben, het zou mij mijn hoofd kosten & buitendien is het mij een gruwel, want ik bezoek slechts één preek per week & dat op zondag & wil geen gebeden & gezangen op overige dagen. Waarop ik zeide ik hadde daar ook mijn bekomst van. Heer Keane dit horende zeide Hastynges wij moeten hem beproeven gelijk een kanon, naar Southwark met ons. En zo gingen wij over de brug & dronken veel wijn (hetgeen ik nimmer eerder deed) & aanschouwden de berebijt & hondenbijt, et cetera: en zij sleurden mij naar de hoerenkast & kochten een hoer maar God zij gedankt ik spuwde & was zo ziek dat ik haar besteeg maar kon de zonde niet voltrekken & zij lachten veel & maakten vuige grappen over mij, maar heer Keane zwoer ik was geen puritein doch slechts een veldslang tweeponder, vermocht nu weinig schot te lossen doch barstte niet uit de broek & was goedgekeurd.

6

Crosetti stond met het opgerolde, verpakte en wellicht waardevolle manuscript onder zijn arm bijna een half uur in de verlaten straat te wachten. Hij vond dat veel te lang. Wat deed ze daar binnen? Al had hij wel eens net zo lang gewacht tot een vrouw er eindelijk aan toe was om uit te gaan. Al gingen ze niet naar een bal. Hij keek op zijn horloge, liep heen en weer en had het gevoel dat hij langzaam gek werd.

Ze kwam in een van haar zwarte outfits naar buiten, alsof ze naar haar werk bij Glaser ging, en hij vroeg zich af waarom. Misschien stond Bulstrode op een zekere formaliteit. In dat geval zou hij teleurgesteld zijn in Crosetti, die zich nodig moest wassen en scheren en een T-shirt van een Springsteen-concert, een groezelige spijkerbroek en Nikes droeg. Maar hij klaagde niet tegen haar over het wachten.

Ze verontschuldigde zich ook niet. In plaats daarvan knikte ze hem terloops toe en liep verder. Hij vroeg niet waar ze heen gingen, want hij wilde cool zijn. Hij kon zich net zo goed geheimzinnig gedragen als zij. Ze liepen naar Van Dyke en namen bus 77 naar station Smith Street, waar ze in de F-trein stapten om luidruchtig maar in stilte naar Manhattan te rijden. In Houston Street stond ze op en liep de trein uit. Hij ging vlug achter haar aan en kon het niet laten om haar te vragen waar ze heen gingen. Eigenlijk was Crosetti niet zo cool.

'Mermelstein's,' antwoordde ze. 'Dat is de laatste groothandel in bindleer in de stad.'

'Verkopen ze ook aan particulieren?'

'Meneer Mermelstein mag me graag.'

'O, ja? Word je door hem ook...' Crosetti maakte een tastend gebaar. Ze liepen op de stationstrap en ze bleef abrupt staan en zei: 'Dat doet hij niet. Weet je, ik heb er echt spijt van dat ik je dat over Sidney heb verteld. Ga je daar steeds weer over beginnen als ik het over een man heb?'

'Het wordt nu, op dit moment, uit mijn gedachten verwijderd,' zei Crosetti, in verlegenheid gebracht, hoewel hij het gevoel had dat hij werd gemanipuleerd. Hij vroeg zich ook af waarom ze naar een groothandel ging. Iedereen die in New York iets met oude boeken deed, wist dat je voor alles wat met boekbinden te maken had in Borough Park in Brooklyn moest zijn. Hij wilde haar ernaar vragen, maar toen begreep hij het. Boekhandelaren en grote verzamelaars hadden contacten met gewone boekbinders. Als een van hen een *Voyages* van Churchill voor een spotprijs kreeg aangeboden, zou hij bij boekbinders informeren om na te gaan of het boek was opgelapt. Geen enkele verzamelaar zou op het idee komen dat de verkoper het misschien helemaal zelf had gedaan, met ruwe materialen. Crosetti was tevreden over zichzelf omdat hij dat had uitgedacht. Hij begreep steeds meer van Rolly en haar slinksheid.

Ze liepen door Houston Street naar een oud bedrijfsgebouw dicht bij Second Avenue, waar op een zolder met een penetrante geur, met misschien wel enkele duizenden vierkante meters dierenhuiden, Crosetti tegen een baal van dat materiaal leunde en zag hoe Rolly langdurig onderhandelde met een oude man die een keppeltje, een bruin geworden zwart pak en pantoffels droeg. Blijkbaar amuseerden ze zich kostelijk en Crosetti vond het interessant dat Rolly's houding subtiel veranderd was. Ze glimlachte meer nu ze bij Mermelstein was, lachte zelfs een paar keer en leek in het algemeen een luidruchtigere, agressievere persoon dan de Rolly die hij kende, meer... durfde hij dat te denken... meer joods? Ze sprak in het tempo en met het accent dat in de joodse wijken te horen was.

Hij zei daar iets over toen ze met een rolletje fijn kalfsleer, in bruin papier verpakt, naar buiten gingen.

'Dat doet iedereen,' antwoordde ze luchtig. 'Als je met mensen praat, neem je iets van hun houding, hun manier van spreken over. Doe jij dat niet?'

'Misschien wel,' zei hij. Toen dacht hij: ja, maar ik ben zelf al iets, en wat, mijn lief, ben jij? Hij repeteerde die tekst in zijn gedachten, dacht erover hem uit te spreken, maar deed dat niet. In plaats daarvan zei hij: 'Wel, waar gaan we nu heen?'

'We nemen de F naar 14th Street en de Broadway-trein naar Columbia. We hebben over drie kwartier een afspraak met professor Bulstrode.'

'Kunnen we eerst iets eten? Ik heb sinds gisteravond niets meer gehad.'

'Je hebt al mijn koekjes opgegeten.'

'O, ja, sorry. Je bejaarde koekjes. Carolyn, wat is er toch met jou aan de hand? Waarom woon je niet als een gewoon mens, met meubelen en eten in huis en schilderijen aan de muur?'

Ze liep naar de ingang van het metrostation. 'Dat heb ik je verteld. Ik ben arm.'

Hij liep vlug met haar mee. 'Zó arm ben je niet. Je hebt een baan. Je verdient meer dan ik. Wat doe je met je geld?'

'Ik heb geen moeder bij wie ik kan wonen,' zei ze kortaf.

'Dank je. Je wijst me mijn plaats.'

'Zo is het. Ik geloof dat je het niet begrijpt. Ik ben helemaal alleen op de wereld, zonder enige steun. Geen broers, zussen, neven, nichten, tantes, ooms, peetvaders. Ik heb een klein salaris zonder voorzieningen. Als ik ziek word, kom ik op straat te staan. Ik heb op straat geleefd en ik ga niet terug.'

'Wanneer heb je op straat geleefd?'

'Dat gaat je niet aan. Waarom ben je altijd zo nieuwsgierig? Dat werkt op mijn zenuwen.'

De trein kwam en ze stapten in. Toen ze onderweg waren en in de privacy van de bulderende metrotrein zaten, zei hij: 'Het spijt me. Ik heb dat van mijn moeder. Als die in de metro naast iemand zit, vertellen ze elkaar binnen twee haltes hun levensverhaal. Weet je, Carolyn, de meeste mensen praten juist graag over zichzelf.'

'Dat weet ik, en ik vind het tijdverspilling, mensen die maar leuteren over alle pech die ze hebben gehad. Of die naar complimentjes vissen. O, nee, Gloria, je bent niet echt zo dik. O, je zoon zit op Colgate? Wat moet je trots zijn!'

'Maar dat dóén mensen. Ik bedoel, waar moet je anders over praten? Boeken? Boekbinden?'

'Om te beginnen. Ik heb je verteld dat ik geen interessante persoon ben, maar blijkbaar wil jij dat niet geloven.'

'Ik vind je juist een fascinerende persoon.'

'Doe niet zo mal! Ik leid een heel saai leven. Ik ga naar mijn werk, ik kom thuis, ik werk aan mijn vak, ik tel de dagen tot ik ergens heen kan gaan waar ik de dingen kan leren die me echt interesseren.'

'Films,' zei Crosetti. 'We kunnen over films praten. Wat is je favoriete film?'

'Die heb ik niet. Ik heb geen geld om naar de bioscoop te gaan. En zoals je natuurlijk al weet, heb ik geen televisie.'

'Kom nou, meid! Iedereen heeft een favoriete film. Je moet naar de film zijn geweest in de plaats waar je vandaan komt.' Dat leverde hem geen reactie op. Hij ging verder: 'Waar was dat?'

Ze zweeg even en vroeg toen zonder veel belangstelling: 'Oké, wat is jóúw favoriete film?'

'*Chinatown*. Je wilt me niet vertellen waar je vandaan komt?'

'Geen plaats in het bijzonder. Waar gaat hij over?'

'Waar hij over gaat? Je hebt *Chinatown* nooit gezien?'

'Nee.'

'Carolyn, iederéén heeft *Chinatown* gezien. Mensen die nog niet eens waren geboren toen hij uitkwam hebben *Chinatown* gezien. Er zijn bioscopen in... in Mogadishu, jezus nog aan toe, waar hij weken heeft gedraaid. Het beste originele script dat ooit geschreven is, met een Oscar bekroond. De film is genomineerd voor elf andere Oscars... Hoe is het mogelijk dat jij hem niet hebt gezien? Het is een cultureel monument.'

'Blijkbaar niet van mijn cultuur. Hier moeten we eruit.'

De trein kwam gierend tot stilstand op 116th Street en ze stapten uit. Ze liep meteen weer ongeduldig weg, en hij draafde achter haar aan met de gedachte dat als ze *Chinatown* echt niet had gezien, zijn eerste indruk van Carolyn Rolly als vampier of ander soort buitenaards wezen vrij nauwkeurig was geweest.

Ze kwamen het metrostation uit en liepen door de statige poort van de Columbia-campus. Crosetti was hier wel eens in het filmhuis geweest en voelde altijd, nu ook, een zekere spijt. Toen hij twaalf was, was zijn moeder met hem naar de campus gegaan en had ze hem daar rondgeleid. Ze had hier bibliotheekwetenschappen gestudeerd, en hij wist dat ze had gewild dat hij hier ook ging studeren. Maar hij had het niet in zich gehad om de cijfers te halen die een blanke New Yorker nodig had om een beurs te krijgen, en ze leefden van een politiepensioen en een bibliotheeksalaris en zouden het dus nooit zelf kunnen betalen. En dus was hij naar Queens College gegaan, 'een uitstekende onderwijsinstelling', zoals zijn moeder vaak loyaal opmerkte, en ook: 'Als je succes hebt, kan het niemand iets schelen waar je hebt gestudeerd.' Hij ging er niet onder gebukt, maar het knaagde wel aan hem. Telkens wanneer hij op de campus kwam, keek hij onwillekeurig naar de studenten en luisterde hij naar flarden van hun gesprekken om na te gaan of er nu echt zo'n grote kloof gaapte tussen hun zogeheten superieure intelligentie en wat hij zelf tussen de oren had. Hij bespeurde daar nooit iets van.

Carolyn Rolly, wist hij, had aan Barnard gestudeerd, aan de overkant van de straat. Hij wist dat omdat hij bij Sidney Glaser Rare Books over de administratie ging en die positie had gebruikt om haar cv uitgebreid te bestuderen. Hij had op dit moment geen hoge dunk van een studie aan Barnard, als mensen die daar hadden gestudeerd *Chinatown* niet eens kenden. Daarom was ze zo arrogant; ze was iemand die aan een bekakt meisjescollege had gestudeerd, en waarschijnlijk was ze nog briljant ook, want ze zei dat ze arm was en blijkbaar was het haar wél gelukt een beurs te krijgen.

In een prikkelbare stemming zei hij: 'Nou... terug op de oude campus, hè, Carolyn? Je denkt nu zeker terug aan je chique studententijd. Zeg, als er bepaalde gewoonten zijn, zoals niet op een bepaalde tegel stappen of voor een standbeeld buigen of zoiets, moet je het zeggen. Ik wil je niet in verlegenheid brengen.'

'Waar heb je het over?'

'Over jou en je studententijd. Jaargang 1999, nietwaar? Barnard?'

'Je denkt dat ik aan Bárnard heb gestudeerd?'

'Ja, dat…' Hij zweeg, en ze begreep metéen waarom.

'Jij kleine spion! Je hebt mijn cv gelezen!'

'Eh, ja. Ik heb je verteld dat ik nieuwsgierig ben. Ik heb ook in je la met ondergoed gekeken toen je sliep.'

Heel even meende hij een verschrikte uitdrukking op haar gezicht te zien, maar die was meteen verdwenen om plaats te maken voor geamuseerde minachting. 'Dat betwijfel ik,' zei ze, 'maar voor de goede orde: ik heb niet aan Barnard gestudeerd.'

'Je loog bij je sollicitatie?'

'Natuurlijk loog ik. Ik wilde die baan, en ik wist dat Glaser aan Columbia had gestudeerd en zijn vrouw aan Barnard, en dus leek het me wel een goed idee. Ik ging hierheen, pikte de manier van praten op, prentte de indeling in mijn geheugen, volgde een paar colleges, bestudeerde de studiegidsen. Ze controleren cv's nooit. Jíj zou kunnen zeggen dat je aan Harvard hebt gestudeerd. Als je dat had gezegd, zou Glaser je vast veel beter betalen.'

'Grote goden, Rolly! Jij hebt helemaal geen moraal, hè?'

'Ik doe geen kwaad,' zei ze nors. 'Ik heb niet eens een highschooldiploma en ik heb geen zin om in een atelier of als schoonmaakster te werken, en dat zijn de enige banen die een vrouw kan krijgen als ze geen schooldiploma heeft. Of ze kan gaan werken als hoer.'

'Wacht eens even, iederéén gaat naar de high school. Dat is verplicht.'

Ze bleef staan, keek hem aan, liet haar hoofd even zakken en keek hem toen weer recht in de ogen. 'Ja,' zei ze, 'maar toen mijn ouders door een auto-ongeluk om het leven waren gekomen, ging ik bij mijn gekke oom Lloyd wonen, die me van mijn elfde tot mijn zeventiende in een kelder opsloot, zodat ik niet in de gelegenheid was naar school te gaan. Ik werd wel veel verkracht. Nou, wil je verder nog iets weten over dat rottige verleden van me?'

Crosetti staarde haar aan en voelde dat hij een kleur kreeg. Hij zag de tranen op haar onderste oogleden trillen. 'Het spijt me,' zei hij schor. Ze draaide zich om en liep vlug weg, bijna op een drafje, en na enkele beroerde ogenblikken ging hij beschroomd achter haar aan. Ze kwamen in een gebouw van geelbruine baksteen, met een zuilengalerij aan de voorkant. Ze gingen twee trappen op en hij struikelde bijna omdat hij zichzelf zo hard schopte. Oké, einde verhaal. Hij zou haar uit zijn hoofd zetten, god wist dat hij dat al veel vaker had gedaan, afwijzing was niets vreemds voor hem, meestal niet helemaal op deze stomme manier, niet helemaal door zo'n enorme stomme fout van hemzelf, maar evengoed kon hij zich in stijl terugtrekken. Hij zou dat gesprekje met Bulstrode voeren, haar na afloop correct toeknikken, haar een hand geven en weglopen. God! Hoe had hij zo oliekoekendom kunnen zijn? De vrouw zegt tegen hem dat ze niet over haar verleden wil praten, en natuurlijk doet hij niets anders, en… Maar ze waren er. Ze tikte op het matglas en een bekakte stem in de kamer riep: 'Binnen.'

De man droeg het vest van een driedelig pak, en toen ze binnenkwamen trok hij het bruine tweedjasje erover aan. Het was een kleine, dikke man van in de vijftig, met sluik, dof, lichtbruin haar dat middellang was, en op een zodanige manier gekamd dat het een kale plek op het midden van zijn hoofd verborg. Dubbele kin, bril met schildpadden montuur en ronde glazen. Zijn hand voelde onaangenaam zacht en vochtig aan. Crosetti had meteen een hekel aan hem. Dat deed hem goed na alle lelijke gedachten die hij over zichzelf had gehad.

Ze gingen zitten. Zij deed het woord. Bulstrode interesseerde zich voor de herkomst en de ouderdom van de Churchill-delen waarin het manuscript was gevonden. Ze verstrekte die details zakelijk en, voor zover Crosetti kon nagaan, accuraat. Intussen keek hij om zich heen in de kamer, die klein was, niet veel kleiner dan een badkamer in een groot huis, met één stoffig raam dat op Amsterdam Avenue uitkeek. Een enkele boekenkast met glazen deuren, boeken op maar één plank, en verder veel slordig op elkaar gerangschikte stapels papieren. Afgezien daarvan waren er twee houten stoelen met armleuningen (waarin Rolly en hij zaten), een onopvallend houten bureau dat enigszins gehavend was en waarop ook allerlei papieren en tijdschriften lagen, en een grote ingelijste foto die Crosetti niet goed kon zien, al verschoof hij op zijn stoel en keek hij er tersluiks naar.

'Heel interessant, mevrouw Rolly,' zei de professor nu. 'Mag ik de documenten bekijken?'

Rolly en Bulstrode keken Crosetti nu aan, en hij voelde dat de moed hem in de schoenen zonk, zoals wanneer een onbekende arts ons vraagt onze kleren uit te doen en een ziekenhuishemd aan te trekken. De papieren waren van hém, en nu gaf hij ze uit handen om ze als echt te laten bevestigen of als onbeduidend te laten verwerpen door iemand anders, iemand die hij niet kende, iemand die zulke rare ogen achter die dikke brillenglazen had, gretig, fanatiek zelfs. En Rolly's ogen waren lege blauwe velden waar nog minder gevoel in zat dan in de hemel zelf. Al met al voelde hij een sterke aandrang om zijn pakje in zijn handen te nemen en hard weg te lopen. In werkelijkheid haalde hij alleen maar de brief van Richard Bracegirdle aan zijn vrouw tevoorschijn. Het was gemakkelijk om die papieren op de tast van de andere te onderscheiden. Hij wilde afwachten wat die kerel over de brief te zeggen had voordat hij het geheimschrift aan hem voorlegde.

Toen Bulstrode de brief aanpakte en de papieren op zijn bureau naast elkaar legde, liet Crosetti zich in zijn stoel achteroverzakken. Uit angst had hij die papieren overgegeven, de laffe angst dat hij nóg dommer zou lijken in de ogen van die verrekte vrouw dan nu al het geval was. Hij wist dat hij de schaamte over dat moment met Rolly nooit uit zijn hoofd zou kunnen zetten. Die schaamte zou hem zijn hele leven achtervolgen, zou keer op keer weer opduiken, zijn plezier temperen, zijn neerslachtigheid verdiepen. En dan was er ook nog het beeld van het meisje dat in die kelder opgesloten zat en de naderende voetstappen van haar kweller hoorde, en hij zou haar daar nu nooit door middel van liefde mee kunnen helpen, dat had hij ook verknoeid, jij klootzak, Crosetti, jij lammeling...

'Kunt u het lezen, professor?'

Dat was Rolly. Het geluid van haar stem riep Crosetti terug uit het aangename rijk van de zelfkastijding. Bulstrode schraapte uitgebreid zijn keel en zei: 'O, ja, dat zeker. Het handschrift is grof maar heel duidelijk. Een man die veel schreef, denk ik. Geen ontwikkelde man, geen man die aan een universiteit had gestudeerd, maar toch een schrijvende man. Een klerk misschien? Oorspronkelijk, bedoel ik.' Bulstrode las verder. Er verstreek tijd, misschien wel een half uur. Het leek voor Crosetti op de tijd die je in de stoel van de tandarts doorbracht. Ten slotte ging de professor rechtop zitten en zei: 'Hm, ja, over het geheel genomen een heel interessant en waardevol document. Dit,' ging hij verder, wijzend, 'is blijkbaar de laatste brief van een zekere Richard Bracegirdle, die kennelijk gewond is geraakt in de slag bij Edgehill, de eerste grote slag uit de Engelse burgeroorlog. Die slag vond plaats op 23 oktober 1642. Zo te zien schrijft hij vanuit Banbury, een stadje in de buurt van het slagveld.'

'En Shakespeare?' vroeg Crosetti.

Bulstrode keek hem vragend aan, met zijn ogen knipperend achter die dikke brillenglazen. 'Pardon? Dacht u dat hier een verwijzing naar Shakespeare in stond?'

'Eh, ja! Daar gaat het juist om. Deze man zegt dat hij Shakespeare heeft bespioneerd. Dat hij een door Shakespeare geschreven exemplaar van een van diens stukken heeft, ja, zelfs dat hij degene was die Shakespeare een van zijn stukken in opdracht van de koning liet schrijven. Dat staat daar op de bladzijde met de handtekening.'

'Lieve help, meneer Crosetti. Ik verzeker u dat er helemaal niets van die strekking in staat. Het secretary-handschrift kan heel verwarrend zijn voor, eh… een amateur. Mensen zien er soms allerlei betekenissen in die er helemaal niet zijn, zoals mensen figuren in wolken zien.'

'Nee, kijkt u, hier staat het,' zei Crosetti. Hij kwam uit zijn stoel, liep om het bureau heen, pakte het manuscript op, wees naar de relevante regels en zei: 'Dit is het gedeelte dat ik bedoel. Hier staat: *"Zij alle vertellen het verhaal van mijn Heer D. zijn plan & onze spionage van de geheime paap Shaxpure. Of zo meenden wij schoon ik nu minder zeker ben. Op die manier & levenswijze was hij een Niets. Doch zeker schreef hij het stuk van Schot M. dat ik in naam des Konings van hem vroeg. Vreemd is dat schoon ik dood ben en hij evenals het stuk voortleeft, geschreven door zijn hand & liggend waar slechts ik weet & daar wellicht eeuwig zal rusten."'*

Bulstrode schoof zijn bril recht en liet een droog grinniklachje horen. Hij pakte het vergrootglas op dat hij had gebruikt en hield het boven het stukje tekst. 'Heel fantasierijk, moet ik zeggen, meneer Crosetti, maar u vergist zich volkomen. Er staat niets over spionage van de geheime paap Shaxpure, maar over een geheime zending naar de plaats Salust. De man moet een soort factor in Salisbury voor die Heer D. zijn geweest. Dan gaat het verder: *"Daaromtrent ben ik minder zeker. Op die manier en levenswijze was ik een niets."* En verderop schrijft hij dat de edelstenen voortleven, en hij zegt dat hij de enige is die weet waar ze zijn. Ik weet niet goed wat *"geschreven door zijn hand"* betekent, maar in elk geval was de man stervende en verkeerde hij waarschijnlijk in grote geestelijke nood. Hij springt van de hak op de tak. Eigenlijk denk ik dat dit voor een groot deel pure fantasie is. Hij verkeert in een terminaal delirium en laat zijn leven aan zich voorbijtrekken. Maar ook zonder dat Shakespeare wordt vermeld is het document interessant genoeg.'

'Wat staat er in de rest van de tekst?'

'O, dat is een vrij levendige beschrijving van de slag zelf, en dat is altijd van belang voor krijgshistorici. En blijkbaar heeft hij ook in het begin van de Dertigjarige Oorlog gediend. Hij was in Bilá Hora, Lützen en Breitenfeld, al geeft hij daar geen bijzonderheden over. Jammer. Blijkbaar was hij een professionele artillerist en een volleerd kanonnengieter. Hij beweert ook een reis naar de Nieuwe Wereld te hebben gemaakt en schipbreuk te hebben geleden bij Bermuda. Een heel interessant zeventiende-eeuws leven, zelfs een opmerkelijk leven, en misschien van grote waarde voor bepaalde gespecialiseerde onderzoeksterreinen, al vermoed ik dat er ook een vleugje Münchhausen in zijn verhaal zit. Maar niets over Shakespeare, vrees ik.' Een korte stilte. Een loodzware stilte die minstens dertig seconden duurde. En toen: 'Ik zou het graag van u willen kopen, als u dat wilt.'

Crosetti keek Carolyn aan, die neutraal terugkeek. Hij slikte en vroeg: 'Voor hoeveel?'

'O, in het geval van een zeventiende-eeuws manuscript van deze kwaliteit denk ik dat, eh, vijfendertig het gangbare tarief zou zijn.'

'Dollars?'

Een toegeeflijk glimlachje. 'Honderd natuurlijk. Vijfendertighonderd. Ik kan nu meteen een cheque voor u uitschrijven, als u dat wilt.'

Crosetti voelde dat zijn maag zich omkeerde. Het zweet stond op zijn voorhoofd. Dit was verkeerd. Hij wist niet hoe hij het wist, maar hij wist het. Zijn vader had het altijd over instinct gehad. Als je op straat was en er was iets aan de hand, dan kon je dat voelen, had hij gezegd. En Crosetti's instinct liet hem nu zeggen: 'Eh, dank u, maar ik denk dat ik graag om een second opinion wil vragen. Over de vertaling, bedoel ik. Eh, houdt u me ten goede, professor Bulstrode, maar ik wil graag de mogelijkheid elimineren dat...' Hij maakte een willekeurig gebaar, want hij wilde het niet onder woorden brengen. Omdat hij na het overhandigen van het manuscript was blijven staan, was het gemakkelijk om de papieren van Bulstrodes bureau te pakken en ze in de bruine papieren envelop te doen. Bulstrode haalde zijn schouders op en zei: 'Ach, u moet het zelf weten, al betwijfel ik of u een betere prijs kunt krijgen.' Hij keek Carolyn aan en zei: 'En hoe gaat het tegenwoordig met die goede Sidney? Hersteld van de schok van de brand, hoop ik.'

'Ja, het gaat goed met hem,' zei Carolyn Rolly met een stem die Crosetti zo vreemd in de oren klonk dat hij ophield met het inpakken van de papieren en haar aankeek. Ze keek gekweld, al kon hij niet nagaan waarom. Nu zei ze: 'Crosetti, wil je even met me de gang op gaan? Excuseert u ons, professor.'

Bulstrode keek hen met een vette formele glimlach aan en wees naar zijn deur.

Op de gang liep een kleine zomerpopulatie van studenten en docenten heen en weer; blijkbaar was het pauze tussen college-uren. Rolly pakte Crosetti's arm vast en trok hem een nis in. Het was voor het eerst sinds de huilbui van de vorige avond dat ze hem aanraakte. Ze klampte zich aan zijn arm vast en sprak hem heftig toe, met een schorre, gespannen stem: 'Luister! Je moet hem die verrekte papieren geven.'

'Waarom? Het lijkt me duidelijk dat hij ons in de maling neemt.'

'Welnee, Crosetti. Hij heeft gelijk. Shakespeare wordt niet genoemd. Het is een eenvoudige klerk die bedrog pleegt en vlak voor zijn dood zijn zonden bekent.'

'Dat geloof ik niet.'

'Waarom niet? Waar baseer jij je op? Op de wens die de vader van de gedachte is en op drie uur ervaring met secretary-schrift?'

'Misschien wel, maar ik ga het aan iemand anders laten zien, iemand die ik vertrouw.'

Terwijl hij dat zei, zag hij haar ogen nat van de tranen worden. Haar hele gezicht trok samen. 'O, god,' riep ze. 'O, god, laat me nu niet instorten! Crosetti, snap je het dan niet? Hij ként Sidney. Waarom denk je dat hij hem daarnet noemde?'

'Oké, hij kent Sidney. Nou en?'

'Nou en? Jezus, man, snap je het dan niet? Hij weet dat het manuscript uit de *Voyages* komt. Dus weet hij ook dat ik het boek uit elkaar haal. En dat betekent…'

'… dat je het niet uit elkaar haalt zoals Sidney je heeft opgedragen. Je wilt het repareren, en dat betekent dat je het wilt verkopen. En nu… Nu dreigt hij het aan Sidney te vertellen als wij hem het manuscript niet geven?'

'Natuurlijk! Hij vertelt het hem, en dan zal Sidney… Ik weet het niet, hij zal me vast ontslaan en misschien belt hij ook de politie. Ik heb hem dat met winkeldieven zien doen. In dat opzicht is hij knettergek, als het om mensen gaat die boeken stelen, en ik kan niet… ik kan niet het risico nemen… o, god, dit is afschuwelijk!'

Ze huilde nu echt, nog niet hysterisch als de vorige avond, maar het ging wel die kant op, en dat wilde Crosetti echt niet meer meemaken. Hij zei: 'Hé, rustig maar! Welk risico kun je niet nemen?'

'De politie. Ik mag niet met de politie te maken krijgen.'

Lampje.

'Je bent voortvluchtig.' Het was geen vraag. Eigenlijk was het wel duidelijk; hij had het meteen moeten oppikken.

Ze knikte.

'Wat is de aanklacht?'

'O, alsjeblieft! Verhóór me niet!'

'Je hebt oom Lloyd niet doodgeslagen?'

'Wat? Nee, natuurlijk niet. Het was iets stoms met drugs. Ik had dringend geld nodig en bracht pakjes over voor mensen die ik kende. Dat was in Kansas, en natuurlijk ging het helemaal verkeerd en… o god, wat moet ik doen?'

'Oké, rustig maar,' zei hij. Hij weerstond de aandrang om zijn armen om haar heen te slaan. 'Ga terug en zeg tegen hem dat ik akkoord ga.'

Hij maakte aanstalten om weg te lopen. Haar gezicht verstijfde, blijkbaar van paniek. Tot zijn tevredenheid zag hij dat ze zich aan zijn arm vastklampte, als een schipbreukeling aan een plank.

'Waar ga je heen?'

'Ik moet eerst iets doen,' zei hij. 'Maak je geen zorgen, Carolyn, het komt wel goed. Ik ben over tien minuten terug.'

'Wat moet ik tegen hem zeggen?' wilde ze weten.

'Zeg maar dat ik de dunne kreeg van de opwinding over zijn royale aanbod en dat ik naar de wc ben. Tien minuten!'

Hij draaide zich om en rende met drie treden tegelijk de trap af, de opgerolde manuscripten als een football onder zijn arm. Zodra hij Hamilton Hall uit was, rende hij zigzaggend over een plein vol slenterende jonge mensen die hogere kwalificaties hadden dan hij. Hij rende de enorme Butler Library met zijn gigantische zuilen in. Dat was een voordeel wanneer je een bekende onderzoeksbibliothecaresse als moeder had: ze kende bijna alle andere onderzoeksbibliotecarissen in de stad en was bevriend met een aantal van hen. Crosetti kende Margaret Park, de eerste researchbibliothecaris van Butler, al sinds zijn kinderjaren, en het was gemakkelijk haar op te roepen en toestemming te krijgen. Alle grote bibliotheken hebben grote fotokopieerapparaten die foliovellen kunnen reproduceren; Crosetti gebruikte die in het souterrain van Butler om kopieën van alle papieren van Bracegirdle te maken. Hij vertelde de verbaasde maar inschikkelijke mevrouw Park dat het allemaal te maken had met een film die hij misschien zou mogen maken (enigszins waar), en had ze ook een verzendkoker voor hem, en kon hij postzegels kopen?

Hij rolde de fotokopieën in de koker en deed de originelen van het geheimschrift en de preken erbij. Terwijl hij dat deed, vroeg hij zich af waarom hij ze niet tegelijk met de brief van Bracegirdle aan Bulstrode had laten zien. Omdat de man een klootzak was en hem naaide met dat aanbod van hem, al kon Crosetti dat niet bewijzen, en bovendien moest hij aan Carolyn denken. Toch beleefde hij er een obscuur genoegen aan dat hij het geheimschrift in zijn bezit hield. Shakespeare of niet, die papieren hadden vier eeuwen hun geheimen bewaard en hij voelde er niets voor ze uit handen te geven, want per slot van rekening was hij degene die ze aan het licht had gebracht. Hij maakte de koker dicht, beschreef een adresetiket, plakte er postzegels op, liet de koker in een wagentje voor uitgaande post vallen en draafde terug naar Hamilton Hall.

Een kwartier later liep hij weer met Rolly over het centrale gedeelte van de campus, nu in tegenovergestelde richting. Crosetti had een cheque van vijfendertighonderd dollar in zijn portefeuille en voelde zich niet helemaal goed, want hij had het gevoel dat hij op verschillende manieren was bedrogen, al vond hij ook dat hij juist had gehandeld. 'Juist handelen': dat was in zijn jeugd een belangrijke uitdrukking geweest. Zijn vader was rechercheur bij de politie van New York in een tijd waarin alle rechercheurs corrupt waren; maar Charlie Crosetti was niet corrupt geweest en had daaronder geleden, tot aan de onthullingen in de film *Serpico*, toen de politiebazen op zoek gingen naar onkreukbare rechercheurs. Ze hadden hem gevonden, tot inspecteur bevorderd en de leiding gegeven van een team van Moordzaken. Dat werd in huize Crosetti als een teken gezien dat deugd beloond werd. De huidige Crosetti was nog steeds geneigd dat te geloven, ondanks alle indicaties van het tegendeel die zich in de loop van de jaren hadden opgestapeld. De vrouw die naast hem liep daarentegen had het morele universum blijkbaar op zijn kop gezet. Ja, ze was afschuwelijk misbruikt (tenminste, dat zei ze), maar ze had daarop gereageerd met een desperate immoraliteit, een houding die hij niet kon goedkeuren. Elke schurk heeft een pechverhaal, zei zijn vader altijd. Maar hij kon Carolyn Rolly niet zomaar als een schurk beschouwen. Waarom niet? Zijn hormonen? Omdat hij naar haar hunkerde? Nee, dat was het niet, of dat niet alleen. Hij wilde haar verdriet verzachten, haar laten lachen, het meisje bevrijden dat onder die norse, ascetische boekbindster schuilging.

Hij keek naar haar terwijl ze daar liep: zwijgend, haar hoofd gebogen, haar rol boekenleer in haar hand. Nee, hij zou dit niet beëindigen met een handdruk bij het metrostation. Hij zou haar niet weer in haar eigen harde universum laten terugvallen. Hij bleef staan en legde zijn hand op haar arm. Ze keek met een onbewogen gezicht naar hem op.

'Wacht,' zei hij. 'Wat gaan we nu doen?'

'Ik moet naar de papierman in Brooklyn voor de schutbladen,' antwoordde ze somber. 'Jij hoeft niet mee te gaan.'

'Dat kan wachten. We gaan nu naar dat kantoor van de Citibank daar om de cheque te verzilveren. En dan nemen we een taxi naar Bloomingdale's, waar ik een jasje, een broek, een blouse en misschien ook een paar Italiaanse loafers ga kopen, en jij een jurk met kleuren, iets voor de zomer, en misschien ook een hoed, en dan trekken we onze nieuwe kleren aan en nemen we een taxi naar een goed restaurant voor een lange, lange lunch met wijn, en dan, eh… dan doen we stadsdingen. We gaan naar musea of kunstgalerieën of we gaan winkelen, tot we weer honger krijgen, en dan gaan we uit eten en dan breng ik je in een táxi naar je lege, illegale zolder terug, en je twee stoelen en je eenzame bed.'

Wat was dat op haar gezicht? vroeg hij zich af: angst, verbazing, blijdschap? 'Dat is belachelijk,' zei ze.

'Nee, dat is het niet. Het is precies wat criminelen geacht worden te doen met hun buit. Jij mag mijn liefje zijn voor vandaag.'

'Jij bent geen crimineel.'

'Dat ben ik wel. Ik heb eigendom van mijn werkgever voor mezelf gebruikt. Waarschijnlijk is het zelfs diefstal onder verzwarende omstandigheden. Maar dat kan me niet schelen. Kom, Carolyn! Krijg je er nooit genoeg van om in dat krot te zitten, en elke cent opzij te leggen terwijl je jeugd elke dag een beetje meer wegkwijnt?'

'Ik kan mijn oren niet geloven,' zei ze. 'Dat klinkt als een slechte film.'

'Maar jij gaat niet naar films, dus hoe kun je dat weten? Afgezien daarvan heb je volkomen gelijk. Dit is net iets wat ze in films gebruiken, want ze willen dat mensen blij zijn, ze willen dat mensen zich identificeren met mooie mensen die het prettig hebben. En nu gaan we het doen. We gaan de kunst imiteren, we gaan in onze eigen film spelen en kijken hoe dat in het echte leven is.'

Hij zag dat ze erover nadacht, het uittestte, zoals we doen met een lichaamsdeel dat in gips heeft gezeten, voorzichtig, bang er te veel van te vergen. 'Nee,' zei ze, 'en als dat geld in je zak brandt, waarom geef je het dan niet gewoon aan mij? Ik kan er drie maanden van leven…'

'Nee, daar gaat het niet om, Carolyn. Deze ene keer zijn we niet voorzichtig, maar gaan we leuke dingen doen. Geen noedels maar rood vlees!' En met die woorden pakte hij haar arm vast en trok haar over 116th Street.

'Laat mijn arm los!'

'Nee, als je niet uit vrije wil meegaat, kidnap ik je. Dit is pas een ernstig misdrijf.'

'En als ik ga gillen?' zei ze.

'Gil maar een eind weg. Dan komt de politie me arresteren, en dan vertel ik ze het hele verhaal van de boeken en het manuscript, en wat moet jij dan? Dan zit je diep in de stront, in plaats van in een goed restaurant met een glas champagne voor je, gekleed in een prachtige nieuwe jurk. Je moet snel kiezen, schat, want hier is de bank.'

Hij vond een chocoladebruin zijde-met-linnen Varvatos-jasje van driehonderdvijftig dollar, een linnen broek, een bobbelig zwart zijden overhemd en bijpassende gevlochten Italiaanse loafers en hij dwong en intimideerde haar om een gebloemde Prada-jurk met ruches te nemen, een bijpassende zijden sjaal en schoenen, enkele setjes adembenemend La Perla-ondergoed en een grote panamahoed met opstaande rand zoals Engelse schoolmeisjes dragen. Na dat alles hield hij van duizend dollar niet veel wisselgeld over. Ze lunchten in het Metropolitan Museum en gingen naar de Velázquez-expositie en naar een middagconcert in het Frick waar hij toevallig van wist omdat zijn moeder kaartjes van haar bibliotheekmaffia had gekregen en ze aan hem had opgedrongen (ga dan, neem een meisje mee!); ook een gelukkig toeval, want hij liep al twee weken met die verrekte dingen in zijn portefeuille zonder van plan te zijn erheen te gaan, en juist vanmiddag was dat concert. En dus gingen ze, en het was het Concerto Vocale met geestelijke muziek van Monteverdi. Ze zaten op klapstoelen en werden, voor zover hun spirituele ontwikkeling het op dat moment toestond, naar goddelijke sferen verheven.

Crosetti was geen vreemde in deze wereld, want zijn moeder had ervoor gezorgd dat Amerikaans barbarisme geen optie voor hem was, maar toen hij heimelijke blikken op Carolyn wierp, zag hij dat ze er verdoofd bij zat of zich stierlijk verveelde, dat kon hij niet nagaan. Na het concert durfde hij haar niet te vragen welke van de twee het was. Maar na een van haar lange stilten zei ze: 'Zou het niet mooi zijn als de wereld echt zo was, zoals die muziek weergeeft, alleen maar voortstromend in schoonheid?' Crosetti dacht dat het buitengewoon mooi zou zijn en gebruikte het citaat van Hemingway dat het mooi zou zijn om dat te denken, zonder de schrijver te noemen.

Ze liepen over Madison Avenue en hij haalde haar over om te doen alsof ze niet alleen maar tijdelijk rijk waren en een keuze te maken uit het etalageaanbod van de grote winkels. Toen ze daar genoeg van kregen, leidde hij haar een zijstraat in naar het eerste restaurant dat ze zagen, want hij was er zeker van dat het altijd goed zou zijn, waar ze ook heen gingen, en dat was inderdaad het geval. Het was een kleine *boîte* die zich in de Franse keuken specialiseerde. De eigenaar had sympathie voor het jonge stel opgevat. Hij stuurde steeds verfijnde hapjes uit de keuken, beval de wijn aan en keek stralend naar hen terwijl ze de voorgerechten aten. Het ontbrak er nog aan dat hij met een accent in zingen uitbarstte, maar verder was het precies *The Lady and the Tramp*, zoals Crosetti opmerkte. En die had ze zowaar gezien, en ze praatten erover en over andere Disney-films, en over de films waar hij van hield en de films die hij zou maken, waarover hij nooit met iemand had gepraat, en zij praatte over mooie boeken, hun esthetiek, hun structuur en de raadselachtige subtiele schoonheid van papier, lettertype en bindwerk. Ze wilde, zoals zij het stelde, dingen maken die mensen nog duizend jaar liefdevol in hun handen zouden nemen.

Hij moest met een briefje van honderd in het spiegeltje zwaaien voordat de taxichauffeur bereid was hen naar Red Hook te brengen, iets wat hij nog nooit had gedaan, iets waarvan hij zelfs nooit had gedroomd, en ze arriveerden in de donkere straat met bedrijven; en toen de taxichauffeur hard was weggereden met zijn honderdje, greep Crosetti Carolyn plotseling vast, draaide haar om en drukte een dikke kus op haar naar wijn en koffie smakende mond, en ze kuste hem terug. Net als in de film.

Maar ze trokken niet de kleren van elkaars lijf toen ze de trap op wankelden, naar het zolderappartement en het bed. Crosetti had dat altijd een cliché en onrealistisch gevonden; zulke dingen waren hem nooit overkomen, en ook niemand die hij kende die niet dronken of buiten zichzelf was. In zijn film zou het dus ook niet gebeuren. In plaats daarvan zuchtte hij diep en zuchtte zij ook. Toen ze naar boven gingen, hield hij haar hand stevig vast alsof het een opgedroogde bloesem was. Ze kwamen op de zolder en kusten elkaar opnieuw. Ze trok zich terug en zocht in een la. Ze gaat een kaars aansteken, dacht hij, en dat deed ze ook, een eenvoudige kaars, die ze zorgvuldig op een schoteltje bij het bed zette. Crosetti bewoog niet. Toen keek ze hem recht aan, zwijgend, haar gezicht met mooie ernstige lijnen. In het kaarslicht trok ze langzaam haar nieuwe kleren uit, vouwde ze netjes op, precies zoals hij het zou hebben gefilmd, al zou er dan misschien een beetje meer blauw licht door het raam naar binnen komen, en toen hij dat dacht, lachte hij.

Ze vroeg hem waarom hij lachte en hij vertelde het haar, en ze zei tegen hem dat hij zich moest uitkleden, dat dit het deel was dat ze in gewone films niet lieten zien, dit was de fade-out. Maar toen ze samen in bed lagen, dacht hij aan die afschuwelijke oom en was hij terughoudend, te aarzelend, tot ze haar nagels gebruikte en hem dringend aanspoorde het beest los te laten. Ze bedreven geen veilige seks, wat hij een beetje vreemd vond, de laatste gedachte die hij had voordat al het denken ophield.

Daarna was de regisseur een hele tijd uit het gebouw verdwenen. Toen hij terugkeerde, lag Crosetti op zijn rug en staarde hij naar het tinnen plafond. Hij voelde het zweet en andere vloeistoffen opdrogen op zijn huid. De kaars was nog maar een paar centimeter lang. Hij had niets te zeggen, en zijn geest was helemaal leeg: dode lucht, wit scherm. Ze hadden de set-up gehad, de ontwikkeling, het eerste punt in het plot (de ontdekking van het manuscript, het tweede punt in het plot (deze ongelooflijke avond), en wat nu? Hij wist niet wat er in het derde bedrijf zou gebeuren, maar hij werd bang. Hij had nooit eerder zoiets meegemaakt, behalve in dromen. Hij stak zijn hand uit om haar weer te strelen, maar ze pakte die vast en kuste hem. Ze zei: 'Je kunt niet blijven.'

'Waarom niet? Verander je straks in een vleermuis?'

'Nee, maar je kunt niet blijven. Ik ben niet klaar voor… ochtenden. En zo. Begrijp je dat?'

'Een beetje. Ja. Nou, Red Hook om… waar is mijn horloge? Tien over drie 's nachts, met een pak bankbiljetten en stinkend als een bordeel. Dat lijkt me leuk.'

'Nee,' zei ze. 'Ik zal je wassen.'

Ze pakte hem bij zijn hand, leidde hem naar de gootsteen achter het scherm, stak twee kaarsen aan in de muur met daarin nissen van conservenblikjes en vulde de gootsteen met dampend water. Ze zette hem op een badmat van dik stro en waste elke centimeter van zijn lichaam, langzaam met een washandje en zeep. Toen spoelde ze het vieze water weg en waste hem opnieuw met helder water, geknield als een hoveling voor een vorst. Ze had kleine, tamelijk platte borsten met brede roze tepels. Ondanks de epische inspanningen van de nacht was hij pijnlijk hard geworden door die behandeling. Het zag er onnatuurlijk uit, als een van haar boekbindinstrumenten, iets wat geschikt was om leer te laten glanzen. Ze keek naar hem op en zei: 'In die conditie kun je niet om drie uur 's nachts door Red Hook lopen.'

'Nee, dat zou onverstandig zijn,' zei hij hees.

'Nou,' zei ze.

Hij zag dat ze hem met twee vingers aan de onderkant vasthield, de andere drie uitgestoken, als een hertogin die theedrinkt. Haar donkere hoofdje bewoog langzaam op en neer. Hoe leerden ze dat? dacht hij, en ook: wie ben jij? Wat doe jij met mij? Wat gaat er gebeuren?

DE BRIEF VAN BRACEGIRDLE (6)

Aldus begon ik mijn leven als kanonnier van de Tower 10s, het maandelijks loon, leerlingloon doch moet tevreden zijn. Wij namen twee geringe kamers in Fenchurch St. bij Aldgate, zeer arm waren wij doch had kostuum van Tower zo spaarde op mijne kledij. Een jaar aldus verstreken: in de winter van het tweede jaar kwam koude & mijn moeder werd krank & wij ontbeerden nu kolen om haar te warmen. Me dunkt ze was eveneens vermoeid van hare verdrieten. Helaas tot dit eind te komen buiten haar schuld: altijd een goede, nuchtere, deugdzame vrouw & geen paap ook, gelijk ik haar toen vroeg, zij zeggende nee zoon doch ik bad voor de zielen mijner dode baby's & voor de zielen mijner ouders gelijk wij leerden in de oude religie een grote zonde ik weet het & zal ervoor branden in de Hel al bid ik God van niet. Alzo stierf zij de tweede februari AD 1606 & is begraven in St. Katherine Coleman-kerk. Nu weet ge, mijn Nan, dat na die droeve tijd gij mij troost verschafte zodat ik u wilde huwen doch uw vader zeide nee, nee, geen man kan huwen op leerlingloon hoe zult ge mijn dochter onderhouden & ik had geen antwoord & ging droef heen & was vele dagen droef.

Komt nu Thomas Keane zeggende Richard wat zegt ge van Vlaanderen? Want ik vertrek morgen teneinde vier kanonnen naar de Hollanders bij Sluys te brengen & schiet ermede tegen Spanje. Kom & wees mijn maat & matrosse: wij eten kaas & drinken genever & knallen paapse honden ter Helle. Ik antwoord hem ja bij G-d & mijn hand erop & aldus besloten. Wij moesten bij nacht de Tower verlaten, want des Konings majesteit had onlangs vrede met Spanje gesloten, derhalve het zoude slecht lijken om Spanjes vijanden te wapenen. Maar sommigen aan het hof (die prins Henry me dunkt die ontijdig stierf) vonden het schande dat Engeland zo laf terugdeinsde voor oorlog tegen de snode Koning Phillippe die de hervormde religie zo wreed on-

derdrukte. Buitendien de Hollanders hadden voor de kanonnen be-
taald alvorens dit zo was, derhalve het was ook rechtvaardig, want de
Koning zoude geen penning teruggeven & derhalve gingen wij ook
voor de eer van Engeland.

Wij laadden de kanonnen & hun affuiten in delen uiteen & alle be-
nodigdheden, 500 kogels, laadstokken, krassers, lonten et cetera in
schuiten & naar de Pool, alwaar matrozen ze in het ruim brachten
van het schip Groene Draeck een schip met zes kanonnen behorende
aan kapitein Willem van Brille. Alzo met goede wind wij zeilden zee-
waarts. Een reis van drie dagen hadden wij & een goede zee voor de
winter niet te koud & wij aten vers: brood & kazen, zure haring, bier.
Bij Sluys een treurige plaats me dunkt niets dan baksteen bruin of
rood & zeer goede zaken de Spanjolen hebbende Ostende al vele
maanden ingenomen en Sluys de enige haven in het westen van
Vlaanderen. Alzo wij laadden de kanonnen uit & legden ze op hun
affuiten.

Nee ik verwijl te lang bij mijn dwaze jeugd & vrees ik heb slechts wei-
nig tijd. Mijn wond pijnigt mij nu meer dan tevoren & de arts zeide
het is vuil & geeft me twee dagen niet meer dan dat.

7

Ja, belachelijk. Heb ik de indruk gewekt dat ik een beroemde geilaard ben hier in de stad? Dat is niet waar. Wel word ik steeds weer verliefd, maar dat is niet hetzelfde. Ja, dr. Freud, ik compenseer het gebrek aan moederlijke affectie, en ja, dr. Jung, ik kan geen vrede sluiten met mijn negatieve anima, en ja, vader, ik heb gezondigd met wat ik heb gedaan en met wat ik heb nagelaten. Toch is het niet alleen seks, houd ik vol. Ik heb nooit een betere seksuele relatie gehad dan met Amalie, maar dat was duidelijk niet genoeg. Al in een vroeg stadium van ons huwelijk had ik er altijd een vrouw bij, en ik meen al te hebben opgemerkt dat er in New York geen tekort aan mogelijkheden op dat gebied is.

Ingrid, mijn vriendin van dit moment, is daar een goed voorbeeld van, en de slimme en ongeduldige lezer denkt nu misschien: o, hij wil het niet over Miranda hebben, hij stelt dat uit. Dat is waar, en daar moet je het mee doen. Ik mag dan sterven, maar ik ben niet echt stervende zoals die arme Bracegirdle; misschien heb ik alle tijd van de wereld.

Ingrid is bijna twaalf jaar gelukkig getrouwd geweest met Guy, een succesvolle televisiemanager en naar het schijnt een geweldige man, zeker in vergelijking met vele anderen in dat vak, maar op een dag in zijn tweeënvijftigste levensjaar kwam hij uit bed, liep de badkamer in, begon zich te scheren en toen knapte er opeens iets in zijn hersenen en viel hij ter plekke dood neer. Geen symptomen, kerngezond, geen hoge bloeddruk, lage cholesterolspiegel, maar dood. De volgende drie jaar was Ingrid intens in de rouw, waarna haar zonnige aard weer aan de oppervlakte kwam. Ze ging door met haar leven. In die drie jaar was ze helemaal niet uitgegaan, maar nu accepteerde ze een uitnodiging voor een van die anonieme gala's om prijzen uit te reiken of geld in te zamelen; gelegenheden waarbij rijke mensen in contact komen met creatieve mensen om iets van de goddelijke inspiratie in hun uitgedroogde levens te laten doorsijpelen. Ze ging naar een kuuroord en liet zich opknappen, liet haar haar knippen in de salon die op dat moment hip was, kocht nieuwe kleren en maakte haar opwachting.

Ze ziet er goed uit: net veertig, tamelijk lang, misschien net iets te vlezig om op de hoogste niveaus te dansen, zodat ze al vroeg op choreografie was overgegaan. Haar haar is geknipt als een lichtbruin jongenskopje, erg pluizig, en ze heeft van die lange, grijze wolvenogen. Ook een geweldig brede mond, met een overbeet, wat ik wel aantrekkelijk vind. En het lichaam van een danseres. Ik was ook op het feest, want ik ben zelf een van die rijke mensen die met het echte leven willen kennismaken, en zodra ik haar zag, pakte ik de arm van mijn kantoorgenoot Shelly Grossbart vast, die iedereen in het muziekvak kent, en vroeg hem wie ze was. Hij moest even nadenken voor hij zei: 'Jezus, dat lijkt Ingrid Kennedy wel. Ik dacht dat ze dood was.' Hij stelde ons aan elkaar voor. We praatten over dansen en intellectueel eigendom en hadden zowaar een fascinerend gesprek over de mate waarin dans beschermd werd door het auteursrecht. Ik vond haar intelligent en amusant; ik neem aan dat het wederzijds was.

Later op de avond, toen we samen het grootste deel van twee flessen Krug hadden opgedronken, keek ze me aan met die grote grijze kijkers en vroeg ze of ze me een persoonlijke vraag mocht stellen. Ik zei dat ze dat mocht en ze zei: 'Houd je ervan om vrouwen te neuken?'

Ik zei dat ik, mits iemand naar mijn zin was, daar inderdaad van hield.

'Nou,' zei ze, 'ik heb geen seks meer gehad sinds mijn man drie jaar geleden is gestorven. Jij lijkt me een aardige man en de laatste tijd ben ik ongelooflijk hitsig en alleen masturberen is niet genoeg.'

Ik antwoordde dat het voor mij hetzelfde was.

En ze zei: 'Dus als je geen soa's hebt…' Ik verzekerde haar dat ik die niet had, en ze ging verder: 'Ik woon in Tarrytown en ik neem altijd een hotelkamer als ik naar dit soort dingen ga, dan hoef ik niet dronken naar huis te rijden, maar vanavond hoopte ik een enigszins sympathieke man te vinden die ik mee naar boven zou kunnen nemen.'

Ja, ze was dronken, maar niet zozeer dat het afstotelijk was. Zonder nader overleg glipten we de balzaal uit en namen de lift. Ze was, en is, een lacher, in mijn ervaring het zeldzaamste orgasmegeluid. Geen gehinnik, zoals bij de Three Stooges, maar een golvend glissando, ergens tussen het geluid dat je maakt als je je telefoonbotje stoot en de uitbundige hysterie van gekietelde kleine meisjes. Het duurt even voor je eraan went, maar het is echt geweldig, alsof je met een echte vriendin bent en niet bezig bent met de zoveelste deprimerende schermutseling in de oorlog tussen de seksen.

Zo begon het. Ingrid en ik hebben weinig met elkaar gemeen. We praten meestal over onze vroegere huwelijken en dat eindigt dan vaak in tranen. Vroeger had ik een aantal Ingrids tegelijk, maar nu niet meer. Ik denk niet dat ik plotseling het gevoel heb gekregen dat ik trouw moet zijn, maar het is waarschijnlijk gewoon een kwestie van uitputting. Sommige mannen die ik ken (Mickey Haas ook, geloof ik) genieten ervan om een netwerk van bedrog te onderhouden. Ze spelen de ene vrouw tegen de andere uit, lokken allerlei scènes uit enzovoort, maar ik niet. Ik ben niet eens geschikt voor losbol. Ik kan alleen geen weerstand bieden aan vrouwen, en terwijl meestal wordt aangenomen dat het initiatief van de man uitgaat, is mij gebleken dat dat niet zo is. Het bovenstaande verhaaltje over mij en Ingrid is helemaal niet uniek, zelfs niet zo ongewoon. Ze kijken naar je, ze maken opmerkingen, ze houden hun lichaam op een bepaalde manier, en misschien spelen er ook geheime feromonen mee. In elk geval laten ze weten dat ze beschikbaar zijn, en dan zeg je: ach, waarom ook niet? Tenminste, dat zeg ik.

De enige verleidingscampagne die ik ooit op touw heb gezet, was gericht op mijn vrouw, Amalie, geboren Pfannenstieler, en ik moet daarover vertellen voordat ik verderga met het verhaal over Miranda.

(Laten we doen alsof de tijd stilstaat. Miranda en ik zijn nog in die gelambriseerde kamer in de bibliotheek, onze handen tegen elkaar, met een ongelooflijke elektrische spanning, feromonen die tegen alle gladde oppervlakken omhoogglijden…)

Toen ik was afgestudeerd, had ik mijn eerste baan op het advocatenkantoor Sobel Tennis Carrey, aan Beaver Street in de financiële wijk. De firma had een bescheiden praktijk in handelsmerken en auteursrecht, maar iedereen kon toen zien – het was zo'n twintig jaar geleden – dat intellectueel eigendom heel belangrijk zou worden, en ik werkte me uit de naad, zoals jonge advocaten meestal doen. Het was in de hoogtijdagen van de seksuele revolutie. Voor het eerst in de moderne geschiedenis kon een redelijk presentabele man volop seks met andere vrouwen dan hoeren of courtisanes hebben. Bij het najagen van die abominabele verrukking begaf me bijna elke avond naar een van de vele bars (vleesmarkten werden ze spottend genoemd) in de East Village en de binnenstad om op jacht te gaan naar meisjes.

Op een zaterdagochtend, toen ik een kater had en me had bevrijd van wat ik de avond daarvoor op de vleesmarkt had veroverd, ging ik naar kantoor. Ik wilde wat werk afmaken dat ik had laten liggen om vroeg aan mijn activiteiten op de vrijdagavond te kunnen beginnen. Ik was in de bibliotheek van de firma, helemaal alleen, toen ik in de verte een klopgeluid hoorde. Ik stelde algauw vast dat het uit de richting van de afgesloten buitendeur van het kantoor kwam. Ik ging op onderzoek uit en zag een jonge vrouw in de lege hal staan. Ik herkende haar als iemand die voor Barron & Schmidt werkte, een financiële firma waarmee we de dertiende verdieping deelden. We waren vaak samen met de lift naar boven gegaan; ik suf van de overdaad van de afgelopen nacht, zij stil en goed verzorgd maar met een uitdrukking op haar gezicht die de mannelijke blik evenzeer afstootte als de Pathaanse burka.

Ze stelde zich voor en zei dat ze zichzelf had buitengesloten en haar kantoor niet in kon. Ik kon zien dat ze daar vreselijk over in zat, vooral omdat ze die fout had gemaakt toen ze even naar de wc ging. Toen ze dat verhaal vertelde, kwamen er charmante rode vlekken op haar wangen. Ze had fijn, witblond haar dat in gedraaide vlechtjes om haar oren zat, een soort Pippi Langkouseffect, en ze droeg witte jeans en een zwart t-shirt van Kraftwerke, waarvan de zwarte letters leuk werden opgerekt door haar mooie spitse borsten, een zaterdagse outfit die heel anders was dan de gepaste en verhullende pakjes die ze altijd op kantoor droeg. Haar ogen waren bovennatuurlijk groot, nog net niet uitpuilend, en haar mond was een roze knopje. Ze leek ongeveer zeventien, maar was (zoals ik later ontdekte) bijna zesentwintig. Ze was ruim tien centimeter kleiner dan ik, lang voor een vrouw, en had een atletisch lichaam (wintersport, zoals ik ook later hoorde; ze was Zwitsers). Verder had ze een slanke taille en benen tot aan haar kin.

Ik nodigde haar uit bij mij en ze belde naar de onderhoudsdienst van het gebouw en kreeg te horen dat er iemand zou komen maar dat het wel even kon duren. Ze was echt gestrand, want haar tasje met al haar geld en papieren lag opgesloten in Schmidts kantoor. Ze was zijn privésecretaresse en bekwaamde zich in internationale financiën. Hield ze van internationale financiën? Nee, ze vond er niets aan. Ze werd niet opgewonden van geld. Je moest er genoeg van hebben, het was afschuwelijk om arm te zijn, maar afgezien daarvan was het niet gezond om steeds maar meer en meer te willen. Het was bijna iets verdorvens, zei ze, en toen trok ze schattig haar neus op. Ze vroeg me wat ik bij de firma deed en ik vertelde het haar en voegde eraan toe dat ik waarschijnlijk nooit een goede ie-advocaat zou worden omdat de meeste zaken in mijn ogen nogal dom waren en geen betrekking hadden op het ware doel van het ie-recht: ervoor zorgen dat creatief handelen beloond werd, waarbij het grootste deel van het geld naar de eigenlijke schepper ging. Jammer genoeg was dat maar zelden het geval, zei ik tegen haar. Integendeel. Nou, zei ze, dan moet jij daar iets aan doen.

En ze zei dat met zoveel zelfvertrouwen – ten eerste de veronderstelling dat zo'n oplossing mogelijk was, ten tweede de veronderstelling dat ik daar de man voor was – dat ik haar verbaasd aankeek. Misschien zette ik zelfs grote ogen op. Ze glimlachte, en het was meteen licht in de sombere kamer en de sombere plaats in mijn gedachten. Er ging een onbekend schokje door me heen. Om me te herstellen vroeg ik haar of ze zelf ook echt verdorven was. Ze zei dat ze dat probeerde te zijn, want iedereen zei dat het zo leuk was, maar het was helemaal niet leuk, het was ellendiger dan wat dan ook, en ze vond het heel erg om benaaid te worden door mannen die ze niet kende.

Benaaid? Ik vroeg haar naar het woord. Een kleine idiomatische vergissing; ze bedoelde benaderd. Hoe dan ook, daarom was ze van dat saaie oude Zürich naar het ondeugende New York gegaan. Haar ouders waren vroom katholiek en zij was dat in feite ook, maar ze hunkerde naar een beetje meer swing in haar leven. Is dat het goede woord? Swing.

Dat was het, verzekerde ik haar. En ik vertelde haar dat dit haar geluksdag was, want ik was beslist een van de meest verdorven mannen in New York en het zou me een groot genoegen zijn haar kennis te laten maken met de meest verderfelijken in hun vleespotten, voor swing maar niet voor benaaiing. Tenzij ze dat laatste ook wilde, hetgeen natuurlijk mijn verdorven plan was, maar dat sprak ik toen niet uit. Haar ogen straalden, en weer verscheen die glimlach. Golven van goedheid braken op mijn harde voorhoofd.

Zo begon mijn eerste uitstapje met Amalie. De huismeester deed er lang over om naar het kantoorgebouw te komen, waarvoor ik hem enorm dankbaar was, en we praatten intussen over het enige (opmerkelijk!) waarvan bleek dat we het met elkaar gemeen hadden: we waren beiden olympiërs. Ze had voor Zwitserland (alpineskiën) aan Sapporo deelgenomen. En over onze families, of beter gezegd over haar familie, die uit *Heidi* leek te komen. (Later, toen ze haar tas terug had, liet ze me foto's van welgestelde Zwitsers in kleurrijke anoraks zien, in de bergen, voor het chalet, fondue etend. Nee, nu lieg ik, niemand at fondue, maar ze hádden fondue gegeten, en ik heb dat ook veel gedaan in ons huwelijk.) Ik had niet beseft dat het katholieke Zwitsers waren, want ik associeerde die kleine bergrepubliek altijd met die strenge oude Calvijn, maar natuurlijk had je ook de Zwitserse Garde van de paus; dat zijn echte Zwitsers en Amalies broer zat daar ook bij. Erg *hoch*, de Pfannenstielers. En uit wat voor een familie kom jij, Jake?

Ja, uit wat voor familie? Mijn moeder was toen al dood, mijn vader 'op reis', mijn broer studeerde in Europa (ik pochte een beetje), mijn zus… Ik dacht erover om te liegen, maar dat lukt me nooit goed (in mijn privéleven, bedoel ik; als advocaat gaat het me natuurlijk uitstekend af), en ik zei dus dat mijn zuster Miri de Lavieu was. In die tijd moest je in New York wel min of meer blind zijn om niet te weten wie dat was, of anders moest je helemaal losstaan van de populaire cultuur. 'Het model,' zei ik toen ze me nietszeggend aankeek. Ik vroeg haar of ze ooit van Cheryl

Tiegs, Lauren Hutton of Janice Dickinson had gehoord. Ze vroeg me of dat ook zusters van me waren. Daarvoor en daarna heb ik nooit iemand ontmoet die zich zo weinig voor beroemdheden interesseerde. Ze behoorde niet helemaal tot deze wereld, onze Amalie. Ik had dat als een teken moeten opvatten, maar dat deed ik niet.

Toen kwam de huismeester die de deur naar haar kantoor openmaakte, en nadat ze nog wat dingen had afgewerkt, gingen we weg. Ik had in die tijd een BMW R70-motor, waarop ik onder bijna alle weersomstandigheden naar mijn werk reed. Ze ging achterop zitten en ik startte de machine. Ze legde haar handen losjes om mijn middel.

Is er iets beters dan op een krachtige motor rijden met een meisje achterop, haar dijen die tegen je heupen drukken, haar borsten die twee warme ovalen op je rug vormen, een druk die je subtiel kunt vergroten door een beetje harder op de rem te trappen dan de verkeersomstandigheden vereisen? Als er iets beters is, heb ik het nooit gevonden. Ik bracht haar naar Union Square, waar in die tijd de hele zijkant van het gebouw in beslag werd genomen door een enorm reclamebord voor een drankenmerk. Het toonde een vrouw in een nauwsluitende zwarte avondjapon. Ik bleef staan en wees. Dat is mijn zus, zei ik. Amalie lachte en wees naar een ander reclamebord met een jonge man in spijkerbroek met ontblote borst. Mijn broer, zei ze, en ze lachte weer. Ik reed door, een beetje op mijn nummer gezet, maar op een prettige manier. Ik had veel meisjes versierd door de broer van mijn zus te zijn, want in New York hunkeren velen ernaar om zelfs maar indirect in contact te komen met beroemdheden, en ik vond het interessant om nu eens met iemand te zijn voor wie het er allemaal niet toe deed.

Ik trakteerde haar op een maaltijd in een Caribisch restaurant waar de grote *guapos* en hun liefjes kwamen, met veel harde salsamuziek, vibrerend van ingehouden geweld, en daarna gingen we naar allerlei kroegen en muziekclubs, het soort clubs met drugshandel in de toiletten en de mogelijkheid om je in het achtersteegje te laten pijpen. In het geval van sommige van die clubs was ik zelf niet beroemd genoeg om binnengelaten te worden, maar Miri's naam en het feit dat ik sommige uitsmijters uit mijn gewichtheftijd kende, openden deuren voor me, plus het feit dat ik die opmerkelijke vrouw aan mijn arm had. Ze bleek fantastisch goed te kunnen dansen. Ik was daar in die tijd ook niet slecht in, maar tegen haar kon ik niet op. Mensen keken naar haar met een vreemde blik in hun ogen; ik kon niet goed nagaan of het minachting of verlangen was. Misschien kijken de verdoemden zo naar de verlosten; ik denk dat ik de helft van de tijd diezelfde blik in mijn ogen had.

Om een lang verhaal kort te maken: ik nam haar mee naar de flat die ik onderhuurde in 78th Street, bij First Avenue, en tot mijn immense verbazing en ontzetting kreeg ik een energieke Zwitserse handdruk en een kuise kus op mijn wang. Zo ging het ook de tweede keer dat we uitgingen, en de derde keer. Daarna knuffelden we wat, maar ze wilde niet verdergaan. Ze zei dat er een jongen op school was geweest. Ze was met hem naar bed geweest en toen had hij haar hart gebroken. Daarna had ze beseft dat ze anders was dan de andere meisjes die ze kende, anders dan de meisjes in films: ze hield niet van vrijblijvende seks. Ze was het niet eens met alles wat de kerk zei, maar wel wat seks betrof, en ze had daarna altijd strikt celibatair geleefd. Wachtte ze op de ware Jacob? vroeg ik haar, en ze negeerde mijn ironie en zei ja. Dit gesprek vond overigens plaats in een beruchte club die zo ongeveer als een petrischaal voor seksueel overdraagbare aandoeningen diende.

In die tijd in mijn leven, moet ik hieraan toevoegen, ging ik met minstens vier vrouwen tegelijk, allemaal mooi, allemaal seksueel beschikbaar, en ik kan me hun namen en gezichten nu nog maar amper herinneren, zo volledig nam Amalie mijn erotische leven over. Ik had het nooit een probleem gevonden om mijn meisjes te laten weten dat ik ook met anderen afsprak, tenslotte was het de tijd van de seksuele revolutie, en ik vertelde het ook aan Amalie, en tot mijn verbazing zei ze dat ik daarmee moest ophouden als ik met haar wilde blijven omgaan, en wat nog verbazingwekkender was: dat deed ik ook. Ik belde mijn dames de een na de ander op en kuste hen bij wijze van spreken vaarwel.

Want – en dit is de kern van deze lange uitweiding – Amalies gezelschap was beter dan seks. Het was iets mystieks, alsof je tegen een zonnestraal kon leunen en dan niet omviel. Kleuren waren helderder, muziek was mooier, alles bewoog langzaam, elegant, als een koninklijk gezelschap in vroeger tijden, gestreeld door een geparfumeerde luchtstroom. Ik had van zulke dingen gehoord, maar ik dacht dat het alleen maar bij wijze van spreken was. De maan stond niet als een grote, ronde pizza aan de hemel, maar verder werden alle liedjes werkelijkheid.

Uiteindelijk verleidde ik haar op de oude, eerzame manier: die winter trouwden we. Dat deden we in de Liebfrauenkirche in Zürich, in aanwezigheid van haar grote en zeer correcte Zwitserse familie: papa bankier en hoogleraar, mama hoogleraar linguïstiek, en de zes broers en zussen, allemaal blond en met rozige wangen en geen van allen met het idee dat ze de hoofdprijs had gewonnen, al was iedereen zo beleefd en correct als het maar kon. Mijn broer en zus kwamen ook. Miri was toevallig voor modefoto's in Parijs en kwam met haar aan coke verslaafde, gedegenereerde echtgenoot, Armand Etienne Picot de Lavieu. Paul studeerde op dat moment in Italië en kon dus ook gemakkelijk komen. Misschien zouden ze anders ook zijn gekomen, maar daar was ik op dat moment niet zeker van. Pa was niet uitgenodigd en kwam dan ook niet. In feite voltrok het zich allemaal in een waas, zoals voor de twee personen die trouwen waarschijnlijk altijd het geval is. Het enige wat ik me herinner, is dat Paul me hard boven mijn elleboog vastgreep en zei: 'Deze moet je houden, jongen, verknoei het niet.' En dat Miri huilde en, voor zover ik kon nagaan, de hele dag drugsvrij bleef.

We gingen op huwelijksreis naar Zermatt, waar we in het chalet van de familie verbleven en gingen skiën. Dat wil zeggen, zij skiede. Ik viel vooral naar beneden en zag haar schitterend over de pistes omlaag suizen, en na afloop was er wat toen mijn geweldigste seksuele ervaring was – en dat is het nog steeds. Een orgastisch stoomorgel. Bijna vanaf het moment dat we begonnen maakte ze een geluid als dat van duiven, het verrukte *uohh uohh uohh* dat ze produceren, en ze was in staat tot een bijna epileptisch crescendo waarin de tijd bleef stilstaan, waarvan ze zeggen dat het in de hemel ook gebeurt, een bestaan zonder tijdsduur. Zoals ik al zei, ging ik binnen zes maanden natuurlijk weer met andere vrouwen om, al kon ik dat jarenlang geheimhouden, waarbij ik handig gebruikmaakte van het feit dat Amalie bijna niet in staat was slecht over iemand te denken. Geen excuus, meneer: het was het zuivere kwaad, het kwaad zo zwart als de nacht. Ik verknoeide het, zoals Paul al vreesde, de reden waarom hij op mijn trouwdag mijn arm zo stevig vastgreep dat ik er een blauwe plek aan overhield.

En nu ik het paradijs heb verwoest, verlang ik er al jaren naar om daar terug te keren (natuurlijk zonder grote veranderingen in mijn spirituele staat te hoeven maken) en verlang ik ook naar een nieuwe, frisse Amalie, maar dan niet helemaal zo goed, iemand die min of meer op mijn lijn zit, maar niet te veel, als je begrijpt wat ik bedoel; wel iemand met dezelfde elektriciteit die mij een ondraaglijk schuldgevoel bezorgt. Vandaar deze lange uitweiding: ik wilde duidelijk maken wat er in de Brooke Russell Astor-studiezaal gebeurde. Een nieuw begin, en daar zat ze dan met haar blonde vlechtjes en haar Amalie-achtige uiterlijk. Toen ze me een hand gaf, kreeg ik kippenvel over mijn hele arm.

Ik vroeg haar wat ze deed, en ze wees naar een dik boekwerk dat open op de tafel lag. Een onderzoek dat ze voor haar oom deed, familiegeschiedenis. Ik wees naar de stoelen en we gingen zitten. Omdat het een bibliotheek was, moesten we zachtjes praten, en omdat we dat moesten, moest ik mijn hoofd dichter bij het hare houden dan voor een normale conversatie noodzakelijk zou zijn geweest. Ze gebruikte een licht parfum met bloemengeur.

'U houdt zich ook met wetenschap bezig, neem ik aan?'

'Nee, ik werk op het ministerie van Onderwijs in Toronto. Dit is iets wat ik ernaast doe, en om hem te helpen.'

'Maar hij is overleden.'

'Ja, ik wilde het afmaken en postuum publiceren. Ik denk dat hij dat op prijs zou hebben gesteld.'

'U had dus een nauwe band met hem?'

'Ja.'

'Al lag er een oceaan tussen u beiden.'

'Ja.' En toen zei ze een beetje ongeduldig, met kleine rimpeltjes in dat fijne hoge voorhoofd: 'Mijn oom Andrew vormde een heel belangrijk deel van mijn leven, meneer Mishkin. Mijn vader ging bij mijn moeder weg toen ik vier was en liet ons in een precaire financiële positie achter. Hij was nogal een wilde jongen, niet geïnteresseerd in het vaderschap. Hij is nu dood, en mijn moeder ook. Intussen betaalde oom Andrew mijn schoolopleiding. Hij liet me zelfs vanaf mijn achtste bijna elke zomervakantie naar Engeland overkomen en… O god, waarom vertel ik u dit allemaal? Ik denk dat ik nog niet helemaal van de schok van zijn dood bekomen ben. Neemt u me niet kwalijk. Het was niet mijn bedoeling alles eruit te gooien.'

'Het hindert niet,' zei ik. 'Het kan verschrikkelijk zijn om een naast familielid door geweld te verliezen.'

'U klinkt alsof u uit ervaring spreekt.'

'Ja,' zei ik, maar op een toon die niet tot verdere vragen uitnodigde. Om van onderwerp te veranderen vroeg ik: 'Hoe lang bent u in de stad?'

'Toronto?'

'Nee, hier. Sorry. Als New Yorkers "de stad" zeggen, bedoelen ze altijd het eiland Manhattan.'

Ze glimlachte daarom, onze eerste gezamenlijke glimlach. 'Sinds maandag. Twee dagen.'

'In een hotel?'

'Ja, het Marquis aan Eighth Avenue. Ik dacht dat ik in het huis van mijn oom zou kunnen logeren, maar er doen zich juridische complicaties voor. Het is nog steeds een plaats delict en ze willen geen van zijn bezittingen vrijgeven, al was professor Haas zo goed me toe te staan persoonlijke bezittingen uit zijn kantoor te halen.'

'Hebt u het daar comfortabel?' Ik wilde alleen maar het gesprek op gang houden, denk ik. God mag weten wat ik dacht. Ik wilde haar aan het praten houden, het moment rekken. Belachelijk, zoals ik al zei, maar in het belang van een eerlijk verhaal…

Ze antwoordde: 'Nou, om eerlijk te zijn is het een beroerd hotel. Het moet voor goedkoop doorgaan, maar goedkoop in New York is meer dan ik me kan veroorloven, zeker met Canadese dollars.'

'Hebt u met de politie gesproken?'

'Ja. Gisteren. Ik dacht dat ik het lichaam zou moeten identificeren, zoals ze op tv doen, maar dat was al gedaan. Ze stelden me vragen, afschuwelijke vragen.'

'Is het hun theorie dat hij gedood is tijdens een homoseksueel ritueel?'

'Ja, maar mijn god! – en dat heb ik ze verteld – zo was oom Andrew helemaal niet. Hij maakte geen geheim van zijn, eh, romantische geaardheid, maar hij was verknocht aan Ollie. Dat is een docent in Oxford. Als ze bij elkaar waren, leken ze net een oud echtpaar.' Haar toon veranderde abrupt en ze vroeg: 'Denkt u dat we vandaag onze zaak kunnen afhandelen?'

'Onze zaak…?'

'Het manuscript van oom Andrew.'

O, dat! Ik vroeg haar wat ze ervan wist.

'O, hij heeft me niet veel verteld, alleen dat het een zeventiende-eeuws manuscript was. Hij heeft er enkele duizenden dollars voor betaald, maar hij dacht dat het veel meer waard zou zijn als sommige dingen bleken te kloppen.'

'Wat bijvoorbeeld?'

'Weet ik niet. Dat heeft hij niet gezegd.' Die verrukkelijke rimpels kwamen op haar voorhoofd terug. 'En eerlijk gezegd zie ik niet wat het u aangaat. Het is mijn eigendom.'

'Eigenlijk, mevrouw Kellogg,' zei ik een beetje nuffig, 'is het manuscript eigendom van de nalatenschap. Om het te kunnen opeisen moet u zowel aantonen dat u degene bent die u zegt dat u bent als dat u de enige wettige erfgenaam van Andrew Bulstrode bent. Daarvoor moet u een testament laten zien en moet u dat door de rechtbank van het district New York laten goedkeuren. Pas dan zal de executeur-testamentair bevoegd zijn mij op te dragen het eigendom van de nalatenschap aan u over te dragen.'

'O, god! Duurt dat lang?'

'Het zou kunnen. Als het testament gebreken vertoont of wordt betwist, kan het weken, maanden, zelfs jaren duren voor de zaak is afgehandeld. Net als bij Dickens.'

Daarop slaakte ze een kreetje van wanhoop, beet op haar lip en bracht haar hand voor haar mond. De baliemedewerker keek afkeurend naar ons.

'Zo lang kan ik niet wachten,' klaagde ze. 'Ik heb maar een paar dagen vrij. Ik moet maandag terug zijn in Toronto en ik kan het me niet veroorloven in een hotel te blijven. En…' Nu zweeg ze en sloeg haar ogen neer, zoals we doen wanneer we iets gaan onthullen wat we beter kunnen ver-zwijgen. Dat was interessant. Ik dacht dat het een van de redenen was waarom ze niet naar mijn kantoor wilde komen. Daarom drong ik aan.

'En...?'

'Niets.' Ze kon slecht liegen, dacht ik met een blik op haar hals, die de-licaat rood werd.

'Nou, níét niets, denk ik. U vraagt me elkaar op een rustige plaats te ontmoeten, u kijkt steeds naar de deur, alsof u verwacht dat er iemand komt binnenstormen, en nu houdt u blijkbaar iets verborgen. Als ik dan ook nog bedenk dat uw oom onder raadselachtige, zelfs angstaanjagende omstandigheden is gestorven, dan komt u op me over als een vrouw met een probleem. Een vrouw die, als ik zo vrij mag zijn, behoefte heeft aan...'

'Aan een advocaat? Biedt u zich aan?' zei ze argwanend.

'Helemaal niet. U hebt een erfrechtspecialist nodig. Ik ben geen advo-caat op dat terrein, maar mijn firma heeft wel goede specialisten. Nee, ik dacht erover me als uw vriend aan te bieden.'

'U denkt dat ik een vriend nodig heb?'

'Zegt u het maar. Ik denk dat iemand u over dat manuscript heeft be-naderd en dat het een verontrustend contact is geweest.'

Ze knikte heftig, zodat haar vlechten heen en weer schudden. Verruk-kelijk!

'Ja. Kort nadat de politie me had gebeld om te zeggen dat oom Andrew dood was, kreeg ik een telefoontje. Het was een man met een diepe stem en een accent.'

'Een Brits accent?'

'Nee, eerder Slavisch of uit het Midden-Oosten. Ik schreeuwde bijna tegen hem omdat ik zo van streek was. Ik had net gehoord dat oom An-drew dood was en daar kwam die aasgier al rondcirkelen. Ik hing op en hij belde meteen nog een keer en zijn toon was... Het klinkt dom om "dreigend" te zeggen, maar zo kwam hij wel op me over. Hij bood me vijf-tigduizend Canadese dollars voor de documenten, en ik zei tegen hem dat ik erover zou nadenken. Hij was niet blij met dat antwoord, en hij zei iets in de trant van... Ik ben zijn exacte woorden vergeten, maar het hield in dat het in alle mogelijke opzichten beter voor me zou zijn als ik ak-koord ging. Het was net die tekst uit *The Godfather*, een aanbod dat je niet kunt weigeren, en het was zo onrealistisch dat ik bijna giechelde. Toen ik in het Marquis was, werd ik opnieuw gebeld, dezelfde stem. Hoe wisten ze dat ik daar was? Niemand thuis wist waar ik zou logeren.'

'Geen relatie?' Hoopvol zonder het te laten blijken.

'Nee. En mijn kantoor heeft het nummer van mijn mobieltje. Hoe dan ook, toen ik vanmorgen het hotel uitkwam, stond een eindje bij het hotel vandaan een auto, een van die grote SUV's, zwart, met rookglazen ruiten. Een man, een grote man met een kogelvormig hoofd en een zonnebril, leunde ertegen. En toen ik voorbij hem was en achteromkeek, keek hij met een afschuwelijke glimlach naar mij, en toen stapte hij in de auto. Ik heb de bus hierheen genomen, en toen ik bij de bibliotheek aankwam, stond die auto er weer.'

'Dat is zorgwekkend,' zei ik.

'Ja, dat is het,' zei ze na een lange stilte. Haar stem beefde enigszins.

'Luister,' zei ik. 'Laten we er eens van uitgaan dat de politie zich over de dood van uw oom vergist, zoals u zegt, en dat hij vermoord is. Vermoord om dat, eh, document. Zeker, dat is melodramatisch, maar zulke dingen gebeuren soms. Dus laten we even veronderstellen dat het voorwerp van buitengewoon grote waarde is, van veel meer waarde dan vijftigduizend Canadese dollars, en dat criminelen daar lucht van hebben gekregen en het nu goedschiks of kwaadschiks te pakken willen krijgen. Is dat een logische redenering?'

Ze knikte langzaam. Ik meende haar te zien huiveren en wilde mijn armen om haar heen slaan, maar ik deed het niet.

'Ja, verschrikkelijk logisch,' antwoordde ze, 'maar ik kan me niet voorstellen wat het zou kunnen zijn. Ik bedoel, waarom het waardevol is. Oom Andrew zei dat hij er een paar duizend dollar voor heeft betaald en waarschijnlijk zal het dat ook ongeveer waard zijn, want waarom zou de vorige bezitter het anders hebben verkocht? En als het méér waard zou blijken te zijn, waarom zouden criminelen zich er dan mee bezighouden?'

'Dat is natuurlijk de vraag, maar ik heb het gevoel dat niet het document zelf zoveel waarde heeft, maar iets waartoe het de sleutel is. Heeft uw oom u daarover verteld?'

'Nee. Voor zover ik weet, was het een of andere zeventiende-eeuwse brief van zuiver wetenschappelijk belang. Hij was erg opgewonden en ging vorige zomer speciaal naar Engeland om sommige dingen die ermee in verband stonden na te trekken, maar hij zei niet dat het, eh, financiële waarde had. Heeft hij ú verteld wat het was? Ik bedoel, waartoe het de sleutel zou kunnen zijn.'

'Ja, hij zei dat het document naar een manuscript leidde dat door Shakespeare persoonlijk geschreven was, maar ik ben bang dat hij misschien te optimistisch was. Ik heb later met Mickey Haas gesproken en die zei dat het onwaarschijnlijk was en dat uw oom er blijkbaar op gebrand was zich te rehabiliteren.'

'Ja, dat was hij. Daar heeft hij na dat schandaal altijd naar gestreefd. Weet u daarvan?'

'Ik ken de feiten, ja. Maar hij moet hebben geweten dat er criminelen achter dat document aan zaten, want hij heeft dat verrekte ding bij mij gedeponeerd. Hij moet hebben vermoed dat hij misschien zou worden aangevallen en wilde blijkbaar voorkomen dat ze het te pakken zouden krijgen. Dus… het lijkt me nu eerst zaak dat we u persoonlijk in veiligheid brengen. U kunt niet naar dat beroerde hotel terug. We kunnen van hotel veranderen…'

'Dat kan ik me niet veroorloven. Het is trouwens allemaal van tevoren betaald. O god, dit wordt een nachtmerrie…'

'… of, als ik zo vrij mag zijn, ik heb een groot appartement in de binnenstad. Er zijn twee slaapkamers waar mijn kinderen in de schoolvakanties slapen. U kunt er een van tot uw beschikking krijgen. Het is waarschijnlijk bijna even beroerd als het Marquis, maar het is gratis. Ik heb ook een chauffeur om u door de stad te rijden. Hij was vroeger een soort lijfwacht.'

'Lijfwacht?' riep ze uit, en toen vroeg ze: 'Van wie?'

'Nou, Yasser Arafat, maar dat willen we graag stilhouden. Ik zou niet weten waar u veiliger zou zijn.' Behalve voor mij, maar daar ging het nu niet om. Eerlijk gezegd dacht ik helemaal niet na toen ik dat aanbod deed. Ik wist nog goed hoe angstig haar oom had gekeken en wilde diezelfde uitdrukking niet op haar gezicht zien. 'Als u eenmaal in veiligheid bent, kunnen we ons in de mensen uit die auto verdiepen. Ik zal de politie ervan op de hoogte stellen en dat aspect van de zaak aan hen overlaten.'

Na de gebruikelijke beleefde tegenwerpingen ging ze akkoord. We verlieten de leeszaal en het bibliotheekgebouw. Boven aan de trap leidde ik haar naar de schaduw van de zuilengalerij en keek naar Fifth Avenue. Er was geen zwarte suv met rookglazen ruiten te zien. Ik belde Omar met mijn mobieltje en gaf hem opdracht ons aan de kant van 42nd Street op te halen, en daarna liepen we vlug door Bryant Park en wachtten tot de Lincoln er was.

Mijn zolderappartement bevindt zich aan Franklin Street, bij Greenwich Street. Het is vijftienhonderd vierkante meter groot en het gebouw fungeerde vroeger als broekenfabriek, later als pakhuis, maar zit nu tjokvol rijke mensen. Ik kocht het voordat het onroerend goed in de binnenstad in een pyschotische toestand raakte, maar het kostte me evengoed een smak geld, de verbouwingen nog niet eens meegerekend. Vroeger woonden we er als gezin, Amalie, de kinderen en ik, totdat zij wegging. Meestal is het de man die weggaat, maar Amalie wist dat ik veel van het appartement hield en wilde daarnaast dichter bij de school van de kinderen wonen, aan 68th Street, bij Lexington Avenue. Ze zitten nu met zijn allen in een half vrijstaand huis van bruine baksteen aan East 76th. We hebben de kosten in tweeën gedeeld, want ze heeft een goed inkomen en vindt niet dat ik tot de bedelstaf moet worden gebracht omdat ik in seksueel opzicht een klootzak ben.

Maar in de tijd waarover we het nu hebben dacht ik niet aan die dingen. Ik liet Amalie 2 (alias Miranda Kellogg) mijn woning zien. Ze was voldoende onder de indruk, en dat vond ik al een verbetering ten opzichte van Amalie 1, die nooit onder de indruk was van dingen die voor geld te koop waren. Ik liet Chinees eten komen en we aten bij kaarslicht aan een lage tafel vanwaar je een fraai, zij het beperkt, uitzicht hebt op de rivier. Ik gedroeg me als een heer en was redelijk eerlijk toen we aten en onze levensverhalen uitwisselden. Ze bleek kinderpsychologe te zijn en werkte voor de overheid. We praatten over Niko, mijn zoon, en zijn problemen. Ze was meelevend op een afstandelijke manier. Nu ik haar gezicht beter leerde kennen, vond ik dat ze helemaal niet zoveel op Amalie leek als ik eerst had gedacht, niet wat haar afzonderlijke trekken betrof, al voelde ik nog steeds die uitbundige opwinding als ik naar haar keek. Hoe weinig weten we, hoeveel kunnen we ontdekken, van geliefde tot geliefde, zoals de song luidt.

Ze gaapte, en heel gepast maakte ik het bed in Imogens kamer op. Ik gaf haar een nieuw wit T-shirt om in te slapen, en natuurlijk had ik ongebruikte tandenborstels in huis vanwege mijn kinderen. Ze bedankte me slaperig en gaf me een kus op mijn wang. Wat was dat voor parfum? Moeilijk thuis te brengen, maar bekend.

De volgende dag stonden we vroeg op en ontbeten we met koffie en croissants in een gezelliger stemming, moet ik toegeven, dan wanneer het een *morning after* zou zijn geweest. Ze bezat een zekere afstandelijkheid die niet tot agressieve avances aanmoedigde, en dat deed me wel goed, want het was ook iets wat me aan de Amalie uit die tijd herinnerde. Ze droeg hetzelfde wollen pakje uit een warenhuis als de vorige dag, en Omar bracht ons naar mijn kantoor. Daar aangekomen stelde ik haar voor aan Jasmine Ping, onze briljante erfrechtadvocate, en liet ik de mysteries van de testamentbekrachtiging aan hen over. Jasmine kon haar ook helpen Bulstrodes lichaam naar Engeland te laten overbrengen.

Volgens mijn agenda was ik die ochtend bezig met het overreden van een schrijfster om niet tegen een andere schrijver te gaan procederen die haar ideeën had gestolen en daarmee een veel succesvoller boek had geschreven, en later belde ik met iemand van het ministerie van Handel om een afspraak te maken voor een gesprek over (wat anders?) Chinese IE-piraten. Een normale ochtend. Om een uur of half een kwam Miranda naar mijn kamer en stelde ik voor dat we zouden gaan lunchen. Ze weigerde, ik stond erop, en toen gaf ze beschaamd toe dat ze zich nog niet in het openbaar durfde te vertonen. Ze wilde in het kantoor eten of anders naar mijn appartement worden teruggebracht.

Daarom lieten we maaltijden bezorgen, en terwijl we wachtten, bracht Miranda het manuscript ter sprake. Ze zei dat ze onder begeleiding van haar oom had geleerd secretary-handschrift te lezen: zou ze het manuscript nu mogen zien? Ik aarzelde, maar zag geen bezwaar. Erfgenamen vormen zich wel vaker een oordeel over de waarde van toekomstige erfstukken. Ik stuurde Olivia naar de kluis.

Terwijl we wachtten, kwam onze lunch. Die aten we aan mijn glazen salontafel. Ze was een precieze eter, nam kleine hapjes. We praatten over IE en het bezoek van haar oom aan Amerika, maar ze wist net zomin waarom hij een IE-advocaat wilde of nodig had als ik. Olivia kwam terug met de envelop.

Miranda trok katoenen handschoenen aan voordat ze de stijve, bruine papieren oppakte. Ze hield er een paar naar het raam gericht om de watermerken te bekijken, maar het was inmiddels donker geworden, met regen in de lucht, en ze moest de bureaulamp gebruiken.

'Interessant,' zei ze, en dat zei ze opnieuw toen ze de papieren voor het licht hield. 'Dit zwaardere papier is foliopapier met een kroonwatermerk. Die kroon is het wapenschild van Amsterdam. Dit papier komt uit een bekend papierhuis en het kwam in de zeventiende eeuw veel voor. De bladen zien eruit alsof ze uit een boek zijn gescheurd. Die andere papieren lijken me drukkerskopij. Ik denk niet dat ze er iets mee te maken hebben.' Ze noemde de naam van een papiermaker, maar ik ben die naam vergeten, en toen sprak ze even over de herkomst van het papier. Het ene oor in, het andere uit. Ze haalde een inklapbaar vergrootglas uit haar handtas. 'Mag ik?' vroeg ze.

Ze mocht. Ik vond het prettig om naar haar te kijken. Ze bestudeerde de papieren en ik bestudeerde de welving van haar hals daarboven en de kleine haartjes die delicaat bewogen in de lichte luchtstroom van het verwarmingssysteem. De tijd ging voorbij. Ik werkte zonder enthousiasme wat papieren af. De geluiden uit het kantoor naast het mijne leken uit een andere wereld te komen. Ze las vier bladzijden. Van tijd tot tijd mompelde ze iets. Toen hield ze haar adem in van verbazing.

'Wat is er?'

'De schrijver van deze papieren, Richard Bracegirdle... Hij beweert dat hij met Somers heeft gevaren. Hij heeft de schipbreuk van de Sea Adventure meegemaakt. O, god! Mijn handen beven.'

Ik vroeg wat daar zo handenbevend belangrijk aan was.

'Omdat het een beroemde gebeurtenis was. De gouverneur van de kolonie Virginia was aan boord. Ze leden schipbreuk bij Bermuda en leefden daar van de natuur, bouwden een schip en keerden terug naar Virginia. Sommigen van hen hebben daar verslagen over geschreven, en we geloven dat Shakespeare daar gebruik van heeft gemaakt om de atmosfeer van Prospero's eiland in *The Tempest* te creëren. Maar als deze man Shakespeare in 1610 heeft gekend, zoals hij beweert... Ik bedoel, misschien is hij wel bij hem geweest en heeft hij hem dingen over de tropen verteld terwijl hij schreef. Dat alleen al maakt het... kijk, meneer Mishkin...'

'Alsjeblieft, je bent een gast in mijn huis. Noem me toch Jake.'

'Goed... Jake. Ik móét dit manuscript bestuderen. Zou je het mee kunnen nemen naar je huis?'

Natuurlijk wilde ik meteen weigeren. Zoals bekend hebben advocaten toegang tot geld en kostbaarheden van anderen, en als je daar niet uiterst zorgvuldig mee omgaat, zet je de eerste stap op een hellend vlak. Neem een manuscript mee naar huis om het door een vermoedelijke erfgename te laten bestuderen, en voor je het weet hang je de Renoir van de cliënt in je logeerkamer en maak je met het jacht van de overledene een reisje naar Saint Bart.

Ja, dat was waar, maar ze keek me zo hoopvol aan, haar wangen nog rood van de sensationele ontdekking, en ik dacht aan Amalie, die me nooit om iets vroeg, die altijd verwachtte dat ik door middel van de mystieke band van de genegenheid tussen ons wist wat ze wilde. Hetgeen natuurlijk niet het geval was. Het is leuk als ze je iets vragen. En dus zei ik dat het wel kon, aangezien het manuscript juridisch gezien in mijn persoonlijke bezit zou blijven. Ik pakte een map met een harde kaft en legde het Bracegirdle-materiaal erin. Ik belde Omar, pakte een paraplu en mijn aktetas, en nadat ik nog wat dingen met Olivia had besproken, verliet ik samen met Miranda het kantoor. Toevallig had ik beloofd mijn kinderen van school te halen en naar huis te brengen. Dat bracht me enigszins in verlegenheid, maar per slot van rekening was Miranda een cliënte, dus niet iemand die radioactief intiem was met papa, in elk geval nog niet. Ik haalde de kinderen op, stelde hen voor en het was een plezierig ritje. Imogen was ongewoon charmant en wilde weten of Miranda, omdat ze uit Canada kwam, Frans sprak en kreeg te horen dat Miranda (beschamend genoeg) helemaal geen talent voor talen had. Niko amuseerde ons allemaal door knopen in een stuk touw te maken, veel, veel knopen, en vertelde ons over de herkomst, de toepassing en de topologische aspecten van die knopen. Ik vond het prachtig dat Miranda aardig voor de jongen was – veel mensen zijn dat niet, inclusief ikzelf – en zag daarin een gunstig voorteken.

Nadat we de kinderen hadden afgezet, bleven we in zuidelijke richting rijden (langzaam, omdat het zo donker was en steeds harder regende), en toen we daar zo reden en Miranda de verplichte complimenten over de kinderen had gemaakt, praatte ze voor haar doen erg druk over de wonderen van Bracegirdles brief. Ik zou me dat gesprek moeten herinneren, maar dat kan ik niet, en ik heb ook geen zin het te bedenken, zoals ik bij de gesprekken hierboven heb gedaan. Het is bijna drie uur en ik moet straks gaan slapen. Hoe dan ook, we kwamen bij mijn huis aan. Omar reed weg.

Maar zijn achterlichten waren nog maar net om de hoek verdwenen of we hoorden het lichte gieren van spinnende banden over nat wegdek en een grote zwarte suv, een Denali, kwam de hoek van Greenwich Street om geracet. Hij stopte voor ons en er kwamen drie mannen uit. Ze droegen sweatshirts met capuchon en leren handschoenen, en ze kwamen alle drie dreigend op ons gerend. Een van hen graaide naar Miranda en ik stak hem (zonder veel uitwerking, vrees ik) met de punt van mijn paraplu in zijn gezicht. De paraplu werd door de grootste van de twee andere mannen uit mijn hand gewrongen, terwijl zijn metgezel achter me kwam staan en mijn armen vastgreep. De grote man kwam op me af om een verlammende stoot tegen mijn middenrif te geven. Waarschijnlijk wilde hij een paar van die stoten toedienen om me die steek met de paraplu betaald te zetten.

Ik ben niet zo'n vechter, maar ik heb een groot deel van mijn vrije tijd in bars doorgebracht, en er zijn kleine opvliegende mannetjes die het, als ze dronken zijn, niet kunnen laten ruzie te maken met een grote man, vooral wanneer die een beetje uit vorm lijkt en er on-Schwarzeneggerachtig uitziet, zoals ik. Daardoor had ik meer ervaring met fysiek geweld dan de meeste mannen met mijn beroep. Er lopen niet zoveel gewichtheffers uit de hoogste gewichtsklasse rond, en die mannen wisten gewoon niet waar ze aan begonnen.

Eerst boog ik mijn armen en verbrak ik de greep van de man achter me, en het volgende moment was ik neergehurkt en had ik me op mijn hakken omgedraaid, zodat ik me nu tegenover de dijen van de man bevond. Ik greep zijn beide benen bij de knieën vast. Mijn handen zijn immens groot en erg, erg sterk. Ik voelde dat de grote man die ik net mijn rug had toegekeerd naar mijn keel greep, maar nu stond ik weer op en hief beide armen boven mijn hoofd. De man die ik had vastgegrepen, woog maar zo'n tachtig kilo en ging dus makkelijk omhoog. Ik nam een stap, draaide me weer snel om en sloeg de grote man op zijn hoofd met zijn vriend. Een menselijk lichaam is geen handige knuppel, maar als demonstratie van kracht, dus als middel om je tegenstander te demoraliseren – vooral degene die als knuppel wordt gebruikt – is het moeilijk te overtreffen. De grote man wankelde achteruit, gleed uit over het natte wegdek en smakte op zijn achterste. Ik liet mijn knuppel een paar keer rond mijn hoofd zwaaien en smeet hem toen de straat op.

Jammer genoeg had ik mijn aktetas laten vallen om dit alles te kunnen doen, en de man die Miranda had vastgegrepen gooide haar ruw tegen de muur van het appartementengebouw, griste mijn aktetas van de grond, schreeuwde iets in een vreemde taal tegen de anderen en rende op de Denali af. De anderen krabbelden ook overeind en gingen er onder het schreeuwen van verwensingen eveneens vandoor. De auto gierde zo snel weg dat ik het kenteken niet kon zien. Ik ging kijken of Miranda niet gewond was, en dat was niet het geval, al had ze haar pols verrekt en gekneusd toen de schurk haar had vastgehouden en had ze schaafwonden op haar hand en knie.

Ze ging niet op mijn vraag naar haar welbevinden in, maar vroeg meteen: 'Hebben ze je tas?'

'Ik ben bang van wel en ik vind het jammer dat ik hem kwijt ben. Ik had hem al sinds ik tot de advocatuur werd toegelaten.'

'Maar het manuscript...' jammerde ze.

'Het manuscript is volkomen veilig,' verzekerde ik haar. 'Dat zat in de binnenzak van mijn regenjas.' Ik wilde haar vertellen dat ik dingen van waarde altijd op mijn lichaam draag, sinds de dag waarop ik, als student, mijn oude aktetas in de metro van Boston had laten staan, met daarin het enige exemplaar van een staatsrechtscriptie waar enkele honderden uren saai werk in hadden gezeten, maar in plaats daarvan greep ze mijn gezicht vast en kuste ze me op de mond.

DE BRIEF VAN BRACEGIRDLE (7)

Nu op een dag enige weken na onze komst werd heer Keane gedood door een grote kogel: zo sprak ik met hem & zo stond hij daar zonder hoofd & viel. Hoe nu met mij? De kanonnen gingen naar een andere meester met eigen volk & zo stond ik in Sluys met amper een penning op zak & ook geen Hollands in de mond: maar dwalende door de haven, spiedde ik de Groene Draeck & ging derwaarts & sprak met Kapitein & zeide ik schiet met kanonnen gelijk wie ook & hij zeide ik weet dat jongen maar zegt hij, kent ge mijn negotie? Want hij sprak goed Engels & ik zeggende nee meneer hij zeide ik ben piraat & smokkelaar, een woord mij onbekend & hij verschafte uitleg: een die Zijne Majesteit accijnzen, tonnage pondage et cetera onthoudt. Alzo zult ge mijn kanonnen bedienen in die negotie vroeg hij, het zoude bloedig & wreed zijn, maar wij verdienen goud. En ik zeide ja meneer zijnde zeer hongerig & ik zeide tot mijzelve het zijn slechts papen die wij doden. En ik wenste zeer gaarne het goud.

Wij voeren uit Sluys & andere havens van Holland een gesel voor Spanjoolse schepen van de Duitse Zee tot de Golf van Biskaje & namen menig schip & doodden vele Spanjolen & ook Fransen & voeren eveneens bij nacht tot Engeland & brachten ladingen zijde, kruiden, wijnen & dranken onder de neus der kustwacht aan land. Onderwijl liggende in de haven ik vervulde mijn wens van een afstandkwadrant, latende een man in Rotterdam een uit koper maken, de lijnen met salpeterzuur op de kwadranten geëtst met daarbij een kleine spiegel om door beide vizieren tegelijk te kunnen schouwen. Met deze op een reling laadden wij al onze kanonnen met zodanige kwantiteit van poeder als de kogel op zekere afstand zou brengen, ik zal zeggen achthonderd yard. Alzo gereed ik tuur in mijn kwadrant met de hoek voor die afstand op de beweegbare arm & turende wacht ik tot het doel in beide spiegels verschijnt & helder zicht & ziedaar de exacte afstand &

*geef de order tot vuren & alle kogels treffen tegelijk onverhoeds doel &
zij zijn verrast & geschokt & wij enteren & maken hen snel dood.*

*Alzo twee jaren op de zeeën & ik heb 80 soeverijnen in goud & laat
deze bij een jood in Sluys ter bewaring. Want de anderen spenderen
alles aan drank & hoeren maar niet ik. In het Jaar Negen zoals allen
weten werd een bestand getekend tussen de Koning van Spanje & de
Hollanders & de stadhouder beveelt geen roven van Spaanse schepen
meer. Maar Van Brille zeide ons is niet bevolen het smokkelen te stoppen aangezien dat geen affaire van de stadhouder is vervloekt zij de
kerel. Alzo wij continueerden op deze wijze, maar ik was zorgelijk &
op een dag ging ik naar mijn jood & hij schrijft mij een wissel zeggende dat welke jood ook ik het toonde van Portugal tot Moskou hij mij
deze som in goud zoude geven. Op een nacht voeren wij naar Engeland & terwijl wij aan land waren & onze negotie deden met zekere
mannen van Plymouth, liep ik in het duister weg & smokkelde niet
meer dacht ik.*

*In Plymouth verbleef ik enige dagen in de Anchor Inn denkende over
wat ik zoude doen toen een man kwam zoekende zeelui & anderen
voor de reis van admiraal Sir Geo. Somers naar Virginia in de Nieuwe Wereld & ik dacht mij dit zij een teken wat ik moet doen & ik zeide tot hem ik ben kanonnier te zee en ter land & kan de sterren schieten met kruisstaf of achterstaf om breedten te geven & kan zo nodig
positie bepalen. & hij zeide kunt ge ook lopen op water of hebt ge een
boot nodig, & allen daar aanwezig lachten: doch hij liet mij met hem
komen tot Heer Tolliver meester van het vlaggenschip Sea Adventure.
Hij groette mij vriendelijk & vroeg hem mijn kunsten te tonen: alzo ik
deed & hij tevreden zijnde ik kon al wat ik zeide te kunnen & ik teken
als meesterkanonnier 15 4d per dag.*

*Wij voeren uit op de tweede juni des Jaren Negen. Na de Groene Dra-
eck was dit schip mij het paleis eens heren zo ruim was het & wel
voorzien & het voedsel veel beter, geen Hollandse kaas & vis & rijnwijn doch goed bier & Engels rundvlees: alzo ik was zeer content. Ik
werd bevriend met Heer Tolliver & leerde van hem meer omtrent het
kompas & gebruik van achterstaf & hoe lengte te figureren op de sterren, een ding zeer moeilijk om goed te doen. Hij was een zeer vreemde
man zijns gelijke had ik nimmer ontmoet, want hij eerde niet Gods
genade & dacht er zij geen zier verschil tussen het paapse bijgeloof &
de hervormde religie; want hij geloofde God had de wereld gemaakt*

& overgelaten aan wat zou gebeuren, als een wijf dat koeken te koelen zet & gaf geen stuiver om ons schepsels. Wij bepraatten deze zaken onder de nachtwacht tot de dageraad: doch het resulteerde in weinig want wij werden het nimmer eens aangezien hij de autoriteit van de Schrift geheel niet aanvaardde. Waart gij erbij zeide hij toen het werd geschreven? Nee? Hoe weet ge dan dat het Gods woord is & niet gewrocht door een ezel gelijk uzelf? Hij had evenmin vrees voor het Hellevuur, zeide hij had nimmer een duivel of engel gezien noch had hij ooit een mens ontmoet (enige dwazen daargelaten) die er ooit een had aanschouwd. Hij dacht de kerk deed de meeste mensen geen kwaad & ging graag genoeg op zondag maar gaf niet om dienst of preek: indien de Koning zeide aanbidt ge een steen of indien de paus zulks zeide, hij zoude het gaarne doen. Voor hem was het al gelijk & ik verbaasde mij daarover want hoe kon heel de wereld die dingen denken de ernstigste van alle dingen & hij niet & hij een goede man met al zijn verstand?

8

Crosetti's moeder, Mary Margaret Crosetti (door iedereen Mary Peg genoemd), bezat een aantal persoonlijke eigenschappen die zowel een researchbibliothecaresse van hoog niveau als een moeder goed van pas kwamen, inclusief een zeer goed geheugen, een grote liefde voor de waarheid, een verregaande aandacht voor details, en een superieur talent om leugens te doorzien. Hoewel ze probeerde haar zoon de privacy te geven die hem als volwassene toekwam, leverde de dagelijkse gang van zaken in een niet al te grote bungalow in Queens genoeg interactie tussen moeder en zoon op om haar een goed idee te geven van de gemoedstoestand waarin hij op een bepaald moment verkeerde. Tien dagen eerder was die toestand buitengewoon goed geweest. Haar zoon neigde tot chagrijnigheid, maar ze herinnerde zich dat hij een paar dagen zingend onder de douche had gestaan en stralend uit zijn ogen had gekeken. Hij is verliefd, had ze gedacht met de mengeling van blijdschap en bezorgdheid die dat besef bij de meeste ouders opwekt. Maar toen, kort daarna, kwam de klap. Hij is gedumpt, dacht ze, en ook dat er wel heel erg snel een eind was gekomen aan wat blijkbaar een buitengewoon groot geluk was geweest.

'Ik maak me zorgen over hem,' zei ze door de telefoon tegen haar oudste dochter. 'Dit is niets voor Albert.'

'Hij wordt altijd gedumpt, ma,' zei Janet Keene, die niet alleen menig complot met haar moeder smeedde maar ook psychiater was. 'Het is een aardige jongen, maar hij is niet handig met vrouwen. Het gaat wel weer over.'

'Jij bent er niet bij, Janet. Hij is net een zombie. Hij komt van zijn werk thuis alsof hij in de zoutmijnen heeft gezwoegd. Hij eet niet, gaat om half negen naar bed... Het is niet normaal.'

'Nou, ik kan met hem praten...' begon Janet.

'Wat, als patiënt?'

'Nee, ma, dat mag niet, maar als je een second opinion wilt.'

'Hoor eens, schat, ik weet wanneer mijn kinderen gek zijn en wanneer

145

niet, en hij is niet gek – ik bedoel niet gék gek. Weet je wat ik ga doen? Zaterdag maak ik een lekker ontbijt klaar, en als we dan aan tafel zitten, krijg ik het wel uit hem. Wat denk je?'

Janet, die zich ook in haar wildste professionele fantasieën niet kon voorstellen dat ze het talent van haar moeder bezat om mensen aan het praten te krijgen, maakte enkele vrijblijvende opmerkingen in bevestigende zin. Die bevestiging had Mary Peg altijd nodig als ze om advies vroeg, en Janet deed haar plicht. Ze dacht dat haar kleine broertje vooral behoefte had aan een vriendin, een fatsoenlijke baan en een eigen woning, en dat in oplopende volgorde van belangrijkheid, maar ze bracht dat maar niet ter sprake. Zij en haar twee zussen waren bij de eerste de beste gelegenheid het huis uitgegaan; niet dat ze niet zielsveel van hun moeder hielden, maar die wierp een wel erg grote schaduw op hun leven. Arme Allie!

Mary Peg voelde zich altijd beter als ze professioneel advies aan Janet had gevraagd. Ze was blij dat Janets advies zo goed overeenkwam met haar eigen instinct. Ze was een van zeven kinderen van een metromachinist, en hoewel het ongewoon was voor iemand uit haar milieu en cultuur, was ze voor de verleidingen van de jaren zestig bezweken en had ze de hele weg van de tegencultuur afgelegd: rockbandgroupie, communebewoonster in Californië, een beetje drugs, wat oppervlakkige seks, waarna ze enigszins beschaamd het echte leven weer had opgepikt: ze had haar bachelor gehaald aan het City College en daarna haar master in de bibliotheekwetenschappen. Haar eigen ouders hadden niet van het wildere deel van haar geschiedenis geweten, want ze was in die tijd dan ook niet een van degenen die ondeugend waren om hun ouders te treffen; de ondeugd omwille van de ondeugd was genoeg voor haar geweest. Toch had ze altijd een stimulerend katholiek schuldgevoel gehad omdat ze hen bedroog; en daarom had ze, zelf moeder, besloten dat bedrog tussen de generaties in haar gezin volstrekt afwezig zou zijn. Soms dacht ze dat ze daarom met een politieman was getrouwd.

Zoals ze had gezegd, diende ze een lekker ontbijt op. Haar zoon schuifelde naar de tafel, nam een paar slokjes verse sinaasappelsap, nam een paar hapjes toast en zei toen dat hij eigenlijk niet veel honger had. Dat was voor Mary Peg het moment om met een theelepel tegen een glas te tikken en daarmee een goede imitatie van een brandalarm weg te geven. Hij keek geschrokken op.

'Oké, voor de dag ermee, jongen,' zei ze. Ze keek hem strak aan. Haar ogen hadden de kleur van een gasvlam en waren op dit moment ook ongeveer zo heet.

'Wat?'

'Wat, zegt hij. Je speelt nu al bijna twee weken lang een scène uit *The Night of the Living Dead*. Dacht je dat ik het niet merkte? Je bent een wrak.'

'Het is niets, ma…'

'Het is iets. Is het dat meisje, hoe heet ze, Carol?'

'Carolyn.' Gevolgd door een diepe zucht.

'Zij. Nou, je weet dat ik me nooit met het privéleven van mijn kinderen bemoei…'

'Ha.'

'Niet brutaal worden, Albert!' En op mildere toon: 'Serieus, ik maak me zorgen over je. Het is wel vaker uitgeraakt met een meisje, maar je hebt je nooit eerder zo vreemd gedragen.'

'Het is niet uitgeraakt, ma. Het is niet… Ik weet niet wat het is. Dat is het probleem. Ik bedoel, eigenlijk zijn we maar één keer uit geweest, en dat was geweldig, maar toen… ik geloof dat ze min of meer verdwenen is.'

Mary Peg nam een slokje koffie en wachtte, en in een paar minuten kwam het hele verwarde verhaal eruit, het ingewikkelde verhaal van Rolly, het manuscript en Bulstrode. Haar man had haar vaak verteld hoe hij mensen had ondervraagd, want hij behoorde niet tot de meerderheid van de rechercheurs die vond dat hun vrouw te teergevoelig was om naar politieverhalen te luisteren; en dat was ze inderdaad niet. Zo moest je het doen, wist ze: een meelevend oor, een bemoedigend woord. Ze maakte zich grote zorgen toen ze hoorde dat haar zoon had meegewerkt aan wat een buitenstaander misschien een misdrijf zou noemen, en de dingen die ze over mejuffrouw Rolly hoorde stonden haar ook niet aan. Evengoed gaf ze geen commentaar. En nu sprak haar zoon over de periode die volgde op die eerste keer dat ze met elkaar uit waren geweest: hij had de sappige details natuurlijk weggelaten, maar ze had genoeg ervaring en verbeeldingskracht om die zelf te kunnen invullen.

'Nou, zoals ik al zei, hadden we het leuk met elkaar en voelde ik me goed. Toen ik de volgende dag naar mijn werk ging, verwachtte ik haar in de winkel te zien, maar ze was er niet. Ik vroeg Glaser ernaar en hij zei dat ze had gebeld en gezegd dat ze een paar dagen de stad uitging. Ik vond dat een beetje vreemd. Ik dacht dat we iets met elkaar hadden en dat ze míj had moeten bellen, maar zoals ik al zei, was ze wat vreemd. Dus maakte ik me er niet druk om. Hoe dan ook, de dag waarop ze terug zou komen breekt aan, maar geen Carolyn. Glaser belt haar en haar telefoon blijkt niet aangesloten te zijn. Nu maakten we ons toch wel zorgen en ik zei tegen hem dat ik na werktijd bij haar langs zou gaan om te kijken wat er aan de hand was. En toen ik in haar straat kwam, stond er een grote kiepauto en waren er overal slopers in het gebouw. Ze waren net klaar voor die dag, maar ik zag dat ze zo'n glijbaan hadden geïnstalleerd die slopers gebruiken om het puin en zo af te voeren. Die glijbaan kwam uit haar raam op de bovenste verdieping. Ik praatte met de baas van de slopers en die wist nergens van. Hij had een telefoontje van de beheerders gekregen. Ze hadden een spoedklus voor hem gehad: het gebouw moest helemaal worden leeggehaald tot op de muren, dan kon het worden gerenoveerd. Hij gaf me de naam van het beheerbedrijf, maar wilde me niet in het gebouw laten. Zoals ik al zei, had Carolyn al dat meubilair van palletplanken gemaakt, prachtig werk, en daar lag het dan, helemaal kapot, haar werktafel en alle andere dingen. Het was of ik haar lijk zag.'

Crosetti huiverde. Hij schoof toast met zijn vork over zijn bord.

'Ik kon daar niets doen en ik was ook helemaal van de kaart. Toen ik wegliep, zag ik dat de straat en de zijstraat bezaaid lagen met papier. Het was een winderige dag en ik denk dat sommige lichtere dingen uit de wagen waren gewaaid of tussen de glijbaan en de berg rommel in de wagen door de wind waren opgepikt. En dus liep ik als een idioot de straat door om papieren op te rapen. Ik dacht bij mezelf: o, dit zal ze willen hebben, deze foto, deze ansichtkaart, noem maar op. Eigenlijk dom, want als ze die dingen had willen hebben, had ze ze wel meegenomen.'

Hij haalde zijn portefeuille tevoorschijn en liet haar een opgevouwen ansichtkaart en een opgevouwen foto zien.

'Zielig, hè? Dat ik met die dingen rondloop? Het is net bijgeloof: zolang ik iets van haar bij me heb, is er nog een verband, is ze niet helemaal verdwenen…' Hij stopte de voorwerpen weer in zijn portefeuille en keek zo troosteloos dat Mary Peg een atavistisch verlangen moest bedwingen om hem op haar schoot te nemen en zijn voorhoofd te kussen. In plaats daarvan zei ze: 'En die beroemde boekdelen? Denk je dat ze die heeft meegenomen?'

'Ik hoop het. Ik heb ze niet gezien. Misschien lagen ze wel op de bodem van die kiepauto. Dat zou ironisch zijn, net als het goudstof in *The Treasure of the Sierra Madre*.'

Door dat laatste voelde Mary Peg zich een beetje beter. Zolang hij naar films verwees, kon hij niet zo ver heen zijn. Ze zei: 'Je hebt natuurlijk het beheerbedrijf gebeld.'

'Natuurlijk. Ik ben zelfs naar hun kantoor gegaan. Able Real Estate Management, bij Borough Hall in Brooklyn. Een receptioniste die nergens van wist en een baas die er nooit was. Toen ik hem eindelijk aan de telefoon had, zei hij dat hij geen Carolyn Rolly kende en dat de bovenste verdieping nooit als woning was verhuurd, dat die verdieping ook helemaal geen woonbestemming had en dat ze het gebouw daarom leeghaalden. Ik vroeg hem wie eigenaar van het gebouw was en hij zei dat hij dat niet mocht vertellen. Een consortium, zei hij. Toen belde ik professor Bulstrode, en de secretaresse van de vakgroep zei dat hij de dag daarvoor naar Engeland was vertrokken en dat ze niet precies wisten wanneer hij terug zou zijn. Als gastdocenten geen colleges op het programma hadden staan, en die had hij niet, waren ze min of meer vrij om te gaan en staan waar ze wilden. Het was zomer. Ze wilde me zijn nummer in Oxford niet geven.'

Hij keek haar zo somber aan dat er een schokje van verdriet door haar hart ging. 'Ik weet niet wat ik moet doen, ma. Ik denk dat haar iets is overkomen. En ik denk dat het mijn schuld is.'

'Nou, dat is onzin. Het enige wat je verkeerd hebt gedaan, is dat je akkoord ging met dat plan van haar. Zeg, ik weet dat je gek bent op dat meisje, maar waarom zou ze er niet gewoon met haar gestolen goed vandoor zijn?'

'Gestolen goed? Ma, ze heeft geen drankwinkel overvallen of zoiets. Ze was boekbindster. Ze restaureerde een prachtig stel boeken dat de eigenaar had opgegeven. Glaser zou geen cent verlies lijden. Hij wilde alleen maar het geld dat hij door de verkoop van de platen zou hebben gekregen...'

'Dat heeft hij niet gehad. Vergeet dat niet.'

'Hé, ik wil het niet goedpraten, maar als ze een schurk was, dan was ze wel een bepaald soort schurk. Sommige dingen zou ze nooit doen, zoals ertussenuit knijpen en Glaser niet geven waar hij recht op had. Ze zat midden in een project dat ze heel graag wilde doen, en... jij hebt haar flat niet gezien, maar ze had een heel eigen wereld gecreëerd op die vervallen zolder in Red Hook. Ze had dat allemaal met haar eigen handen opgebouwd. Het was haar werkruimte en haar werk was het enige wat ze had. Ze zou dat nooit zomaar hebben achtergelaten.'

'Ik weet het niet, jongen. Ze lijkt me een erg onvoorspelbare vrouw, bijna... mag ik "labiel" zeggen? Ik bedoel, volgens haar eigen zeggen is ze afschuwelijk misbruikt. En je zei dat ze min of meer voortvluchtig was – misschien heeft dat haar ingehaald? Je schudt je hoofd.'

'Nee, en ik ben er ook niet zeker van of ze wel voortvluchtig was. Ik heb uitgebreid op internet gezocht. Je zou toch denken dat als iemand die Lloyd heet een meisje dat Carolyn Rolly heet tien jaar opsluit en als seksspeelgoed gebruikt, je enorm veel hits zou krijgen, maar ik vond niets. Ik belde de *Kansas City Star*, de *Topeka Capital-Journal*, de *Wichita Eagle* en nog een paar andere kranten in Kansas en kreeg niets: niemand had er ooit van gehoord. Oké, ze kan van naam zijn veranderd, maar evengoed... En dus belde ik Peggy.'

Mary Peg zag dat haar zoon zich daar een beetje voor geneerde, en terecht, vond ze. Patrica Crosetti Dolan, het op een na oudste meisje in het gezin, was in de voetsporen van haar vader voor de politie van New York gaan werken en rechercheur geworden. Rechercheurs mochten geen onderzoekjes instellen voor hun familie, maar velen deden dat toch. Mary Peg zelf had voor haar research ook wel eens gebruikgemaakt van de connecties van haar dochter. Haar zoon had haar toen flink de oren gewassen, en nu: ha ha!

Maar ze verkneuterde zich niet en beperkte zich tot een eenvoudig maar veelbetekenend: 'O?'

'Ja, ik vroeg haar of ze wilde nagaan of Carolyn voortvluchtig was of niet.'

'En...'

'Ze was in geen enkel dossier te vinden, in elk geval niet als Carolyn Rolly.'

'Je bedoelt dat ze loog? Over die oom en dat ze voortvluchtig was?'

'Ik denk het. Wat zou het anders kunnen zijn? En toen wist ik me geen raad meer. Want... ik was echt heel erg op die vrouw gesteld. Het was pure chemie. Je weet wel, pa en jij hadden het altijd over de eerste keer dat jullie elkaar zagen, toen je achter de balie in de Rego Park Library zat en hij boeken kwam halen. Jullie wísten het gewoon. Zo was het.'

'Ja, maar schat, dat was wederzijds. Ik ben na ons eerste afspraakje niet spoorloos verdwenen.'

'Ik dacht dat dit ook wederzijds was. Ik dacht dat dit het zou worden. En zo niet, ik bedoel, als ik het me allemaal maar heb ingebeeld, hoe zit het dan met mij? Dan moet ik gek geworden zijn.'

'Alsjeblieft, jij bent geen maniak, neem dat nou maar van mij aan. Als je ze niet meer op een rijtje had, zou ik de eerste zijn die dat tegen je zou zeggen. Zoals ik verwacht dat je ook bij mij doet als de dementie zijn lelijke kop opsteekt.' Ze klapte hard in haar handen om te demonstreren hoe ver dat nog in de toekomst lag, en zei: 'Intussen: wat gaan we hieraan doen?'

'We?'

'Natuurlijk. Het is duidelijk dat alles nu om die professor Bulstrode draait. Wat weten we van hem?'

'Ma, waar heb je het over? Wat heeft Bulstrode met Carolyns verdwijning te maken? Hij kocht die papieren en ging weg. Einde verhaal. Al heb ik wel onderzoek naar hem gedaan. Hij is een soort zwart schaap.' Crosetti vertelde nu over het beroemde kwartobedrog, en ze bleek zich dat te kunnen herinneren.

'O, díé,' riep ze uit. 'Nou, het verhaal breidt zich uit, hè? We moeten er nu allereerst Fanny bij halen, zoals jij al veel eerder had moeten doen.' Hij keek haar nietszeggend aan en ze ging verder. 'Albert, je denkt toch niet dat Bulstrode je de echte vertaling van dat ding gaf? Natuurlijk loog hij. Je zei dat je instinct je ingaf dat je werd opgelicht, en dat je het niet aan hem zou hebben verkocht als die vrouw niet in tranen was uitgebarsten en je die leugens niet had verteld. Ze zaten samen in het complot.'

'Dat is onmogelijk, ma...'

'Het is de enige verklaring. Ze hebben je erin geluisd. Sorry, schat, maar het is nu eenmaal een feit dat we soms verliefd worden op ongeschikte mensen. Daarom heeft Cupido een pijl en boog en geen klembord met persoonlijkheidstests. Het is mij ook overkomen toen ik jong was, en vaker dan één keer.'

'Bijvoorbeeld,' zei Crosetti belangstellend. Het zogeheten wilde verleden van zijn moeder was een fascinerend onderwerp voor al haar kinderen, maar ze bracht het alleen ter sprake om hen te vermanen, zoals ook nu weer. Desgevraagd gaf ze altijd hetzelfde antwoord: 'Dat is voor jou een vraag en voor mij een weet.' Ze voegde eraan toe: 'In elk geval, mijn jongen, bel ik Fanny nu meteen en maak ik een afspraak. Je kunt maandag na je werk naar haar toe gaan.'

Daar had Crosetti niets tegen in te brengen. En dus vervoegde hij zich die dag om zes uur met de papieren in hun verzendkoker bij de manuscriptenafdeling van de New York Public Library. Hij trof Fanny Doubrowicz achter haar bureau aan. Het was een klein vrouwtje, nog geen een meter vijftig, met een sympathiek, lelijk mopshondengezicht en heldere mahoniebruine ogen, diep verzonken achter dikke, ronde brillenglazen; haar ruwe grijze haar was naar achteren opgestoken in het typische knotje van een bibliothecaresse, met daarin het verplichte gele potloodje. Ze was na de oorlog als weeskind uit Polen naar de Verenigde Staten gekomen en was al meer dan vijftig jaar bibliothecaresse, het grootste deel van die tijd bij de NYPL. De afgelopen twintig jaar had ze zich gespecialiseerd in manuscripten. Crosetti kende tante Fanny zijn hele leven al en beschouwde haar als de meest ontwikkelde persoon van zijn hele kennissenkring, al moest ze altijd lachen als hij haar een complimentje maakte over haar encyclopedische geest. Dan zei ze: 'Schat, ik weet niets, maar ik weet alles te vínden.' Toen hij nog een kind was, hadden hij en zijn zussen geprobeerd feiten te bedenken die tante Fanny onmogelijk kon ontdekken (hoeveel flesjes Coca-Cola waren er in 1928 in Ashtabula verkocht), maar ze had hen altijd verslagen en was met opmerkelijke verhalen gekomen over de manier waarop ze de informatie had achterhaald.

Dus: begroetingen, vragen over zijn zussen, zijn moeder, hijzelf (al was Crosetti ervan overtuigd dat ze al uitgebreid op de hoogte was gesteld door Mary Peg), en toen kwamen ze snel ter zake. Hij haalde de papieren uit de koker en gaf ze aan haar. Ze ging ermee naar een brede werktafel, rangschikte ze in drie lange evenwijdige rijen; de kopieën van de papieren die hij aan Bulstrode had verkocht en de originelen die hij had gehouden.

Toen ze ze had neergelegd, sprak ze geschrokken in een vreemde taal, Pools nam hij aan. 'Albert, die achttien papieren… Zijn dat originelen?'

'Ja, zo te zien is het geheimschrift. Ik heb ze niet aan Bulstrode verkocht.'

'En je rolt ze op als kalenders? Schande!' Ze liep weg en kwam met doorzichtige plastic documentenveloppen terug. Daar deed ze de brieven met geheimschrift zorgvuldig in.

'Zo,' zei ze. 'Eens kijken wat we hier hebben.'

Doubrowicz keek een hele tijd naar de kopieën, bestudeerde elk papier met een groot rechthoekig vergrootglas. Ten slotte zei ze: 'Interessant. Je weet dat het drie afzonderlijke documenten zijn? Dit zijn kopieën van twee afzonderlijke documenten en dan zijn er deze originelen.'

'Ja, zover was ik ook. Die vier papieren zijn blijkbaar de drukkerskopij van een preek en daar interesseer ik me niet voor. De rest is de brief van die Bracegirdle.'

'Hm, en je hebt die brief aan Bulstrode verkocht, zei je moeder.'

'Ja. En daar heb ik spijt van, Fanny. Ik had meteen naar jou moeten gaan.'

'Ja, dat had je moeten doen. Je lieve moeder denkt dat je je hebt laten beetnemen.'

'Dat weet ik.'

Ze gaf een klopje op zijn arm. 'Nou, we zullen zien. Wijs me die passage eens aan waarvan jij denkt dat hij over Shakespeare gaat.'

Crosetti deed het. De kleine bibliothecaresse draaide aan een verstelbare lamp om een felle lichtstraal op het papier te richten en tuurde door haar vergrootglas. 'Ja, dit lijkt me een vrij duidelijk secretary-handschrift,' merkte ze op. 'Ik heb het wel erger meegemaakt.' Ze las de passage langzaam door, als een zwakke derdeklasser, en toen ze aan het eind was gekomen, riep ze uit: 'Lieve hemel!'

'Shit!' riep Crosetti, en hij sloeg zo hard met zijn vuist op zijn dij dat het pijn deed.

'Ja,' zei Doubrowicz. 'Ge zijt waarlijk bedot en in de aap genomen, zoals onze vriend hier het zou hebben gezegd. Hoeveel heeft hij je betaald?'

'Vijfendertighonderd.'

'O, nee. Wat zonde!'

'Had ik veel meer kunnen krijgen?'

'Zeker. Als je naar mij toe was gekomen en we hadden de authenticiteit van het document boven elke redelijke twijfel kunnen vaststellen

– en in het geval van zo'n belangrijk document zou dat op zichzelf al een hele opgave zijn – is niet te voorspellen wat het op een veiling zou hebben opgebracht. Wij zouden waarschijnlijk geen bod hebben gedaan, want het ligt niet helemaal op ons terrein, maar de Folger- en de Huntington-bibliotheek zouden in rep en roer zijn geweest. Sterker nog: wanneer iemand als Bulstrode iets als dit in bezit heeft, exclusief in bezit... Nou, dat is een carrière op zichzelf. Geen wonder dat hij je heeft bedrogen! Hij moet meteen hebben gezien dat dit ding hem in het middelpunt van het Shakespeare-onderzoek kon terugbrengen. Niemand zou ooit nog over die onfortuinlijke vervalsing praten. Het zou een soort explosie zijn die een heel nieuw wetenschappelijk terrein openlegde. Er wordt al jaren over de godsdienstige en politieke standpunten van Shakespeare gediscussieerd, en hier hebben we een functionaris van de Engelse regering die hem niet alleen van papisme verdenkt maar ook nog van verraderlijk papisme. Dat roept op tot een heleboel onderzoek: die Bracegirdle, zijn voorgeschiedenis, wie hij kende, waar hij op zijn reizen is geweest, en de geschiedenis van de man voor wie hij werkte, die Heer D. Misschien liggen er mappen in een oude archiefkamer die nooit door iemand zijn bekeken. En omdat we weten dat Shakespeare nooit is vervolgd, zouden we willen weten waarom niet. Werd hij beschermd door iemand die nog machtiger was dan Heer D.? Enzovoort enzovoort. En dan hebben we een document in geheimschrift dat de waarnemingen beschrijft van een spion die op William Shakespeare is afgestuurd, een gedetailleerd contemporain verslag van wat de man deed. Dat is op zichzelf al een onvoorstelbaar grote schat, vooropgesteld dat het ontcijferd kan worden, en geloof me, de cryptografen zullen elkaar in de haren vliegen om die tekst te pakken te krijgen. Maar van déze documenten hebben we tenminste het origineel.'

Doubrowicz leunde in haar stoel achterover en keek naar het cassetteplafond. Ze woof zich dramatisch koelte toe en liet toen een scherp lachje horen. Dat gebaar kende Crosetti nog uit zijn jeugd, als de kinderen haar een raadsel hadden voorgelegd waarvan ze hadden gedacht dat het echt niet op te lossen was. 'Maar mijn beste Albert, hoe verleidelijk dit ook is, het is nog niets in vergelijking met de echte hoofdprijs.'

Crosetti merkte dat hij een droge keel kreeg. 'U bedoelt dat er misschien nog steeds een door Shakespeare zelf geschreven manuscript bestaat.'

'Ja, en dat niet alleen. Eens kijken, noemt hij ergens een datum?' Ze pakte haar vergrootglas op en tuurde op de papieren als een vogel die een wegrennend kevertje zoekt. 'Hm, ja, hier staat er een, 1608, en hier, ja, het lijkt erop dat hij rond 1610 aan zijn loopbaan als spion is begonnen. Begrijp je de betekenis van dat jaartal, Albert?'

'*Macbeth*?'

'Nee, nee, *Macbeth* is uit 1606. En we weten hoe het geschreven is en daar waren geen geheime Bracegirdles bij betrokken. Het jaar 1610 was het jaar van *De storm*, en daarna schreef Shakespeare geen stukken meer, afgezien van een paar kleine dingen, gezamenlijke projecten en dergelijke. Dat betekent…'

'O god, het is een nieuw stuk!'

'Een onbekend stuk van William Shakespeare waarvan niemand een vermoeden heeft. In zijn eigen handschrift.' Ze legde haar hand op haar borst. 'Mijn hart. Jongen, ik denk dat ik een beetje te oud ben voor zoveel opwinding. Hoe dan ook, als het echt is, nogmaals, áls het echt is, nou… je weet dat we tegenwoordig heel gemakkelijk zeggen dat iets van "onschatbare" waarde is, waarmee we bedoelen dat het heel duur is, maar dit zou echt boven alles uitstijgen.'

'Miljoenen?'

'Pah! Honderden… Honderden miljoenen. Het manuscript alleen al; als de echtheid wordt bewezen, zou het zonder enige twijfel het waardevolste manuscript, misschien zelfs het waardevolste draagbare voorwerp, ter wereld zijn, evenveel waard als de beroemdste schilderijen. En degene die het manuscript in eigendom zou hebben zou ook het auteursrecht hebben. Ik ben op dat gebied niet deskundig, maar ik denk dat het zo zou zijn. Theaterproducties – elke regisseur en producent op aarde zou zijn kinderen verkopen voor het recht op de première, om van films nog maar te zwijgen! Aan de andere kant moeten we ook geen luchtkastelen bouwen. Het zou allemaal bedrog kunnen zijn.'

'Bedrog? Dat snap ik niet – wie bedriegt wie?'

'Nou, je weet dat Bulstrode een keer is beetgenomen door een slimme vervalser. Misschien dachten ze dat hij rijp was voor een volgende poging.'

'O, ja? Ik zou denken dat hij juist de laatste was die ze daarvoor zouden uitkiezen. Wie zou hem geloven? Zijn geloofwaardigheid is naar de maan. Daarom wil hij zo graag met een nieuwe coup komen.'

Ze lachte. 'Je zou eens naar Foxwood moeten gaan, naar het casino. Als verliezers niet zouden proberen hun geld terug te winnen, zou dat casino zijn deuren moeten sluiten. Natuurlijk zou ik het niet op die manier aanpakken, als ik een crimineel was.'

'Waarom niet?'

'Nou, schat, hoe zou je het kunnen creëren? Het toneelstuk zelf? Het is nog tot daar aan toe om een slecht kwarto van *Hamlet* te vervalsen. We hebben *Hamlet* en we hebben slechte kwarto's en we hebben enig idee van

Shakespeares bronnen voor het stuk. En de tekst hoeft ook geen bijzondere kwaliteit te hebben. Hier en daar mag hij zelfs onbegrijpelijk zijn; dat zie je wel vaker in slechte kwarto's. Je weet toch wat een slecht kwarto is? Nou, je moet beseffen dat dit heel anders ligt. In dit geval moet je een compleet toneelstuk verzinnen van de grootste toneelschrijver die ooit heeft geleefd en die toen op de top van zijn kunnen was. Dat heeft iemand al eens geprobeerd, weet je.'

'Wie dan?'

'Een kleine dwaas die William Henry Ireland heette, in de achttiende eeuw. Zijn vader was een geleerde en William wilde indruk op hem maken. En dus vond hij in oude koffers steeds documenten die met Shakespeare te maken hadden. Volslagen belachelijk, maar omdat de wetenschap toen nog niet zo ver was, trapten veel mensen erin. Nou, toen kon hij zichzelf alleen maar overtreffen door een nieuw stuk van Shakespeare te vinden, en dat vond hij, een miskleun met de titel *Vortigern*, en Kemble voerde het op in het Drury Lane Theatre. Natuurlijk werd het weggefloten. Intussen had de grote geleerde Malone aangetoond dat alle andere manuscripten vervalsingen waren en toen zakte de hele zaak in elkaar. Nu was Ireland een domkop die gemakkelijk te ontmaskeren was. Pascoe, de man die Bulstrode in de maling nam, was veel intelligenter, maar we hebben het nu over iets van een heel andere orde. Het zou geen slechte kopie kunnen zijn, weet je: het zou echt van Shakespeare moeten zijn, en hij is dood.'

'Dus je denkt dat het echt is.'

'Dat kan ik niet zeggen zonder het origineel te bestuderen. Intussen zal ik aan de hand van Bracegirdles brief een Word-document voor je uittypen, dan hoef je geen secretary-handschrift te leren en kun je lezen wat hij te zeggen heeft. Ik maak ook een Word-document van dat vermoedelijke geheimschrift, dan kun je tenminste zien hoe het eruitziet. Als je het niet erg vindt, wil ik de brieven hier graag houden om ze aan een paar elementaire tests te onderwerpen. Als ze niet echt zeventiende-eeuws zijn, kunnen we er natuurlijk allemaal hartelijk om lachen en de hele zaak vergeten. Dat zal ik eerst onderzoeken, en als ze echt blijken te zijn, stuur ik je de twee documenten per e-mail. Ik zal je ook de naam geven van iemand die ik ken en die in geheimschrift en dat soort dingen geïnteresseerd is. Als we een oplossing vinden, staan we sterker ten opzichte van Bulstrode. Want hij heeft deze papieren niet, en ze kunnen informatie bevatten over de plaats waar het manuscript van het stuk ligt, begrijp je?'

Crosetti begreep het. Hij zei: 'Dank je, Fanny. Ik voel me zo'n stommeling.'

'Ja, maar zoals ik al zei is misschien nog niet alles verloren. Ik zou die Bulstrode graag eens vertellen wat ik van zijn sluwe streken vind. Laat me eerst het geheimschrift in Word omzetten. Dat hoeft niet te lang te duren. Wil je hier wachten?'

'Nee, ik moet weer naar mijn werk. Ik weet niet veel van geheimschrift, maar misschien is het alleen maar een kwestie van lettervervanging. Ze kunnen in die tijd nog niet zover zijn geweest.'

'O, daar zou je van staan te kijken. Er zijn geheimschriften in het Frans van voor de Revolutie die nog steeds niet ontcijferd zijn. Maar we kunnen geluk hebben.'

'Wie is die kenner van geheimschrift over wie je het had?'

'O, Klim? Dat is ook een Pool, maar hij is nog niet zo lang in Amerika. Hij was cryptoanalist bij de wsw in Warschau, een militaire contraspionagedienst. Tegenwoordig is hij chauffeur van een lijkwagen. Als je me nu alleen laat, heb ik het zo voor elkaar. En je moet jezelf niet zoveel verwijten maken, Albert. Per slot van rekening was er een vrouw bij betrokken, en je bent nog jong.'

Maar Crosetti voelde zich net zo oud als Fanny toen hij de bibliotheek uit sjokte en de bus naar de boekwinkel nam. Er werkte een nieuwe vrouw, Pamela, en die had echt aan Barnard gestudeerd: klein, ernstig, intellectueel, aantrekkelijk, verzorgd, verloofd met iemand op Wall Street. Het leek wel of Carolyn Rolly nooit had bestaan, al bracht Glaser haar verdwijning soms nog ter sprake, overigens zonder iets over de platen uit de *Voyages* van Churchill te zeggen. Maar toen Crosetti die dag de winkel in kwam, sprak Glaser hem aan en leidde hem naar het kantoortje.

'Het zal je interesseren dat Rolly is opgedoken,' zei Glaser. 'Kijk eens.'

Hij gaf Crosetti een bruine envelop, die zo dun en gerimpeld aanvoelde dat hij wel uit het buitenland moest komen. Er zaten een Britse postzegel en een stempel uit Londen op. Crosetti maakte hem open en vond een brief in Rolly's prachtige schuine handschrift, zwarte inkt op dik roomwit papier. Hij voelde dat hij een kleur kreeg en dat er een steek door hem heen ging, en hij moest zich inhouden om het papier niet naar zijn neusgaten te brengen en eraan te snuffelen. Hij las:

Beste Sidney,

Alsjeblieft, vergeef het me dat ik je in de steek laat en dat ik geen contact met je heb opgenomen om je te laten weten wat ik deed. Aangezien ik niet wist wanneer de winkel weer open zou gaan, dacht ik dat het niet zo'n probleem voor je zou zijn en dat je genoeg tijd zou hebben om vervanging te vinden. Maar het was onbeleefd van me dat ik

je niet eerder belde en daar heb ik écht spijt van. Ik ben voor dringen-
de familieaangelegenheden naar Londen weggeroepen, en toen ik
daar was, deed zich een carrièrekans voor. Het ziet ernaar uit dat ik
voor onbepaalde tijd in Groot-Brittannië blijf.
Er is ook goed nieuws voor jou. Ik heb de kaarten en platen uit de
Churchill kunnen verkopen voor vermoedelijk een veel hogere prijs
dan we op de Amerikaanse markt zouden hebben gekregen: 3200
Britse ponden! Ze schijnen hier een onverzadigbaar verlangen naar
platen van goede kwaliteit uit hun gloriedagen te hebben. Ik sluit een
internationale wissel voor $ 5.712,85 in. Ik heb de kosten van de wis-
sel uit eigen zak betaald om het ongemak te compenseren dat ik je heb
bezorgd.
Wil je mevrouw Glaser en Albert de groeten van me doen? Jullie zijn
allemaal veel aardiger voor me geweest dan ik verdiende.'

Met de beste wensen,
Carolyn Rolly

Met lood in zijn maag gaf Crosetti de brief terug. Hij moest zijn keel diep
schrapen voordat hij kon uitbrengen: 'Nou. Dat is mooi voor haar. Ik wist
niet dat ze familie in Engeland had.'

'O, ja,' zei Glaser. 'Ze heeft me een keer verteld dat de naam oorspronkelijk Raleigh was, zoals van sir Walter Raleigh, en ze suggereerde dat ze
ergens nog familie was van die beroemdheid. Misschien heeft ze het fa-
miliekasteel geërfd. Ze heeft trouwens goede zaken gedaan met die platen. Ik heb altijd al gedacht dat Carolyn voor iets beters was voorbe-
stemd dan verkoopster. Heb je die veilingberichten geprint waar ik je om
vroeg?'

'Vanmorgen. Ze moeten in uw inbox zitten.'

Glaser knikte, bromde een woord van dank en liep weg. Crosetti sjokte de trap af naar zijn grot. Het was een prettiger werkomgeving dan vóór
de brand, want de verzekeringsmaatschappij had een complete renovatie
vergoed, inclusief mooie stalen planken en een nieuwe Dell-computer
met het nieuwste toebehoren. Het souterrain rook nu naar verf en tegel-
lijm, niet meer naar stof en bakvet, maar die verbetering kwam Crosetti's
humeur ook niet ten goede. Telkens weer hoorde hij 'Hoe kon ze dat
doen?' in zijn gedachten, en het antwoord volgde steeds snel: 'Sukkel! Je
hebt maar één date met haar gehad. Wat verwachtte je, eeuwige liefde? Ze
heeft iets beters gevonden en is pleite gegaan.' Aan de andere kant was er
Crosetti's rotsvaste overtuiging dat het lichaam nooit loog, en hij kon niet
accepteren dat Rolly die nacht op die manier tegen hem had gelogen. Ze-

ker, ze was een leugenaar, maar dat wilde hij niet van haar geloven. Waarom zou ze? Om iets voor hem terug te doen na een mooie avond? Het was niet logisch.

En over leugens gesproken, zei die stem in zijn hoofd, die brief is volslagen onzin. We weten dat ze die boekdelen niet uit elkaar heeft gehaald en dus ook de platen niet heeft verkocht. Daar was hij net zo zeker van als van de eerlijkheid van het lichaam. Dus waar had ze die bijna zesduizend dollar vandaan gehaald die ze Glaser betaalde? Antwoord: iemand heeft haar dat geld gegeven en de reiskosten vergoed om naar Engeland te gaan, en de enige die dat kon hebben gedaan was professor Bulstrode, want er was geen enkele andere betrokkene die zoveel geld had en die momenteel in Engeland was. Ze was met Bulstrode naar Engeland gegaan. Maar waarom? Gekidnapt? Nee, dat was absurd: hoogleraren Engels kidnapten geen mensen, behalve in het soort idiote films waar Crosetti zo'n hekel aan had. Waarom was ze dan gegaan?

Er dienden zich twee mogelijkheden aan. De ene was onaangenaam, de andere was angstaanjagend. De onaangename mogelijkheid hield in dat Carolyn een grote kans zag om haar fortuin te maken, dus om zelf die zogenaamde Shakespeare-schat te vinden. Ze had Bracegirdles brief gelezen, Bulstrode achter Crosetti's rug om gebeld (toen hij zo lang moest wachten tot ze naar buiten kwam!), de verkoop van het Bracegirdlemanuscript bekokstoofd, Crosetti onder druk gezet het te verkopen, en toen – wilde hij graag denken – was ze een beetje verliefd op hem geworden, maar niet genoeg om de kans te laten schieten om uit haar leven van doffe armoede te ontsnappen.

De angstaanjagende mogelijkheid hield in dat ze onder druk werd gezet, dat Bulstrode iets van haar wist en haar kon bedreigen met iets veel ergers dan het verliezen van haar verkoopstersbaan en een confrontatie met de politie. Nee, dat was ook een leugen. De politie zat niet achter Carolyn Rolly aan, tenminste, niet volgens zijn zus. Misschien was het een beetje van allebei, een wortel en een stok. Hij moest nieuwe informatie vinden. Informatie stelde je in staat de leugens van de waarheid te onderscheiden.

Zodra die gedachte bij hem opkwam, draaide Crosetti zich met zijn stoel naar zijn nieuwe computer. Hij beschikte inderdaad over enige nieuwe informatie, en omdat hij de laatste tijd zo had zitten kniesoren, was hij vergeten er gebruik van te maken. Uit de achterzak van zijn spijkerbroek haalde hij de twee voorwerpen die hij bij Carolyns vroegere huis van de straat had opgeraapt. De foto was een eenvoudige afdruk van twee vrouwen en twee kinderen: een jongen van een jaar of vier en een klein meisje. Een van de vrouwen was een jongere Carolyn Rolly, haar haar onder een honkbalpetje gepropt, en de andere vrouw was een aantrekkelijke blondine. Ze zaten in de zomerzon op een bank in een park of op een speelplaats. De bomen om hen heen hadden een zware bladerkroon en wierpen donkere schaduwen op de grond. Ze keken glimlachend naar de fotograaf, hun ogen een beetje dicht omdat ze in de zon tuurden. Het was geen goede foto; Crosetti wist dat de goedkope instantcamera waarmee hij was gemaakt het contrast tussen felle zon en schaduw niet had aangekund, zodat de gezichten veel te licht waren, vooral die van de kinderen. Maar Carolyn had hem bewaard en was er toen van weggelopen, alsof ze haar leven opnieuw achter zich liet. Hij keek naar de zilverige gezichten, op zoek naar familiegelijkenis, maar ook dat leverde niet veel op.

Hij scande de foto in de computer, opende PhotoShop en speelde een tijdje met het contrast. Vervolgens downloadde hij een programma dat hij eerder had gebruikt om dit soort foto's met behulp van statistische methoden te verbeteren. Nu kon hij de familie beter zien, en nu was ook duidelijk dat het inderdaad familie wás. Dit moest Carolyns zus zijn, of op zijn minst een nicht, en de twee kinderen waren duidelijk familie van elkaar of van beide vrouwen. Crosetti zou niet precies kunnen zeggen waarom hij dat wist, maar hij kwam uit een grote familie en uit een maatschappelijke en etnische bevolkingsgroep waarin grote families veel voorkwamen, en hij voelde instinctief aan dat het klopte.

De ansichtkaart had het opschrift CAMP WYANDOTTE, 'geschreven' in wat voor berkentakken moest doorgaan. Je zag een bergmeer met naaldbossen eromheen, een haventje en jongens die aan het kanovaren waren. Op de achterkant zat een poststempel van drie jaar oud en stond in kinderlijke blokletters: 'Lieve Mammie Het is leuk in het kamp. We hebben een slang gevangen. Ik hou van je Emmett.' De kaart was met een volwassen handschrift geadresseerd aan mevrouw H. Olerud, 161 Tower Rd., Braddock PA 16571.

Crosetti draaide zich naar de computer en goochelde een kaart tevoorschijn met het adres. Het bleek om het westen van Pennsylvania te gaan, om de omgeving van de plaats Erie. Hij liet Google Earth op het adres inzoomen en zag het dak van een bescheiden houten huis met bijgebouwen, omringd door bomen en struiken. Toen hij uitzoomde, zag hij een semilandelijke wijk zoals je die rond de kleinere, ingedutte stadjes van de Amerikaanse Rust Belt wel meer ziet: percelen van twee hectare, kapotte auto's en machines in de tuinen, houtstapels; armoedige plaatsen waar mensen wonen die vroeger een goede baan in de industrie of de mijnbouw hadden en nu nog maar net het hoofd boven water kunnen houden met baantjes van niks. Had zo'n milieu het exotische wezen voortgebracht dat Rolly was? Hij keek nog eens naar de foto van de twee vrouwen en de kinderen op de speelplaats en wou dat ze dertig jaar verder waren en Google Earth (daar was hij van overtuigd) je ook het interieur van alle huizen kon laten zien en je de gezichten van alle bewoners van de planeet liet bestuderen. Zoals het nu was, zou hij op reis moeten.

DE BRIEF VAN BRACEGIRDLE (8)

We bevoeren de zee met goede wind tot 23 juli toen de hemel zwart als nacht werd & zware wind opstak. De vloot geheel verstrooid & ons schip voer op een rots & brak doch door de Genade Gods kwam geen om behalve drie mannen & Heer Tolliver een van hen, God zij zijn ziel genadig & nu is zijn gepieker over want hij ziet Hem oog in oog. De storm gaande liggen wij hadden grote angst want wij waren op de Bermoothes, dat alle zeelieden Eiland der Duivelen noemen, daar wilden zijnde die mensenvlees eten althans dat dacht men. Doch wij geland zijnde hadden geen keus & vonden geen wilden maar een plaats gelijk het Paradijs, wateren, velden, vruchtbomen et cetera met aangename bloemrijke lucht zeer zoet. Goed cederhout tierde welig & wij bouwden twee boten voor ons allen & verbleven aldaar bijna een jaar alvorens uit te varen & ik kreeg veel eer voor sturen op de sterren en Zon & kwamen met hulpe des Heren op 23 mei het jaar Tien in Jamestown aan. Heel dit verhaal is verkondigd in boeken gewrocht door Heer Wm Strachey van ons gezelschap gelijk ge hebt gelezen, alzo ik zeg niets meer hiervan.

Nu met het eerste schip terugkerende naar Engeland, landende te Plymouth de Zesde Juli & wenste naar Londen te gaan, want ik verlangde mijn wissel in gouden munt te veranderen bij de rekenkamer eens Joods & uwe vader tonen een goed man te zijn voor mijn lieve Nan. Alzo reisde ik daags daarna per boot & vond mijn Jood en liep trots met een zware beurs; maar vervolgens in de Iron Man komende & vragende, hoorde ik dat gij enige maanden tevoren gehuwd was met Thomas Finch vishandelaar te Puddyng Lane.

Mijn hart was zwaar want ik hadde al mijn hoop op dat huwelijk gevestigd, hebbende ik nu familie noch vrienden noch huis & daarnevens hadden Heer Tollivers gedachten mijn oude geloof in de zuivere

161

religie tot niets gesleten & wist niet wat te denken doch peinsde ik was verdoemd tot de Hel & gaf daar niet om, of niet veel. Alzo gaan zielen verloren. Niettemin had ik goud & vrienden van een soort die immer daar zijn als ge het hebt, en zo slempte ik vele weken Nan, ik wou ik hadde dat niet gedaan en zal niet zeggen welke schandelijke dingen ik deed in die tijden maar werd op een ochtend wakker in Plymouth in het bed ener slet & 2s. 3d. was al hetgeen ik in de beurs had. Nu was onder mijn medezotten ene Cranshaw die zich een heer van de kust noemde, zijnde een smokkelaar & hij zeide gij zijt een sterke kerel Richard & kent de zee, kom, wij worden samen rijk brengende kanariewijn, rijnwijn & andere goederen van zee naar land. Alzo deden wij enige tijd. Doch Cranshaw zijnde evenzeer verzot op drinken van wijn als op het verkopen daarvan & werkte zo slecht & stuntelig, pochende in taveernes & dergelijke dat op een nacht de kustwacht ons vatte & in boeien sloeg & alzo werden wij in de Tower geworpen.

Daar kwam Heer Hastynges & bezocht mij & zeide jongen gij zijt voor het touw voorzeker niets kan u redden, gevat met smokkelgoederen: hoe dwaas zijt gij – waarom kwaamt ge niet naar mij, zal ik u werk misgunnen? En ik was zeer beschaamd zo diep gezonken zijnde. Echter ik bad weer hetgeen ik in lange tijd niet had gedaan & het verschafte mij troost, me dunkt Gods genade zou wellicht zelfs een als mij redden, want Christus kwam zondaren redden niet rechtvaardigen.

Nu Nan ge weet dit alles of bijna alles, en ik schreef dit voor jonge Richard opdat ik vaderlijk tot hem spreek vanuit het Graf: maar thans zal ik zeggen wat geen mens weet behalve zij die erbij waren & ik alleen leef nog. Op een morgen, ik liggende in smerig stro in ketenen & denkende hoeveel beter het ware geketend te zijn om Gods wille & wensende ik was een van hen derhalve niet een rovende schurk, daar komt een wachter, zeggende sta op & hij maakt mijn boeien los & verschaft water om te wassen & scheren & nieuwe kleren. Alzo hij wenkt & ik moet volgen. Naar een kleine kamer in de White Tower, nieuwe biezen op de vloer & een goed vuur, tafel & stoelen & vlees op de tafel & wijn in koppen & een man daar, een vreemde zeggende zit, eet.

9

'Goh, dat spijt me,' hijgde ze, en ze maakte zich verward van me los. 'Je moet me wel afschuwelijk vinden. Ik weet niet eens waarom ik dat deed.'

'Een instinctieve reactie? Omdat je aan gevaar ontkomen was?' opperde ik. 'Een soort aangeboren reflex. De man redt de vrouw van gevaar en brengt de mammoetkoteletten in veiligheid, en de vrouw beloont hem met seksueel vertoon.' Na een korte stilte voegde ik eraan toe: 'Het was vast niets persoonlijks,' hopend op het tegendeel. Ze keek me alleen maar aan. Ik maakte de deur van het gebouw open. 'Gaat het? Je bent niet gewond?'

'Een beetje gekneusd. En mijn knieën zijn geschaafd. Au!' Ze wankelde bevend tegen me aan.

'We moeten drie trappen op.' Ik sloeg mijn arm om haar schouders. 'Kun je lopen?'

'Ik weet het niet. Ik werd helemaal zwak in mijn knieën.'

'Dat komt door de adrenaline. Kom, laat me je helpen.' Ik nam haar in mijn armen zoals mannen hun bruid over de drempel dragen en ging de trap op. Ze liet zich tegen me aan zakken en maakte geen bezwaar. Zelf was ik nog duizelig van de kus.

Ik zette haar op de bank, schonk cognac voor ons beiden in en haalde mijn EHBO-kistje en een plastic zak met ijs. Ze had haar verwoeste nylonkousen uitgetrokken en haar rok opgehesen, zodat haar naakte dijen te zien waren. Ik gaf haar de ijszak om hem te gebruiken voor de kneuzingen die er blijkbaar het meest behoefte aan hadden, terwijl ik haar knieën schoonmaakte en verbond zoals ik lang geleden in het leger had geleerd. Ik moest me vrij dicht naar haar toe buigen om het straatgruis te verwijderen. De erotische lading die nu door me heen ging was bijna ondraaglijk, mijn gezicht zo dichtbij, slechts enkele centimeters verwijderd van haar heerlijke dijen, die enigszins van elkaar kwamen zodat ik haar kon helpen. Ik verbeeldde me dat zij dat ook voelde, maar ze zei niets, en ik kon me er nog net van weerhouden om met mijn hoofd in de schaduw van die opgehesen rok te duiken. Ik denk dat ik nog wat langer in die verrukkelijke spanning wilde verkeren, iets waarvan ik had genoten toen ik Amalie het hof maakte en wat de meesten van ons in deze tijd van nonchalante copulatie zijn kwijtgeraakt.

Ze zei niets terwijl ik met haar bezig was. Toen het verband om haar knie zat, bedankte ze me en vroeg: 'Wat deed je met die kerel? Een soort judo?'

Ik antwoordde dat ik niets van vechtsport wist maar alleen erg sterk was, en legde uit hoe dat kwam. Ze hoorde het zonder commentaar aan en vroeg of ik een van de straatrovers kende.

'Nee, natuurlijk niet. Jij?'

'Nee, maar ik dacht dat een van hen dezelfde persoon was die laatst naar me keek, die grote die je met zijn vriend op zijn kop sloeg. Het leek me ook dezelfde suv. Spraken ze niet Russisch?'

'Ik geloof van wel. Ik spreek het zelf niet, maar ik ga naar een sportschool met een Russische eigenaar en ik hoor die taal veel. En die man die jou belde had een accent…'

Nu draaide ze zich om naar de rugleuning van de bank en hield een kussentje over haar hoofd. Er kwamen gesmoorde geluiden onder vandaan.

Zijn al deze details belangrijk? Wat maakt het nu nog uit wat de een tegen de ander zei? Voor de goede orde: ze huilde en ik troostte haar. En ja, ik ben wel zo'n ploert dat ik een vrouw verleid wanneer ze in paniek verkeert en van mij afhankelijk is. Ze zuchtte en viel tegen me aan, haar mond tegen mijn hals. Ik tilde haar op en droeg haar naar de slaapkamer van mijn dochter. Ik legde haar op het bed en trok zorgvuldig haar kleren uit, haar blouse, rok, beha, slipje. Ze hielp niet erg maar maakte ook geen bezwaar. Ik moet zeggen dat het vrijen ondanks mijn vurigheid lang niet in de top 40 kwam. Ze haalde het niet bij Amalie, al leken hun lichamen opmerkelijk veel op elkaar, de musculatuur en structuur van de armen en benen, de spitse roze tepels.

Miranda lag er niet echt comateus bij, maar wel als iemand die droomt, met haar ogen dicht. Er was iets aan de gang, want ze maakte die kleine puffende geluiden met haar lippen die sommige vrouwen maken als ze seksueel genot ondergaan, en ze kwam een paar keer met haar hoofd van het kussen, haar brede voorhoofd diep gerimpeld alsof ze aan een tv-quiz deelnam en zich concentreerde. Uiteindelijk slaakte ze één enkele scherpe kreet, als een klein hondje dat onder een auto terechtkomt. Toen rolde ze zich zonder een woord te zeggen om en viel ze blijkbaar in slaap, zoals een man doet die al jaren getrouwd is.

Aan de andere kant is de eerste keer met iemand soms een blindganger.

Ik kuste haar op de wang (geen reactie) en legde een dekbed over haar heen. De volgende morgen hoorde ik de douche al vroeg, en toen ik in de keuken kwam, zat ze daar al met al haar kleren aan. Ze zag er fris uit en vroeg of we ergens een paar nylonkousen konden kopen. Geen commentaar op de seksuele gebeurtenissen van de vorige avond en niets van de fysieke vertrouwdheid die je min of meer verwacht na een nummertje van welke kwaliteit ook. Zelf bracht ik dat op dat moment ook niet ter sprake.

Ik moet zijn ingedommeld, want het is licht en ik zie op mijn horloge dat het zes uur 's morgens is. Er hangt een dichte mist over het meer en de dauw glanst op elk blad en elke naald van de bomen. De opkomende zon is niet meer dan een lichtroze schijnsel in de wolken aan de oostkant van het meer. Heel vreemd en onwerelds, alsof je binnen in een parel zit. Mijn pistool ligt opengemaakt op het bureau, het magazijn verwijderd en de zeven glanzende 9mm Parabellum-patronen op een rij als speelgoedsoldaatjes. Ik kan me niet herinneren dat ik dat heb gedaan. Kan het in mijn slaap zijn gebeurd? Misschien word ik een beetje gek. Dat zou dan komen door de spanning, het slaapgebrek en mijn totaal verwoeste leven. Zeven patronen. Het waren er oorspronkelijk acht.

Weet je, je leest in de krant over mensen die een vuurwapen in huis hebben, en dan krijgen hun kinderen het in handen en doen er iets verschrikkelijks mee. Daar zou je van kunnen leren dat kinderen het wapen altijd vinden, hoe goed de ouder het ook heeft verstopt, maar voor zover ik weet heeft niemand van ons ooit het *Pistole 08* van onze moeder gevonden. Niemand van ons wist zelfs dat ze het had. Ik denk dat ze geniaal was in het verstoppen van dingen, een eigenschap die haar kinderen tot op zekere hoogte hebben geërfd. Mijn broer en zus weten niet dat ik het pistool heb, of misschien weten ze het wel en houden ze die kennis verborgen. Er kwam het een en ander aan te pas, want formeel is het een wapen waarvoor geen vergunning is uitgegeven, maar als je connecties hebt in de stad New York, krijg je meestal wel wat je wilt, en ten tijde van de dood van mijn moeder werkte ik voor een van die connecties, een stijlvolle juridische heer, Benjamin Sobel. Toen ik hem de situatie uitlegde, zorgde hij ervoor dat de politie me het ding teruggaf, al zei ik niets over de herkomst ervan. Een waardevol souvenir uit de oorlog, zei ik, dat ik kon verkopen om de uitvaart te betalen. Maar ik verkocht het niet, en die kosten vielen wel mee. Paul zat in de gevangenis en Miri zat op iemands jacht, en dus zat er maar een klein groepje vreemden in de goedkope aula: wat mensen van haar kerk en van haar werk in het ziekenhuis, en ik. Haar priester bleef weg, ik neem aan vanwege de omstandigheden van haar dood, een van de zonden die ik mijn kerk nog niet heb vergeven.

Ik bewaarde haar as in een blik in mijn appartement, tot ik mijn eerste baan kreeg, en toen kocht ik een nis voor haar in een gemeentelijk praalgraf op de Green-Wood-begraafplaats in Brooklyn, niet te ver van Albert Anastasia, Joe Gallo en L. Frank Baum, de auteur van *The Wonderful Wizard of Oz*, dus ze is in goed gezelschap. Ik denk dat ik haar heb vergeven, maar hoe kun je dat ooit nagaan? Daar ben ik nog niet uit. Ik weet dat ze het op dat moment deed omdat ze wist dat ik die zaterdagmiddag op de terugweg naar Brooklyn was. Als Officiële Goede Zoon onderwierp ik me vaak aan de mis in de St. Jerome, die voorafgegaan en gevolgd werd door machtige Duitse maaltijden en avonden tv-kijken of kaarten. Op deze specifieke zaterdag had ze het eten zelfs al opgezet – tong in zoetzuur met noedels, een van mijn favoriete gerechten – en de geur daarvan had zich door het hele appartement verspreid toen ik de keuken binnenkwam en haar vond. Ze had kranten rondom de stoel waarin ze zat gelegd om geen rommel te maken als ze de loop in haar mond stak en de trekker overhaalde.

Ik vertel dit om te laten zien dat ik bijna volkomen ongevoelig ben voor wat er in mijn naasten omgaat, en dat zou je een sleutel tot sommige aspecten van dit verhaal kunnen noemen. Ik had echt geen idee gehad, al zag ik die arme Mutti bijna wekelijks. Ja, Ermentrude liet zich nooit in de kaart kijken, maar evengoed, had ik echt niets kunnen vermoeden? Een terminale depressie? Ik had geen flauw idee, en er was ook geen briefje. Vierenveertig jaar oud.

Vroeger, voordat ik aan mijn vreselijke puberteit begon, hadden we een ongewoon nauwe band. In mijn negende jaar was ik door een gelukkig toeval vroeg vrij van school, en omdat mijn moeder late dienst had in het ziekenhuis, konden we om de twee weken bij elkaar komen voor wat oedipaal theater. Op die dagen maakte ze lekkere dingen voor me klaar: heerlijke Beierse hapjes vol noten, kaneel, rozijnen, en dat weer in flinterdun bladerdeeg, en de geur kwam me al tegemoet wanneer ik uit de naar urine stinkende lift was gestapt, als een voorbode van het paradijs. En dan praatten we, of beter gezegd, zij praatte. Ze haalde vooral herinneringen op aan haar meisjestijd, haar schitterende meisjestijd in het Nieuwe Duitsland: de muziek, de parades, hoe mooi de mannen er in hun uniform uitzagen, hoe geweldig haar vader was, hoe aardig iedereen voor haar was. Ze mocht zelfs een van die blondjes zijn die je op oude journaalbeelden bloemen aan de Führer ziet presenteren wanneer die een officieel bezoek bracht. Dat was geregeld via de contacten van haar vader in de Partij, en ze herinnerde zich alle bijzonderheden; hoe trots ze was, en dat de Führer haar kleine gezichtje in zijn hand had genomen en een klopje op haar wang had gegeven. Ja, de wang die ik elke dag kuste. Jake de geluksvogel!

Over de lelijke dingen die later gebeurden werd niet veel gepraat. Iek denk niet graag aan die taid, zei ze, alleen aan de blaie taiden wiel ik denken. Maar ik drong aan en hoorde over de ratten en vliegen, de afwezigheid van huisdieren, de stank, hoe het was om een bombardement mee te maken, nog meer over de geuren, de ontplofte lichamen van haar vrienden en hun ouders, de merkwaardige combinaties die door de explosies ontstonden, de badkuip die door een muur van de school was gevlogen en op de tafel van de meester terecht was gekomen. Wat hadden de kinderen gelachen!

Toen ik haar spullen opruimde, vond ik een schat aan familiesouvenirs die ze ons nooit had laten zien maar die ze in haar koffer met zich mee moest hebben gedragen toen ze pa leerde kennen: brieven van de verschillende fronten naar huis, foto's van de familie, schooldiploma's, ansichtkaarten. Er zaten natuurlijk veel nazidingen bij: ss-onderscheidingen, de medailles van mijn opa en het rozenhouten presentatiekistje voor het pistool. Eén foto in het bijzonder heb ik gered en later laten inlijsten; hij staat nog in mijn slaapkamer. Hij is van haar familie, kort voor het begin van de oorlog, in een badplaats. Ze is tien of elf, zo mooi als een nimf, en haar twee oudere broers staan daar in hun ouderwetse dikke badpakken blond te zijn en in de zon te grijnzen. Mijn oma ziet er heel slank uit in een badpak uit een stuk, lachend en achteroverleunend in een strandstoel. Over haar heen buigt zich, onder het vertellen van een grap, de toenmalige Hauptsturmführer ss Stieff. Zo te zien is hij van zijn werk naar het strand gekomen, want hij is in hemdsmouwen en das gekleed en heeft zijn uniformjas, de bijbehorende attributen en zijn pet in zijn hand, en je moet al heel goed kijken om te zien wat voor uniform het is.

Ik hou van die foto, want ze zien er allemaal zo gelukkig uit, al leefden ze onder het ergste regime uit de menselijke geschiedenis en werkte de vader van het gezin voor een organisatie die op genocide uit was. Zulke foto's zijn er niet van mijn familie, want hoewel we onze gezellige tijden hadden, hield mijn vader niet van foto's en had hij er in tegenstelling tot wijlen zijn schoonvader een hekel aan om op film vereeuwigd te worden. De enige familiefoto's die we hebben, zijn stijve portretten die op onze verjaardagen in warenhuizen zijn genomen, foto's die bij andere bijzondere gelegenheden zijn gemaakt: eerste communies, diploma-uitreikingen enzovoort, en een heleboel kiekjes die door buren of vreemden zijn gemaakt, want zoals ik al zei is mijn hele familie, met uitzondering van mijzelf, uitgesproken fotogeniek.

Nee, laten we ons losmaken van het verre verleden (kon dat maar!) en terugkeren tot het eigenlijke verhaal. Miranda en ik waren het erover eens dat ze niet alleen gelaten kon worden. Ik zorgde ervoor dat Omar haar kwam beschermen, en ook dat hij bleef slapen en een beetje extra vuurkracht kon inzetten voor het geval ze opnieuw iets probeerden als ze hadden ontdekt dat de aktetas niet de gewenste inhoud had. Daarmee hadden we nog geen antwoord op de vraag waarom Russisch sprekende gangsters zich voor de persoonlijke geschiedenis van Richard Bracegirdle waren gaan interesseren. Kon Bulstrode hen al langer kennen? Ik vroeg het Miranda en ze keek me aan alsof ik gek was. Oom Andrew kende bijna alleen maar wetenschappers in New York en hij had het zelfs nooit over Russen gehad, crimineel of anderszins. Zouden het dan gangsters zijn die op eigen houtje opereerden? Dat was waarschijnlijker. Ondanks alles wat je op tv ziet is de georganiseerde misdaad in de afgelopen decennia enigszins Russischer geworden: de Mafiya wordt het genoemd, maar niet door de Russen. Iemand die op zoek was gegaan naar zware jongens, bottenbrekers, folteraars, had ze blijkbaar gevonden. Het was nog steeds duister wie die persoon was, maar het was niet onze taak om hem te vinden, zoals ik Miranda nu uitlegde. We moesten er allereerst voor zorgen dat zij veilig was, en dat kon Omar wel aan. Verder moesten we de nieuwste ontwikkelingen aan de politie doorgeven.

Om een uur of acht kwam een zekere Rashid van een autoverhuurbedrijf om me naar mijn werk te rijden. Ik liet Omar bij Miranda in het zolderappartement achter, met de opdracht haar niet uit het oog te verliezen, en ik gaf hem niet de kans op te sommen welke wapens hij allemaal bij zich had. Dat wilde ik niet weten. Op kantoor aangekomen belde ik rechercheur Murray en vertelde hem wat er de vorige avond was gebeurd. Hij vroeg of ik het kenteken van de auto wist en ik zei van niet, en hij zei dat hij niet veel aan diefstal van een aktetas kon doen en dat hij me zou doorverbinden met een agent die me een zaaknummer voor mijn verzekering zou geven. Ik wond me daar een beetje over op en zei dat dit incident te maken moest hebben met de moord op Andrew Bulstrode, die hij geacht werd te onderzoeken. Toen werd het even stil en daarna vroeg de rechercheur met oeverloos geduld waarom ik dat dacht. En toen vertelde ik hem over mevrouw Kellogg, en dat iemand met een accent een oud manuscript van haar probeerde te krijgen, een manuscript dat in het bezit van Bulstrode was geweest; en dat de mannen die ons hadden aangevallen een taal hadden gesproken die op Russisch leek, en dat het allemaal met elkaar in verband moest staan. Hij vroeg me wat dat manuscript waard was en ik vertelde hem dat Bulstrode het voor een paar duizend dollar had gekocht, maar...

En nu hield ik me in, want de rest was pure speculatie, die hele Shakespeare-kwestie, en ik wist hoe het op een rechercheur zou overkomen. Daarom maakte ik nogal lusteloos een eind aan het gesprek. Ik moest me in de wacht laten zetten, en toen ik eindelijk weer iemand aan de lijn had, deed ik aangifte van de diefstal van mijn tas bij een verveelde man, die me een zaaknummer gaf. Toen belde ik J. Ping om te horen hoe het met Bulstrodes testament was gesteld. Ze zag geen moeilijkheden, alles was volkomen in orde en de rechtbank zou het over een maand goedkeuren. Ze vroeg me of er veel haast bij was, en ik zei nee, integendeel, helemaal geen haast. Het stoffelijk overschot, hoorde ik, zou die dag worden overgevlogen naar een zekere Oliver March, vermoedelijk de oude vriend over wie ik had gehoord.

Volgens mijn agenda sloeg ik de lunch die dag over en ging ik naar de sportschool, al was het niet mijn gebruikelijke sportschooldag. Ik wilde met iemand over Russen praten, en de sportschool was de beste plaats die ik daarvoor tot mijn beschikking had. Maar toen ik daar aankwam, zei Arkady meteen dat hij met mij wilde praten. Hij nam me mee naar zijn kleine kantoortje, een kleine ruimte met projecttapijt en nauwelijks ruimte voor een bureau en twee stoelen; een bureau dat bijna onzichtbaar was onder een massa gewichtheftijdschriften, defect materiaal en voedingssupplementen, waarvan sommige zelfs op de Olympische Spelen gebruikt mochten worden. Er stond ook een vitrinekast met Arkady's opmerkelijke verzameling medailles en bekers – de oude Sovjet-Unie was niet krenterig geweest als het op haar lievelingen aankwam – en aan de muren hingen meer foto's van overwinningen dan ik zelf bezat. Arkady Demichevski is breed en harig, met een nek van vijftig centimeter in omtrek en bruine oogjes die diep in hun kassen liggen. Hij ziet eruit als een neanderthaler, maar is een beschaafde, ontwikkelde en vriendelijke man met veel gevoel voor humor. Die dag was hij bijzonder serieus voor zijn doen.

'Jake,' zei hij, 'we moeten praten.'

Ik gaf te kennen dat hij het woord had en constateerde dat hij me niet recht in de ogen wilde kijken. 'Jake, je weet, het kan mij niet schelen wat mensen die naar sportschool komen daarbuiten doen. Is eigen leven, ja? Gedragen zich goed, ze mogen blijven, zo niet…' Bij deze woorden gooide hij een denkbeeldig voorwerp over zijn schouder en maakte een ritsgeluid. 'Dus, Jake, ik ken je al heel lang en ik vind het erg je te vragen of je betrokken bent bij… bij… záken met slechte mensen.'

'Dat zouden dan slechte Russische mensen zijn?'

'Ja! Gangsters. Wat gebeurde er, eergisteren ging ik 's avonds naar club in Brighton Beach. Voor mensen uit Odessa, ja? Russisch bad, kaarten, beetje drinken. In stoombad kwamen er twee bij me zitten, ze hadden die tatoeages, draken, tijgers, daaraan zie je dat het *zeks* zijn, uit gevangenis in Siberië, zijn ze trots op, weet je. Dit zijn helemaal geen beschaafde mensen. Ze vragen mij, ken ik Jake Mishkin? Ik zeg ja, ik zeg, Jake Mishkin is een goede fatsoenlijke Amerikaanse burger, gewichtheffer zwaarste klasse. Ze zeggen, kan ons niet schelen, wij willen weten wat hij doet, kent hij mensen, wat is zijn werk? Ik zeg, hé, ik zie hem in sportschool, ik ben niet collega van hem. Dan willen ze andere dingen weten, allerlei dingen, ik begrijp niet wat ze zeggen, een vrouw, naam ken ik niet, Corn Flakes of zoiets, dus ik zeg…'

'Cornflakes?'

'Ja, zo'n naam, op de doos, weet niet meer…'

'Kellogg.'

'Ja! Is Kellogg. Ik zeg, ik ken geen Kellogg. Ik weet niet van zaken van Jake Mishkin en ik wil niet weten, en ze zeggen, ik moet oren openhouden en dingen te weten komen over die Kellogg en Jake Mishkin. Dus wat doe ik? Ik praat met jou als man: Jake, wat is er met jou, plotseling gangsters?'

'Ik weet het niet, Arkady,' zei ik. 'Ik wou dat ik het wist.' Waarop ik hem vertelde over de aanval op mij en mevrouw Kellogg en de diefstal van de aktetas, al vertelde ik er niet bij wat daarin had kunnen zitten. Maar per slot van rekening was Arkady een Rus. Hij streek over zijn kin en knikte.

'Dus wat is in aktetas, Jake? Is niet drugs?'

'Is niet drugs. Is papieren.'

'Je kunt die geven, dan laten ze je met rust?'

'Dat kan ik niet doen. Het is een lang verhaal, maar ik zou graag willen weten voor wie die zeks werken, als je daar een idee van hebt.'

'Je hebt het niet van mij gehoord,' zei Arkady. Hij beet op zijn lip en keek schichtig in het rond. Toen ik hem zo zag, die grote, zelfverzekerde man zo nerveus als een klein vogeltje, kwam dat bijna net zo hard aan als de aanval van die gangsters. Na een korte stilte zei hij met hese stem: 'Ze werken voor Osip Shvanov. De Organizatsia.'

'De wie?'

'In Brighton Beach. Joodse gangsters. Je weet daarvan? Twintig jaar geleden, de Amerikanen zeggen tegen Sovjets, jullie houden joden tegen hun wil vast, dat is als nazi's, jullie vervolgen joden, laat hen gaan. En dus zeggen de Sovjets, oké, jullie willen joden, jullie krijgen joden. Dan gaan ze naar goelag en halen elke crimineel met "jood" op zijn paspoort, ze zeggen, jij gaat naar Amerika, jij gaat naar Israël, goede reis. En dus komen ze hier. Natuurlijk waren meeste joden uit Sovjet-Unie gewone mensen, mijn boekhouder is een van hen, heel aardige man, maar ook erg veel criminelen, en die gaan doen wat ze vroeger deden, hoeren hebben ze, porno, drugs, noem maar op, afpersing. Dit zijn heel slechte mensen, als die Soprano's op televisie, maar de Soprano's zijn dom en deze zijn heel slim, zijn jóden! En Osip is ergste van allemaal.'

'Nou,' zei ik, 'bedankt voor die informatie, Arkady.' En ik stond op om weg te gaan, maar hij maakte een gebaar om me tegen te houden en voegde eraan toe: 'Ze komen hier ook. Deze mannen, gistermorgen, en vragen mij of jij hier vandaag komt, en ze zitten maar. Ik kon niet lunchen, ze kijken naar mij als dieren. Dus, Jake, het spijt me, maar ik denk, je moet hier niet meer komen trainen. Ik geef contributie terug. Niet persoonlijk bedoeld.'

'Je gooit me eruit? Ik kom hier al bijna twintig jaar, Arkady.'

'Ik weet, ik weet, maar je kunt naar andere plaatsen, je kunt naar Bodyshop…'

'Wat! Bodyshop is voor mooie jongens en meisjes in designpakjes en dikke kerels die op de tredmolen de *Wall Street Journal* lopen te lezen. Bodyshop is klote.'

'Dan ergens anders. Als je hier blijft komen, dwingen ze mij je te bespioneren en als ik nee zeg… Ik wil niet dat mijn zaak in brand vliegt en ik heb gezin. Ik meen het, Jake. Jij kent die mensen niet. Als je iets hebt wat ze willen, raad ik je aan: geef het.'

Ik begreep wat Arkady bedoelde. We gaven elkaar een hand en ik ging weg met mijn spullen in een Nike-tas. Ik had het gevoel alsof ik van school was gestuurd omdat iemand anders had gespiekt. Maar toen hij zijn gezin noemde, had dat doel getroffen. Ik herinnerde me dat ik er ook een had.

In mijn agenda staat simpelweg 'A' bij half zeven van de dag in kwestie, de eerste woensdag in november. Het was dus mijn avond om en famille bij mijn ex-vrouw aan East 76th Street te dineren. Dat is onze afspraak: de eerste woensdag van elke maand. Eigenlijk niet 'ex', want officieel, in de ogen van de staat, de kerk en mijn vrouw, zijn we nog steeds getrouwd. Amalie wil geen officiële scheiding, deels uit religieuze overwegingen maar vooral omdat ze denkt dat we weer bij elkaar komen als ik van mijn geestesziekte genezen ben. Ze zou het schandelijk vinden mij te verlaten terwijl ik nog aan die ziekte lijd, en daarbij doet het er niet toe dat mijn geestesziekte schuinsmarcheerderij is. Ik weet niet of iemand anders zo'n soort relatie heeft, al zullen we vast niet uniek zijn. De drie andere partners van mijn advocatenfirma hebben, geloof ik, in totaal acht vrouwen, en in alle gevallen heb ik de hele litanie te horen gekregen: de waanzin, de venijnige wraakacties, de manipulatie van kinderen, de financiële afpersing, kortom verhalen over het huwelijk als hel, en ik kan daar eigenlijk niets tegenoverstellen. Ik lijd verschrikkelijk, maar dat is meer mijn eigen schuld dan dat mijn vrouw me zoveel kwaad doet, want ze is edelmoedig, vriendelijk en vergevingsgezind, en dus moet ik de hele last zelf dragen. Jezus had wel gelijk, weet je: als je de boosdoeners wilt laten lijden, moet je aardig voor ze zijn.

Deze etentjes zijn daar een voorbeeld van. Wat zou beschaafder kunnen zijn? Een gezin gaat aan tafel en laat zien dat er ondanks alle problemen tussen mammie en pappie nog liefde is; de pappie die het gezin heeft verlaten houdt nog steeds heel veel van hen, of om het anders te stellen (zoals ik het mijn dochter kortgeleden aan haar broer hoorde uitleggen): 'Papa wipt liever met dames dan dat hij bij ons blijft.' Mijn schuld, mijn schuld! Zelfs de kinderen kunnen het zien; zelfs Niko, die niet meer dan vage belangstelling voor andere mensen heeft, kan dit feit in de enorme bibliotheek van zijn gedachten opnemen en daarbij minachting voelen, vooropgesteld dat hij tot gevoelens in staat is.

Ik weet dat het geen zin heeft om met dames te wippen, en mijn vrouw weet dat ook, want ik geloof dat ik al heb gezegd dat Amalie op dat punt het hoogtepunt van verrukking is. Hoe weet ze dat ze aan de top staat, terwijl ze buiten mij zo weinig ervaring heeft? Antwoord: ze is goed bevriend, zéér goed bevriend met mijn zus, die een wandelende encyclopedie van het neuken is, en ik geloof dat ze Miri met haar klinische Zwitserse eerlijkheid alle intieme details van ons seksleven heeft verteld, en Miri heeft haar verzekerd dat ze in dat opzicht niets tekortkomt, en ook dat ik de Grootste Klootzak van het Westelijk Halfrond zou zijn als ik zoiets liet schieten. Ik kan er niet tegen, maar ik ga toch steeds weer naar die afschuwelijke maaltijd. Misschien om boete te doen. Maar het werkt niet.

Voordat ik erheen ging, liet ik mijn chauffeur me, zoals vaak bij die gelegenheden (misschien bij wijze van boetedoening), naar een obscuur winkeltje aan First Avenue rijden waar ze heel dure orchideeën verkopen, en ik kocht er een voor Amalie. Ze verzamelt ze, en hoewel ze met haar eigen geld de Amazone zelf leeg zou kunnen kopen, vind ik het toch een mooi gebaar. Deze was lichtgroen met magenta spikkels op de bloem, die ongewoon veel gelijkenis met schaamdelen vertoonde, een *Paphiopedilum hanoiensis*, bedreigd in Vietnam, waar hij inheems is en zo illegaal als de pest. Amalie weet vast wel dat die orchideeën gesmokkeld worden, maar ze neemt ze altijd aan, en het doet me een pervers genoegen om mijn heilige door haar verlangen naar bloemen gecorrumpeerd te zien worden.

Rashid zette me af, en zodra ik aanbelde werd er opengedaan door Lourdes Munoz, het dienstmeisje van mijn vrouw, uit El Salvador gevlucht toen het daar nog oorlog was. Amalie heeft via een van haar charitatieve organisaties in feite haar leven gered, en in tegenstelling tot het gezegde dat geen goede daad ooit ongestraft blijft, dat bij mij altijd uitkomt, had deze altruïstische goedheid haar het ideale dienst- en kindermeisje opgeleverd. Lourdes vertrouwt mij niet en heeft daarin gelijk gekregen. Ik krijg het gebruikelijke ijzige gezicht te zien, laat haar mijn regenjas aannemen en ga met mijn orchidee het huis van mijn vrouw binnen.

Ik hoorde gelach uit de huiskamer komen en ging erheen, zij het een beetje schoorvoetend, want ik had de luidste stem herkend en wist wie de bron van de pret was. Het familietableau, minus pa: Amalie in haar werkkleding, zijden blouse en donkere broek, haar haar in goudgele rollen opgestoken, in haar leren hangstoel met haar voeten onder zich. Op een leren bank zo zacht als dijen zit Miri, mijn zus, en aan weerskanten van haar mijn kinderen; Miri en Imogen zo mooi als de dageraad, roze en blond, en dan is er die arme Niko, onze donkere kleine Nibelung. Beide kinderen zijn gek op hun tante Miri. Imogen omdat ze altijd verhalen over beroemdheden heeft. Miri kent iedereen (dat wil zeggen, iedereen die rijk en beroemd is) in New York en ook velen in Londen, Rome, Parijs en Hollywood, en soms lijkt het wel of ze getrouwd is geweest of een verhouding heeft gehad met zo'n tien procent van de bevolking. Ze heeft een Rolodex zo groot als het neuswiel van een 747.

Niko is gek op haar omdat Miri korte tijd getrouwd is geweest met een van de beroemdste goochelaars ter wereld en in die tijd trucs van hem heeft geleerd; en goochelen fascineert hem. Ze beweerde dat de man net zo dom was als die konijnen die hij uit zijn hoed toverde, en als hij dingen kon laten verdwijnen, kon zij dat ook. Ze is er vrij goed in, want het is meestal moeilijk Niko's aandacht te trekken en ze kan dat bijna net zo goed als Amalie of Lourdes. Bovendien houdt ze onnoemelijk veel van hen; blijkbaar kan ze zelf geen kinderen krijgen en vindt ze het ontzaglijk leuk om tante te zijn.

De hilariteit stierf weg toen ik de kamer binnenkwam. Ze keken allemaal naar mij, allemaal op hun eigen manier, behalve Niko, die bijna nooit naar me kijkt. Hij staarde nog naar de handen van mijn zus, die bijna gedachteloos een stel gekleurde sponsballetjes liet ronddraaien en verdwijnen. Mijn dochter daagde me met haar blik uit iets te zijn wat ik niet was, een volmaakte vader om haar eigen volmaaktheid aan te vullen, en zoals gewoonlijk was de blik van mijn zus ironisch en tolerant. Ze is niet meer de mooiste vrouw van de stad, maar ze is nog steeds opvallend en ziet kans om haar uiterlijk zodanig te conserveren en verbeteren als de geneeskunde en de mode toestaan. Wat Amalie betreft, die kan het niet helpen: ze kijkt me altijd met een liefdevolle glimlach aan, tot ze zich weer van de situatie bewust is en zich achter haar formele Zwitserse houding terugtrekt. Twee kinderen en de spanningen van een huwelijk met mij hebben zacht vlees aan haar lichaam en lijnen aan haar gezicht toegevoegd. Onwillekeurig moest ik op dat moment aan Miranda denken, die lang gezochte tweede kans.

Ik kuste hen allen op beide wangen, een Europese gewoonte die in onze familie al lang de gewoonte is (Niko deinsde zoals gewoonlijk een beetje terug), en presenteerde mijn orchidee. Amalie bedankte beleefd, Imogen en Miri rolden met hun ogen (en dan hebben ze precies dezelfde uitdrukking van geamuseerde minachting op hun mooie gezicht; was dat erfelijk of aangeleerd?), en Niko verstrekte met zijn merkwaardige robotstem de taxonomische positie van die specifieke soort en de details van de bloemmorfologie waaraan je die positie duidelijk kon herkennen. Niko interesseert zich voor orchideeën, zoals voor bijna elk ingewikkeld onderwerp dat geheugen vereist en met een minimum aan menselijk contact gepaard gaat.

Ik vroeg Miri waarover ze zo'n plezier hadden gehad toen ik binnenkwam, en ze vertelde opnieuw het verhaal van de wereldberoemde actrice en de vrouw die beroemd was door haar borsten en verschijningen in talkshows, en hoe die twee vrouwen tegelijk een gezichtsmasker lieten aanbrengen in een dure salon, en hoe hun kleine hondjes toen aan het vechten raakten; het was een tamelijk grappig verhaal over druipende modder en rondvliegende vacht en krijsende homo's, en ze was nog aan het vertellen toen we naar de eetkamer gingen en aan de ovale tafel van teak en glas gingen zitten. Amalie had zelf ons eten klaargemaakt, een soort cassoulet van kippenworst, lamsvlees en witte bonen, een van mijn favoriete gerechten, met een artisjokkensalade en een fles Hermitage. Als je nagaat wat haar tijd tegenwoordig waard is, was het waarschijnlijk een van de duurste maaltijden ter wereld. Niko had een kom Cheerios, een product dat negentig procent van zijn voeding uitmaakt.

Onder het eten hadden Amalie en ik er moeite mee de conversatie op gang te houden, en het gesprek ging voor een deel over zaken. Mijn vrouw is ondanks haar minachting voor geld verdienen (of misschien juist daardoor) een financieel wonderkind. Ze schrijft een periodiek internetrapport, Mishkins Arbitragebrief, waarin ze haar vijftienhonderd abonnees vertelt hoe de valutamarkten zich de komende week zullen ontwikkelen. Natuurlijk houden de slimme spelers rekening met haar voorspelling, en dat beïnvloedt de markt, en dáár houden de nog slimmere spelers ook rekening mee en stemmen hun yen-dinar-renminbi-swaps erop af, een eindeloos terugredeneren dat sommigen van hen miljardair zal maken. Ik beschouw mezelf als een nutteloze parasiet in vergelijking met mensen die echt werk doen, zoals songs schrijven, maar ik ben een bruggenbouwer in vergelijking met die kerels. Amalie daarentegen heeft er geen moeite mee om vijfentwintigduizend dollar per jaar voor een abonnement te vragen, want ze stopt ongeveer eenderde van haar winst in goede doelen. Ik kom wel eens mensen tegen die in dat kleine wereldje hun zaken doen en ze vragen me vaak of ik díé Mishkin ken. Ik zeg altijd nee, maar op een vreemde manier ben ik dan ook trots.

De maaltijd was voorbij en tante Miri ging met de kinderen spelen, zoals de gewoonte is. Dat doet ze, zelf kinderloos, liever dan aan de volwassen conversatie deelnemen. Lourdes serveerde koffie; Amalie en ik konden rustig over onze kinderen praten. We zijn beschaafd. Ze vroeg naar Ingrid. Ze weet van Ingrid, we doen niet geheimzinnig over dat aspect van mijn leven. Ik zei dat het goed met Ingrid ging en ze zei: 'Arme Ingrid.' Ik vroeg haar waarom ze dat zei, en ze antwoordde: 'Omdat je een nieuwe vrouw hebt.' Ik voelde dat het bloed naar mijn gezicht steeg, maar ik produceerde een glimlach en vroeg haar waarom ze dat dacht, en ze zuchtte en zei: 'Jake, ik ben niet dom en ik kijk goed uit mijn ogen. In de jaren dat ik je vertrouwde heb ik natuurlijk nooit op die tekens gelet, of ik heb ze verkeerd geïnterpreteerd, maar nu ik weet waarop ik moet letten is het allemaal heel doorzichtig. Wie is ze?'

'Niemand,' loog ik. 'Echt waar.'

Ze keek me een hele tijd aan, sloeg toen haar ogen neer naar de tafel en nam een slokje van haar afgekoelde koffie. 'Zoals je zegt,' zei ze. Ze zette het kopje neer, stond op en liep zonder nog een woord te zeggen of mij nog een blik waardig te keuren de kamer uit. Lourdes kwam binnen en ruimde de kopjes op. Ook zij negeerde mij.

Toen ging de Onzichtbare Man naar de speelkamer van de kinderen op de bovenverdieping. Niko zat met een koptelefoon op achter zijn computer, en Miri en Imogen keken naar MTV. Ze zaten dicht tegen elkaar aan op een oud fluwelen tweezitsbankje en keken vol verrukking naar alle glitter.

Ik voelde me een nog grotere lul dan anders en gedroeg me daarnaar door Imogen te vragen of ze haar huiswerk had gedaan. Zonder haar blik van het scherm te halen antwoordde ze met diepe verveling: 'Dat heb ik op school al gedaan.' Ik dacht erover om daarop in te gaan. Ik dacht er ook over om de aluminium honkbalknuppel die in de hoek hing te pakken en de televisie en de computer aan diggelen te slaan en de kinderen te gijzelen totdat aan mijn eisen was voldaan. Die eisen hielden in dat alles anders zou zijn, dat ik de liefde en bewondering van mijn kinderen en de toewijding van mijn vrouw zou krijgen, en ook opwindende romantiek, en dat ik nooit volwassen zou hoeven worden en altijd op het slappe koord heen en weer zou dansen, gekleed in een groene maillot…

Maar in plaats daarvan ging ik naast Miri zitten en keek ik een tijdje naar de minuscule littekens van haar facelifts en de merkwaardige dode glanszones van de botox, en ik werd bijna overmand door medegevoel en pakte haar hand vast. Ik denk dat Miri op dit moment het familielid is met wie ik me het meest verbonden voel. Gedurende onze hele kindertijd hebben we troost bij elkaar gezocht, en zij ontwikkelde zich nog slechter dan ik en we begrijpen elkaar dus enigszins. Ik herinner me hoe ze altijd mijn hand vastpakte als pa weer buiten zinnen was. Ik heb geen idee wat ze nu dacht, als ze al iets dacht, maar ze gaf een kneepje in mijn hand, en zo bleven we een tijdje zitten kijken naar de softporno die onze beschaving gebruikt om jongeren bezig te houden. Toen klonk er een deuntje en haalde Imogen haar mobiele telefoon tevoorschijn. Ze keek op het kleine schermpje en verdween even uit de kamer om met een volgeling te praten.

Miri zette het geluid van de televisie uit en keek me onderzoekend aan. 'Nou, wie is de nieuwe dame?' vroeg ze.

'Jij ook al?'

'Het is duidelijk te zien. Je hebt die koortsachtige blik en je bent niet zo chagrijnig als anders. Je moet eens volwassen worden, Jake. Je wilt toch niet zo'n oude viezerik worden die achter kleine meisjes aan zit?'

'O, die is goed! Een advies tot onthouding van jouw kant!'

'Niet gemeen worden, Jake. We zijn allebei sletten, jij en ik, maar ik heb tenminste geen gezin dat er de dupe van wordt. En dan nog iemand als Amalie ook!'

Dit was geen gesprek waaraan ik op dat moment behoefte had. 'Hoe gaat het met pa?' vroeg ik.

Miri is de enige van ons drieën die nog enigszins contact heeft met de oude gangster. Overigens wil ze daar nooit veel over vertellen, misschien op zijn verzoek. Dat zou net iets voor hem zijn.

'Met pa gaat het goed. Ik heb hem drie weken geleden ontmoet. Hij ziet er goed uit. Hij moest een stent in een kransslagader laten zetten.'

'Ik hoop dat ze een roestwerend materiaal hebben gebruikt. Baksteen of zo. Waar heb je hem trouwens ontmoet?'

'In Europa.'

'Kun je wat specifieker zijn? In Cannes? Parijs? Odessa?'

Ze ging daar niet op in. 'Hij vroeg naar jou en Paul.'

'O, dat was aardig van hem. Ik hoop dat je tegen hem hebt gezegd dat hij altijd in onze gedachten is. Wat voert hij tegenwoordig uit?'

'Dit en dat. Je kent pa. Hij heeft altijd wel een of ander zaakje lopen. Je zou eens naar hem toe moeten gaan. Met Amalie en de kinderen.'

Daar moest ik om lachen. 'Dat is een goed idee, Miri. Ik zou niets weten waar ik meer plezier aan zou beleven dan aan zo'n expeditie.'

'Weet je,' zei mijn zus na enkele gekwetste ogenblikken, 'is het je ooit opgevallen dat je vrouw nooit sarcastisch is? Daar kun je wat van leren. Jij zou ook eens kunnen proberen een beetje vergevingsgezind te zijn. Anderen zijn dat vaak genoeg ten opzichte van jou.'

'En ik krijg vanavond nog religieus advies ook! Weet je zeker dat je niet Paul in vrouwenkleren bent?'

'Als je rottig gaat doen, ga ik weg. Ik wil trouwens toch iets te drinken hebben.'

Ze wilde haar hand uit de mijne trekken, maar ik bleef vasthouden en ze liet zich weer in het tweezitsbankje zakken.

'Wat is er?'

'Ik bedacht net iets wat ik je moet vragen. Ben je in dat wereldje van jou ooit een Russische gangster tegengekomen die Osip Shvanov heet?' Terwijl ik dat vroeg, keek ik aandachtig naar haar gezicht, en ik zag een lichte huivering op die geboetseerde trekken. Ze likte met het roze puntje van haar tong over haar lippen.

'Waarom vraag je dat?'

'Omdat zijn gangsters achter me aan zitten. Hij denkt dat ik iets heb wat hij wil hebben. Denk ik.' Ik vertelde haar in het kort over de affaire-Bulstrode/Shakespeare, zij het zonder Miranda's naam te noemen. 'Ken je hem?'

'Ik heb hem ontmoet.'

'Een cliënt?'

'In zekere zin. Hij geeft veel feesten. Sommige van mijn meisjes zijn op feesten van hem geweest.'

'Kun je me met hem in contact brengen? In de sociale sfeer, bedoel ik.'

'Ik denk niet dat je dat wilt, Jake.'

'Omdat hij zo'n slechte man is?'

'Hij is heel slecht. Sléchte mannen vinden hem slecht.'

'Zo slecht als pa?'

'Hetzelfde type, met twee verschillen: pa speelde het nooit zo keihard en Shvanov is niet onze pa. Waarom wil je hem ontmoeten?'

'Een openhartige uitwisseling van ideeën. Nou, kun je het regelen?'

'Ik zal het hem voorstellen. Denk je dat hij jou wil ontmoeten?'

'Ik denk van wel. We hebben allebei belangstelling voor oude manuscripten, dus we hebben vast heel wat om over te praten. Kom jij ook maar mee. Het wordt een leuke avond. We kunnen plannen maken voor onze trip naar pa in Israël.'

Ze stond op. 'Ik bel je,' zei ze en liep de kamer uit. Ik bleef alleen achter, met alleen het vreemde getik op het toetsenbord hoorbaar. Ik ging achter Niko staan en keek naar zijn scherm. Dat was lichtgrijs gekleurd, met onbegrijpelijke blauwe letters die kwamen en gingen als regen wanneer de ruitenwissers aanstaan. Niko was aan het programmeren. Ik mag wel zeggen dat ik voor een advocaat vrij goed met computers overweg kan. De meeste advocaten denken dat hun huid wegrot als ze een toetsenbord aanraken, maar ik niet. Ik denk dat ik ongeveer op het niveau zit van Niko toen hij vier was. Ik lichtte een dop van zijn koptelefoon van zijn oor en vroeg: 'Wat doe je?'

Ik moest dat enkele keren herhalen. 'Zoekmachines,' zei hij toen.

'O, zoekmachines,' zei ik begrijpend. 'Waar zoek je naar?'

'Van alles. Laat me los.' Hij schudde zijn hoofd en wilde zijn koptelefoon naar beneden trekken, maar ik pakte hem van zijn hoofd en draaide zijn stoel naar me toe.

'Ik heb iets belangrijks met je te bespreken,' zei ik. Zijn lichaam verstijfde en zijn blik was nu op een hoek van de kamer gericht.

'Stel je voor, Niko! Er zitten gangsters achter me aan en ik denk dat ze jou, Imogen en mammie ook kwaad willen doen. Je moet me helpen.'

Dat drong blijkbaar tot hem door. Verveeld vroeg hij: 'Dit is een spel, hè?'

'Nee, dat is het niet. Het is echt.'

'Waarom zitten ze achter je aan?'

'Omdat ik papieren heb die zij willen hebben. Een cliënt van me heeft ze aan mij gegeven en ze hebben hem vermoord. Ze hebben hem gemarteld, en voordat hij stierf gaf hij ze mijn naam.'

Ja, dat is niet niks voor een jongen, maar het is moeilijk om tot Niko door te dringen. Niet dat hij volstrekt ongevoelig is. Ik denk dat als iemand mij martelde hij gefascineerd zou toekijken.

'Waarom willen ze die papieren hebben?'

'Dat weet ik niet zeker. Ik denk dat ze denken dat die papieren naar een schat kunnen leiden.' Hij dacht daar even over na en ik stelde me de radertjes in zijn hoofd voor, rondsnorrend als een perfect uurwerk.

'Echt?'

'Dat denken ze,' zei ik.

'We moeten die schat vinden,' zei hij. 'Dan laten ze ons waarschijnlijk met rust.'

Dat was, geloof ik, een van de weinige keren dat Niko het woord 'ons' gebruikte en het dan over hem en mij had. Ik zei: 'Dat is een heel goed idee. Nou, ik wil dat je twee dingen doet. Ten eerste wil ik dat je de straat goed in de gaten houdt en me meteen belt als je iets verdachts ziet. Die kerels zijn Russen en ze rijden in zwarte suv's, dus bel me als je ze ziet, oké?

En dan wil ik dat je onderzoek doet naar een man die Richard Bracegirdle heet. Hij is in 1642 in Engeland gestorven.' Ik noteerde dat op een vel papier uit zijn printer.

'Wie is dat?'

'De man die de schat heeft begraven. Verzamel informatie over hem en zijn nakomelingen, en onderzoek of sommigen van hen nog in leven zijn. Kun je dat?'

'Ja, dat kan ik,' zei Niko. Ik weet niet goed waarom ik hem er op die manier bij betrok, al ken ik geen betere datazoeker dan Niko; hij heeft er prijzen mee gewonnen en professoren corresponderen met hem zonder te weten dat hij elf jaar oud is. Eigenlijk had ik een commerciële firma moeten inhuren om het zoekwerk te doen, en we hebben op mijn kantoor ook mensen die daar goed in zijn. Misschien voelde ik me eenzaam en was dit iets wat pa en zoon samen konden doen, zoals een wandeling door de bossen. Ik improviseerde een schuinsmarcheerder. Natuurlijk was dit niet het moeilijkste. Nu moest ik naar beneden gaan en zijn moeder er alles over vertellen.

Deze kerel zeide hij is James Piggott genaamd en is dienaar van mijn heer Dunbarton ene man hoog in aanzien bij des Konings majesteit & vraagt mij of ik van de zuivere religie ben & deze man had het bleke kille aangezicht dat ik me uit de dagen mijner jeugd herinnerde de tekenen dat ge een vrome Puritein zijt & alzo zeide ik ja meneer voorzeker ben ik dat en stort mij op mijn vlees een kapoenpastei & bier. Ik etende ondervroeg hij me over alle zaken betrekking hebbende op religie, gelijk: verdorvenheid der Mensen, voorbestemming, onwerkzaamheid der werken, openbaring louter door Schrift, verlossing louter door geloof et cetera & was tevreden over mijn antwoorden & zeide Heer Hastynges spreekt gunstig van u & ik antwoord hem Heer Hastynges is een goede man en van de ware religie & na enige praat over Heer Hastynges zegt hij plotsklaps, ik hoor uw moeder was een paapse en ge zijt het kind eens paapsen verraders. Wat zegt ge daarop? Daarop was ik zeer verbaasd en vertoornd, maar ik bedwong mijn woede en zeide zij was wellicht een tijdlang dwalende doch berouwde haar dwaling en was haar ganse leven daarna een trouwe dienares van de Hervormde Kerk. Hij vroeg mij was zij een Arden uit Warwickshire & ik antwoordende dat zij dat was zeide hij dat heeft u van de galg gered mijn jongen want mijn Heer Dunbarton behoeft een als gij, van zuivere religie doch met paapse connecties en die van uw moeders familie in het bijzonder. Nu vraagt hij, hebt ge ooit toneel gehoord?

Ik zeide van niet want waren dat niet zeer slechte dingen? Welzeker, zeide hij, en meer dan gij weet. Want de ijdele spelers staan in het klare daglicht & zinnen op verraad. Hoe zegt ge? Op drie wijzen? Ten eerste bederft het toneel de geest & ziel van mannen die het horen door snode daden te tonen als: moord diefstal ontering vuilbekkerij ontucht, alzo dat die het horen het wellicht imiteren en aldus de staat verstoren en

*hun eigen ziel aan de Hel verliezen. Dan schenden de spelers Gods wet
want zij tonen jongens gekleed als vrouwen hetgeen al zonde is doch
veel erger zij onbreidelen de vuige lusten van Sodom, hetgeen ik niet betwijfel die spelers zelve ook doen zodat zij een stank voor de hemel zijn.
Ten derde en ergste: zij zijn alle slechts een masker voor paaps verraad
& hij zeide nogmaals: een masker, doch een masker.*

*En zo continueerde hij: want ge weet de Hoer van Rome verheugt zich
in rijk vertoon en zijden kostuums en mannen gekleed als vrouwen
teneinde het volk te verblinden & hen af te leiden van de ware aan-
bidding van Christus. Wat zijn hun kakelende missen anders dan toneelspel? Wij hebbende die missen gestopt zouden zij niet pogen het
volk op andere wijze van het ware geloof af te wenden? Wat, zeide ik,
denkt ge dat die spelers heimelijke papen zijn? Nee, zeide hij, zij zijn
venijnig, meer nog dan serpenten. Nu wat zeide gij als ik u zeide er is
een man de leider van die spelers die, één, paapse priesters in spelen
bewondert, twee, wiens vader een paap was vele malen beboet om
verzuim uit Hervormde Kerk & wiens moeder voortsproot uit een familie lang beschimpt om veelvuldig verzuim van kerkgang, voorzeker
zelf ook een paapse, drie, hij complotteerde verraderlijk teneinde de
verraderlijke graaf van Essex zijn troepen te doen verzamelen toen
deze tegen wijlen onze soevereine Koningin rebelleerde, en wel door
zijn volgelingen op de ochtend der rebellie het stuk van Richard de
Tweede te tonen als inspirerend voorbeeld van verraad & konings-
moord & hadde destijds opgepakt moeten worden doch werd dat niet,
want sommigen van de Kerk beschermden hem, G-d steke hun ogen
uit. Wat zegt ge van zo een? En ik zeide (hetgeen ik nu weet was het
enige juiste antwoord) naar de Tower met dezulke laat hij niet één
uur vrij rondlopen.*

*Nu grijnsde hij koud zeggende gij spreekt de waarheid jongen, doch in
de verstoorde staat des Koninkrijks vermogen wij dat niet te doen, althans nog niet. Want ziet ge, de Koning omringt zich niet met de
Goddelijken doch met wellustige & ontaarde favorieten, te weten
mijn Heer Rochester en zulks gelijken, & van dezen zijn vele zo na
aan het paapse als uw hemd aan uw lijf & dezen verheugen zich in
ijdel vertoon als spelen op het toneel: zelfs de Koning heeft een bende
spelers bij wie hij stukken naar zijn gading bestelt & die over wie ik u
vertelde is de ergste van die schurken.*

Nu, zeide hij verder, wij hebben een prins Henry zo goed protestant als ooit brood at, wijs boven zijn jaren: doch zijn vader denkt aan niets dan hem te doen huwen met een paapse prinsesse & dit wij mogen niet tolereren voor dit land want Gods kerk in Engeland zou te gronde gaan, gelijk de Koning al heeft aangevangen met zijn verdorven en goddeloze heerschappij over de bisschoppen. Alzo mijn Heer D. en andere waardige edelen van het ware geloof, denkende aan dit treurige verleden, hebben een plan gesmeed en zoeken naar een om het ten uitvoer te brengen. En wij hebben hem gevonden.

Wie, zeide ik? Gij, zeide hij. Dit horende was ik zeer bevreesd & zeide, waarom? Aldus antwoordde hij: gij weet des Konings moeder was een ijdele verdorven paapse verrader Mary Stuart Koningin der Schotten wijselijk terechtgesteld door wijlen onze Koningin & het stoort de Koning dat alle goede Engelsen zijn moeder verachten en wellicht denken: zo moeder zo kind. Alzo zou hij met genoegen een stuk aanschouwen presenterende Koningin Mary gelijk een goede vrouw onrechtvaardig behandeld & wellicht beveelt hij die schavuit van wie ik sprak het stuk te schrijven. Wat dan jongen?

Toen dacht ik mij wees slim als ge kunt zijn Richard want ge zijt in de macht van deze man en ik zeide het ware een schandaal voor alle goede protestanten in het koninkrijk zij zouden het niet verdragen. Hij zeide, welzeker en derhalve is het verre van des Konings geest. Doch gesteld een die veinst in dienst eens groten Heren te zijn, van een lid der Geheime Raad zelfs, zou tot deze maker van toneelspelen gaan zeggende ik kom namens des Konings majesteit: schrijf zulk een stuk en ge zult worden beloond & aanzien genieten in des Konings oog. En gesteld zo'n stuk kwam tot stand & gesteld het werd voor de Koning en zijn hof gespeeld, wat denkt ge dat zou gebeuren? Want weet ge, geen toneelstuk mag worden vertoond bij ontstentenis ener vergunning des meesters van de ceremonies: doch waarlijk zo'n vergunning zoude nimmer verstrekt worden voor zo'n stuk, het zou deze meester het hoofd kosten. Doch gesteld nu eens, wij hebben diens zegel & verschaffen onze schobbejak een valse vergunning & hij onwetende gaat aan het werk & schrijft het stuk. Wat denkt ge dat er gebeurt?

Ik zeide hij zoude te gronde gaan denk ik. Ge denkt juist jongen & lacht doch met weinig jolijt, hij zoude te gronde gaan & al die vervloekten met hem spelende en dat niet alleen: het schandaal zoals ge zegt zou door gans het koninkrijk gaan, dat de Koning zijn moeder

presenteert als een goede dame ten onrechte neergehaald door Eliza-
beth de Koningin, die buitendien in dat stuk zal verschijnen als zijnde
een vuige kuipende schurk. Alzo alarm hier & gunder: de Koning ont-
kent alles gelijk hij moet, deze schavuit van wie ik sprak wordt opge-
pakt en ter pijnbank gebracht, o, ja, daar zie ik zelve op toe: en gepij-
nigd noemt hij de namen van allen dewelke zo schandelijk
gecomplotteerd hebben, te weten eerst Rochester en alle anderen zoe-
kende een paapse prinses voor onze prins. Schande over hen, hoezeer
zij ook ontkennen & alzo wij verhinderen deze paapse echtvereniging.
Wat denkt ge daarvan?

Ik zeide, een zeer goed plan me dunkt maar nogmaals waarom kiest
ge Richard Bracegirdle? Hij zeide, omdat gij een Arden van herkomst
zijt gelijk hij, ge zijt neven of daaromtrent & ge kunt veinzen halve
paap te zijn gelijk hij. Alzo indien mijn Heer Rochester een eigen
boodschapper naar deze wenst te zenden wie zal hij beter kiezen dan
een als gij. Weet, dit alles dient met spoed te geschieden, aldus zult ge
zeggen, want mijn Heer wenst de Koning op zijn jaardag met een
nieuw toneelspel te verblijden. Maar zegt ge nu, zijt ge onze man?

Slechts één antwoord daarop zijnde, wilde ik ooit weer vrije lucht
ademen alzo ik zeide ja & hij liet mij op een Bijbel zweren & zeide
verraad zou mij in groot gevaar brengen. Ten slotte vroeg ik voorwaar
wat is de naam des kerels & hij zeide William Shaxpure: dit de eerste
maal dat ik de naam ooit hoorde.

Alzo kwam ik die avond vrij & in duisternis voeren wij per boot van
de Tower stroomopwaarts naar een groot huis aan de Strand, toebe-
horende aan mijn Heer Dunbarton & werd gepresenteerd aan mijn
Heer, een zeer gestrenge dikke man zeer belast met affaires, doch
vriendelijk voor mij & zeide ik zoude een groot werk voor Engeland
verrichten indien wij onze plannen ten uitvoer brachten. Doch wij
deden zulks niet, God in Zijn grote wijsheid beschikkende anders & in
later jaren dacht ik vaak hadden wij al gewonnen gelijk wij hadden
voorzegd & gehoopt, de onlusten die ons treurige land teisterden wa-
ren wellicht bedwongen. Doch ik was slechts een gering stuk op het
bord & waarlijk Zijn gedachten zijn groter dan onze. Amen.

Ik verbleef enige weken in Dunbarton House, tafelende wel, & gehuld
in kleden fijner dan immer tevoren, doch zeer sober. Heer Piggott
leerde mij geheimschrift schrijven & lezen & hij was verbaasd hoe ik

me daarin bekwaamde & ik zeide hem mijn geest was reeds lang ge-
traind in de kunst der Mathematica & uw cijfers zijn daaraan verwant. Alzo hij was zeer tevreden. Ik las met aandacht de Tracktee de
Chiffres een Frans boek onlangs verengelst & Sigr. Porta's De Furtivas
zeer fijne werken & evenzo het rooster van Mstr. Cardano & deze
kunst stond mij zozeer aan dat ik lang in de nacht erop zwoegde,
want daar was geen tekort aan kaarsen in Dunbarton House & toonde Heer Piggott hetgeen ik deed: & na enige weken was hij zeer verbijsterd want ik had een nieuw geheimschrift vervaardigd gelijk hij
nimmer tevoren had aanschouwd & hij zeide zelfs de Paus vermocht
het niet te ontraadselen.

Vervolgens liet hij mij mijn vaardigheid in het onthouden van woorden verbeteren zeggende vele tientallen woorden en ik ze herhalende
in gelijke orde & op papier zettende. Daarnevens toonde hij mij de
gelijkenissen van mannen & vrouwen & steden & landerijen alle zeer
fraai vervaardigd met verf & liet mij dezulke beschrijven ik hebbende
slechts korte blik erop geworpen. Evenzo: hij & een ander veinsden
een gesprek omtrent paperij en verraad, ik verborgen achter een
scherm & later ik zeggende al wat was gecomplotteerd. Ook hier erkende hij ik deed het goed. Alzo nu vroeg ik hem is dit al de kunst der
verspieders en hij antwoordde nee, dit is slechts een klein deel, hetgeen
mij zeer verbaasde.

Evenwel later begreep ik hem, want komt een man Henry Wales een
geile zot zo leek hij, in fraaie nieuwe kleden passende bij een hogere
staat, doch Heer Piggott sprak hoffelijk tot hem & gaf hem een beurs
en zeide mij Richard, hier is uw ware vriend Henry Wales die u gekend hebt sedert uw jeugd in Warwickshire & nu tot grote vreugde in
Londen hebt ontmoet. Hij is toneelspeler in het gezelschap des Konings & kent Heer Wm. Shaxspur zeer wel. Dan keek Heer Piggott
mij aan en ik begreep hetgeen hij bedoelde: ook ik zoude speler zijn
doch in het leven niet op het toneel & dit was het om verspieder te
zijn niet slechts geheimschrift, luisteren & herinneren & ik dacht mij
toen aan mijn eerste jaar in de ijzergieterij, alwaar ik de domme leerling speelde ruw in de bek en hard in daden en onderwijl mijn ware
zelf binnenin bewarende & dacht ja dit kan ik & laat de papen & verraders beven.

Al wat hierna geschiedde zult ge vinden in de brieven dewelke ik Heer
D. zond, te weten: mijn benadering dezen Shaxpures, hetgeen tussen

ons voorviel, het stuk dat hij wrocht omtrent die verdorven koningin der Schotten, & wat daarvan werd, & ten leste hoe wij faalden en aldus zal ik hier niet herhalen want ik vrees er resten mij slechts enkele uren & het vermoeit mij zeer te schrijven. Ge kent Nan mijn leven daarna & het stemt me droef dat ik het niet kan verhalen aan hem gelijk wel die jaren tevoren. Zeg tot hem uw vader was kanonnier in de Duitse oorlogen voor de goede Protestantse zaak; was bij de Witte Berg en verslagen door de papen & in Breitenfelde en Luttzen hielp hij hen verslaan: maar vermoeid van de krijg & verwond in de voet keerde vervolgens terug, mijn vader zijnde nu gestorven & uw vishandelaar eveneens stervende (voor hetgeen ik had gebeden & bid u en God vergeef mij dezulke!) en trouwde de derde april 1632 in St. Margaret Patens & jare daarna had een zoon, prijs God & moge hij lang leven en gij eveneens.

Nog enige zaken van gewicht alvorens mijn tijd vervlogen is ik zie het papier ternauwernood al is het klaarlichte dag & ik verkeer in doodsstrijd ge kent goed mijn leren kist in mijn kast, daarin zult ge de brieven vinden in het geheimschrift dat ik heb bedacht. Bewaart ge ze secuur en toont ge ze aan geen. Zij alle vertellen het verhaal van mijn Heer D. zijn plan & onze spionage van de geheime paap Shaxpure. Of zo meenden wij schoon ik nu minder zeker ben. Op die manier & levenswijze was hij een Niets. Doch zeker schreef hij het stuk van Schot M. dat ik in naam des Konings van hem vroeg. Vreemd is dat schoon ik dood ben en hij evenals het stuk voortleeft, geschreven door zijn hand & liggend waar slechts ik weet & daar wellicht eeuwig zal rusten.

Betreffende de brieven: indien de Koning in de huidige affaire mocht zegevieren, hetgeen God verhoede, en zijn dienaren komen tot u met kwade intenties, mogen deze bladen dan uw fortuin van dienste zijn, het uwe en dat van onze zoon. Ge kent het geheimschrift en ik bevestig u de Sleutel is de Wilg waar mijn moeder ligt en als ge kunt wens ik dat mijn beenderen hierna naast de hare mogen rusten.

Het ga u goed mijn meisje & met Gods genade hoop ik u weer te zien in het onbedorven lichaam ons beloofd door onze Heer & Heiland Christus Jezus in wiens naam ik teken uw echtgenoot,
RICHARD BRACEGIRDLE

IO

Crosetti zat in de auto van zijn vader, een zwarte Plymouth Fury model 1968. Hij keek naar het huis op 161 Tower Road en voelde zich een idioot. Het was een houten huis van twee verdiepingen dat dringend behoefte had aan een nieuwe laag verf, omringd door een gazon met veel onkruid achter een laag hek van gaas. Zo te zien beperkte de hovenierskunst van H. Olerud zich tot een rij bruinige jeneverbessen langs het huis. Die naam stond op een gehavende zwarte brievenbus die op een scheefstaand paaltje was gespijkerd. Op het pad stond een groene Chevrolet sedan met roestvlekken. De motorkap stond omhoog en op een kleed ernaast lag allerlei gereedschap. Naast het huis was een garage, die je ook een schuur zou kunnen noemen. De deur stond open en hij zag een rode tractor en een wirwar van vormen, vermoedelijk landbouwwerktuigen. Het maakte alles bij elkaar een vervallen indruk, alsof het huis en de mensen die er woonden een flinke dreun hadden gekregen en wachtten tot ze weer op adem kwamen. Het was zaterdag. Crosetti was 's morgens de stad uitgereden en had koers gezet naar de staat Pennsylvania. Na vijfhonderd kilometer over de I-80 en de I-79 had hij kort na drie uur Braddock bereikt. Braddock was gebouwd rond één kruispunt met twee benzinestations, een McDonald's, een pizzeria, een veteranengebouw, twee bars, een 7-Eleven, een wasserette en een verzameling oudere bakstenen winkelpanden die het tegen de grote supermarkten hadden moeten afleggen en nu gebruikt werden door uitdragerijen of als etalageruimte voor charitatieve instellingen. Daarachter stonden tientallen grote huizen die vermoedelijk ooit voor handelaren en industriëlen waren gebouwd in de tijd dat de staalfabrieken en mijnen nog in bedrijf waren. Crosetti kon zich niet voorstellen wie daar nu woonden.

Tower Road en het naargeestige huis op nummer 161 waren met zijn Google-map niet moeilijk te vinden geweest, en toen hij op het adres was aangekomen, had hij zonder resultaat op de voordeur geklopt. De deur zat niet op slot en Crosetti had hem opgeduwd en geroepen: 'Hallo!

Iemand thuis?' Het huis had hol aangevoeld, alsof het leegstond. Toch werd het wel bewoond. Het was binnen rommelig maar niet vuil, speelgoed op de vloer, autootjes en een plastic geweer, een dienblad met een leeg bord voor een grootbeeld-tv. Ze hadden ook satelliet-tv; achter het huis tastte een witte schotelantenne de hemel af. Voor de tv stond een luie stoel met bruin vinyl naast een ingezakte, met chenille beklede bank. Op een smalle schoorsteenmantel stonden ingelijste foto's, maar Crosetti kon ze vanuit de deuropening niet goed zien en wilde niet naar binnen gaan. Er blaften geen honden, en dat vond hij vreemd. Op het platteland had iedereen toch honden? Dat betekende ook iets, al wist hij niet wat. Hij liep om het huis. In de achtertuin stond plastic speelmateriaal, verbleekt door de zon en bestemd voor erg jonge kinderen. Midden in de tuin stond een droogmolen van het type dat op een omgekeerde parasol lijkt. Hij was leeg, en sommige lijnen waren gebroken en hingen er los bij, heen en weer bungelend in de lichte bries. Op de achterveranda stond een oude ronde wasmachine. Hij keek erin: leeg en met spinnenwebben.

Na zijn korte verkenning ging hij in de auto zitten en dacht over dit alles na. Hij vond het nu dom van zichzelf om dit hele eind te rijden vanwege een ansichtkaart die hij op straat had gevonden. Hij wist niet of er ook maar enig verband was tussen Carolyn Rolly en dit huis. Ze kon de kaart op straat hebben opgeraapt of als boekenlegger in een oud boek hebben gevonden. Nee, dacht hij, niet over nadenken. Ga op je gevoel af. Dit heeft iets te maken met haar en met die foto van de twee vrouwen en het kind. Nou, er wás hier een kind, een jongetje. Hij haalde de foto tevoorschijn en keek er nog eens naar. Hij dacht dat hij een jaar of vijf geleden was gemaakt, als hij zo naar Carolyns gezicht keek, dus de jongen moest nu acht of negen zijn. Crosetti keek naar een fiets die achteloos op het pad was neergegooid. Die zou bij een kind van die leeftijd passen, en het speelgoed in het huis en de tuin wezen daar ook op. Er was geen meisjesspeelgoed te zien, er was ook geen tweede fiets, en Crosetti vroeg zich af wat er van het kleine meisje op de foto was geworden... Nee, wacht, in de zandbak naast de speeltoestellen in de achtertuin had een verweerde, naakte Barbie gelegen. Dus dat klopte ook, tenzij de pop door een bezoeker was achtergelaten. Of gestolen.

Hij dacht aan de achtertuin. Het was een zonnige dag, een zaterdag, en toch hadden er geen kleren aan de droogmolen gehangen, die er trouwens slecht aan toe was. Hij had geen afvoer van een elektrische wasdroger gezien, en de wasmachine zag er ook niet naar uit dat ze veel werd gebruikt. Dat betekende dat er waarschijnlijk geen vrouw in het huis woonde. De man woonde hier met zijn kind (of kinderen) en op zaterdag ging hij naar het dorp, naar de wasserette, want het was beneden de waardigheid van een man om thuis de was te doen. Bovendien kon hij op zaterdag vrouwen tegenkomen in het dorp en laten weten dat hij beschikbaar was. Misschien ging hij zelfs naar het gebouw van de veteranen om een paar biertjes te drinken terwijl de droger draaide. Het kind (het tweetal) kon videospelletjes spelen in de 7-Eleven en een Slurpee nemen.

Crosetti betrapte zichzelf op het verzinnen van dit scenario en vroeg zich af waar het vandaan kwam. Tegelijk besefte hij dat het net zo waar was als wanneer hij een documentaire over het leven van H. Olerud had gemaakt. Het feit dat hij het kind van een legendarische politieman en een bekende researchbibliothecaresse was, vormde op zichzelf geen verklaring, want hij had altijd verhalen over mensen verzonnen, als kind al. Dat was een van de redenen waarom hij films wilde maken en waarom hij dacht dat hij daar goed in zou zijn. Hij beschouwde zijn waarnemingsvermogen en deductietalent als vanzelfsprekend, ongeveer zoals geboren musici er niet bij stilstaan dat ze een levenloos voorwerp de geheime muziek laten voortbrengen die ze in hun hoofd hebben.

Hij had niets meer gegeten sinds hij om tien uur naar een benzinestation was gegaan en het liep nu tegen vier uur en hij had honger. Hij dacht erover om naar het dorp terug te rijden en daar een hapje te eten, en hij wilde net zijn auto starten, toen hij een stofpluim uit de richting van het dorp zag komen. Algauw was er een groene pick-uptruck te onderscheiden die langzamer ging rijden, hem voorbijreed en het pad van 161 Tower Road op ging. Met enige voldoening zag Crosetti dat er een man en een jongen van een jaar of negen in zaten. Het kleine hoofd van de jongen kwam net boven het dashboard uit. De pick-uptruck ging een beetje te snel de hoek om en het voorwiel reed over de kinderfiets die op het pad lag.

Met een kreet van woede trapte de bestuurder op de rem, gevolgd door een schelle kreet van een kind. Het portier aan de bestuurderskant vloog open en er sprong een potige man uit, een paar jaar ouder dan Crosetti, in een spijkerbroek en een schoon wit t-shirt. Hij had een flinke pens en rossig gemillimeterd haar op een strak, plat, rood gezicht van het soort dat altijd een beetje kwaad lijkt. Hij rende naar de voorkant van de wagen, vloekte opnieuw, schopte de fiets uit de weg en trok het portier aan de passagierskant open. Uit de cabine kwamen schelle kreten en Crosetti besefte dat er een tweede, jongere passagier was, en ook dat de man geen van beide kinderen in de gordel had gedaan. De man stak zijn hand naar binnen en trok de jongen er aan zijn arm uit. Terwijl hij die arm vasthield, sloeg hij de jongen een aantal keren op zijn hoofd, harde klappen die afschuwelijke vlezige geluiden maakten, hoorbaar voor Crosetti vanaf de plaats waar hij zat. Al die tijd vroeg de man aan de jongen hoe vaak hij hem niet had gezegd die klerefiets niet op dat klotepad te leggen en ook of hij dacht dat hij ooit nog een nieuwe fiets zou krijgen of een ander nieuw ding, rottig stuk stront.

Crosetti zat zich nog hulpeloos af te vragen of hij moest ingrijpen, toen de man ophield met slaan, zijn hand weer in de cabine van de wagen stak en een meisje van een jaar of vier naar buiten trok. Het gezicht van het kind was knalrood en samengetrokken van pijn en angst. Een deel van het rood was bloed uit een wond op haar mond. Ze wriemelde als een hagedis in de greep van de man, haar rug gewelfd. De man zei tegen het meisje dat ze haar bek moest houden, ze was niet gewond, en als ze niet meteen haar smoel hield, zou hij haar een reden geven om te blèren. Het huilen zakte af tot afschuwelijk piepend gesnik, en de man liep met het kleine meisje het huis in.

Kort daarna hoorde Crosetti het geluid van een televisie waarvan de volumeknop een heel eind was opengedraaid. Hij stapte uit zijn auto en liep naar de jongen, die ineengedoken lag op de plaats waar de man hem op de grond had gegooid. Hij huilde op een bijzondere manier, met lange uithalen die telkens in gesmoorde, bijna geluidloze snikken overgingen. Crosetti negeerde het kind en hurkte bij de fiets neer. Toen liep hij het pad op naar het gereedschap dat bij de personenauto lag, koos een paar moersleutels en een zware tang en werkte aan de beschadigde fiets. Hij haalde het voorwiel los, trok het stuur recht en zette zijn voet op de voorvork om die ook recht te krijgen. Vervolgens gebruikte hij de tang om de spaken enigszins in hun oorspronkelijke stand terug te krijgen. Terwijl hij dat alles deed, voelde hij dat de ogen van de jongen op hem gericht waren en hoorde hij het snikken van het kind afzakken tot gesnotter. Hij boog de velg tot die op het oog rond was, zette het wiel weer in de vork en liet het, de fiets nog ondersteboven, ronddraaien. Het wiel waggelde enigszins maar draaide goed om zijn as. Crosetti zei: 'Sommige mensen zeggen dat een wiel net als een hart is: als je het buigt, kun je het niet meer goed krijgen. Je hebt een nieuw wiel nodig, jongen, maar je kunt erop rijden als de weg niet te hobbelig is. Hoe heet je?'

'Emmett,' zei de jongen na een korte stilte. Hij veegde met de rug van zijn hand over zijn gezicht en maakte daarmee een lelijke veeg van tranen en vuil. Bingo, dacht Crosetti, de naam op de ansichtkaart, en hij keek met belangstelling naar het kind. De jongen zag er goed uit, al was hij een beetje te mager, met intelligente blauwe ogen die ver uit elkaar stonden, en dunne lippen waarvan Crosetti de genetische herkomst meende te kennen. Zijn haar was zo kort dat het moeilijk te zien was welke kleur het had.

'Ik heet Al,' zei Crosetti. 'Zeg, Emmett, wil jij me ergens mee helpen?'

De jongen aarzelde en knikte toen. Crosetti haalde een vergrote afdruk van Carolyn Rolly's foto uit zijn achterzak en vouwde hem open voor de jongen.

'Weet je wie deze vrouwen zijn?'

De jongen keek met grote ogen naar de foto. 'Dat zijn mijn mama en mijn tante Emily. Ze woonde vroeger bij ons, maar ze ging dood.'

'Is dít je moeder?' vroeg Crosetti, zijn vinger op de jongere Rolly.

'Ja. Ze is weggelopen. Hij sloot haar in de kelder op, maar ze kwam eruit. Ze ging 's nachts weg en 's morgens was ze er niet meer. Waar is ze naartoe, meneer?'

'Ik wou dat ik het wist, Emmett, echt waar,' zei Crosetti peinzend. Zijn gedachten waren in een stroomversnelling geraakt door de komst van de jongen en diens bevestiging van zijn vermoeden, en zijn maag trok samen van de spanning. Tot zijn schande dacht hij aan die ene nacht die hij met Rolly had doorgebracht, en aan wat ze had gedaan en wat hij zich had voorgesteld dat zij had gevoeld, en of ze hetzelfde voor haar man had gedaan, die brute kerel, daar in de slaapkamer van dit vervallen huis. Hij voelde een sterke aandrang om hier weg te gaan, en ook (al zou dat moeilijker zijn) om de plaats in zijn hart vrij te maken die werd ingenomen door de persoon die hij als Carolyn Rolly kende. Hij had medelijden met de kinderen, die alleen maar die vader hadden, maar daar kon hij niets aan doen. Weer een smet op Carolyns blazoen.

Hij liep weg, maar de jongen riep hem na. 'Hebt u haar gekend? Mijn mama?'

'Nee,' zei Crosetti. 'Niet echt.'

Hij stapte in zijn auto en reed weg. De jongen rende een paar stappen naar voren, de foto fladderend in zijn hand, en bleef toen staan en verdween in het stof van de weg.

Crosetti vond een McDonald's en nam een Big Mac met frites en cola. Hij at het junkfood op en wilde meer bestellen, maar hij hield zich bij de balie in. Als hij van streek was ging hij eten, wist hij, en als hij niet uitkeek werd hij een soort Orson Welles, maar dan zonder de vroegtijdige prestaties van die persoon om een en ander te compenseren. Hij probeerde zichzelf tot bedaren te brengen, wat bemoeilijkt werd door het feit dat hij zijn MapQuest-instructies ergens was kwijtgeraakt en op de terugweg een paar keer de verkeerde afslag nam.

Toen hij eindelijk op de grote weg was, schreef hij in gedachten het scenario voor de film *Carolyn Rolly*; geen slechte titel, en waarschijnlijk kon hij er zonder toestemming gebruik van maken, want mevrouw Olerud had haar naam waarschijnlijk ook zelf verzonnen. Oké: moeilijke kindertijd, maak daar gebruik van, het meisje in de kelder, al kwam dat van die verkrachtingen door die oom waarschijnlijk een beetje te veel in de pornosfeer. Laten we van oom Lloyd een religieuze fanaat maken die zijn nichtje tegen het verderf van de wereld wilde beschermen. Hij gaat dood of ze ontsnapt en dan is ze, laten we zeggen, zeventien en weet ze niets van de wereld. Ze is nooit in contact geweest met de massacultuur. Daar zat een kleine hommage aan *Kaspar Hauser* van Werner Herzog in. Haar vreemde voorgeschiedenis raakt plaatselijk bekend, en laten we zeggen dat de politieman die haar heeft gevonden verliefd wordt op Carolyn. Hij bezwijkt voor haar zuiverheid, haar onschuld, en trouwt met haar, en zij gaat akkoord omdat ze helemaal alleen is, ze weet niet hoe de wereld in elkaar zit. Ze vormen een huishouden. Hij is een echte control freak, want hij is politieman en Crosetti heeft dat soort types bij de politie gekend, maar ze onderwerpt zich, en dat is dan het eerste bedrijf.

Dan laten we haar leven zien. Ze krijgt kinderen en gaat met hen naar de bibliotheek, waar ze de wijze bibliothecaris ontmoet, en die laat haar kennismaken met kunst en cultuur. Daardoor verandert ze. En dan is er een reizende expositie van goede boeken. De bibliotheek zorgt ervoor dat ze meegaat, al weet haar man dat niet. Misschien gaan ze naar Chicago (ze zouden de opnamen natuurlijk in Toronto maken), en ze beseft dat ze boeken wil maken, ze wil boeken om zich heen hebben, maar wat kan ze beginnen, ze heeft twee kinderen, ze zit in de val, maar ze geeft zich op voor een correspondentiecursus boekbinden. Haar man komt erachter en slaat haar in elkaar, en dan gaat het van kwaad tot erger en sluit hij haar op in de kelder, precies zoals haar oom had gedaan, en ze ontsnapt en dat is dan het tweede bedrijf. En in het derde bedrijf gaat ze naar New York en… Nee, zo gaat het niet, de mannelijke hoofdpersoon moet eerder op het toneel verschijnen, je moet die voorgeschiedenis in flashbacks laten zien, de nederige kantoorman die wellicht zelf ook een verleden heeft, misschien is hij ex-politieman, en ze leren elkaar kennen en worden verliefd en ze verdwijnt en…

Waarom verdwijnt ze? Crosetti wist het niet en merkte dat hij ook geen steekhoudende reden kon verzinnen. Werd ze gekidnapt? Nee, dat was te melodramatisch. Zag ze een mogelijkheid om aan zoveel geld te komen dat ze de kinderen bij die slechte vader vandaan kon halen? Dat zou logischer zijn. Ze was er met Bulstrode vandoor gegaan om het manuscript van Shakespeare te vinden. Er stond een aanwijzing in de brief van Bracegirdle, Bulstrode had hem gevonden, en ze waren naar Engeland gegaan, naar de plaats waar het manuscript zou moeten liggen. Honderden miljoenen, had Fanny gezegd. Dat moest het zijn, en nu moest de held uitzoeken hoe het zat en waar ze heen waren gegaan. Hij moest naar Engeland vliegen om de confrontatie met hen aan te gaan; dat kon je ook in

Canada spelen, en er moest een subplot zijn, iemand anders die er ook naar zocht en de wrede vader/politieman ergens op de achtergrond, en dan kwamen ze allemaal bij elkaar in een oud kasteel, in het donker. Ze gristen de aktetas met het manuscript uit elkaars hand. Er waren ook nog valse aktetassen en er werd natuurlijk een beetje naar *The Maltese Falcon* verwezen. Het enige probleem in de laatste akte betrof de held en Rolly. Zou hij haar redden, zou zij hem redden, zouden ze de schat in handen krijgen of zou die verloren gaan? Of misschien zou de wrede vader worden gedood en zou ze de schat opgeven om bij de held en de kinderen te kunnen zijn…

Hij wist niet hoe hij het zou laten aflopen, maar hoe meer hij erover nadacht, over het snijpunt tussen fictie en werkelijkheid, des te meer kreeg hij het idee dat hij iets op Bulstrode de Shakespeare-expert voor moest hebben, en dat kon hij het best bereiken door het geheimschrift te ontcijferen, want Bulstrode mocht dan de grote expert zijn, dat schrift had hij niet in zijn bezit. En dus moest Crosetti niet alleen veel meer over Shakespeare leren, maar ook de spionagebrieven van Bracegirdle ontcijferen en lezen. Dat waren zijn gedachten op de lange terugweg naar de stad, gepeperd met de gebruikelijke fantasieën: hij gaat de confrontatie met de woedende echtgenoot aan, ze vechten, Crosetti wint; hij vindt Carolyn terug, hij stelt zich grimmig en koel op, een man van de wereld, hij heeft al haar intriges begrepen en vergeeft haar; hij verdient een fortuin aan het manuscript en stort zich op de filmwereld met een film die aan geen enkele commerciële voorwaarde hoeft te voldoen maar toch overal het hart van het publiek treft, zonder dat hij eerst een lange leertijd moet doormaken, goedkope studentenfilms moet maken, het hulpje moet zijn van een of andere klootzak in Hollywood…

Om ongeveer acht uur die zaterdagavond was hij terug in Queens. Hij liet zich meteen op bed vallen, sliep twaalf uur achtereen en werd met meer vibrerende energie wakker dan hem in lange tijd was overkomen. Hij voelde zich gefrustreerd omdat het zondag was en hij zou moeten wachten tot hij kon beginnen. En dus ging hij met zijn moeder naar de mis, wat haar erg goeddeed, en maakte ze daarna een kolossaal ontbijt voor hem klaar, dat hij dankbaar opat. Hij dacht aan de magere kinderen in dat huis en was oprecht dankbaar voor het gezin waarin hij was opgegroeid, al wist hij dat het helemaal niet cool was om zulke gedachten te hebben. Terwijl hij at, vertelde hij zijn moeder wat hij te weten was gekomen.

'Dus het waren allemaal leugens,' merkte ze op.

'Dat hoeft niet,' zei Crosetti, nog een beetje in de ban van de fictieve versie die hij had uitgedacht. 'Ze was inderdaad aan een slechte situatie ontvlucht. Delen van haar verhaal kunnen waar zijn. Ze veranderde de locatie en sommige details, maar die man sloot haar inderdaad in een kelder op, volgens die jongen. Ze kan als kind zijn misbruikt.'

'Maar ze is getrouwd, iets wat ze vergeten is je mee te delen, en ze is van haar kinderen weggelopen. Sorry, Allie, maar dat pleit niet voor haar. Ze had naar de autoriteiten kunnen gaan.'

Crosetti stond abrupt van tafel op en bracht zijn bord en kopje naar het aanrecht, waar hij ze afspoelde met het gekletter van iemand die woedend is. Hij zei: 'Ja, maar wij waren er niet bij. Niet iedereen heeft een gelukkig gezin zoals wij, en de autoriteiten pakken het soms helemaal verkeerd aan. We hebben geen idee van wat ze heeft doorgemaakt.'

'Oké, Albert,' zei Mary Peg, 'je hoeft de borden niet te breken om duidelijk te maken wat je bedoelt. Je hebt gelijk, we weten niet wat ze heeft doorgemaakt. Ik maak me alleen een beetje zorgen omdat je zo emotioneel betrokken bent bij een getrouwde vrouw die je nauwelijks hebt gekend. Het lijkt wel een obsessie.'

Crosetti draaide de kraan dicht en keek zijn moeder aan. 'Het ís een obsessie, mam. Ik wil haar vinden en ik wil haar helpen als ik kan. En daarvoor moet ik die brieven ontcijferen.' Hij zweeg even. 'En ik zou graag willen dat jij me hielp.'

'Geen probleem, schat,' zei zijn moeder, nu glimlachend. 'Het is leuker dan scrabble spelen tijdens lange, lange avonden.'

De volgende dag zocht Mary Peg naar informatie over cryptografie. Ze deed dat op internet en door via telefoon en e-mail contact op te nemen met de vele mensen die ze in bibliotheken over de hele wereld kende. Crosetti belde Fanny Doubrowicz in de bibliotheek en hoorde tot zijn grote genoegen dat ze het handschrift van Bracegirdle had kunnen lezen en de tekst van zijn laatste brief in haar computer had gestopt. Ze had ook een transcriptie gemaakt van het geheimschrift van de spionagebrieven en een monster van het papier en de inkt van die originelen naar het laboratorium gestuurd om het te laten analyseren. Voor zover het lab kon vaststellen, was het een zeventiende-eeuws document.

'Die Bracegirdle vertelt trouwens nogal een verhaal,' zei ze. 'Het zal een revolutie in de wetenschap ontketenen, tenzij het allemaal leugens zijn. Was je maar niet zo dom geweest om het origineel te verkopen!'

'Dat weet ik, maar ik kan er nu niets meer aan doen,' zei Crosetti, die zijn best deed om vriendelijk te blijven. 'Als ik Carolyn kan vinden, kan ik het misschien terugkrijgen. Is er mogelijk iets opgedoken uit de geruchtenmolen van de bibliotheekwereld? Een wereldschokkend manuscript gevonden?'

'Niets, en ik heb rondgebeld in manuscriptkringen. Als professor Bulstrode aan het onderzoeken is of het manuscript echt is, doet hij dat heel stilletjes.'

'Is dat niet vreemd? Ik zou denken dat hij persconferenties zou houden.'

'Ja, maar deze man heeft al eens zijn vingers gebrand. Hij komt hier pas mee in de openbaarheid als hij absolute zekerheid heeft. Aan de andere kant zijn er maar een paar mensen op de wereld die een gezaghebbende uitspraak over zo'n manuscript kunnen doen, en die heb ik allemaal gesproken. Ze lachen als ze Bulstrodes naam horen en niemand heeft de laatste tijd meer van hem gehoord.'

'Ja, nou, misschien heeft hij zich in een geheim kasteel verstopt om van zijn vondst te genieten. Zeg, kun je die documenten per e-mail sturen? Ik wil aan dat geheimschrift gaan werken.'

'Ja, dat doe ik meteen. En ik stuur je ook het nummer van mijn vriend Klim. Ik denk dat je hulp nodig hebt. Ik heb er even naar gekeken en het lijkt me geen eenvoudige zaak, dat geheimschrift.'

Toen Crosetti het mailtje had ontvangen, dwong hij zichzelf Fanny's transcriptie van de Bracegirdle-brief af te drukken in plaats van hem meteen op het scherm te lezen. Daarna las hij hem verschillende keren door, vooral het laatste deel over het spionagewerk, en deed hij zijn best om zichzelf de verkoop van het origineel niet al te kwalijk te nemen. Hij kon zich voor een deel verplaatsen in Bulstrode, de schoft. Dit was zo'n gigantische ontdekking geweest dat hij zich heel goed kon voorstellen wat er door het hoofd van die man moest zijn gegaan toen hij het zag. Hij wilde niet aan die andere, grotere vondst denken, zoals Bulstrode natuurlijk meteen had gedaan, en hij wilde ook niet steeds aan Carolyn denken, en aan de rol die ze bij dit alles zou spelen. Crosetti was meestal een onverschillige leerling, maar hij kon zich goed concentreren als hij zich echt voor iets interesseerde, bijvoorbeeld filmgeschiedenis, een terrein waarop hij een encyclopedische kennis bezat. Nu richtte hij zijn aandacht op het geheimschrift van Bracegirdle en op de grote stapel cryptografieboeken die zijn moeder die avond uit verschillende bibliotheken mee naar huis had genomen.

De volgende zes dagen deed hij niets anders dan naar zijn werk gaan, cryptografie studeren en aan het geheimschrift werken. Op zondag ging hij weer naar de kerk, waar hij met ongewone ijver voor een oplossing bad. Weer thuis wilde hij naar zijn kamer gaan om zijn studie voort te zetten, maar zijn moeder hield hem tegen.

'Neem wat rust, Allie, het is zondag.'

'Nee, ik dacht aan iets anders wat ik wilde uitproberen.'

'Schat, je bent doodmoe. Je geest is door elkaar geklutst en je schiet er niets mee op als je maar doordraaft als een hamster in zijn molentje. Ga zitten, dan maak ik een stapel sandwiches voor je. Je neemt een biertje en vertelt me wat je hebt gedaan. Dat helpt, geloof me.'

En dus dwong hij zichzelf te gaan zitten. Hij at tosti's met bacon, dronk een biertje en merkte dat zijn moeder gelijk had: hij voelde zich een beetje menselijker. Na het eten vroeg Mary Peg: 'Nou, wat heb je tot nu toe ontdekt? Iets?'

'In negatieve zin. Weet je veel van geheimschrift?'

'Op het niveau van de puzzelpagina in de zondagskrant.'

'Nou, dat is een begin. Oké, het meest voorkomende soort geheimschrift in het begin van de zeventiende eeuw was wat ze een nomenclator noemden, een soort code. Je hebt een kort vocabulaire van codewoorden, *doos* in plaats van *leger*, *spelden* in plaats van *schepen*, of zoiets, en die woorden en de verbindende woorden van de boodschap werden dan gecodeerd door eenvoudige vervanging, misschien met nog een paar complicerende factoren toegevoegd. Wat we hier hebben, is geen nomenclator. Ik denk dat dit het geheimschrift is waarover Bracegirdle in zijn brief schrijft, het geheimschrift dat hij voor lord Dunbarton heeft uitgedacht. Het is ook geen eenvoudige vervanging. Ik denk dat het een echt polyalfabetisch geheimschrift is.'

'Wat betekent dat?'

'Het is een beetje ingewikkeld. Ik zal je wat laten zien.' Hij ging weg en kwam met een handvol papieren terug. 'Oké, de eenvoudigste vervanging houdt in dat de ene letter door de andere wordt vervangen, meestal door een bepaald aantal plaatsen in het alfabet op te schuiven: A wordt D en C wordt G enzovoort. Dat heet een caesarverschuiving omdat ze zeggen dat Julius Caesar het heeft uitgevonden, maar natuurlijk kun je het in een paar minuten ontcijferen als je de gebruikelijke frequenties kent van de letters in de taal waarin het is geschreven.'

'In het Engels komt de E het meest voor, en dan de T. De volgorde is: ETAOIN SHRDLU.'

'Precies. Nou, natuurlijk wisten spionnen dat, en dus ontwikkelden ze methoden om de frequentie van letters te verhullen. Om dat probleem te omzeilen gebruikten ze een ander alfabet.'

'Je bedoelt letterlijk een ander alfabet, bijvoorbeeld het Griekse?'

'Nee, nee, ik bedoel het volgende.' Hij haalde een papier uit de stapel en streek het glad op de tafel. 'In de zestiende eeuw bedacht de architect Albert een vervangend geheimschrift dat gebruikmaakte van een groot aantal alfabetten dat op koperen platen gerangschikt stond, en een tijdje later bedacht een Franse wiskundige, Blaise Vigenère, een polyalfabetisch substitutiegeheimschrift, zoals ze het noemen. Het maakt gebruik van zesentwintig caesarverschoven alfabetten, en ik dacht dat Bracegirdle dit geheimschrift, of iets wat erop lijkt, moet hebben gekend als hij in die tijd de kunst van het geheimschrift bestudeerde. Dit hier noemen ze een tabula recta of een Vigenère-tableau. Het zijn zesentwintig alfabetten, het een komt boven op het andere. Het eerste is een gewoon alfabet van A tot z, en dan schuift het begin van elk volgend alfabet een letter naar links op. Het tweede alfabet gaat dus van B naar z plus A, het derde van C naar z plus A en B enzovoort. Langs de linkerkant en de bovenkant staan gewone alfabetten om als index te dienen.'

'Hoe verhul je dan de frequenties van letters?'

'Je gebruikt een sleutel. Je kiest een bepaald woord. Je zet de letters van dat woord boven de kolommen en herhaalt het tot je aan het eind van het alfabet komt. Laten we bijvoorbeeld "mary peg" als sleutel nemen. Dat zijn zeven verschillende letters, dus het is een goede keuze.' Hij schreef het een aantal keren met potlood op en zei: 'Nu hebben we een tekst nodig die we willen versleutelen.'

'Vlucht, alles is ontdekt,' stelde Mary Peg voor.

'Altijd handig. Dus we schrijven de tekst boven de sleutel, kijk, zo…'

    V L U C H T A L L E S I S O N T D E K T
    M A R Y P E G M A R Y P E G M A R Y P E

'En om het in geheimschrift om te zetten nemen we de eerste letter van de tekst, een v, en de eerste letter van de sleutel, de M, en dan gaan we in het tableau, van kolom v naar rij M en schrijven we de letter op die we op het kruispunt vinden. Dat is in dit geval een H. De volgende combinatie is de L van "vlucht" en de A van "mary", dus de L blijft de L; de volgende combinatie is de U en de R, wat ook een L oplevert. Maar die twee L'en in het geheimschrift staan dus voor verschillende letters in de echte tekst, zodat niemand iets kan ontdekken door op de frequentie van letters te letten. Laat me het even afmaken, dan kun je het zien…'

Crosetti vulde vlug het geheimschrift in en kreeg:

    V L U C H T A L L E S I S O N T D E K T
    H L L A W X G X L V Q X W U Z T U C Z X

	A	B	C	D	E	F	G	H	I	J	K	L	M	N	O	P	Q	R	S	T	U	V	W	X	Y	Z
A	A	B	C	D	E	F	G	H	I	J	K	L	M	N	O	P	Q	R	S	T	U	V	W	X	Y	Z
B	B	C	D	E	F	G	H	I	J	K	L	M	N	O	P	Q	R	S	T	U	V	W	X	Y	Z	A
C	C	D	E	F	G	H	I	J	K	L	M	N	O	P	Q	R	S	T	U	V	W	X	Y	Z	A	B
D	D	E	F	G	H	I	J	K	L	M	N	O	P	Q	R	S	T	U	V	W	X	Y	Z	A	B	C
E	E	F	G	H	I	J	K	L	M	N	O	P	Q	R	S	T	U	V	W	X	Y	Z	A	B	C	D
F	F	G	H	I	J	K	L	M	N	O	P	Q	R	S	T	U	V	W	X	Y	Z	A	B	C	D	E
G	G	H	I	J	K	L	M	N	O	P	Q	R	S	T	U	V	W	X	Y	Z	A	B	C	D	E	F
H	H	I	J	K	L	M	N	O	P	Q	R	S	T	U	V	W	X	Y	Z	A	B	C	D	E	F	G
I	I	J	K	L	M	N	O	P	Q	R	S	T	U	V	W	X	Y	Z	A	B	C	D	E	F	G	H
J	J	K	L	M	N	O	P	Q	R	S	T	U	V	W	X	Y	Z	A	B	C	D	E	F	G	H	I
K	K	L	M	N	O	P	Q	R	S	T	U	V	W	X	Y	Z	A	B	C	D	E	F	G	H	I	J
L	L	M	N	O	P	Q	R	S	T	U	V	W	X	Y	Z	A	B	C	D	E	F	G	H	I	J	K
M	M	N	O	P	Q	R	S	T	U	V	W	X	Y	Z	A	B	C	D	E	F	G	H	I	J	K	L
N	N	O	P	Q	R	S	T	U	V	W	X	Y	Z	A	B	C	D	E	F	G	H	I	J	K	L	M
O	O	P	Q	R	S	T	U	V	W	X	Y	Z	A	B	C	D	E	F	G	H	I	J	K	L	M	N
P	P	Q	R	S	T	U	V	W	X	Y	Z	A	B	C	D	E	F	G	H	I	J	K	L	M	N	O
Q	Q	R	S	T	U	V	W	X	Y	Z	A	B	C	D	E	F	G	H	I	J	K	L	M	N	O	P
R	R	S	T	U	V	W	X	Y	Z	A	B	C	D	E	F	G	H	I	J	K	L	M	N	O	P	Q
S	S	T	U	V	W	X	Y	Z	A	B	C	D	E	F	G	H	I	J	K	L	M	N	O	P	Q	R
T	T	U	V	W	X	Y	Z	A	B	C	D	E	F	G	H	I	J	K	L	M	N	O	P	Q	R	S
U	U	V	W	X	Y	Z	A	B	C	D	E	F	G	H	I	J	K	L	M	N	O	P	Q	R	S	T
V	V	W	X	Y	Z	A	B	C	D	E	F	G	H	I	J	K	L	M	N	O	P	Q	R	S	T	U
W	W	X	Y	Z	A	B	C	D	E	F	G	H	I	J	K	L	M	N	O	P	Q	R	S	T	U	V
X	X	Y	Z	A	B	C	D	E	F	G	H	I	J	K	L	M	N	O	P	Q	R	S	T	U	V	W
Y	Y	Z	A	B	C	D	E	F	G	H	I	J	K	L	M	N	O	P	Q	R	S	T	U	V	W	X
Z	Z	A	B	C	D	E	F	G	H	I	J	K	L	M	N	O	P	Q	R	S	T	U	V	W	X	Z

'Je ziet dat die twee L'en in "alles" in het geheimschrift twee verschillende letters opleveren,' zei hij. Je hebt nu iets wat niet ontcijferd kan worden door te kijken hoe vaak letters voorkomen, en driehonderd jaar lang kon niemand zo'n geheimschrift ontcijferen als hij het sleutelwoord niet had. Dat was de voornaamste reden waarom ze spionnen martelden.'

'Hoe heb jíj het ontcijferd?'

'Door de lengte van het sleutelwoord te vinden, en dat doe je door te kijken naar patronen die zich in de tekst van het geheimschrift herhalen. Dat heet de Kasiski-Kerckhoff-methode. Als een bericht maar lang genoeg is, of als je meer berichten hebt, levert de lettercombinatie VL opnieuw HL op, en zo zijn er nog meer patronen van twee of drie letters, en dan tel je de afstand tussen de herhalingen en ontdek je gemeenschappelijke numerieke factoren. Voor ons voorbeeld gebruikten we een sleutel van zeven letters, en dan krijg je na zeven, veertien en eenentwintig tekens dus meer herhalingen dan je door toeval zou krijgen. Natuurlijk gebruik je tegenwoordig statistische hulpmiddelen en computers. En als je weet dat onze sleutel zeven letters telt, is het een makkie, want dan heb je zeven eenvoudige substitutiealfabetten, ontleend aan het Vigenère-tableau, en dan kun je met behulp van gewone frequentieanalyse de tekst ontcijferen of het sleutelwoord reconstrueren. Je kunt decryptieprogramma's downloaden die dat binnen enkele seconden op een pc voor elkaar krijgen.'

'Waarom heb je de tekst dan nog niet ontcijferd?'

Hij streek door zijn haar en kreunde. 'Als ik dat wist, zou ik wéten hoe ik de tekst moet ontcijferen. Dit is geen eenvoudige Vigenère.'

'Misschien heeft het gewoon een lange sleutel. Hoe langer de sleutel, des te moeilijker zal het zijn om met die herhaalde lettercombinaties te werken.'

'Daar zit wat in. Het probleem met lange sleutels is dat ze gemakkelijk worden vergeten en moeilijk zijn over te brengen als je ze wilt veranderen. Als die kerels bijvoorbeeld elke maand de sleutel wilden veranderen om er absoluut zeker van te zijn dat geen spion het had ontdekt, zouden ze iets willen hebben wat een agent in het donker in iemands oor kon fluisteren of in een volslagen onschuldig bericht kon doorgeven. Tegenwoordig krijgt een agent een eenmalig blok. Dat is een stel voorgedrukte segmenten van een oneindig lange, volstrekt willekeurige sleutel. De agent ontcijfert een bericht en verbrandt het papier. Het is absoluut niet te ontcijferen, zelfs niet door geavanceerde computers. Maar zo'n methode hadden ze in 1610 nog niet uitgevonden.'

'Wat kan het dan zijn?'

'Het kan een rooster zijn. In dat geval kunnen we het wel schudden.' Toen hij haar verbaasd zag kijken, voegde hij eraan toe: 'Een rooster van Cartan, een stuk stijf papier met gaten erin waardoor je de boodschap kunt zien als je het over de tekst heen legt. Dat zou betekenen dat het helemaal geen geheimschrift is. De tekst zou dan uit willekeurige letters bestaan, maar als je er een rooster overheen schuift krijg je LIED of LIS of LIST...'

'Maar als ze een rooster gebruikten, zou de gecodeerde boodschap toch op een normale brief lijken? "Lieve moeder, ik amuseer me geweldig in Londen. Ik heb een nieuw wambuis gekocht, ben naar de berenbijt geweest, wou dat je hier ook was, veel liefs, Richard." En het rooster zou dan de echte tekst laten zien: "Vlucht, alles is ontdekt." Ik bedoel, dat zou toch juist de bedoeling zijn? Dat het geheime bericht voor een onschuldige brief doorging?'

Crosetti tikte tegen zijn hoofd, een gebaar van wat-een-idioot-ben-ik. 'Natuurlijk. Blijkbaar heb ik ze niet allemaal meer op een rijtje. Hoe dan ook, ik kom er niet uit. Ik heb geen idee hoe ik verder moet.'

'Ik zou het ook niet weten. Zoals ik al zei: je moet wat rust nemen.'

'Je hebt gelijk.' Hij wreef met beide handen over zijn gezicht en vroeg toen: 'Welke dag is het vandaag?'

'14 oktober. Hoezo?'

'Er is een Caribisch filmfestival in het BAM, en ik wil *Of Men and Gods* zien. Misschien kijk ik hier met een frisse blik tegenaan als ik eerst in homoseksuele Haïtiaanse voodoo opga.'

'Dat is een goed plan, jongen,' zei Mary Peg.

Er viel hem iets op aan haar toon en aan de uitdrukking op haar gezicht. Hij keek haar aandachtig aan. 'Wat is er?'

'Niets, schat. Ik dacht alleen dat ik zelf ook eens naar die papieren wilde kijken, als je geen bezwaar hebt.'

'Hé, je doet je best maar!' zei Crosetti met een zweem van zelfvoldaanheid. 'Het is geen kruiswoordpuzzel.'

Hij was vier uur weg, omdat hij na de film een stel vrienden tegenkwam, met wie hij koffie ging drinken en ze ontleedden de film technisch en artistiek, en hij genoot van de grappige en spitse conversatie die in zulke groepen gebruikelijk was. Hij maakte een paar goede opmerkingen en raakte aan de praat met een kleine, levendige vrouw die documentaires maakte. Ze wisselden telefoonnummers uit. Voor het eerst in wat voor hem een lange tijd leek voelde Crosetti zich weer mens. Het was nu bijna twee maanden geleden dat zijn affaire met Rolly begon en eindigde, met achterlating van veel emotionele as. Het was geen liefde, dacht hij nu. Zeker, er was een zekere chemie geweest, maar zoals zijn moeder had opgemerkt, kon chemie alleen in een echte band overgaan als er wederkerigheid optrad en als er verplichtingen werden aangegaan, en dat was bij Rolly beslist niet het geval geweest. Van Rolly's kant was er helemaal niets geweest, alleen die stomme brief, o, ja, en PS, doe Albert de groeten van me. Het zat hem nog steeds dwars. Hij was niet zozeer in zijn zelfrespect getroffen als wel gekwetst in zijn gevoel voor esthetiek. Het was verkeerd, hij zou nooit zoiets hebben geschreven in een scenario; en omdat hij een realistische auteur was, geloofde hij dat zo'n gebeurtenis niet in de echte wereld zou kunnen plaatsvinden. Aldus de metrogedachten van Crosetti.

Toen hij thuiskwam trof hij Mary Peg in haar huiskamer aan, waar ze wodka zat te drinken met een vreemde man. Crosetti bleef in de deuropening staan en keek naar zijn moeder, die de man koel (overdreven, verdácht koel, vond Crosetti) voorstelde als Radeslaw Klim. De man stond op en bleek erg groot te zijn, misschien wel vijftien centimeter langer dan

Crosetti; hij gaf hem met een stijve kleine buiging een hand. De man had een smal, buitenlands gezicht, al zou Crosetti niet kunnen uitleggen waarom het niet Amerikaans was. Fletse blauwe ogen keken door een bril met een metalen montuur en ronde glazen, onder een grote bos stijf zilvergrijs haar, dat boven zijn brede voorhoofd naar boven stak als de pluim op de helm van een centurio. Hij was ongeveer even oud als Mary Peg, of een beetje ouder, en hij droeg een flodderig roestbruin pak met een donker overhemd daaronder, geen das; het pak was een goedkoop exemplaar dat slordig om zijn lange slanke lichaam hing. Desondanks had de man een bijna militaire houding, alsof hij zijn prachtig gesneden kostuum tijdelijk kwijt was.

Crosetti ging in een fauteuil zitten en kreeg van zijn moeder een glas wodka met ijs, een drank die hij niet goed kende maar waaraan hij wel een dringende behoefte had. Nadat hij een slok had genomen, keek hij Mary Peg uitdagend aan, en die zei zonder omhaal: 'Meneer Klim is een vriend van Fanny. Ik heb hem uitgenodigd om naar je geheimschrift te kijken. Omdat jij er niet verder mee kwam.'

'Uh-huh,' zei de zoon.

'Ja,' zei Klim. 'Ik heb ernaar gekeken, het enigszins bestudeerd. Zoals u al vermoedde is het een polyalfabetisch substituutgeheimschrift, en het is ook waar dat het geen eenvoudige Vigenère is. Dat spreekt natuurlijk vanzelf.' Hij sprak met een licht accent dat Crosetti aan Fanny deed denken. Zijn houding was typisch die van een milde geleerde, en dat nam iets van Crosetti's opkomende afkeer weg.

'Nou, wat is het dan?' vroeg Crosetti op scherpe toon.

'Ik denk dat het een doorlopende sleutel is,' zei Klim. 'Uit een of ander boek. U weet hoe dat werkt? De sleutel is erg lang in vergelijking met de tekst, dus de Kasiski-Kerkhoff-methode is niet te gebruiken.'

'Zoiets als een boekcode?'

'Nee, dit is niet hetzelfde. Een boekcode is een code. De codetekst is bijvoorbeeld 14, 7, 6, en dat betekent dat je naar de *World Almanac* of zoiets gaat en naar bladzijde 14, regel 7, woord 6 kijkt. Je kunt ook letters gebruiken als je dat wilt, de vierde letter, de tiende letter. Een doorlopende sleutel gebruikt eveneens een boek, maar in dit geval is de boektekst een ononderbroken sleutel. Toch is dat niet zo veilig als mensen denken.'

'Waarom niet? Het is te vergelijken met een eenmalig blok.'

Klim schudde zijn hoofd. 'Nee. Een eenmalig blok heeft een erg hoge entropie, omdat de letters willekeurig zijn opgeroepen. Dat wil zeggen, als je één letter van je sleutel hebt, weet je niet welke van de andere zesentwintig daarop volgt. Maar als je te maken hebt met een doorlopende sleutel die op een Engelse tekst is gebaseerd, welke letter zal dan volgen op de Q?'

'De u.'

'Precies. Een doorlopende sleutel heeft dus een lage entropie. We leggen een waarschijnlijke tekst naast het geheimschrift tot we iets begrijpelijks zien.'

'Wat bedoelt u met een "waarschijnlijke tekst"?'

'O, in een Engelse tekst duiken altijd woorden op. *De, en, dit* enzovoort. We leggen de tekst naast het geheimschrift, en stel nu eens dat we ergens ontdekken dat "de" ons "in" of "sh" oplevert als we via het tableau terugwerken. Zulke aanwijzingen gebruiken we dan om meer Engelse woorden in de sleutel te vinden. Uiteindelijk vinden we de bron van de doorlopende sleutel, ik bedoel het boek waarmee is gewerkt, en in dat geval hebben we het geheimschrift volledig gebroken. Het is niet erg ingewikkeld, maar we hebben een computer nodig, of anders grote teams van intelligente dames. Hij glimlachte nu, zodat zijn kleine vlekkerige tanden te zien waren. Zijn brillenglazen glinsterden. Crosetti kreeg de indruk dat Klim ooit de leiding over zulke teams had gehad.

'Die van mij bijvoorbeeld?' vroeg Crosetti. 'Mijn computer, bedoel ik, niet mijn teams van dames.'

'Ja, als hij met andere computers wordt verbonden, en dat is te doen. Er zijn mensen op de wereld die voor hun plezier geheimschrift kraken en die lenen je de computercycli die ze niet gebruiken, 's avonds laat bijvoorbeeld, en het is altijd wel ergens 's avonds laat. Ik kan dat wel regelen, als u het wilt. Bovendien is het een geluk dat we met geheimschrift uit het jaar 1610 te maken hebben.'

'Waarom?'

'Omdat er dan veel minder gedrukte teksten als doorlopende sleutel gebruikt kunnen zijn. Als ik trouwens bedenk wat uw moeder me over de aard van die mensen heeft verteld, durf ik de veronderstelling wel aan dat de tekst waarschijnlijk de Bijbel is. Wel, zullen we beginnen?'

'Nu?'

'Ja. Hebt u daar bezwaar tegen?'

'Nou, het is nogal laat,' zei Crosetti.

'Dat geeft niet. Ik slaap erg weinig.'

Mary Peg zei: 'Ik heb Patty's oude kamer aan Radeslaw aangeboden.'

Crosetti dronk zijn wodka op en bedwong de gebruikelijke huivering. Hij stond op en zei: 'Nou, je schijnt alles al te hebben geregeld, ma. Dan ga ik maar naar bed.'

De volgende morgen werd Crosetti niet door zijn wekker uit zijn slaap gehaald, maar doordat er hard op de deur werd geklopt en hij even later aan zijn schouder heen en weer werd geschud door zijn moeder. Hij keek haar met knipperende ogen aan. 'Wat is er?'

'Je moet dit lezen.' Ze ritselde met de *New York Times*, opengeslagen op de pagina's die aan plaatselijke misdaad, corruptie en beroemdheden waren gewijd.

ENGELSE HOOGLERAAR VERMOORD

IN FLAT VOOR GASTDOCENTEN COLUMBIA

Bij het zien van die krantenkop was hij meteen klaarwakker. Hij wreef de wazigheid uit zijn ogen, las het artikel en las het nog een keer. Het was een kort bericht, want zoals gewoonlijk wilde de politie niet veel loslaten, maar de verslaggever had het woord 'martelen' gebruikt, en dat was genoeg om Crosetti's buik te laten trillen van opwinding.

'Bel Patty,' zei hij.

'Heb ik al gedaan,' zei Mary Peg, 'maar ik kreeg de voicemail. Ze belt terug. Wat denk je?'

'Het ziet er niet goed uit. Hij verdwijnt meteen nadat ik hem het manuscript heb verkocht, is waarschijnlijk een paar maanden in Engeland, misschien met Carolyn, misschien niet, komt hier terug, en dan martelt iemand hem dood. Misschien bestaat het manuscript van dat toneelstuk echt en heeft hij ontdekt waar het zich bevindt en ontdekten bepaalde personen dat hij het wist en martelden ze hem om het manuscript in handen te krijgen.'

'Albert, dat is een film. In het echt gebeuren zulke dingen niet met Engelse hoogleraren.'

'Waarom is hij dan gemarteld en vermoord? Toch niet vanwege zijn pincode?'

'Misschien heeft de moeder van een andere domme jongen die hij heeft bedrogen wraak genomen. Als je bedenkt wat we over zijn karakter weten, kan hij bij allerlei onverkwikkelijke zaakjes betrokken zijn geweest.'

'Ma, geloof me, of het nu op een film lijkt of niet: zo is het gegaan. Ik moet opstaan.'

Dat was het teken voor zijn moeder om weg te gaan, en dat deed ze. Toen Crosetti onder de douche stond, dacht hij weer aan Rolly en de plot van zijn film, en aan de mogelijkheid dat zij in werkelijkheid de schurk van het verhaal was, Brigid O'Shaughnessy gespeeld door Mary Astor in *The Maltese Falcon*. Zijn moeder had het mis. Niet alleen was het leven als een film, maar films waren ook de reden waarom het leven was zoals het was. Films leerden mensen zich te gedragen, hoe je een man moest zijn, hoe je een vrouw moest zijn, en dat was grappig en tegelijkertijd angstaanjagend. De mensen die ze maakten hadden daar geen idee van, ze wilden alleen maar geld verdienen, maar toch was het zo.

En nu zaten ze dus in *The Maltese Falcon*, zijn favoriete film na *Chinatown*, dat in feite een nieuwe versie van dezelfde film was, verplaatst naar de jaren zeventig. Waarom hield hij van films over slechte meisjes? *Bonnie and Clyde* natuurlijk, en *La Femme Nikita* en nog tientallen andere. Hij vroeg zich af welke rol hij speelde, de dode Miles Archer of de dode zeekapitein in het verleden, of Sam Spade. *Jij hebt Miles gedood en nu ga je voor de bijl.* En: *Ik hoop dat ze je niet aan die mooie nek gaan ophangen, schatje. Ja, engel, ik zet je achter de tralies.* Hij kende het hele scenario bijna uit zijn hoofd, en nu hij onder de douche stond, sprak hij die teksten slissend als Bogart uit. Hij vroeg zich af of, als het ooit zover kwam, hij Carolyn Rolly achter de tralies kon zetten, en of ze echt had geholpen Bulstrode te vermoorden. Of misschien zou hij haar handlanger zijn. Alleen het idee al liet zijn hart sneller slaan. Hij draaide de temperatuur van het water een beetje kouder en liet het over zijn verhitte gezicht stromen.

DE EERSTE BRIEF IN GEHEIMSCHRIFT

Mijn Heer Het is nu twee weken en enige dagen geleden dat ik uw huis verliet & sedertdien behaalde ik enig succes, gelijk ik hier zal vertellen. Op een vrijdag verliet ik mijn onderkomen in de Vine in Bishopsgate in gezelschap van de Heer Wales, die al die tijd bij mij was geweest & een zware beproeving was, hem zijnde een opschepper en gek & vaak de veiligheid onzer onderneming in gevaar brengende met zijn praat & snoeverij in de gelagkamer. Dikwijls moest ik hem onder dwang & dreiging naar onze kamer dragen; doch indien nuchter is hij laf & doet gelijk hem wordt gezegd. In onbeschonken staat vertelde hij mij diverse paapse kunsten en gezegden gelijk zij in hun missen & bijgelovig vertoon doen, opdat ik indien nodig voor een van hen kan doorgaan.

Van de huurders hier is het merendeel wagenvoerders & enige spelers; van deze laatsten is de helft half paap & de rest botweg atheïst, amper een Christen onder hen. Alzo wij begeven ons door Bishopsgate, hij bleek & zwetend van drank & wil hier aangaan voor meer wijn, maar ik weerhoud hem zeggende denk aan onze zaken Heer Wales & ik bespeur angst op zijn gezicht. Alzo komen wij bij de Swan in Leadenhalle Street alwaar hij zegt W.S. dikwijls vertoeft. Heer Wales zegt hij neemt hier en elders een kamer als hij niet onthaald wordt in een groot huis. Voorheen verbleef hij bij Silver Street doch niet meer & voorheen ging hij elke dag naar het toneelhuis Globe of Black-Friers doch thans minder dikwijls aangezien hij er rijk van is geworden de schobbejak. Een laag gezelschap in de Swan, toneelspelers schooiers bedriegers & ander uitschot & Waley informerende bij de tapster verneemt dat Heer W.S. boven in een huurkamer is. Blijkbaar is hij gewoon daar 's morgens aan zijn papieren te werken. Alzo stuurde Waley een meid zeggende dat een zijner verwanten hem komt bezoeken: dat was ik. Spoedig komt hij de kamer in een man met dunne baard, van gemiddelde grootte met kale kruin een beetje vet in een goede

wambuis met de kleur van dode Spanjool & ziet eruit als een manu-
facturier. Heer Waley stelt ons voor. Will Shaxpure ziehier uw neef uit
Warwick, Richard Bracegirdle.

Zeide hij het moet door uw moeder zijn dat wij neven zijn want er
was nimmer zo'n naam in Warwickshire & ik zeg ja mijn moeder was
geboren Arden. Daarop glimlacht hij & slaat mij op de rug & troont
mij naar de tafel & vraagt wat ik wens & de bierjongen brengt ons
bier, doch Heer Waley vraagt om kanariewijn schoon hem niets is ge-
vraagd & roept enige schurken die hij kent & een slet bij zich & geeft
hun van zijn wijn. Thans spreekt W.S. tot mij doch ik versta nog niet
een op de drie woorden, zo vreemd is zijn accent; merkende dat stopt
hij en zegt gij zijt niet uit Warwick & ik zeg nee doch geboren in Lon-
den en mijn jeugd in Titchfield doorgebracht & hij zegt hij is vaak in
Titchfield geweest bezoekende mijn heer Southhampton & dit zegt hij
met een Hampshire-stem als konde hij mijn oom Matthew zijn ge-
weest, hetgeen mij zeer verbaasde. Doch naderhand peinsde ik, hij is
toneelspeler geweest, het is zijn kunst de spraak van elk mens na te
apen.

Vervolgens spraken wij van onze families en ontdekten dat zijn moe-
der afstamde van sir Walter Arden van Park Hall evenals de mijne
doch hij stamde af door Thomas de oudste zoon van die heer niet Ri-
chard de mijne & dit deed hem zeer goed & ik zeide dat mijn vader
gehangen was voor paperij doch zij zeiden verraad & hij keek ernstig
zeggende welzeker mijn oom verging het zo in de tijd van de oude ko-
ningin. Alzo wij praten verder, hem vragende mij mijn verhaal & ik
zeg hem goeddeels de waarheid, mijn leven als jongen en leerling in
de ijzergieterij, & de grote kanonnen & de Hollandse oorlogen; nim-
mer ontmoette ik een man die zozeer genegen was een ander ten volle
te laten spreken; want mensen wensen vooral van zichzelf te spreken
& zichzelf in fraaier kleuren uit te beelden dan naar het leven; doch
niet hij. Hierin sprak ik slechts de waarheid want Heer Piggott zeide
indien ge een grote leugen wilt vertellen stop hem dan in duizend
ware verhalen, opdat hij onopgemerkt blijft in hun grote getal. In-
middels had Heer Wales een pint & meer van beste kanariewijn ge-
dronken & was dronken & ging tekeer tegen W.S. zeggende hij had
vele weken geen werk gehad terwijl spelers minder bekwaam dan hij
wel op de planken stonden & W.S. zeide nee, heeft Heer Burbadge u
niet vele malen gewaarschuwd? Als ge naar het toneelhuis komt zo vol
van wijn als uw gewoonte is zodat u struikelt en uw tekst niet kent

zult ge uw plaats verliezen; en alzo hebt ge gedaan; en ge hebt voorzeker uw plaats verloren, gelijk was voorzegd; & ik kan niets voor u doen, maar hier is een penning voor u ge waart ooit een goede Portia. Doch Heer Wales versmaadt de munt & zeide, gij ijdel hondsvot ik zal u doen hangen & breken & nu zijn de strikken voor u gespannen & dan schop ik hem tegen zijn enkel & hij schreeuwt het uit & trekt zijn mes althans poogt dat & ik sla hem met een bierkruik op het hoofd & neer gaat hij in bloed. Nu twisten zijn wijnvrienden met mij & ik sta om mijn mes te trekken doch W.S. bestelt wijn & saffraankoek voor de tafel & spreekt zo mild & schertsend tegen die gemene kerels dat ze tot bedaren komen & hij laat een meid & bierjongen Heer Wales naar een bank dragen & betaalt al & dan voert hij me daar weg zeggende laat ons naar een stiller huis gaan want ik wens nader met u te spreken.

Alzo lopen wij door Bishopsgate, en door Cornhill & West Cheap naar Paul's & nogmaals vraagt hij mij naar mijn leven & ik antwoord zo goed mogelijk, herinnerende mij vele dingen die ik ben vergeten & als ik zeg smokkelaar te zijn geweest, houdt hij halt & laat mij nogmaals dat woord zeggen zwerende hij hoorde het nimmer eerder & schrijft het met een potlood in een boekje dat hij bij zich draagt & schijnt zo vergenoegd als hadde hij een shilling in de modder gevonden. Aankomende bij de Mermaid in Friday Street bij Paul's & waren velen daar die W.S. kenden & groetten hem met genegenheid & allen zeer hoffelijk begroet hebbende bracht hij mij naar een hoek bij het vuur dat was me dunkt zijn gewone plaats: want de bierjongen bracht hem klein bier zonder vragen & voor mij ook & hij dringt weer bij me aan om van mijn leven te spreken bijzonderlijk dat op zee & toen hij hoorde ik was op de Sea Adventurer & leed schipbreuk op de eilanden Bermoothes was hij zeer opgewonden & vreugde glansde op zijn gezicht & nam zijn boekje weer op & schreef veel terwijl ik sprak. Hij wenste te weten van de Caribers, hun aard & zeden & aten zij het vlees van mensen & ik zwoer hem nimmer in mijn leven een Cariber ontmoet hebbende, zij waren niet op de Bermoothes; doch ik sprak veel van hoe wij boten bouwden en aan dat eiland ontkwamen & veilig naar Virginia zeilden & van de indianen die mensenvlees eten aldus de Engelsen daar wonende & zijn zeer woeste wilden. Hij zeide hij had al verslagen daaromtrent gelezen; doch het was beter het van de lippen te horen van een die daar was & nogmaals vroeg hij mij naar de schipbreuk, te weten: hoe de zeelieden zich gedroegen & hoe de passagiers waren, weenden zij & schreeuwden van angst voor de

gevaren & ik zeide hem hoe onze bootsman Gouverneur Thom. Gates
vervloekte toen hij midden in de storm aan dek kwam & hem met een
eind touw een luik in joeg; waarop de Admiraal schreeuwde hij zoude
worden gegeseld doch geschiedde niet want het schip voer kort daarna
op de rotsen.

Ik alzo mijn verhaal vertellende, roept W.S. naar sommigen die bin-
nenkwamen of daar al waren: komt & hoort dit verhaal, dit is mijn
neef die in de Nieuwe Wereld is geweest & schipbreuk leed et cetera.
Weldra was het een groot gezelschap, zittende & staande. Sommigen
geloofden mij niet denkende mijn verhaal slechts een pak leugens ge-
lijk zeelieden vertellen; doch W.S. zeide tot hen nee de man spreekt de
waarheid want hij spreekt niet van draken of monsters, waterspuiters
en al dezulke fantastische dingen, slechts van gevaren die schepen op
hun reizen treffen. Buitendien zeide hij, ik heb een verslag gelezen
van de schipbreuk waarvan hij spreekt & komt in bijzonderheden
overeen.

Zo werd ik aldaar gerechtvaardigd. Mijn verhaal gedaan zijnde, zit-
ten & praten zij zoals ik nimmer eerder hoorde & moeilijk te herinne-
ren want het is de schertsende praat die niet beklijft. Althans niet bij
mij. Het was zeer schuine praat, een en al pikken & kutten, maar ver-
huld in andere & onschuldige taal, & zij zeiden niet een woord of een
ander verdraaide dat woord in een soortgelijk & nogmaals & nog-
maals, zodat ik nimmer wist hetgeen zij bedoelden. Dit noemen zij
humor & een van hen Heer Johnson kan humor tonen in Latijn &
Grieks & deed aldus doch weinigen daar begrepen zijn betekenissen;
doch lachten allen evengoed & noemden hem een saaie frik. Hij is
eveneens een maker van verdorven toneelstukken dewelke zeer geacht
worden door die schepsels & tweede na W.S. doch in zijn eigen ge-
dachten eerste. Een trotse verwaande man & ik denk een dwalende
paap & gaat zeer tekeer tegen het hervormde geloof & verkondigers
daarvan. W.S. pocht nu dat ik in Vlaanderen was, vechtende tegen de
Spanjool & Heer Johnson zegt hij was daar eveneens & vraagt mij
naar veldslagen & belegeringen waar ik was & onder welke bevelheb-
ber & wanneer. Alzo ik antwoord hem; doch als hij hoort dat ik bij de
kanonnen was, zegt hij poeh dat is geen soldatenwerk slechts karren-
voerderij & verscheping & vertelt hoe hij zijn piek droeg voor Vlissin-
gen & Zutphen & het was duidelijk zij hadden dat verhaal allen al
eerder gehoord & zij lachten om hem & bespotten zijn piek & zeiden
hij had daarmede meer Vlaamse meiden geprikt dan Spanjolen;

waarmee ik denk zij zijn privaat deel bedoelden. W.S. luisterde veel doch als hij sprak zij luisterden allen. Alzo, Heer Johnson snoevende met veel Latijnse woorden & ook veel drinkende & een vleespastei etende & nu en dan heft hij een bil & laat een grote wind & W.S. zegt zo spreekt een Bachelor of Arts, luistert goed en leert; en allen lachen, zelfs Heer Johnson. Maar ik begreep de grap niet.

Alzo verstreken uren ik denk tot het buiten al donkerde & W.S. zeide tot mij Richard ik heb zaken in het toneelhuis Black-Fryares wilt ge meekomen want ik wens u meer onder vier ogen te spreken. Alzo ik ga met hem & hij vraagt mij wat zal ik voor werk doen, ga ik naar zee terug? Ik zeide nee ik heb gedaan met de zee hebbende aldus schipbreuk geleden & gedaan met mijn reizen en evenzo met de oorlog, doch wens een plaats waar ik zeker ben van mijn vlees & mijn bed des nachts & een goede haard & mijn fortuin maken; want ik wenste op een dag te huwen. Hij zeide wat kunt ge doen om uw brood te verdienen Richard, naast oorlogen & smokkelen & kanonnen maken? Ik zeide ik was snel met cijfers & zou werken als landmeter zo ik een meester vond. Doch nu komen wij bij het toneelhuis nadat het stuk gespeeld is & het publiek komt nog naar buiten, velen rijk gekleed in bont en brokaat maar ook het gewone volk & wij moeten door een menigte dringen draagstoelen rijtuigen paarden dienaren stalknechten et cetera die daar wachten. Alzo gaan wij door de grote zaal verlicht met vele kaarsen doch zij worden reeds gesnoten & wij begeven ons naar een kleine kamer achter het toneel alwaar mannen zijn, een hunner geheel in zwart fluweel zeer fijn met verf nog op het gezicht; en twee anderen schijnbaar kooplieden & een kleine klerk & twee stevige kerels gewapend met hartsvangers & een van dezen had geen oren & de ander slechts één oog. Genaamd, vernam ik, de eerste Dick Burbage, speler; John Hemmynge, deelgenoot in het gezelschap der spelers; Henry Watkins, deelgenoot in het toneelhuis; Nicholas Pusey, die de beurs bewaarde van de King's Men Company & de boekhouding deed. Spade & Wyatt zijn de twee gewapenden, Spade met het ene oog. Die laatste twee uitgezonderd stonden al dezen daar te twisten noemende elkander schurken bedriegers et cetera.

W.S. komende onder hen, zeide wat schort eraan heren vanwaar dit misbaar? En alzo het verhaal omtrent de gelden die elke avonden worden uitgekeerd. Spelers deelgenoten moeten hun deel hebben, deelgenoten van het toneelhuis eveneens & meerdere beloningen aan anderen. Heer Pusey had een boek waarin alle gelden geschreven stonden, doch ik daarnaar kijkende zie dat het slecht gedaan werd op de oude wijze alsof het een geringe vishandel was & niet een grote onderneming gelijk dit theater; want verdorvenheid geeft veel profijt. W.S. zeide goede Heer Pusey haal uw bord en tellers & wij zullen het rekenen voor onze eigen ogen zien, zijn wij niet allen eerlijke mannen die kunnen cijferen gelijk de besten; en liet hen lachen met deze humor & Heer Pusey gaat. Nu vraag ik W.S. wat de aandelen van elk zijn & hoe berekend & ik bestudeer het boek dat openligt & kijk naar de krassen die mannen maken die tellers & bord benutten om hun rekeningen te maken & zie de fout die hij heeft gemaakt. Heer Pusey niet terugkerende, Heer Burbage roept om Spade om hem te halen & terwijl hij weg is neem ik mijn potlood en doe de noodzakelijke sommen & delingen in parten. Alzo keert Spade terug, gevolgd door Heer Pusey met zijn bord met de tellers vallende uit zijn mouwen; hij had gedronken & nu te zat om zijn papieren te verklaren; die geen man kon verklaren zelfs niet indien nuchter. Ik sprak over de zaak & toonde hun mijn berekeningen & zette mijn methoden uiteen. Deze waren een wonder voor hen & ik zie W.S. naar mij glimlachen: want hij is verzot op slimheid in enig opzicht. Buitendien zeg ik heren het is nutteloos te twisten omtrent wie welke som krijgt, want met deze rekeningen kunt ge nimmer zeggen welke winst is behaald. Niets ten nadele van deze heer, die ik niet kende, doch zo het nu staat kan een ieder u naar willekeur beroven & u zoude het niet weten. Het is of ge geblinddoekt om middernacht door Shoreditch loopt met volle beurzen in uw vingers & verwacht niet bestolen te worden. Alzo nader gepraat & werd besloten dat ik werd ingehuurd teneinde de boeken in Italiaanse stijl te houden & belast werd met de verdeling van de winsten: hier zeide W.S. hij stond voor mij ik zijn neef zijnde.

Hierna noodt W.S. mij aan tafel in de Mermaid & zeer vrolijk met zijn vrienden gelijk ik tevoren zeide & later naar bed in een kamer nabij de zijne in een huis dat hij bij Black-Fryres huurt & aldaar lachte ik luid & hij vraagt waarom & ik zeg ge bedoelde Bachelor of Farts, want hij liet daar een wind. Hij glimlachte, zeggende wij zullen een man van humor van u maken Richard, op een dag zult ge de grap terstond begrijpen & niet verder in de week. Te bed daarna & ik peinsde ik deed het goed want ik ben nu in de boezem van die verdorven schurken, hetgeen ik denk onze onderneming zeer ten goede komt. Met alle eer & nederige hoogachtig jegens uwe Edele & moge

God u beschermen & onze ondernemingen zegenen, vanuit Londen
deze vrijdag de tiende januari 1610,
Richard Bracegirdle

11

Iemand, Paul Goodman geloof ik, heeft eens gezegd dat domheid een verweermiddel van het karakter is en weinig met intelligentie te maken heeft. Dat is een van de redenen waarom de mensen die zogenaamd het best en het slimst waren ons in Vietnam verzeild lieten raken, en waarom mensen die slim genoeg zijn om grote rijkdom te vergaren dingen doen waardoor ze voor lange tijd achter de tralies gaan. *Mit der Dummheit kämpfen Götter selbst vergebens*, zoals mijn oma van moederskant gezegd schijnt te hebben, een citaat van Schiller: tegen domheid strijden zelfs de goden vergeefs. Hoe dan ook, het was dom om mijn zoon en daarna mijn vrouw over de gangsters te vertellen – nee, wacht, het was vooral dom dat ik niet onmiddellijk afstand had gedaan van het Bracegirdle-manuscript, want daarna zou geen gangster nog belangstelling voor mij of de mijnen hebben gehad.

Zoals ik al zei gedraagt Amalie zich meestal als een heilige, maar evenals Onze Lieve Heer wanneer Hij met onrecht of huichelachtigheid wordt geconfronteerd, is zij in staat tot een woede die groot genoeg is om vijgenbomen te doen verschrompelen. Nadat ze het hele verhaal uit me had gekregen, in afschuwelijke kleine stukjes vermengd met vergeefse leugens, kreeg ik de volle laag, zozeer dat zelfs haar perfecte Engels, dat ze toch vloeiend spreekt, tekortschoot voor het beledigen van mijn intelligentie en ze op Duits moest overschakelen: *saudumm*, *schwachsinnig*, *verblödet*, *verkorkst*, *vertrottelt*, *voll abgedreht* en *dumm wie die Nacht finster ist*, om er maar enkele te citeren. Het Duits is rijk aan zulke krachttermen, en in mijn kinderjaren had ik ze vaak door het huis horen roepen. 'Dom zoals de nacht donker is' was zelfs een van de favoriete uitdrukkingen van Mutti. Ten slotte: *du kotzt mich an*, wat erg vulgair is en ruwweg betekent: ik kots van jou. Na die woorden stond ik buiten. Ik had de scheldkanonnade bijna in stilte ondergaan, in het besef dat ik er een verdorven genoegen aan beleefde eindelijk het heilige geduld van mijn echtgenote te hebben doorbroken. Ik belde Rashid, die na enkele minuten kwam en uitstapte om het portier voor me open te maken, iets waarvan ik tegen Omar had gezegd dat hij het niet hoefde te doen. Ik zag Rashid naar boven kijken, en toen ik dat ook deed vloog *Paphiopedilum hanoiensis* van de bovenste verdieping van Amalies huis. Hij miste mijn auto ternauwernood en zijn nieuwe pot viel op straat aan scherven. Ik had haar niet alleen kwaad maar ook gewelddadig gemaakt: een hele prestatie voor één avond en weer een aanbetaling voor mijn appartement in de hel.

Het bleek het béste deel van de avond te zijn. Toen Rashid me had afgezet en ik mijn sleutel in het slot stak, zwaaide de buitendeur al open voor ik de kans kreeg de sleutel om te draaien. Iemand had het slot met een stuk duct tape vastgezet. Met bonkend hart rende ik de trappen op. De deur van mijn zolderappartement stond open. Binnen, in de smalle gang die naar de slaapkamers leidt, trof ik Omar aan. Hij zat kreunend op handen en knieën en keek zo te zien naar een helderrood ovaal op de glanzende eikenhouten vloer, want aan weerskanten van zijn gezicht droop bloed uit een wond op de achterkant van zijn kaalgeschoren hoofd. Ik tilde hem op, zette hem in een fauteuil en haalde een schone vaatdoek, een kom water en een zak ijs uit de keuken. Toen ik de wond had schoongemaakt en een eind aan het bloeden had gemaakt, vroeg ik hem wat er was gebeurd. Ik weet nog dat ik me onnatuurlijk kalm voelde toen ik daar naar zijn versufte gemompel zat te luisteren – hij begon in het Arabisch. Ik herinnerde me die kalmte uit mijn diensttijd als ziekenbroeder, toen de gewonden na een vuurgevecht in groten getale uit de helikopters werden geladen: het eerste moment wilde je schreeuwend wegrennen, maar dan kwam de onnatuurlijke kalmte die je in staat stelde om de verminkte jongens te helpen. Ik wilde nu ook schreeuwend door mijn appartement rennen om te kijken wat er met Miranda was gebeurd, maar ik dwong mezelf om rustig te luisteren en vragen te stellen. Er viel niet veel te vertellen. Hij had de schreeuw van een vrouw gehoord, en een zware dreun, en was toen uit de huiskamer komen rennen, waar hij naar het nieuws had zitten kijken. Meer herinnerde hij zich niet. Hij had niemand gezien. Miranda was natuurlijk weg, evenals het origineel van het Bracegirdle-manuscript.

Ik vond rechercheur Murray's kaartje in mijn portefeuille, belde hem, sprak een dringende boodschap in en belde toen 911. Daarna was er het soort verwarde interactie van een heleboel vreemden; de scènes die uit televisieseries over misdaad en noodsituaties altijd worden weggeknipt maar die in het echte leven vele uren in beslag nemen. Ziekenbroeders haalden Omar weg, al stond hij erop zelf de trap af te lopen, en ik praatte met de politie; eerst met twee geüniformeerde agenten en toen met twee rechercheurs, Simoni en Harris. Ze onderzochten de voordeur van mijn appartement en zeiden dat het slot blijkbaar geforceerd was. Dat maakte de zaak om iets huiselijks, zoals ze vermoedelijk hadden gedacht toen ze binnenkwamen: een bloedende man, een verdwenen vrouw, rijke mensen, vreemde relaties... Evengoed konden ze hun arrogante ondertoon niet bedwingen. Ze zullen wel op zoek zijn geweest naar een gevatte opmerking zoals de scenarioschrijvers in de mond van Jerry Orbach van *Law & Order* legden. Ze wilden weten wie Omar was, waar hij vandaan kwam en wat zijn relatie met de verdwenen vrouw was. Ik moest een verklaring voor Omars pistool geven en vertelde dat mevrouw Kellogg bedreigd werd en wat er op straat was gebeurd met die overvallers, die vermoedelijk Russen waren. Mevrouw Kellogg logeerde hier bij u? Waarom zat ze niet in een hotel? Was ze uw vriendin, meneer Mishkin?'

Nee, dat was ze niet. Nee, ik wist niet waarom ze haar hadden meegenomen; ze wilden alleen het manuscript hebben. Waarom wilden ze dat manuscript hebben, meneer Mishkin? Was het erg waardevol? Niet als zodanig, maar sommige mensen dachten dat het tot iets zeer waardevols kon leiden. O, zoals een schatkaart? Nu grijnsden ze en rolden met hun ogen. Ik zei iets in de trant van: 'U kunt er zoveel om grijnzen als u wilt, maar ze hebben iemand doodgemarteld om erachter te komen waar dat ding is, en nu is er een vrouw gekidnapt, en nog steeds behandelt u de hele zaak als een grap.' En toen praatten we over professor Bulstrode.

Nu moet gezegd worden dat rechercheurs in een grote stad zelden met zulke dingen te maken krijgen. Ze wilden heel graag dat het iets huiselijk was, iets van rijkelui die niet goed bij hun hoofd waren. De politie strooide vingerafdrukpoeder op alle oppervlakken, maakte veel foto's en nam Omars pistool mee, en ook monsters van het bloed dat hij had vergoten terwijl hij bij mij in dienst was. Ze gingen weg met de mededeling dat ze contact zouden opnemen. Meteen daarna ging ik zelf ook weg. Ik liep naar de garage op Hudson waar Rashid de Lincoln had geparkeerd en reed naar het St. Vincent's Hospital om te kijken hoe het met Omar ging. Het verbaasde me niet de twee rechercheurs daar aan te treffen, en ik mocht niet naar binnen om hem te bezoeken zolang ze niet alles wat hij wist uit hem hadden getrokken, hetgeen niets was. Het ziekenhuis wilde hem een nacht ter observatie houden omdat hij misschien een hersenschudding had, en dus liet ik hem achter met de verzekering dat ik zijn familie zou bellen en dat hij zich niet druk hoefde te maken over de kosten.

Ik voerde dat onaangename gesprek met mijn mobiele telefoon en wilde hem net wegstoppen toen hij weer zoemde. Het was Miranda.

'Waar ben je? Ben je ongedeerd?' was natuurlijk (en dom genoeg) het eerste wat uit mijn mond kwam, al wist ik dat ze de eerste vraag niet kon beantwoorden en dat het antwoord op de tweede vraag vreselijk duidelijk was.

'Ik mankeer niets,' zei ze met een stem waaruit het tegendeel bleek.

'Waar ben je?' *Dom!*

'Dat weet ik niet. Ze deden een zak over mijn hoofd. Zeg, Jake, je mag de politie niet bellen. Ze zeiden dat ik jou moest bellen om dat tegen je te zeggen.'

'Goed, dat doe ik niet,' loog ik.

'Gaat het goed met Omar? Ze sloegen hem…'

'Met Omar gaat het goed. Wat willen ze? Ze hebben die verrekte brief – waarom hebben ze jou ook meegenomen?'

'Ze willen de andere brieven, de brieven in geheimschrift.'

'Dat begrijp ik niet. Ik heb je alles gegeven wat ik van je oom heb gekregen. Ik weet niets van geheimschrift.'

'Nee, die brieven zaten er oorspronkelijk ook bij. Er is hier een vrouw, Carolyn… Ik geloof dat ze haar ook vasthouden…'

'Een Russische?'

'Nee, een Amerikaanse. Ze zegt dat er brieven in geheimschrift in het pakket zaten, maar dat iemand ze niet heeft afgegeven, zoals de bedoeling was.'

'Wie niet?'

'Dat doet er niet toe. Deze mensen zeggen dat ze eigenaar van de documenten zijn. Ze zeggen dat ze mijn oom er geld voor hebben betaald, veel geld, en dat hij hen wilde bedriegen. Jake, ze gaan…'

Het is te pijnlijk om te proberen dat gesprek te reconstrueren. We schreeuwden allebei in de telefoon (al let ik er anders altijd goed op dat ik niet met stemverheffing in een mobieltje praat zoals veel van mijn medeburgers doen, zodat het vaak lijkt of de gekken de straten hebben overgenomen, en ik vraag me vaak af hoe de echte gekken daarover denken) en iemand pakte haar opeens de telefoon af. De boodschap was duidelijk: tenzij ik met de brieven in geheimschrift die door Bracegirdle werden genoemd op de proppen kwam, zouden ze met haar doen wat ze met haar oom hadden gedaan. Verder zouden ze zich onmiddellijk van haar ontdoen als ze dachten dat de politie erbij was gehaald.

Schoten in de mist, drie doffe, daverende geluiden van de kant van het meer, en daar is ook onmiskenbaar het geluid van een motorboot, een gezoem als van een insect, zo te horen een heel eind bij mij vandaan. Jagers? Is dit het eendenseizoen? Ik heb geen idee. Zo niet, dan heb ik net mijn pistool herladen en de haan gespannen, een geruststellende activiteit, vind ik. Ik had al eerder moeten vertellen dat Mickeys vakantiehuis zich helemaal aan het zuidelijke eind van Lake Henry bevindt. Er hangt een gedetailleerde waterkaart van het meer aan de muur van de huiskamer, en daarop kun je zien dat het oorspronkelijk twee meren waren. Omstreeks 1900 damden de plutocraten die het land bezaten en hier 's zomers vakantie hielden een beek af, zodat het water steeg en er een rij eilanden ontstond die zich vanaf de oostelijke oever uitstrekte; een uitstekende plaats om piraatje te spelen, heeft Mickey me verteld, maar je kunt er niet met een boot van enige omvang tussendoor varen vanwege de onzichtbare rotsen. Je komt bij dit huis via New Weimar en een lange langzame rit over een klein weggetje en dan ook nog een eind rijden over een grindweg (zoals ik heb gedaan), of je gaat bij Underwood van de grote weg af en rijdt dan een kort eindje over een goede weg naar de plaats Lake Henry aan de noordelijkste punt van het meer, waarna je in je mahoniehouten speedboot stapt en na een tochtje van twintig kilometer met enige stijl bij het huis arriveert, zoals Mickey en zijn familie bijna altijd hadden gedaan. De landroute is ruim een uur korter, maar veel oncomfortabeler. Als ik een gangster met stijl was, zou ik een motorboot huren of kopen, over het meer naar het zuiden varen, de kerel om zeep brengen en dan terugvaren om het lijk, voldoende verzwaard, in het meer te laten zinken, dat op sommige plaatsen twintig meter diep is; niet echt dieper dan een schietlood reikt, maar diep genoeg.

Nu ik bij de volgende dag in mijn agenda kijk, zie ik dat de ochtendafspraken zijn doorgekrast. Ik herinner me dat ik na een bijna slapeloze nacht naar Olivia Maldonado belde. Ik vroeg haar die afspraken te verzetten en stelde haar ook één belangrijke vraag, waarop het antwoord 'ja' was. Olivia maakt twee kopieën van absoluut alles, ze is de prinses van Xerox, en het bleek dat ze inderdaad kopieën van het Bracegirdle-manuscript had gemaakt. Toen belde Omar. Hij smeekte me hem uit het ziekenhuis te redden, en dus ging ik hem halen. Hij ging tevreden achter het stuur zitten en leek met zijn witte medische tulband nog meer op zijn voorouders dan gewoonlijk. Zoals hij me trots vertelde, had hij weer een pistool; ik stelde er geen vragen over.

Volgens mijn instructies haalden we de Bracegirdle-kopieën van mijn kantoor en reden vervolgens in noordelijke richting over de East River Drive naar Harlem. Hoewel ik hem weer over de gebeurtenissen van de vorige avond ondervroeg kon hij niets nieuws toevoegen, afgezien van een verontschuldiging voor het feit dat hij bewusteloos was geslagen en Miranda niet had kunnen beschermen. Hij kon zich niet voorstellen hoe iemand het appartement was binnengekomen en hem dusdanig had kunnen verrassen, en ik kon dat evenmin: het zoveelste raadsel in deze zaak.

Onze bestemming die ochtend was een stel huurkazernes aan 151st

Street bij Frederick Douglass Boulevard. Ze zijn eigendom van mijn broer Paul, of beter gezegd: die beheert ze, want officieel bezit hij niets. Jaren geleden, toen er bijna dagelijks zulke panden in vlammen opgingen, had hij de uitgebrande karkassen op een veiling opgekocht, en daarna heeft hij ze gerenoveerd en er een 'stadsklooster' van gemaakt, zoals hij het noemt. Paul is een jezuïetenpriester, misschien wel een verrassende onthulling, want de vorige keer dat ik hem noemde was hij een gevangenisboef. Hij is nog steeds een soort boef, en daarom ging ik hem opzoeken toen Miranda was verdwenen. Hij heeft een diepgaand inzicht in gewelddadige slechtheid.

De ontdekking dat Paul intelligent was, in veel opzichten misschien wel intelligenter dan ik, was een van de grootste schokken in mijn leven. Veel gezinnen kennen rollen aan hun leden toe, en in ons gezin was Miriam de domme schoonheid, was ik de slimme jongen, en was Paul de vechtersbaas, het zwarte schaap. Hij heeft op school nooit een dag werk verzet, ging er op zijn zeventiende van af en zat, zoals ik al zei, zesentwintig maanden in Auburn voor een gewapende roofoverval. Je kunt je het lot van een aantrekkelijke, blonde, blanke jongen in Auburn wel voorstellen. In zo'n geval heb je de keuze tussen door iedereen verkracht worden of alleen door een grote bullebak. Paul koos voor het laatste, want dat was gezonder en veiliger. Hij onderwierp zich aan de attenties van die bullebak tot hij een mes had gemaakt, en op een nacht ging hij hem daarmee te lijf toen hij sliep. Hij stak de man een opmerkelijk aantal keren (zij het gelukkig niet met de dood tot gevolg) en bracht de rest van zijn gevangenistijd in solitaire opsluiting door, net als ontuchtplegers en maffiaverklikkers. Hij werd daar een lezer, en dat kan ik weten want ik stelde elke maand een pakket met door hem verzochte boeken samen. In twee jaar zag ik hem wat lezen betrof een verbijsterende ontwikkeling doormaken van pulpromans naar goede romans, naar filosofie en geschiedenis en ten slotte theologie. Toen hij voorwaardelijk vrijkwam las hij Küng en Rahner.

Na zijn vrijlating ging hij meteen het leger in. Hij had geen andere vooruitzichten en wilde een opleiding. Het was midden in de Vietnamoorlog en ze keken niet zo nauw. Ik denk dat de genen van opa Stieff zich lieten gelden, want hij ontpopte zich als een voorbeeldige soldaat: parachutist, ranger, Special Forces, Silver Star. Hij bracht de twee keer dat ze hem naar Vietnam stuurden vooral in de Shans door, zoals we het toen noemden, dus het betwiste gebied waar Laos, Vietnam en Cambodja samenkomen. Hij trok daar veel op met een bende bergbewoners, zoals Marlon Brando in *Apocalypse Now*. Dat is zo ongeveer het enige wat Paul over die tijd zei: het was net als in de film.

Vreemd genoeg maakten die gruwelen hem niet tot een monster maar juist tot een soort heilige. Na zijn diensttijd ging hij met een veteranenbeurs aan het St. John studeren en daarna sloot hij zich aan bij de jezuïeten. Toen hij me dat vertelde, dacht ik dat hij een grapje maakte, ik bedoel: het idee van Paul als priester, laat staan als jezuïet, maar zo zie je maar weer dat je zelfs je naasten nooit helemaal kent. Zoals gezegd was ik volkomen verbijsterd.

Hoe dan ook, hij kwam naar New York terug met het idee een soort nederzetting op te bouwen in een totaal vervallen buurt, en dat deed hij; maar omdat hij nu eenmaal Paul was, en gezien de traditie van maatschappelijke experimenten bij de jezuïeten, kreeg het project een bijzondere wending. Hij was niet zomaar een idealist. Ik zeg dat hij een heilige was, maar hij was ook een boef gebleven. Er staan op de heiligenkalender wel meer van die types, onder wie bijvoorbeeld de stichter van Pauls eigen orde. Het is Pauls theorie dat onze beschaving afglijdt naar duistere tijden en dat de eerste tekenen daarvan al zichtbaar zijn in stadsgetto's. In duistere tijden, zegt hij, wordt de beschaving met haar aspecten vergeten en zijn de heersende klassen ook steeds minder bereid offers aan de samenleving te brengen. Dat heeft het lot van Rome bezegeld, zegt hij. Hij denkt overigens niet dat het getto behoefte heeft aan verheffing, maar wel dat als de klap komt de armen zich beter kunnen redden dan hun bazen. Ze hebben minder nodig, zegt hij, en ze zijn barmhartiger, en ze hoeven niet zoveel af te leren. Daarom gaf Jezus de voorkeur aan hen. Ja, dat is idioot, maar als ik de volslagen hulpeloosheid van mijn medeburgers uit de hogere klassen zie, onze volledige afhankelijkheid van elektriciteit, goedkope benzine en de fysieke dienstverlening door miljoenen onzichtbaren, onze afkeer om een eerlijk deel te betalen, onze absurde omheinde huizen, en ons onvermogen om ook maar iets te volbrengen wat buiten het manipuleren van symbolen valt, kan ik me wel in zijn standpunt verplaatsen.

En dus heeft Paul een soort abdij uit de vroege middeleeuwen gebouwd, al noemt hij het officieel een missiekerk en school. Het complex bestaat uit drie gebouwen, of beter gezegd uit twee gebouwen en de lege ruimte daartussen die vroeger in beslag werd genomen door een huurkazerne die helemaal afgebrand en vervolgens gesloopt is. Deze ruimte wordt door een muur en een poort van de straat gescheiden en die dag liepen Omar en ik door die poort. Hij staat altijd open. (We lieten de limousine achter op straat. Het complex geniet zo veel gezag dat niemand hem zou beschadigen.) De grond waarop dat gebouw vroeger stond is nu een soort kloostertuin, met een moestuin, een terrasje met een fontein en een speelplaats. Een van de gebouwen is een k-12-school, het is voor een deel internaat, en het andere gebouw bestaat uit kantoren, slaapruimten en werkplaatsen. Er is daar ook een L'Arche-gemeenschap; dat is een groep die met ernstig gehandicapte mensen samenleeft en hen verzorgt. Verder zijn er een medische kliniek voor een deel van de tijd en een Catholic Worker-gaarkeuken. Er heerste de gebruikelijke chaos: de lammen, gekken en kreupelen waren druk in de weer, groepjes gerehabiliteerde gangsters in monnikgewaad verrichtten allerlei werkzaamheden, en keurig geüniformeerde schoolkinderen renden rond: een middeleeuws tafereel. Omar voelt zich hier altijd volkomen thuis.

Ik ging deze keer naar Paul omdat zijn intelligentie een sluw trekje heeft, ongeveer zoals die van onze vader. Vergeleken met hem ben ik een klein kind, en hoewel het me vaak dwarszit dat ik op die manier van mijn broer afhankelijk ben, ga ik soms toch naar hem toe. Hij zegt dat het goed is voor mijn ziel.

We vonden hem in het souterrain van het schoolgebouw, waar hij met een stel werklui bij een boiler stond. Hij droeg een blauwe overall en was nogal vuil, al ziet zelfs vuil bij Paul er niet lelijk uit. Hij is een beetje kleiner dan ik, maar veel beter gebouwd. In mijn ogen is hij niet veel veranderd sinds hij bijna vijfentwintig jaar geleden uit dienst kwam en ik hem van het vliegveld haalde, al is zijn haar nu langer. Hij ziet er nog steeds uit als Rutger Hauer in *Blade Runner* of als iemand op een rekruteringsposter van de ss. Hij keek ons met een brede grijns aan, zijn witte tanden glanzend in de zwakke souterrainverlichting, en omhelsde ons beiden. Na nog een kort overleg met de werklui liet hij hen alleen en ging hij met ons naar zijn kantoor, een rommelig kamertje met uitzicht op het terras en de speelplaats. Natuurlijk vroeg hij meteen naar Omars hoofd. Ik denk dat hij meer op Omar gesteld is dan op mij. Nee, dat is niet zo, maar toch laat ik het zo staan. Paul houdt van mij, en dat maakt me gek. Ik ben helemaal niet aardig voor hem. Ik kan het niet helpen. Ik denk dat ik onbewust met de stem van Izzy spreek, een stem vol minachting.

Toen Paul het hele verhaal uit Omar had gekregen, alsmede veel oninteressante bijzonderheden over Omars familie en het moeilijke leven van zijn verwanten op de Westoever, excuseerde Omar zich, want het was tijd voor zijn middaggebed. Kort nadat hij was weggegaan, kwam een parmantig bruin jongetje met een boodschap binnen. Hij zag er bijzonder goed uit in zijn schooluniform, dat uit een blauwe blazer, een grijze broek, een wit overhemd en een wit-met-zwart gestreepte das bestond. Toen hij weg was zei ik, rollend met mijn ogen: 'Doe je het daar nu mee? Perzikzachte billen, glanzend in het zachte lamplicht van de sacristie…'

'Nee, wat ik nog aan lusten heb wordt bevredigd door oudere nonnen,' zei hij, nog steeds glimlachend. 'En over seksuele overdaad gesproken, jij schijnt je weer in de nesten te hebben gewerkt met een vrouw. Wie is die Miranda?'

'Niemand in het bijzonder, gewoon een cliënt. Ik liet haar alleen bij mij logeren omdat ze blijkbaar door mensen werd gevolgd.'

'O. Weet je, Amalie belde me vanmorgen. Ze was blijkbaar nogal kwaad.'

'Ja, goh, Paul, het spijt me dat ze kwaad is. Ik weet wat! Waarom trouw jíj niet met haar? Dan kunnen jullie in alle volmaaktheid bij elkaar blijven en kan ik verder wegzakken in verdorvenheid. Miri en ik...'

'Miri maakt zich ook zorgen over jou. Wat is dat met Russische gangsters?'

Dat is ook iets waar ik gek van word: familie die achter mijn rug over me praat. Het is een van de redenen waarom ik een onberispelijk leven leid (seks daargelaten). Daardoor hoop ik het aantal roddelonderwerpen kleiner te maken, maar het is duidelijk dat me dat niet is gelukt. Ik bedwong de gevoelens die op dat moment bij me opkwamen, want ik was naar Paul gegaan om hem om raad te vragen. Ik ken niemand die een breder netwerk op alle niveaus van de New Yorkse samenleving heeft. En dus vertelde ik hem het hele verhaal: Bulstrode, het Bracegirdle-manuscript, de moord, de overval, het gesprek met Miri (al had hij dat al van haar gehoord), Miranda, haar ontvoering, en het telefoontje.

Hij luisterde min of meer zwijgend. Toen ik klaar was, maakte hij een draaiende beweging met zijn hand en zei: 'En...?'

'En wat?'

'Heb je het gedaan? Met mevrouw Kellogg? Nee, lieg maar niet, ik zie het aan je gezicht.'

'Is dat het belangrijkste voor jou? Dat ik die vrouw heb geneukt? De moord, de kidnapping – het is allemaal minder belangrijk dan de vraag waar ik mijn piemel in steek?'

'Nee, maar het is blijkbaar bepalend voor jouw leven waar je je piemel in steekt, en het haalt ook nog de levens overhoop van mensen van wie ik houd. Vandaar mijn belangstelling.'

'O, ik dacht dat neuken het enige was waarin de kerk geïnteresseerd was. Of sprak je niet ex cathedra?'

'Ja, jij blijft hardnekkig denken dat wellust jouw probleem is. Wellust is niet jouw probleem, en nu spreek ik ex cathedra, en over een jaar of tien zal het probleem zichzelf hebben opgelost. Uiteindelijk is het maar een heel kleine zonde. Nee, jouw probleem is je luiheid; dat is altijd al zo geweest. Je vertikt het om het noodzakelijke spirituele werk te doen. Je hebt altijd de verantwoordelijkheid op je genomen voor al het slechte wat onze familie overkwam, waarschijnlijk inclusief de Tweede Wereldoorlog, jij alleen…'

'Jij zat in de bak.'

'Ja, maar dat doet er niet toe. God zat niet in de bak, maar je vroeg in die richting ook niet om hulp. Nee, je nam het allemaal op je en faalde, en dat heb je jezelf nooit vergeven. En dus denk je dat je boven alle vergeving verheven bent, en dat geeft je dan het recht om alle mensen te kwetsen die van je houden, want uiteindelijk is die arme Jake Mishkin zo ver van de schoot van de kerk verwijderd, zozeer beroofd van alle hoop op de hemel, dat iemand die van hem houdt wel aan waanvoorstellingen moet lijden en dus niet de moeite waard is. En waarom grijns je nu naar mij, lul? Omdat je me hetzelfde laat zeggen wat ik altijd zeg als je hier komt, en nu kun je het weer vergeten, al weet je dat het waar is. Luiheid. De zonde tegen de hoop. En je weet dat het op een dag je dood wordt.'

'Net als Mutti? Denk je dat echt?' Er kwam een hoog, knarsend geluid uit de werkplaats beneden, waar ze fietsen repareerden.

Hij wachtte tot het was opgehouden en zei: 'Ja, dat denk ik. Zoals je weet. Zoals de man zei: God die ons zonder onze hulp heeft gemaakt, zal ons niet redden zonder onze toestemming. Ofwel je roept om genade en vergeeft en wordt vergeven, ofwel je sterft.'

'Ja, eerwaarde,' zei ik, en ik hief mijn ogen vroom ten hemel.

Hij zuchtte, moe van het meelijwekkende oude spelletje dat ik hem liet spelen. Ik had er ook genoeg van, maar kon mijn gekromde vingers niet bij die ondraaglijke, hopeloze jeuk vandaan houden. Hij zei: 'Ja, je hebt me weer tot preken gebracht en dus heb je weer gewonnen. Gefeliciteerd. Maar wat gaan we intussen aan dat probleem van jou doen?'

'Ik weet het niet. Daarvoor kwam ik naar je toe.'

'Je denkt dat die Rus, die Shvanov, er iets mee te maken heeft?'

'Als uitvoerder, ja. Maar ik weet niet wie erachter zit.'

'Wat maakt het uit? Het manuscript is weg, en de verdwijning van die vrouw lijkt me een zaak voor de politie.'

'Ze zeggen dat ik de politie er niet bij moet halen. Dan vermoorden ze haar, zeggen ze.'

'En je vindt dat het jouw verantwoordelijkheid is om haar te redden.'

'Ik zei dat ik haar zou beschermen en dat heb ik niet gedaan. Dus ja, dat vind ik.'

'Je wilt de verhouding voortzetten. Je bent verliefd.'

'Wat maakt dat uit? Ze is een mens in levensgevaar.'

Hij maakte een bruggetje van zijn handen onder zijn kin en keek me onbehaaglijk indringend aan. Dat doet hij tegenwoordig in plaats van me een pak slaag te geven. Toen zei hij: 'Natuurlijk zal ik je op alle mogelijke manieren helpen. Ik ken mensen bij de politie. Ik zal wat bellen, informatie verzamelen over die Shvanov, en ook duidelijk maken dat dit een serieuze zaak is…'

'Nee, doe dat niet! Je moet de politie er niet bij betrekken. Jij hebt ook andere contacten.'

'Ja. Goed, ik zal zien wat ze er op straat over te zeggen hebben.'

'Dank je. Ik maak me vooral zorgen over Amalie en de kinderen. Als ze meer druk op me willen uitoefenen…'

'Dat regel ik ook,' zei hij na een korte stilte. Daar was ik natuurlijk voor gekomen. Paul kent veel zware jongens in die buurt die ze vroeger gangsters noemden, en hij heeft een vreemde verstandhouding met hen. Hij denkt dat ze net als de Germaanse of Slavische barbaren zijn met wie de missionarissen in de duistere eeuwen te maken kregen en die door hen werden bekeerd: trots, gewelddadig, hunkerend naar iets onbestemds. In de begintijd van zijn missie moest Paul letterlijk tegen mensen op straat vechten om te laten zien dat hij harder was dan zij – en dat was hij ook. Het was gunstig dat hij een strafblad had, dat hij erom bekendstond dat hij in de gevangenis mensen overhoop had gestoken. Het was ook een pluspunt dat hij persoonlijk meer mensen had gedood dan zij allemaal bij elkaar, en dat je dat aan hem kon zien.

Bovendien beweerde Paul dat New Yorkse criminelen in vergelijking met die bergbewoners in de Shans niet erg hard waren. Niemand van hen had ooit een maaltijd overgeslagen, en als ze gevangenzaten waren ze gehuisvest in wat op de gemiddelde Hmong als een luxueus kuuroord zou overkomen. Hij zei dat zijn mensen daar alle Crips, Bloods en Gangster Disciples rauw lustten. En die belachelijke bravoure van hen wekte eerder zijn medelijden dan de angst die zoveel voorkomt in de maatschappelijke bovenlaag. (Paul is voor geen sterveling bang, dat was al zo toen hij tien was.) Hij nam hen wel serieus als groep, en zoals de jezuïeten van vroeger had hij gekeken wie hun leiders waren, de gewelddadigsten van de gewelddadigen, en na verloop van tijd was hij tot een soort concordaat met hen gekomen. Dat hield in dat er geen dope werd verkocht en dat er geen hoeren te tippelen werden gezet binnen een zekere afstand tot Pauls gebouwen, en dat mensen die de wraak van de straat te duchten hadden veilig hun toevlucht bij hem konden zoeken. Een paar bendeleiders zijn zowaar bekeerd. Steeds meer van hen sturen hun kinderen of jongere broers en zusjes naar Pauls school. Het was typisch iets uit de middeleeuwen, volkomen vanzelfsprekend voor iemand als mijn broer.

Nu Paul eenmaal had besloten te helpen, wilde hij me daar zo gauw mogelijk weg hebben. Hij is geen gemakkelijke man, mijn broer, een soort Jezus in Mattheüs, altijd op de vlucht, zich ergerend aan de apostelen, zich bewust van de geringe hoeveelheid tijd, de behoefte om de opvolgers klaar te stomen voordat de oprichter het toneel moest verlaten. Hij wendde zich simpelweg af en praatte tegen een paar jongens, en dus haalde ik Omar op en verlieten we het gebouw.

We reden naar het zuidwesten tot de Columbia-campus in zicht kwam. Ik heb meestal een vrij goede indruk van Mickey Haas' dagindeling en wist dat hij op donderdag de hele ochtend op kantoor was. Ik belde hem en hij was er, en ja, hij zou graag met me lunchen, voor de verandering in het restaurant van de faculteit? Ik heb dat restaurant op de derde verdieping van het Faculty House altijd een van de prettigste lunchgelegenheden in New York gevonden: een mooi geproportioneerde, luchtige ruimte met een schitterend uitzicht op de stad door haar hoge ramen, en een volkomen toereikend buffet met vaste prijzen. Mickey daarentegen geeft de voorkeur aan Sorrentino, waar we dan ook meestal naartoe gaan. Ik denk dat hij tijdens onze lunches graag een beetje dronken mag worden en zijn collega's dan liever niet in de buurt wil hebben. Misschien vindt hij het ook prettig om door mijn limousine te worden afgehaald.

Kort voordat we er aankwamen ging mijn mobieltje. Het was mijn zus.

'Je had gelijk,' zei ze. 'Osip wil je heel graag ontmoeten.'

'Dat was snel,' zei ik. 'Hij moet bij je in het krijt staan.'

'Osip staat bij niemand in het krijt, Jake, het is altijd andersom. Trouwens, híj belde mij en vroeg me het te regelen. Dat is geen goed teken.'

'Het komt vast wel goed,' zei ik, al was ik daar helemaal niet zeker van. 'Waar en wanneer?'

'Ken je Rasputin? Aan Lafayette?'

'Dat meen je niet. Dat is zoiets als met John Gotti afspreken in Godfather's Pizza.'

'Wat zal ik zeggen? Osip heeft gevoel voor humor. Hoe dan ook, hij zegt dat hij daar morgenavond na tien uur is. Ik zou zeggen: "Wees voorzichtig", als dat niet te banaal voor woorden was. Maar je zúlt toch voorzichtig zijn? Zo niet, dan neem ik aan dat je naast Mutti op Green-Wood wilt liggen. Ik stuur de ordinairste krans die ik kan krijgen.'

Ik herinner me dat Mickey en ik rosbief namen en een fles Melville-wijn dronken; heel passend, grapte hij, voor een hoogleraar Engels. Mickey had een vrij goed humeur. Ik vroeg hem of er enige verbetering in zijn financiële positie was gekomen en hij zei van wel. En meteen volgde er een stortvloed van informatie over hedgefondsen en REIT's en de goederentermijnmarkt. Het ging het ene oor in en het andere uit. Omdat hij merkte dat het me niet interesseerde, veranderde hij beleefd van onderwerp en vroeg me of ik nieuws had. Bij wijze van antwoord haalde ik de kopie van Bracegirdles brief, die ik die ochtend bij Olivia had afgehaald, tevoorschijn en schoof hem over de tafel. 'Alleen dit,' zei ik.

'Is dit het? Het Bulstrode-ding? Grote god!' Natuurlijk kon hij het secretary-gekrabbel net zo goed lezen als een ander de krant, en hij deed dat dan ook meteen vol overgave. Toen de ober naar het dessert kwam vragen, negeerde Mickey hem, iets wat hij volgens mij nooit eerder had gedaan. Er ging een minuut of twintig voorbij waarin hij de bladzijden omsloeg en nu en dan een zachte uitroep slaakte – 'Shit!' – terwijl ik koffiedronk, naar de andere lunchgasten keek en oogspelletjes speelde met een aantrekkelijke brunette aan een andere tafel. In het theater in mijn hoofd werd het stuk opgevoerd dat na een ontmoeting met mijn broer gebruikelijk was: een grondig denigreren van hem en zijn werken, en hoe hij het zich in zijn hoofd haalde om als stralende god ongevraagd in het getto af te dalen en de zwartjes redding te brengen! Het was absurd, bijna obsceen, nazi-achtig in zijn kolossale arrogantie. Het droeve plezier van dat schimmenspel hield pas op toen Mickey naast me luid genoeg 'Wouw!' zei om de aandacht van de brunette en enkele anderen te trekken.

Hij hamerde met zijn korte dikke vinger op de papieren. 'Besef je wat dit is?'

'Min of meer. Miranda heeft het gelezen en me de waarde uitgelegd, al moet je, denk ik, een geleerde zijn om het goed te begrijpen.'

'Miranda Kellogg? Heeft zij dit gezien?' Hij keek een beetje geschrokken.

'Eh, ja. Ze is officieel eigenares van het origineel.'

'Maar jij hebt het nu in bewaring?'

En dus vertelde ik hem wat er de afgelopen vierentwintig uur was gebeurd. Hij was stomverbaasd. 'Dat is verschrikkelijk,' zei hij. 'Een absolute catastrofe!'

'Ja, ik maak me buitengewoon veel zorgen om haar.'

'Nee, ik bedoel het manuscript, het originéél,' zei hij met de gevoelloosheid van een advocaat. 'Zonder het manuscript is dit waardeloos,' voegde hij eraan toe, en hij tikte weer op de stapel papier. 'Mijn god, we moeten het terugkrijgen. Besef je wel wat er op het spel staat?'

'Dat vragen mensen me steeds, en mijn antwoord is "eigenlijk niet". Munitie in een literaire discussie?' Mijn toon was koud, maar daar ging hij aan voorbij, want dit was een nieuwe Mickey, niet meer de kalme gentleman-geleerde die geamuseerd neerkeek op zijn confrères die moeizaam de glibberige academische ladder beklommen. Hij had vuur in zijn ogen. De nieuwe Mickey zette de gigantische academische waarde van

Bracegirdles brief uiteen. Ik luisterde alsof iemand me de details van een gecompliceerde en langdurige chirurgische ingreep beschreef.

Ten slotte zei ik: 'Dus het is belangrijk of Shakespeare katholiek was?'

'Het is belangrijk of Shakespeare íéts was. Ik heb dit al met je besproken. We weten bijna níéts van het innerlijke leven van de grootste schrijver uit de geschiedenis van het menselijk ras. Kijk... één voorbeeld uit duizenden, en het is van toepassing op de zaak waarover we het hebben. Een vrouw heeft kortgeleden een boek geschreven – ze is amateurgeleerde, maar ze heeft beslist haar research gedaan – waarin ze beweert dat bijna al het werk van Shakespeare, vooral de toneelstukken, een uitgebreide gecodeerde apologie voor het katholicisme is, een smeekbede aan het adres van de toenmalige koning om de onderdrukking van de katholieken te verlichten. Ik bedoel, ze geeft letterlijk hónderden teksten uit alle toneelstukken om die theorie te ondersteunen, én ze stelt dat machtige katholieken uit Shakespeares tijd hem hebben beschermd, want anders zou hij ter verantwoording zijn geroepen omdat hij die gemakkelijk leesbare code op het toneel had gebracht. Het is een complete en oorspronkelijke visie die bijna het hele werk van Shakespeare verklaart. Wat zeg je daarvan?'

Ik haalde mijn schouders op en vroeg: 'En... heeft ze gelijk?'

'Ik weet het niet! Niemand weet het!' Hij schreeuwde dat bijna uit en trok daarmee nog meer aandacht van de andere bezoekers. Ik begreep nu waarom Mickey er meestal niet veel voor voelde om hier te gaan eten. 'Dat is het nou juist, Jake! Ze zou gelijk kunnen hebben. Of iemand zou een boek kunnen schrijven waarin met net zo'n grondige analyse van dezelfde toneelstukken wordt aangetoond dat Shakespeare homo was, een goed protestants mietje. Of monarchist. Of links. Of vrouw. Of de graaf van Oxford. Dat is het elementaire, hardnekkige probleem van alle Shakespeare-onderzoeken die betrekking hebben op zijn bedoelingen of zijn leven. En nu dit!' Tik tik tik. 'Als het echt is... Ik zeg, áls het echt is, gaat het om de grootste gebeurtenis in het Shakespeare-onderzoek sinds... Ik weet het niet, sinds eeuwig. Sinds het onderzoeksterrein in de achttiende eeuw een rationele eenheid werd.'

'Deze brief veroorzaakt dat?'

'Niet als zodanig. Dit is nog maar het voorproefje, het eerste kleine stukje van het paradijs. Maar Jake...' Hij dempte zijn stem en bracht zijn mond dichter naar mijn oor alsof hij me iets wilde toefluisteren. Het kwam nogal overdreven over. 'Jake, als deze man William Shakespeare heeft bespionéérd, als hij rapporten heeft geschreven, als hij Shakespeares leven heeft beschreven zoals hij zijn eigen ellendige leven beschrijft... o jezus, dat zou sensationeel zijn. Geen speculaties meer die gebaseerd zijn op het gebruik van beelden in het tweede bedrijf van *King Lear*, maar echte feiten. Met wie hij omging, wat hij zei, zijn gewone manier van praten, wat hij geloofde, wat hij at en dronk, of hij grote fooien gaf, hoe lang zijn pik was... Jake, je hebt geen idee.'

'Nou, ik heb wel een idee van wat dat manuscript waard zou zijn,' zei ik.

Hij rolde met zijn ogen en wuifde zichzelf overdreven koelte toe. 'O, dát. Daar gaan we niet eens aan denken. Nee, ik doe het in mijn broek als we die brieven in geheimschrift waar hij het over heeft te pakken kunnen krijgen. Geen wonder dat die ouwe Bulstrode er zo weinig over wilde loslaten, de arme stumper. Over de doden niets dan goeds, maar je zou toch verwachten dat hij mij, na alles wat ik voor hem heb gedaan, een blik op deze papieren had laten werpen toen hij ze in handen kreeg.'

'Het moet hem gek hebben gemaakt. Hij heeft ook niets tegen zijn nichtje gezegd.'

'Ja. Die arme vrouw. Je hebt geen idee waar die spionagebrieven kunnen zijn?'

'Nee, maar wat ik nu wil weten, en misschien kun jij me daarbij helpen, is waarom een Russische gangster ze zo graag wil hebben dat hij er een ernstig misdrijf voor pleegt. Hij is vast niet lid van de Modern Language Association.'

'Een organisatie met de ergste gangsters die er rondlopen,' zei Mickey glimlachend. 'Maar ik begrijp wat je bedoelt.' Hij zweeg, en toen kwam er even een bijzonder dromerige uitdrukking op zijn gezicht, alsof hij opium had geïnhaleerd, zijn ogen halfdicht, mijmerend over een paradijs dat net buiten bereik was. Maar meteen maakte hij zich daar weer uit los en zei: 'Tenzij...'

Ik wist precies wat hij bedoelde. 'Ja, tenzij Bulstrode in Engeland iets heeft ontdekt waardoor het bestaan van het... Voorwerp werd bevestigd. Stel het Voorwerp bestaat echt, en die kerels, of degenen die hen hebben ingehuurd, weten daarvan en willen het hebben. Maar het blijkt dat je de brieven in geheimschrift nodig hebt om het spoor naar het Voorwerp te kunnen volgen. Weten we zelfs wel of ze bij deze brief zaten?'

'Vraag je dat aan mij?'

'Eh, ja. Jij weet meer van dit alles dan ieder ander, behalve Bulstrode en misschien Miranda, en die zijn allebei niet beschikbaar. Het is duidelijk dat iemand Bulstrode een manuscript heeft aangeboden. Als er nu eens meer papieren in dat pakket zaten en hij heeft geweigerd ze te kopen?'

'Onmogelijk! Voor zo'n pakket zou hij zijn beide grootmoeders hebben verkocht.'

'Ja, maar er is niet veel vraag naar grootmoeders, en hoeveel denk je dat hij kon bieden, laten we zeggen voor het Bracegirdle-origineel allen?'

'Ik weet het niet... Vijftigduizend misschien, als de verkoper direct geld wilde zien. God mag weten wat het op een veiling zou opbrengen. Misschien twee keer zoveel, drie keer...'

'En had Bulstrode zoveel geld?'

'Welnee. Hij is in de tijd van die nep-*Hamlet* uitgekleed door zijn advocaten. Ik moest hem een voorschot op zijn salaris geven toen hij hier kwam werken. Wacht eens even...!'

'Ja. Als hij bijna geen geld had, hoe kwam hij dan aan het manuscript? Twee mogelijkheden: of hij betaalde een veel te lage prijs aan een eigenaar die niet wist wat het was. In dat geval zal hij de verkoper hebben wijsgemaakt dat de brief van Bracegirdle niet veel waard was; en als de verkoper ook de geheimschriftbrieven had, heeft hij ze niet aan Bulstrode aangeboden. Of hij kreeg het hele pakket te zien en de verkoper wilde de echte waarde, een heleboel geld dus. Maar waarom ging Bulstrode dan niet naar de Folger Library? Of naar zijn goede vriend professor Haas?'

Een bitter lachje. 'Omdat hij wist dat ik ook blut was?'

'Wist hij dat? Maar laten we eens veronderstellen dat hij het niet deed omdat de herkomst dubieus was. De verkoper is zelf ook een boef, maar hij weet dat die brieven veel waard zijn omdat ze de sleutel zijn tot iets nog veel groters. En dus gaat Bulstrode naar de grote gangster en doet hem een aanbod: help mij het pakket te kopen en dan zullen we het kostbaarste voorwerp ter wereld vinden, en...'

'Dat is belachelijk! Oké, Andrew kan een naïeve verkoper in de maling hebben genomen, maar hij kan geen grote gangster hebben gekend. Hij kende bijna niemand in New York.'

Ik dacht daarover na. Waarschijnlijk had Mickey gelijk. Miranda had ongeveer hetzelfde gezegd. Ik dacht daar een tijdje over na en zei: 'Dan moet er een derde partij in het spel zijn.'

'Je bedoelt iemand die wist wat de papieren waard waren en die ook gangsters kent? En die een grote klapper wilde maken. Zijn er zulke mensen?'

'Ja,' zei ik. 'Ik ben zo iemand. Ik ken een vooraanstaande hoogleraar Engelse literatuur, jij, en ik ken ook gangsters. Dat is waarschijnlijk niet zo ongewoon als we graag willen geloven. Effectenmakelaars en dat soort mensen vinden gemakkelijk een crimineel om hun vrouw te vermoorden. Of andersom. Hoe dan ook, Bulstrode kan naar die persoon toe zijn gegaan en hem hebben toevertrouwd dat hij het Voorwerp binnen handbereik had. Die persoon geeft dat vervolgens aan de gangsters door. Bulstrode gaat naar Engeland en komt terug. Hij merkt dat hij wordt gevolgd, dus hij verbergt het pakje bij mij. Dan grijpen de gangsters hem en wordt hij gemarteld tot hij mijn naam noemt, en zo kom ik in hun vizier, en daarom is Miranda gekidnapt. En nu willen ze de geheimschriftbrieven.'

'Die zij niet heeft en jij evenmin, want Bulstrode had ze niet. Weten we zelfs wel of ze bestaan?'

'Die derde persoon weet dat blijkbaar wel. Zeg, heeft Bulstrode jou ooit de naam verteld van degene die hem het manuscript heeft verkocht?'

'Nooit. Jezus! Waarom is hij niet naar mij toe gekomen? Ik had met groot gemak een redelijke aankoopprijs kunnen regelen.'

Ik vertelde hem wat Miranda mij had verteld, namelijk dat Bulstrode zich schaamde voor die affaire van de nep-*Hamlet* en dat hij daar paranoide door was geworden. Mickey schudde zijn hoofd. 'Die arme kerel! God, als hij naar mij toe was gekomen, zou hij nu nog in leven zijn geweest. Maar weet je, het moet helemaal niet zo moeilijk zijn om achter de naam van de verkoper te komen. Andrew had een agenda. Of misschien heeft hij de verkoper een cheque gegeven. Er is wel het probleem dat zijn agenda en chequeboek nog in handen van de politie zijn.'

'Ja. Maar daar is misschien wel iets op te vinden. Ik bedenk net dat ik de advocaat van de Bulstrode-nalatenschap ben en dat ik ook optreed namens de erfgename. Ik zal kijken of de politie me dat materiaal wil laten inzien.'

Enzovoort enzovoort. Ik ben er vrij zeker van dat we toen op het idee kwamen om uit te zoeken wie die papieren aan Bulstrode had verkocht. Toen ik bij Mickey weg was gegaan, kreeg ik een telefoontje van rechercheur Murray, die daarmee mijn telefoontje van de vorige avond beantwoordde. Hij had natuurlijk over de inbraak, diefstal en ontvoering gehoord en wilde me spreken. Ik verzon een verhaal. Er had zich geen ontvoering voorgedaan, zei ik. Mevrouw Kellogg had me gebeld en gezegd dat ze ongedeerd was. Ze had het appartement al verlaten toen de indringers kwamen, en ze had de papieren nog in haar bezit. Ze waren formeel haar eigendom, en als een volwassen vrouw ergens heen wilde gaan, was dat haar eigen zaak. Hij zei dat hij dat een goede houding vond, want er bestond duidelijk geen enkel verband tussen al die toestanden om die oude papieren van mij en de dood van Andrew Bulstrode. Het onderzoek naar die moord was trouwens net afgesloten. Bulstrode was vermoord door een negentienjarige homoseksuele prostitué, Chico Garza, die in hechtenis was genomen en een volledige bekentenis had afgelegd. Het was precies zo gegaan als ze hadden gedacht: een seksueel spelletje dat uit de hand was gelopen. De jongen was opgepakt toen hij Bulstrodes Visa Card wilde gebruiken. Dus hij had gelijk gehad, zei ik opgelucht. Een straatroof, een poging tot inbraak, een mishandeling, een verdwenen vrouw: allemaal toeval. Ik verontschuldigde me voor het feit dat ik aan hem had getwijfeld, en hij antwoordde sportief dat burgers, beïnvloed door boeken en films, de dingen meestal ingewikkelder wilden maken dan ze waren, terwijl échte misdrijven meestal dom en simpel waren, zoals ook in dit geval. Dat gebeurde zo vaak.

Ik beaamde dat en veronderstelde dat er, nu het onderzoek was afgesloten, geen bezwaar meer tegen was dat ik, als advocaat in deze zaak, inzage kreeg in papieren die met de afwikkeling van de nalatenschap te maken hadden. Geen enkel bezwaar, zei hij.

DE TWEEDE BRIEF IN GEHEIMSCHRIFT

*Mijn Heer, wees ervan verzekerd dat ik uw geheimbrief van 16 janua-
ri zeer ter harte neem & zal pogen u hierna beter te behagen door
korter te schrijven: want zijnde nog maar kort bekend met het ver-
spieden, weet ik niet hetgeen te vermelden en hetgeen overtollig is &
de aandacht van uwe edele onwaardig. Onze list was aldus: op de
naamdag van prinses Elizabeth was er, gelijk u voorzegde, viering &
festiviteit in White-Hall & wij werden gelast* Much Ado About Not-
hing *te spelen & enige maskeraden van Heer Johnson. Sinds de tijd
dat ik laatst schreef behoor ik tot het gezelschap, niet slechts als boekhouder doch ook gelijk alle anderen als factotum: ik sjouw & draag,
verf & bouw & naast al deze arbeid dien ik ook als figurant, soldaat,
kamerdienaar, et cetera met prullige gewaden, lichte helmen, tinnen
zwaarden, et cetera op gevaar van mijn ziel me dunkt, doch God zal
het begrijpen en vergeven, want ik spreek nimmer op het toneel. In
deze weken ben ik veel bij W.S., want hij begunstigt mij & ik verblijf
in zijn huis bij Black-Friers. Op de voornoemde dag zal ik van de
Wacht zijn & eveneens kamerdienaar van Don Pedro; doch zeer dicht
voor het uur van optreden valt onze Heer Ussher bij toeval van het toneel & kan niet staan & alzo ik moet de Jongen ook spelen, dat is een
sprekende rol, slechts twee regels & ik zweer ik stond liever voor de
stieren van Sevilla dan dat ik spreek voor een publiek & nog koninklijk ook; doch ik volbracht dit goed genoeg zij het bevend.*

*De Koning viel in slaap in Bedrijf iii gelijk mij is gezegd hij altijd
doet, doch de Koningin & Prinses klapten lustig & na afloop kregen
wij koeken & malvezij in een zijkamer. Nu komt een nobele heer Sir
Robert Veney, zeer fijn gekleed & uit het gevolg van mijn heer de
Graaf van Rochester. Hij sprak met W.S. & Heer Burbadge & W.S.
wenkt mij met een verward gezicht & ik ga gelijk hij verzoekt & deze
Veney neemt mij een eind door de kamer mede & vraagt mij of ik*

weet hetgeen te gebeuren staat. Ja, meneer, zeide ik: want ge had het
me in uw geheimbrief verkondigd, mijn Heer & hij geeft mij in het
geheim (doch slechts schijnbaar in het geheim) een verzegelde brief &
hij zeide jongen ik zie nu angst op uw gezicht, gelijk gij een geest ziet.
En hij gaat heen & ik stop de brief in mijn kleding & zonder moeite
speel ik bevende & toon een bevreesd gezicht.

Dan willen zij allen weten wat Heer Veney tot mij gezeid had, doch ik
zweeg daaromtrent, zeggende het is een persoonlijke zaak & zij allen
bespotten mij, welk een persoonlijke zaak heeft een heer met dezulken
als u anders dan wellust & zij maken veel grappen daaromtrent, in
hun kruis grijpende & ravottende & mij de edele Heer Wellust noe-
mende. Maar ik zie W.S. niet meedoend, of slechts een weinig, & kijkt
ernstig naar mij.

Daags daarna in Black-Friers komt hij naar de kamer alwaar ik al-
leen zit met mijn boekhouding & zet zich daar: zeide Richard ge zijt
een dappere kerel maar niet zo schoon als werkende op de lusten van
Sir Robert Veney & buitendien ge zijt gemaakt om meiden te bestij-
gen. Kom dan, ben ik niet uw goede neef geweest? Vertelt ge mij wat
tussen u & die heer is voorgevallen; of als ge op uw eer niet alles ver-
mag te vertellen, vertelt ge het dan kort, opdat ik de strekking weet &
dat het niet mij & dit gezelschap betreft. Waarom denkt ge, heer, zei-
de ik, dat het u betreft & toen beroerde hij het koninklijk teken op zijn
livrei & zeide jongen ge zijt niet dom. Wij zijn des Konings Mannen
& deze Veney is van het gevolg van mijn Heer Rochester & mijn Heer
beheerst de Koning gelijk eenieder weet. Nu als Mijn Heer conversatie
wenst met ons gezelschap zal hij om mij verzoeken, of Heer Burbadge,
of Heer Hemmynge, of enig deelgenoot: alzo moet ik vragen waarom
hij om een jongen vroeg; een jongen onlangs tot ons gekomen, met een
verhaal hij is mijn neef; een jongen die ter tafel gaande heimelijk het
teken des kruises op zijn hart maakt. Alzo mijn neef, bedot mij niet.
En hij kijkt mij zeer strak & streng aan gelijk ik hem niet eerder zag
kijken naar enig ander: & ik denk hij ziet al, ik ben verloren; doch ik
verzamelde mijn moed, denkende: hij hapt in het aas.

Waarop ik op mijn knieën val roepende o mijn neef spaar mij uw
woede schoon ik een verrader ben; ik ben gezonden om u voor Mijn
Heer Rochester te bespioneren. Hij verbleekt: hoe komt dit, zeide hij,
ik heb niets tegen die edele heer gedaan & me dunkt hij is mij nog
welgezind. Zeide ik: o heer het heeft al te maken met gewichtige zaken

van geloof & politiek & de plannen van de groten & ik ben slechts een arme jongen een schipbreukeling & hoe ben ik hierin gevaren: & ik weende & echte tranen, meen ik. Hij vroeg, zijt ge waarlijk neef of was dat eveneens verzonnen? Ik zeide nee het was al waarheid & zwoer op het graf mijner moeder dat de Graaf mij om die reden had gekozen opdat gij me des te meer zoude vertrouwen.

Toen hief hij me op, zeggende, nu weest ge een ware man, mijn jongen & vertelt ge me al. Alzo ik zeide tot hem al hetgeen wij overeenkwamen mijn heer gelijk in uw leste geheimbrief staat geschreven, te weten: de Koning verlangt een Katholieke partij voor Prins Henry ter wille van de vrede, & de Puriteinen in het Parlement veroordelen zulks hartgrondig; mijn heer de Graaf begunstigt dit en voert het uit, de Puriteinen hem daarvoor allen hatende; deze schurken roepen wijlen de Koningin behandelde ons niet zo (al denk ik zij deed dat wel doch hun herinneringen verbleken met de tijd) & morren deze Koning is slechts een kind ener paapse hoer; de Koning is bezorgd om de vergelijking & de verachting van de Koningin zijn moeder & wenst zich een groter monarch dan Elizabeth te tonen. Nu had mijn heer Graaf een plan bedacht. Als een toneelstuk werd gemaakt omtrent Koningin Mary van Schotland, haar in een beter licht tonende & tonende oude Elizabeth als een feeks & tiran in dienst van huichelende Puriteinen, zal dat de gevoelens des volks ten opzichte van de Koningin van Schotland voorzeker temperen. Want zulke zaken zijn al eerder verricht: werd niet Harry Bolingbroke de usurpator nobel gemaakt en werd Bochel Richard niet gelijk een vuige wrede schurk getoond? En zou zo'n stuk de Puriteinse factie niet zeer mishagen & het volk tegen hen opzetten? En wie in Engeland schrijft het best zulke stukken?

Nu vat hij mijn betekenis & roept wat, verlangt hij dat ik dit stuk schrijf? Ik zeide ja neef, zijne edele de Graaf verzoekt u dezulke. Maar W.S. zeide een dergelijk stuk zoude ongehoord zijn. Ge weet de Koning heeft de spelers van Black-Friars heengezonden & hun gezelschap geruïneerd vanwege een kwetsing van Schotland in hun Edward de Tweede, wat zoude hij doen met een stuk kwetsende de grote Elizabeth & de ganse Protestantse kerk? Op mijn bloed! Ik geloof u niet, jongen; dit moet een list mijner vijanden tegen mij zijn.

Nu was ik enigszins in verlegenheid, mijn Heer, want ik zag hem hebbende onze plannen bijkans doorgrond, maar ik zeide, nee, heer, het

is op bevel van de Graaf zelve, want ziet ge: dit is waarom mijn heer
Veney mij aansprak en niet u of een deelgenoot. Wij zijn allen in het
oog van spionnen & dit mag niet gezien worden als komende van de
Graaf. Het moet heimelijk geschreven worden, slechts ik & gij wetende & getoond aan de Graaf & hij zal de Koning paaien het stuk te
doen spelen. Want zijne majesteit is vreesachtig: hij wenst de Puriteinen te gronde te richten doch durft niet, althans niet nu. Want dit
voorgenomen stuk is slechts deel van een groter complot dat meer tijd
behoeft: het Spaanse huwelijk, nieuw benoemde bisschoppen, nieuwe
wetten tegen Puriteinse samenkomsten & verlichting voor papen. Dit
zeggende ik bestudeerde hem nauw doch kon niets op zijn gezicht ontwaren. Zeide hij, waarom zou de Koning nu papen begunstigen, die
hem bijkans doodden in het jaar Vijf? En ik antwoord, waarom zou
hij zijn zoon geven aan hen die Guy Fawkes zijn loon betaalden? Het
is beleid neef, en dezulken als wij bevatten dat niet, doch moeten
doen hetgeen de groten ons zeggen. Doch één ding is zeker: de Koning
heeft zijn bisschoppen van node teneinde de kerk te bestieren & hier is
hij nader tot de papen dan tot de Puriteinen. En hij zeide toch kan ik
dit niet geloven & nu nam ik uit mijn kledij de brief vervalst met
mijn heer van Rochesters zegel: gelooft ge dan dit, zeide ik & gaf hem
de brief. Alzo hij leest hem & zeide daarna, mijn heer verlangt het
met Kerstmis. Verzoeke: kunt ge het dan doen? Welzeker, zeide hij, ik
heb een klein ding te voltooien, een stuk van de Nieuwe Wereld &
schipbreuk & magische eilanden & uw bootsman ook daarin, twee
weken zij genoeg. Dan begin ik aan dit & moge God ons allen behoe-
den, alzo zeggende hij bekruiste zich gelijk ik doe, onderwijl denkende
mijn heer nu hebben wij u.

Toen klaarde zijn gezicht, zijnde in lijnen van zorg, plotsklaps op &
hij glimlacht zeggende ge beloofde mij de aritmetica in nieuwe stijl te
tonen & hij zoekt naar het juiste woord & ik zeide algorisme bedoelt
ge & hij schreef het in zijn boek & vroeg in welke taal is dat woord &
ik zeide mijn meester zeide het was Arabisch & hij zeide het enkele
malen. Alzo studeren wij aritmetica & me dunkt mijn heer dat wij
vroeg te velde dienen te trekken & onze verstand goed benutten willen
wij deze heer vangen. Want nimmer zag ik een man zo gesloten & in
verweer tegen de onderzoekingen van anderen. Heer Burbadge speelde zijn rol als vorst op het toneel, doch daarbuiten was gewoonweg
Dick: doch deze Shaxspure speelt immer & in alle opzichten & me
dunkt geen man aanschouwt de man die onder de speler ligt. Met alle
eer & mijn nederige plicht jegens uwe Edele & moge God uw vijanden

te gronde richten & de vijanden van alle ware religie uit Londen deze
vrijdag de zesentwintigste januari 1610,
Richard Bracegirdle

12

Crosetti was honderden keren door de politie ondervraagd, maar nog nooit door iemand die geen naast familielid van hem was. Hij merkte dat het veel gemakkelijker was om tegen vreemden te liegen, vooral omdat ze hem zo omzichtig behandelden. Ze zaten met zijn allen in de huiskamer van de Crosetti's: rechercheur Murray op de bank, rechercheur Fernandez met zijn notitieboekje in de fauteuil tegenover hem, Crosetti in de andere fauteuil van het versleten blauwe brokaten bankstel, de koffiespullen op de salontafel, de koffie ingeschonken door Mary Peg voordat ze zich discreet had teruggetrokken. Achter Crosetti's hoofd hing het grote olieverfschilderij, op grond van een foto gemaakt, van inspecteur Crosetti, de heldhaftige politieman in zijn uniform met vele medailles, omringd door zijn jonge gezin.

Terwijl de twee rechercheurs hun vragen stelden, keken ze steeds weer naar dat grote voorbeeld. Er bestond geen enkel gevaar dat ze Crosetti hard zouden aanpakken. Trouwens, afgezien van zijn medeplichtigheid bij het ongeoorloofde gebruik dat Carolyn van Sydney Glasers eigendom (het Bracegirdle-manuscript) had gemaakt, had Crosetti niets verkeerds gedaan, en de rechercheurs gingen daaraan voorbij. Ze stelden routinevragen over Bulstrode, alleen omdat ze Crosetti's naam in zijn agenda hadden gevonden en ze nu eenmaal alles moesten natrekken. Ze waren maar matig geïnteresseerd in Rolly; haar verdwijning interesseerde hen wel, maar toen Crosetti hun over de brief uit Londen vertelde, was die belangstelling meteen verdwenen. Het was geen misdrijf om het land te verlaten. Crosetti wist wel beter dan te proberen hen over de moord te laten praten; rechercheurs waren er niet om informatie te verstrekken maar om die te verkrijgen. Ze bleven twintig minuten, waarin ze ook nog herinneringen aan wijlen inspecteur Crosetti ophaalden, en gingen zo opgewekt weg als rechercheurs van moordzaken maar kunnen zijn.

Een rechercheur die je eigen zuster was, was heel iets anders, en toen Patty Dolan veertig minuten later bij het huis arriveerde, had Crosetti een heleboel vragen voor haar. Nadat was vastgesteld dat hij maar een kleine rol in het leven van het slachtoffer had gespeeld, vroeg hij: 'Hoe denken jullie erover?' Hij bedoelde haar collega-rechercheurs. Terwijl hij dat zei, keek hij zijn moeder ook even aan.

'Nou, de man was Engelsman en homo,' zei Patty. 'Ze denken dat het om een seksspelletje gaat dat uit de hand liep.'

'Dat betwijfel ik,' zei Crosetti.

'Hoezo, heb je seks met hem gehad?' vroeg zijn grote zus. 'Heb je al zijn neigingen leren kennen?'

'Nee, jij wel? De eerste keer dat ik hem zag, dacht ik, goh, Patty zou meteen op hem vallen. Hij is dik, bezweet en kaal…'

Daarmee zinspeelde hij op Jerry Dolan, haar man. De Crosetti's waren het soort familie waarbij het jachtseizoen voor fysieke onvolkomenheden van broers en zussen altijd geopend was. Wat dat betrof had Patty Dolan door de jaren heen het nodige te verduren gehad. Ze was een stevig gebouwde vrouw met krachtige trekken, ongeveer zoals die van haar vader op het schilderij. Ze had ook zijn zwarte haar, maar dan met de blauwe ogen van haar moeder.

'Hoor hem,' zei de rechercheur, en haar hand schoot uit om met een geoefende beweging in het losse vet boven Crosetti's broekriem te knijpen.

Hij sloeg haar hand weg en zei: 'Nee, serieus. Jullie zullen wel weten dat de man een paar jaar geleden betrokken was bij een zwendel waar grote bedragen mee gemoeid waren. En hij heeft mij een waardevol manuscript afhandig gemaakt. Dat wijst op een slecht karakter.'

'En dat kan zich ook tot zijn seksleven hebben uitgestrekt. Waar wil je heen?'

'Dat weet ik niet precies,' zei Crosetti. 'Maar kijk eens naar het patroon. Hij bedriegt mij en verdwijnt naar Engeland. Carolyn Rolly geeft haar hele leven op en verdwijnt ook naar Engeland, tenminste, dat zegt ze in een brief waarvan ik zeker weet dat hij voor negentig procent gelogen is. Dan komt Bulstrode terug en wordt hij doodgemarteld. Hebben jullie dat manuscript op hem gevonden?'

'Weet ik niet. Het is niet mijn zaak.'

'Nou, als het is verdwenen, lijkt het motief me wel duidelijk.'

'Hoeveel was het waard?'

'Moeilijk te zeggen. Fanny zegt dat het op een veiling wel vijftigduizend dollar kan opbrengen.'

Nu trok rechercheur Dolan haar wenkbrauwen op en stak ze haar onderlip naar voren. 'Dat is een heleboel geld.'

'Het is wisselgeld in vergelijking met de echte waarde.'

'Wat bedoel je?'

Crosetti keek zijn moeder aan. 'Zullen we het haar vertellen?'

'Tenzij je wilt dat ze het uit je slaat,' zei Mary Peg.

Crosetti vertelde haar wat ze wisten en waarnaar de brief van Brace-girdle verwees. Daarna keek Patty haar moeder aan. 'Geloof jij dit alles?'

'Ik weet het niet,' zei Mary Peg. 'Fanny zegt dat de oorspronkelijke papieren die we hier hebben echt uit de zeventiende eeuw komen, dus misschien is die brief van Bracegirdle ook echt. Het is natuurlijk altijd mogelijk dat William Shakespeare ergens een onbekend manuscript heeft begraven. Misschien is Bulstrode het op het spoor gekomen, misschien niet. Misschien heeft hij iemand erover verteld terwijl hij in Engeland aan het zoeken was, en misschien is het ter ore gekomen van het soort mensen dat moorden pleegt om geld.'

'Dat is een heleboel keer "misschien", ma. Ik vind het maar niks dat Allie betrokken is geraakt bij allerlei gebeurtenissen die tot een gruwelijke moord hebben geleid. En dat hij iets had met die vrouw die is verdwenen.'

'Wat bedoel je?' vroeg Crosetti.

'Laten we het zuiver vanuit een politiestandpunt bekijken. Als we even aannemen dat die moord niet het gevolg was van een seksspelletje, zoals de rechercheurs die de zaak behandelen denken, lijkt het erop dat het een geval van zwendel is, zoiets als die affaire waardoor Bulstrode al eerder in moeilijkheden was gekomen. Iemand schuift een valse aanwijzing in een oud boek, zodat die door iemand wordt ontdekt – die vrouw Rolly – die het ongetwijfeld naar Bulstrode stuurt… Je schudt je hoofd.'

Dat had Crosetti inderdaad gedaan, en hij zei nu op vrij scherpe toon: 'Nee, die vondst was echt. Ik was erbij, Patty. Het was zuiver toeval dat die boekdelen brandschade opliepen en uit elkaar gehaald moesten worden.'

'Zeker, maar misschien had ze die papieren al klaarliggen en deed ze alleen maar alsof ze ze in die boeken vond.'

'En heeft ze ze toen in al die boekbanden gedaan in de hoop dat er brand zou uitbreken? Dat is onzinnig. Ik heb ze met mijn eigen ogen uit die omslagen zien komen.'

'O, dat is een goed bewijs! Elke zwendelaar krijgt zo'n verwisseling voor elkaar. Sorry, maar als ik over geheime schatten en raadselachtige manuscripten hoor, grijp ik mijn portefeuille vast.'

'Dit is belachelijk,' zei Crosetti met stemverheffing. 'Dit is een echt manuscript, van een echte man, en het geheimschrift is echt geheimschrift. Vraag het Fanny maar, als je me niet gelooft. Of Klim.'

'Klim?'

'Ja, onze nieuwe logé. Hij heeft jouw kamer.'

Patty keek haar moeder aan. En die zei: 'Kijk me niet met die politieogen aan, Patricia. Het is een volkomen respectabele Poolse heer die ons helpt met het ontcijferen van die brieven. En ik moet zeggen dat je onnodig achterdochtig en zelfs onredelijk bent ten opzichte je broer.'

'Goed,' zei Dolan, die een zucht onderdrukte. Het was nooit verstandig geweest om tussen Mary Peg en haar jongste te komen. 'Maar als er een vlot pratende persoon opduikt met een pakje waarvan hij zegt dat het een manuscript van Shakespeare is, en hij wil een voorschot van tienduizend dollar…'

'O, doe niet zo belachelijk!' zeiden moeder en zoon bijna tegelijk, wat grappig genoeg was om de spanning weg te nemen. De familierechercheur zei dat ze de zaak-Bulstrode zou volgen voor zover haar werk en het protocol van het korps het toestonden en dat ze hen van alle relevante ontwikkelingen op de hoogte zou houden.

Zodra ze weg was, zei Mary Peg: 'Ik ga kijken of Radi koffie wil. Ik geloof dat hij de hele nacht op is geweest.'

'*Radi?*'

'O, bemoei je met je eigen zaken,' zei Mary Peg, en ze liep de keuken uit, zodat Crosetti daar alleen achterbleef, alleen met zijn gedachten over de tot dan toe onbekende combinatie van 'ma' en 'romantiek'. Hij ging naar zijn werk, waar hij moest verzwijgen wat hij de laatste tijd had gedaan en wat hij allemaal over Bulstrode wist. Sidney Glaser praatte er maar over door hoe schokkend het was als iemand die je kende werd vermoord. Dit wees er maar weer eens op, vond hij, dat de stad New York en de westerse beschaving in het algemeen hun ondergang tegemoet gingen. Toen Crosetti die avond thuiskwam, rook hij de heerlijke geur van hutspot. Hij trof zijn moeder en Radeslaw Klim in de keuken aan, waar ze sherry dronken en lachten. Ze zat niet bij hem op schoot, maar Crosetti zou niet raar hebben staan kijken als dat wel zo was geweest, gezien de atmosfeer in de keuken: niet alle damp kwam uit de pan op het gas.

'Hallo, schat,' zei Mary Peg opgewekt, 'neem wat sherry.' Nooit eerder was Crosetti bij thuiskomst zo verwelkomd. Hij keek zijn moeder aan en constateerde dat ze tien jaar jonger leek. Op haar wangen had ze twee heldere roze vlekken, maar in haar ogen was een tikje nervositeit zichtbaar, alsof ze weer een meisje was en met een jongen op de verandaschommel zat, terwijl haar vader ergens in de buurt moest zijn. Klim stond op en stak zijn hand uit, en ze begroetten elkaar formeel. Crosetti had het gevoel dat hij in een film speelde, geen film die hij ooit zou hebben geregisseerd of zou willen zien, een van die familiekomedies waarin de alleenstaande moeder voor de ongeschikte man bezwijkt en de kinderen samenzweren om die twee uit elkaar te krijgen, om ten slotte te constateren dat…

Voordat hij zijn onbehagen in een bepaalde houding kon omzetten, zei Mary Peg met haar innemendste stem, een gekweel dat hij niet van haar gewend was: 'Ik vertelde Radi net over jouw belangstelling voor Poolse films. Hij weet er veel van.'

'O, ja?' zei Crosetti beleefd. Hij liep naar de karaf rode wijn die (zoals er daar altijd een had gestaan) op de hoek van het aanrecht stond en schonk zichzelf een glas in.

'Welnee,' zei Klim. 'Ik ben alleen maar een liefhebber. Natuurlijk heb ik de kleine lettertjes onder het scherm niet nodig om ervan te genieten.'

'Hm. Welke Poolse films in het bijzonder?'

'O, de laatste tijd heb ik erg van *–ycie jako úmiertelna choroba* van Zanussi genoten. Erg mooi, al is de katholieke… Hoe zeggen jullie dat? Prediking?'

'Bekering.'

'Ja, precies. Die is te grof, hoe zeggen jullie dat, het ligt er te dik boven op. Natuurlijk heeft Kieúlowski hetzelfde veel subtieler aangepakt. Hij zei vaak: we slaan mensen niet met de kerk op hun hoofd, dat is net zo erg als hen met het communisme op hun hoofd slaan. Het is genoeg dat we films met moraliteit hebben zonder dat het te duidelijk te zien is. Ik denk bijvoorbeeld aan *Trois couleurs* en natuurlijk aan *Dekalog*.'

'Wacht eens even. U hebt Kieúlowski gekénd?'

'Jazeker. Het is een erg klein land. We kwamen uit dezelfde buurt in Warschau en ik ben maar een paar jaar ouder. Balletje trappen op straat en zo. Later kon ik hem soms van dienst zijn.'

'Met films?'

'Indirect. Ik kreeg opdracht hem te bespioneren, omdat ik hem al kende. Ik zie dat u geschokt bent. Nou, het is waar. Iedereen werd bespioneerd en iedereen spioneerde. Lech Walesa zelf heeft ook een tijdlang voor de geheime dienst gewerkt. Het beste waarop je kon hopen was een spion die je welgezind was en die alleen rapporteerde wat je wilde dat de autoriteiten te weten kwamen, en dat heb ik voor Krzysztof gedaan.'

Daarna praatten de mannen zo'n twintig minuten over Poolse films, waar Crosetti al heel lang een liefhebber van was. Hij hoorde nu eindelijk hoe je de namen moest uitspreken van regisseurs en films waar hij al jaren gek op was. Het gesprek kwam opnieuw op de grote Kieúlowski en Klim merkte op: 'Ik zat in een van zijn films, weet je.'

'U meent het!'

'Ja, ik meen het. *Robotnicy* uit 1971. Ik was een van de jonge politieagenten op de achtergrond die de vakbond de kop in drukten. Een krankzinnige tijd, die volgens mij sterk lijkt op de tijd van die Bracegirdle. Ik moet ook zeggen dat ik wat verder ben gekomen met het geheimschrift.'

'Hebt u het al gekraakt?'

'Helaas niet. Maar ik weet welk type het is. Het is bijzonder interessant voor een klassiek geheimschrift, geloof ik, uniek zelfs. Zal ik het laten zien? Of zullen we wachten tot na deze heerlijke maaltijd van je moeder?'

Mary Peg zei: 'O, alsjeblieft, laat het ons zien. Ik moet een salade maken en we kunnen die hutspot altijd nog eten.'

Met zijn gebruikelijke bescheiden kleine buiging verliet Klim de keuken. Crosetti keek meteen zijn moeder aan en rolde met zijn ogen.

'Wat is er?' tartte ze hem.

'Niets. Het gaat alleen vrij snel. We wonen hier jarenlang op onszelf en ineens zitten we in een Poolse film.'

Mary Peg maakte een laatdunkend gebaar. 'O, kom nou! Het is een aardige man, en hij heeft erg geleden – zijn vrouw is gestorven, hij heeft in de gevangenis gezeten. Fanny wil al jaren dat ik hem leer kennen. Je mag hem toch wel?'

'Eh, ja, maar blijkbaar niet zo graag als jij hem mag. Dus… zijn jullie twee…' Hij wreef zijn handpalmen over elkaar alsof hij crème inwreef. Ze pakte een houten lepel en gaf hem een fikse tik op de kruin van zijn hoofd.

'Oppassen, jongen. Ik kan je mond nog met zeep uitspoelen.' En ze barstten allebei in lachen uit.

Op dat moment kwam Klim binnen, met een dik pak printerpapier vol regels tekst en een schrijfblok met keurige Europese potloodletters. Hij ging naast Crosetti zitten en glimlachte beleefd. 'We hebben plezier? Goed. Dit kan ook leuk zijn. Je kunt aan mijn rode ogen zien dat ik het grootste deel van de nacht op ben geweest. Ik heb overlegd met collega's over de hele wereld en die hebben allemaal hun licht laten schijnen over dit fascinerende geheimschrift. We hebben natuurlijk eerst met Friedmans superimpositie gewerkt. Dat spreekt vanzelf, nietwaar? Omdat we de vele verschillende alfabetten die in polyalfabetisch geheimschrift worden gebruikt van elkaar moeten onderscheiden, gebruiken we Kerkhoffs oplossing met frequentieanalyse. Dat doen we door middel van superimpositie van de ene reeks geheimschrift op de andere om overeenkomsten te vinden. Als we dat goed hebben gedaan, zal het aantal overeenkomende letters de waarde kappa sub p benaderen, dus ongeveer zeven procent. Dat is duidelijk, nietwaar?'

'Nee. Misschien kunt u meteen doorgaan naar de laatste regel.'

Klim keek verbaasd en bladerde in de papieren. 'Het eind? Maar het eind is in geheimschrift, net als de rest…'

'Nee, bij wijze van spreken. Ik bedoel, wilt u uw bevindingen samenvatten zonder al dat technische jargon?'

'O, ja. Het eind. Nou, het komt erop neer dat we geen superimpositie op dit geheimschrift kunnen toepassen, omdat de sleutel zich helemaal niet herhaalt binnen het aantal geheimschriftkarakters dat we tot onze beschikking hebben, en dat aantal is 42.466. We constateren ook dat de sleutel een hoge entropie heeft, veel hoger dan je zou verwachten bij een doorlopende sleutel uit een boek. Daardoor kunnen we geen eenvoudige analyse doen aan de hand van veelvoorkomende Engelse woorden. Jullie man gebruikt dus geen gewone tabula recta, wat volgens mij hoogst onwaarschijnlijk is, of hij heeft in circa 1618, driehonderd jaar eerder dan Mauborgne, het eenmalige systeem ontdekt. En dat kan ik ook niet geloven. Er is niets over zo'n ontdekking bekend. Zelfs het geheimschrift van Vigenère werd niet veel gebruikt. De meeste Europese inlichtingendiensten namen genoegen met eenvoudige nomenclatoren. Daar gingen ze mee door tot de telegrafie kwam, en zelfs daarna. Er was geen behoefte aan zulke verregaande versleuteling. Dit is een bijzonder geval.'

'Daar lijkt het op,' zei Crosetti. 'Dus als het geen eenmalig systeem is, wat is het dan wel?'

'Ah. Ik heb een theorie. Ik denk dat jullie man begonnen is met een eenvoudige doorlopende sleutel uit een boek, zoals we oorspronkelijk dachten. Maar ik denk ook dat hij erg intelligent was en algauw zag dat een doorlopende sleutel uit een boek door substitutie kon worden achterhaald. Nu kan hij zijn tabula in een gemengd alfabet hebben veranderd om veelvoorkomende Engelse combinaties van twee letters, zoals "tt", "gg", "in" enzovoort, te verhullen, maar we denken niet dat hij dat heeft gedaan. Nee, ik denk dat hij een doorlopende sleutel uit een boek met een rooster heeft gecombineerd. Dat is een manier om gemakkelijk een pseudowillekeurige sleutel van arbitraire lengte te creëren.'

'Wat betekent dat? Ik bedoel voor het ontcijferen.'

'Nou, helaas betekent het dat we niet verder kunnen. Zoals je weet zijn eenmalige systemen niet te ontcijferen. Nu is het waar dat dit geen echt eenmalig systeem is. Als we tienduizend boodschappen hadden, zouden we misschien wel enige vooruitgang kunnen boeken, of zelfs met duizend. Maar deze enkele stukken geheimschrift zijn volkomen veilig.'

'Zelfs met computers, brute kracht...?'

'Ja, zelfs dan. Ik kan je mathematisch laten zien...'

'Nee, ik was slecht in wiskunde.'

'O, ja? Maar je bent een intelligent persoon en het is zo gemakkelijk! Evengoed zul je het begrijpen als ik zeg dat het een vergelijking met twee onbekenden is. Die onbekenden zijn de sleuteltekst en de tekst in geheimschrift. Voorbeeld: wat is de oplossing van $x + y = 10$?'

'Eh... x is één, y is negen?'

'Ja. Maar ook twee en acht, of drie en zeven, of honderd en min negentig enzovoort. Zulke vergelijkingen hebben een oneindig aantal mogelijke oplossingen, en dat geldt ook voor eenmalige systemen. Om een tekst in geheimschrift te ontcijferen moet je een unieke oplossing voor elke afzonderlijke letter hebben, hoezeer die ook verhuld wordt door een heleboel alfabetten en sleutels. Hoe kun je anders onderscheid maken tussen "vlucht meteen" en "kom naar Parijs"? Beide kunnen uit exact dezelfde geheimschrifttekst van een eenmalig systeem worden afgeleid. Zelfs als je een stuk tekst achterhaalt, ben je nog niet beter af, want het is onmogelijk om vanuit die tekst via geheimschrift terug te werken en zo vast te stellen wat de sleutel is, doordat die sleutel voortdurend verandert en nooit een tweede keer wordt gebruikt. Nee, dit is niet te ontcijferen, tenzij je natuurlijk het door hem gebruikte boek en het rooster hebt.'

'Ik dacht dat we het boek hadden. U zei dat het de Bijbel was.'

'Ik zei waarschijnlijk de Bijbel. Ik heb hier met Fanny over gesproken en ze zegt dat ze waarschijnlijk de Geneefse Bijbeleditie van 1560 of later hebben gebruikt. Dat was de populairste Bijbel in die tijd, de Breechesbijbel wordt hij genoemd, erg veel gebruikt en ook goed mee te dragen, drieëntwintig bij zeventien centimeter. Het rooster zou van karton of dun metaal zijn geweest, misschien met een eenvoudig gatenpatroon om te verhullen dat het ergens voor werd gebruikt. Jullie Bracegirdle legt het rooster op de bladzijden, zoals hij van tevoren met zijn leiding heeft afgesproken, en noteert de letters die onder de gaten verschijnen. Dat is zijn sleutel. Hij kopieert genoeg letters om de boodschap te kunnen ontcijferen, en aan de andere kant doet zijn opdrachtgever hetzelfde, maar dan andersom. Voor de volgende boodschap gebruikt hij een andere bladzijde. Zoals ik al zei: als we een geheimschrifttekst van miljoenen karakters hadden, zodat hij dezélfde positie van het rooster op alle bladzijden moest herhalen, konden we het met de gebruikelijke methoden oplossen, maar nu kan dat niet. Het is jammer.'

Het was aan hem te zien dat hij het echt heel jammer vond. Crosetti had nog nooit iemand zo bedroefd zien kijken; het was bijna komisch, als een trieste clown. Maar op dat moment zei Mary Peg dat het eten klaar was en zette ze een grote terrine met dampende lamshutspot voor hen neer, en meteen veranderde de uitdrukking op Klims gezicht in grote uitbundigheid. Crosetti voelde zich ook wat beter. Hij vond het altijd prettig om zich te verbeelden dat hij in een film speelde, en nu zaten ze, zoals hij tegen zijn moeder had gezegd, in een Poolse film: mensen die bijna onder de last van de geschiedenis en onoplosbare problemen bezweken, kwamen weer tot leven bij het vooruitzicht van een warme maaltijd.

Aan het eind van die maaltijd kwam Klim terug op het onderwerp dat ze hadden vermeden toen ze nog lekker zaten te eten. 'Weet je wat me vooral zo verbaast?' vroeg hij. 'Waarom eigenlijk een geheimschrift?'

'Wat bedoelt u?' vroeg Crosetti.

'Die man, die Bracegirdle van jou, zegt dat hij Shakespeare in opdracht van de Engelse regering bespioneerde. Nou, ik heb ook voor de regering gespioneerd en rapporten geschreven, zoals duizenden landgenoten van mij. Er liggen tonnen en tonnen van die rapporten in archieven in Warschau en niet één daarvan is in geheimschrift. Alleen buitenlandse spionnen gebruiken geheimschrift. Een Spanjaard die Engelse mensen bespioneerde zou een geheimschrift gebruiken. En als jouw man in het buitenland was en berichten terugstuurde, zou hij dat ook doen. Maar overheidsspionnen gebruiken geen cijferschrift. Waarom zouden ze? Het zijn toch overheden die de post openen?'

'Waren ze paranoïde?' opperde Crosetti. 'Misschien dachten ze dat de mensen achter wie ze aan zaten de post ook konden openen?'

Klim schudde zijn hoofd, zodat zijn witte kuif grappig heen en weer ging. 'Dat lijkt me niet mogelijk. Spionnen máken geheime boodschappen, ze ontcijferen ze niet. Geheimschriften en codes worden alleen door overheden gebruikt als ze denken dat andere overheden de berichten zullen lezen. Dit geheimschrift dat we hier hebben is lastig in het gebruik, nietwaar? Elke letter moet met de hand worden gecodeerd, en dat met een sleutel die moeilijk op te roepen is. Waarom schreven ze het niet gewoon op en gaven ze het bericht niet aan een koninklijke boodschapper?'

'Ik weet waarom,' zei Mary Peg na een peinzende stilte van hen drieën. De mannen keken haar aan, de oudste met verrukking, de jongste met twijfel.

'Waarom dan?' vroeg Crosetti.

'Omdat ze níét voor de regering werkten. Ze complotteerden tégen de koning en zijn beleid. Heb je niet in Bracegirdles brief over de katholieke bruid voor de prins gelezen? En dat ze koning James wilden overhalen nog harder tegen de katholieken op te treden dan hij al deed? Ik bedoel, dat was het doel van dit alles. Ze wilden het theater vernietigen en in één klap ook het prokatholieke beleid in diskrediet brengen. Ze wilden absoluut voorkomen dat iemand van de overheid of uit het gevolg van de koning zou ontdekken wat ze deden. Daarom moesten ze dit krachtige geheimschrift gebruiken.'

Na enige discussie vonden ze alle drie dat er veel voor die interpretatie te zeggen viel. Vooral Klim was erg scheutig met zijn bewondering. Mary Peg schreef haar idee bescheiden toe aan haar Ierse jeugd, waarin haar was geleerd altijd naar slinksheid en bedrog te zoeken als er Engelsen in het spel waren. Crosetti was ook onder de indruk, maar niet verbaasd, want hij was door deze vrouw grootgebracht. Toch deed het hem goed dat ze de bewondering oogstte van een geheime politieman die door de KGB was opgeleid. Inmiddels was de grote karaf Californisch rood, die bijna vol was toen de avond begon, nu zo goed als leeg. Het gesprek was een beetje dronken overgegaan op films. Klim vertelde een paar anekdotes over Kieúlowski en gaf Crosetti daarmee materiaal voor een heleboel cafégesprekken, waarna Crosetti vroeg wat Klim van Polanski vond. Klim snoof, trok peinzend aan het puntje van zijn neus, en zei: 'Ik kan niet van zijn films houden. Ik ben geen vriend van het nihilisme, hoe goed het ook wordt uitgevoerd.'

'Vind je dat niet een beetje hard? Je zei daarstraks dat je Zanussi *te* religieus vond. Het gaat niet om religie of het gebrek daaraan. Hij is een geweldige regisseur. Hij kan op het scherm een verhaal met levendige karakters vertellen, met een fantastische beheersing van tempo en stemming. Je kunt toch ook niet zeggen dat iemand die van *Rosemary's Baby* houdt aan de kant van de duivel staat?'

'Sta je dat dan niet?'

Crosetti wilde net een hele uiteenzetting over de zuivere esthetiek van de film geven, maar dit antwoord op wat hij als een zuiver retorische vraag had bedoeld zette hem even aan het denken. Hij keek Klim aan om er zeker van te zijn dat de man het echt meende, keek in zijn fletse blauwe ogen, die in elk geval bloedserieus waren. Klim ging verder: 'Als een film of trouwens ook een andere kunstvorm geen morele grondslag heeft, kun je net zo goed naar flikkerende patronen kijken, of naar willekeurige scènes. Nu zeg ik niet wat die morele grondslag moet zijn, alleen dát hij er moet zijn. Heidens hedonisme is bijvoorbeeld een volkomen aanvaardbare morele grondslag voor een kunstwerk, zoals in Hollywood. Huiselijk geluk. Romantiek. Het hoeft niet… Wat is het woord? Als de schurk altijd doodgaat en de held het meisje krijgt…'

'Melodrama.'

'Precies. Maar niet *niets*. Niet de duivel die ons uitlacht, tenminste, niet alleen dat.'

'Waarom niet? Als dat je wereldbeeld is.'

'Omdat de kunst dan stikt. De duivel geeft ons niets, hij neemt alleen, en neemt. Luister, in het Europa van de vorige eeuw besloten we God niet meer te aanbidden. In plaats daarvan zouden we de natie, het ras, de geschiedenis, de werkende klasse aanbidden, kies maar uit, en als gevolg daarvan is alles totaal verwoest. En dus zeiden ze, ik bedoel de kunstenaars, laten we in niets meer geloven dan in de kunst. Laten we niet geloven, dat is te pijnlijk, het bedriegt ons, maar laten we de kunst vertrouwen en begrijpen, dus laten we tenminste daarin geloven. Maar die bedriegt ons ook. En is ook ondankbaar voor het leven.'

'Wat bedoel je?'

Klim keek Mary Peg aan met een glimlach die zijn hele gezicht veranderde. Ze zag iets van de man die hij was toen hij Kieúlowski kende. 'Ik verwachtte niet dat we over zulke dingen zouden praten. We zouden in een rokerig café in Warschau moeten zitten.'

'Ik ga toast maken,' zei Mary Peg. 'Maar wat bedoelde je nu?'

'Nou… die Polanski. Hij heeft een afschuwelijk leven gehad. Hij is in precies de juiste tijd geboren. Hij is jood, zijn ouders kwamen om in een concentratiekamp, hij groeit wild op. Hij heeft succes door hard werken en talent, en trouwt met een beeldschone vrouw, maar ze wordt vermoord door een krankzinnige. Waarom zou hij iets anders geloven dan dat de duivel over de wereld heerst? Ik ben iets eerder in dezelfde periode geboren; ik ben geen jood maar evengoed was het leven voor Polen ook niet zo fijn, de nazi's vonden ons bijna even slecht als de joden, en dus zeg ik dat ik weliswaar niet hetzelfde heb meegemaakt als Polanski, maar dat het wel vergelijkbaar was. Mijn vader is door nazi's vermoord, mijn moeder kwam om tijdens de opstand van 1944, en ik leefde op straat, verzorgd door mijn zus, die twaalf jaar oud was. Mijn oudste herinnering bestaat uit brandende lijken, een stapel lijken in vlammen en de stank daarvan. Ik weet niet hoe we het hebben overleefd, die hele generatie van ons. Later, moet ik daaraan toevoegen, verloor ik net als Polanski mijn vrouw; niet aan een krankzinnige maar ook gemarteld, maandenlang. Ik lag in die tijd niet goed bij de autoriteiten en kon geen morfine voor haar krijgen. Nou, laten we niet over die persoonlijke moeilijkheden praten. Ik wilde zeggen dat we na de oorlog, ondanks de Duitsers en de Russen, om ons heen keken en ontdekten dat er nog leven in ons zat. We leerden, we bedreven de liefde, we kregen kinderen. Polen bestond nog, onze taal bestond nog, mensen schreven poëzie. Warschau werd herbouwd, steen voor steen, net als voor de oorlog. Miloscz kreeg de Nobelprijs, Szymborska kreeg de Nobelprijs, en een van ons werd paus. Wie had dat ooit kunnen denken? Dus als we kunst maken zegt die kunst vaak meer dan: o, arme kleine ik, wat heb ik geleden, de duivel heeft het voor het zeggen, het leven is waardeloos, wij kunnen niets doen. Dat bedoel ik.'

Crosetti dacht zo goed mogelijk over die woorden na, en dat stelde niet veel voor, want hij was een Amerikaan en wilde films maken en ze verkopen en hij dacht dat hij in het duister tastte. Lijden, nihilisme, de duivel die lachte, al die Polanski-dingen waren een noodzakelijk kruid, als oregano, niet iets waarvan je geacht werd een maaltijd te maken. In de Polen bewonderde hij de competente oppervlakte, de camerabewegingen, de belichting van een gezicht, de manier waarop de camera op een gezicht bleef rusten.

Na een korte stilte zei hij: 'Wel, zullen we films gaan kijken?'

'Alsjeblieft, niet *Chinatown*!' zei Mary Peg.

'Nee. We gaan naar morele kunst kijken,' zei haar zoon. 'We houden een John Wayne-festival.'

En dat deden ze. Crosetti bezat bijna vijfhonderd dvd's en honderden videobanden en ze begonnen met *Stagecoach* en gingen verder met de hoogtepunten uit Waynes carrière. Mary Peg viel halverwege *She Wore a Yellow Ribbon* in slaap, haar hoofd tegen Klims schouder. Toen de film voorbij was, legden ze Mary Peg onder een deken op de bank, zetten de televisie uit en gingen terug naar de keuken. Crosetti bedacht dat dit voor zover hij zich herinnerde de eerste keer was dat zijn moeder de *Tonight Show* niet had gezien, en dat gaf hem een goed gevoel, alsof ze een soort prijs had gewonnen.

'Ik ga ook naar bed, denk ik,' zei Klim. 'Bedankt voor een bijzonder interessante avond. Ik moet bekennen dat ik altijd van cowboyfilms heb gehouden. Ze hebben een kalmerende uitwerking op me, zoals een slaapliedje op een kind. Vertel eens, wat wil je met dat geheimschrift gaan doen?'

Crosetti schrok van de verandering van onderwerp en herinnerde zich toen dat zijn vader had gezegd dat het een oude politietruc was om de verdachte uit zijn evenwicht te brengen.

'Ik zie niet wat ik kán doen. Je zei dat het niet te ontcijferen is.'

'Ja, maar… Je moeder heeft me het hele verhaal verteld, voor zover zij het kent, en dus weet ik dat er al iemand is gestorven. Bedenk nu wel: de mannen die de professor hebben vermoord, weten niet dat het geheimschrift niet te ontcijferen is. Laten we veronderstellen dat ze de Bracegirdle-brief of een kopie daarvan hebben. Deze brief noemt andere brieven, brieven in geheimschrift. Die hebben ze niet, maar ze willen ze wel hebben, en ik ben ervan overtuigd dat die dode man hun jouw naam heeft verteld. Die jongedame die bij je was toen je de papieren vond, weet in elk geval dat de brieven in geheimschrift bestaan. Ze is al verdwenen en heeft een brief gestuurd die jij niet vertrouwt. En terecht: iedereen kan een brief schrijven, of een ander dwingen een brief te schrijven, en hem vanuit elke plaats verzenden. Ze kan wel hier om de hoek zijn. Of dood.'

Crosetti had al vele malen over dat idee nagedacht en het telkens afgewezen. Carolyn was misschien weggelopen – hij wist nog niet waarvoor – maar hij weigerde toe te geven dat ze dood zou kunnen zijn. Eigenlijk wist hij wel dat hij zich infantiel gedroeg: mensen gingen dood, maar niet Carolyn Rolly. Ze was iemand die alles overleefde en zich goed kon schuilhouden, en het scenario vereiste dat ze terugkwam en haar affaire met Albert Crosetti vervolgde. Een kleine affaire uit een Poolse film was prima, maar dat niet.

'Ze is niet dood,' zei hij, net zo goed om de magie van die woorden te horen als om die gedachte op Klim over te brengen. 'Nou, wat bedoel je?'

'Ik bedoel dat we te maken hebben met gewelddadige mensen en dat er geen reden is waarom ze nu niet achter jou aan zouden komen. Jou of je moeder.'

'Mijn moeder?'

'Eh, ja. Ik neem aan dat als ze je moeder hebben jij hun alles geeft wat ze willen hebben.'

Onwillekeurig schoot Crosetti even in de lach. 'Jezus, Klim! Misschien had ik je niet naar John Wayne moeten laten kijken. Ze mogen die verrekte dingen meteen hebben. Ik kan een advertentie zetten: "Schurken die Bulstrode koud hebben gemaakt, jullie kunnen de geheimschriftbrieven krijgen wanneer jullie maar willen."'

'Ja, maar dan zouden ze natuurlijk denken dat het een truc is. Dat is het probleem met slechte mensen: ze zien bij anderen ook alleen slechtheid. Een van de grootste vloeken die op slechtheid rusten is dat je geen goedheid meer kunt zien. Vertel eens, je vader was politieman – heb je vuurwapens in huis?'

Nu viel Crosetti's mond open. De hysterie kwam weer in hem opzetten, maar hij vocht ertegen. 'Ja, we hebben zijn pistolen. Hoezo?'

'Als jij weg bent moet ik hier blijven, en dan moet ik gewapend zijn.'

'Wat bedoel je, weg? Als ik naar mijn werk ben?'

'Nee, ik bedoel als je in Engeland bent. Je moet onmiddellijk naar Engeland vertrekken.'

Crosetti staarde de man aan. Die maakte een volkomen kalme indruk, maar bij sommige gekken wist je dat nooit. Of misschien maakte hij een dergelijke indruk als hij dronken was. Crosetti was zelf ook tamelijk dronken en beschouwde de wending die het gesprek had genomen als dronkemanspraat, of als het soort gesprek dat hij en zijn vrienden voerden wanneer ze zich afvroegen hoe ze aan genoeg geld konden komen om een film te maken. Hij produceerde een toegeeflijke glimlach. 'Waarom moet ik naar Engeland, Klim?'

'Om drie redenen. Ten eerste moet je uit New York verdwijnen. Ten tweede moet je uitzoeken wat Bulstrode te weten is gekomen toen hij daar was, als je dat kunt. Ten derde moet je het rooster vinden.'

'Uh-huh. Nou, dat zal me niet veel tijd kosten. Waarschijnlijk hebben ze het rooster dat we willen hebben in de McRooster. Of de Rooster Fried Chicken. Maar ik denk dat ik eerst naar bed ga. Welterusten, Klim.'

'Ja, maar eerst de pistolen. Misschien komen ze vannacht.'

'God, je méént dit echt, hè?'

'Nou en of. Pistolen zijn niet iets om grappen over te maken.'

Crosetti verkeerde in het stadium van dronkenschap waarin je fysiek in staat bent tot daden die je in nuchtere toestand geen moment in overweging zou nemen (Hé, laten we over het ijs van het meer rijden en lekker gaan slippen!), en dus ging hij naar de slaapkamer van zijn moeder en pakte de doos met alle politiespullen van zijn vader – het gouden schildje, de handboeien, de notitieboekjes en de twee revolvers in hun leren ritsfoedralen. Het ene was een grote Smith & Wesson Model 10, de klassieke .38 waar alle New Yorkse politieagenten mee rondliepen voordat de semiautomatische wapens kwamen, en het andere was de .38 Chief's Special met de vijf centimeter lange loop, die zijn vader als rechercheur bij zich had gehad. Er was ook een halfflege doos met Federal .38 Specials met jacket en holle punt, en die haalde hij eruit, waarna hij beide revolvers laadde op het blank eiken bureau van zijn moeder. Hij stopte de Chief's Special – nog in zijn holster met klem – in zijn zak en verliet de kamer met het Model 10 in zijn hand.

'Ik neem aan dat je hiermee kunt omgaan,' zei hij, terwijl hij het wapen met de kolf naar voren aan Klim overhandigde. 'Schiet niet in je voet. Of in mijn moeder.'

'Ja,' zei Klim. Hij woog het wapen in zijn hand als een pond worst. Crosetti was blij dat hij niet langs het vizier tuurde en zijn vinger niet op de trekker legde. 'Het is een John Wayne-wapen. De hele wereld weet hoe je ermee moet schieten.'

'Er komt een beetje meer bij kijken.'

'Ik maakte een grapje. Ik heb een vrij grondige wapentraining gehad.'

'Geweldig. Nou, ik ga onder de wol.'

'Sorry?'

'Ook een gezegde. Ik ga naar bed.'

Dat deed hij. Om tien over vier 's nachts werd hij wakker met de gedachte dat hij het allemaal had gedroomd; gedroomd dat hij een geladen wapen had gegeven aan een man die hij nauwelijks kende. Hij sprong het bed uit en liep naar zijn broek die aan de knop van de kastdeur hing en voelde het gewicht van de andere revolver daarin. Met een gefluisterde vloek haalde hij hem uit de zak en liep ermee naar de slaapkamer van zijn moeder, maar toen bedacht hij zich. Mary Peg werd 's nachts altijd wakker als ze voor de tv in slaap was gevallen, en hij wilde zich niet voorstellen wat ze zou denken als ze opnieuw wakker werd en haar zoon met een revolver in haar slaapkamer zag. Hij deed de Chief's Special in de canvas aktetas die hij altijd naar zijn werk meenam en ging weer naar bed. Daarna sliep hij bij vlagen, en telkens wanneer hij even wakker was, kreunde hij om dat nieuwste bewijs van zijn eindeloze stompzinnigheid.

De volgende morgen verscheen hij laat aan het ontbijt. Hij hoopte het contact met de twee andere aanwezigen in het huis tot het sociaal aanvaardbare minimum te beperken. Toen hij in de keuken kwam was zijn moeder daar ook, helemaal aangekleed en opgemaakt, en Klim zat in zijn slechte pak aan de tafel. De revolver was nergens te zien. Mary Peg maakte omelet met bacon en praatte opgewekt met haar logé. Ze gingen een eindje rijden, misschien naar Manhattan, ergens lunchen, het leek een zonnige dag te worden, niet te koud enzovoort. Dat vriendelijke gepraat maakte Crosetti's neerslachtigheid en schuldgevoel alleen maar groter. Klim was natuurlijk de reden waarom ze een warm ontbijt maakte, want doordeweeks beperkten de Crosetti's zich altijd tot koude pap en koffie. Crosetti moest er uit loyaliteit ook iets van eten, en na een fatsoenlijke tijd te hebben gewacht pakte hij zijn jas en tas en was weg.

Hij had willen vragen of Klim weg zou gaan, nu het ontcijferen van het geheimschrift op een dood spoor was gekomen, maar hij had dat niet gedaan, want het zou van slechte manieren getuigen. Het was zijn moeders huis, ze mocht het bed delen met wie ze maar wilde. Waarom woonde hij eigenlijk bij zijn moeder? Het was belachelijk en ongepast, en het was onzin dat hij het deed om voor de filmacademie te sparen. Carolyn Rolly had een uitweg uit een onmogelijke situatie gevonden, en zij had veel minder middelen dan hij (zoals ze tegen hem had opgemerkt). Hij besloot verandering in zijn leven te brengen. Hij kende mensen in Williamsburg en Long Island City die in groepen woonden, film- en muziekfreaks van zijn eigen leeftijd. De huur zou pijn doen, maar misschien kon hij de filmacademie een tijdje vergeten, misschien kon hij een klein scenario laten verfilmen en dat gebruiken om een stageplaats of beurs te krijgen. Hij kon ook scenario's naar concoursen sturen. Hij vulde zijn hoofd met gedachten die niet over pistolen en de dreiging van geweld door onbekenden gingen, en dat werkte goed genoeg, tot hij zijn aktetas optilde om door het draaihekje van de metro te gaan en een metalen klap hoorde toen het wapen tegen de metalen stijl van het draaihekje kwam. Toen besefte hij dat hij de revolver nog steeds bij zich had.

DE DERDE BRIEF IN GEHEIMSCHRIFT

Mijn heer er is niets van belang gaande, evenmin als in mijn leste brief, want het gezelschap is werkzaam in het Globe-theater & ik hoop het stoort u niet indien ik minder vaak schrijf, het voor mij even moeizaam zijnde het te vercijferen als voor u het te ontcijferen. Niettemin vordert ons plan gunstig me dunkt. Klaar zijnde met zijn toneelstuk aangaande de Storm & de zomer naderende reist W.S. naar Stratford-upon-Avon gelijk zijn gewoonte is sedert vele jaren & hij verzoekt mij met hem te gaan & in zijn huis te overnachten. Alzo wij verlaten Londen de vijfde juni ons gezelschap naast W.S. & mij enige kooplieden in wol & de kerel Spade als wachter. Wij arriveren op de achtste & met vreugde ontvangen door Heer S. zijn familie: vrouw en twee dochters de oudste Susannah & de jongere Judith; ook anderen uit de stad, W.S. zijnde nu een aanzienlijk man in die streken, zijn huis aan New Place zeer gerieflijk. Doch het loon der zonde is de dood.

W.S. betoonde zich nogmaals een valse schurk spelende een geheel andere man in Stratford dan in Londen. Hij praat naar de gewoonte van zijn streek, gelijk een burger van de stad, met de woorden der streek, sprekende niet van het theater noch van zijn leven in de stad, geen schuine praat schoon zijn praat schuin genoeg in Londense kroegen. Zijn vrouw een feeks, verwijt hem lichtekooien te houden & niet genoeg geld te zenden voor haar onderhoud – en hij antwoordt haar niet doch verdraagt het. Waarlijk hij heeft een lichtekooi, een zangeres van Italië me dunkt of een Jodin, zeer zwart om te zien ik zag hem drie of vier keer met haar te bed; doch hij pocht niet over haar tot anderen: hij is zwijgzaam in dergelijke zaken en gaat zich niet te buiten in kroegen. Zijn praat alhier is al over land & kopen van land & pachten & leningen, hypotheken enzovoort.

Doch met zijn dochter Susannah is hij vrolijker; hij is veelvuldig in
haar gezelschap. Zij heeft meer verstand dan vrouwen gemeenlijk
hebben althans zo wordt hier gezeid. Zij is gehuwd met Jn. Hall arts
een Puriteins man van goede reputatie. Zij spreken niet van religie;
alzo ik verdenk hen, want wie doet dezulks niet zijnde een eerlijk man
& van het ware geloof? Zij bezoeken kerk & worden niet beboet al zegt
men hier de vader vaak beboet zijnde & een vervloekte paap tot de
dood; de moeder ook. Zocht heimelijk in het huis naar priesterholen
doch vond er geen.

W.S. verkeert veel met mij & spreekt met mij alleen over het theater &
stukken & het stuk van Mary hij opdracht hebbende (alzo denkt hij)
het te schrijven; doch hier zijnde schrijft hij vele dagen niet, of slechts
weinig in zijn kleine boekje. Wij zijn veel buiten & ik met mijn nieu-
we hoekmeter hielp hem land bij Rowington te meten zijn buurman
betwistende de grenzen & hij zeer tevreden over het meten. Zijn
vrouw is niet jong meer doch levendig en bestiert al; haar boekhou-
ding een wirwar (ik wierp een blik) doch zij weet hier elke el land die
zij pachten & waar ligt de leste peperbol. De jongere dochter enigszins
minder bedeeld; niet gehuwd noch uitzicht daarop; mag mij niet &
mij onbekend waarom want ik behandel haar met beste hoffelijkheid.
Doch ik luister achter deur naar bediendenpraat & hoor zij is jaloers
op de oudere zuster in de gunst van haar vader althans dat denkt zij;
alzo er was ook een zoon haar tweeling doch hij stierf voor enige jaren
& W.S. wenst het ware zij die gestorven was & niet haar broer; kenne-
lijk ben ik van de leeftijd van die dode jongen of een ietwat jonger &
in zijn ogen enige gelijkenis vertonende, derhalve hij begunstigt mij &
deze dochter haat mij daarom. Alzo spreken zij & of het waar is dan
wel onwaar zullen wij later zien; doch indien waar begunstigt het
onze onderneming me dunkt.

Ik ben een gevaar ontkomen waarvan ik u zal verhalen. Op een
avond betreedt hij mijn kamer in zijn huis & ik was cijferende met
mijn rooster & hij vraagt me hetgeen ik doe & ik zeer ontzet doch
sprak dapper zeggende ik lees de heilige schrift. Hij vroeg wat is dat
stuk metaal & ik zeide het is een kopie die ik maakte van een lan-
taarn bij de crypte mijner moeder, een aandenken aan haar. Toen
vroeg hij: zijt gij ook een dichter Richard ik zie ge verborg snel hetgeen
ge schreef toen ik binnenkwam gelijk sommige dichters doen & ik
eveneens. Nee neef zeide ik het is enig mathematisch werk van mij.
Hij zeide: heilige schrift & cijfers al tegelijk ge zijt een wonder, geen

wonder dat uw schedel ruimte voor humor ontbeert. Alzo liet hij mij veilig achter.

Nu hier een geheim dat ik omtrent hem ontdekte: des zondags is hij gewoon na de heilige dienst te paard te gaan & de stad te verlaten met de kerel Spade, rijdende in het nabije woud van Arden, zeide hij. Op zulk een dag ook ik te paard & volg hem over een weg door het woud, ten noordwesten het dal in, vijf mijlen of meer moeten het zijn & komende op een hoger terrein aanschouw ik op enige afstand het kasteel Warwick, de torens daarvan. Bij hun paarden komende stap ik eveneens af en loop over een pad door het woud. Komende bij een ruïne van ene oude priorij dan wel zo'n rooms huis gesloten sinds de dagen van koning Henry, zie aldaar vele mensen knielende & gebeden zeggende & een man daar voorzeker een paapse priester met zijn kelk & prevelt & W.S. is onder hen allen. Ik kijk & luister & dan verlaten zij die plaats & W.S. spreekt een tijdlang met de priester & ik waag mij nader tot hem denkende wellicht zijn het duivelse complotten toen ik van achter werd vastgegrepen & een grote hand sloot zich om mijn mond & drukte mij met veel gewicht ter aarde & ik voelde een punt tegen mijn wang & een stem zeide stil of ge zijt een dode. Alzo een tijdlang; toen opgetild & ik zie daar is W.S. & het is Spade die mij bedwong & zijn dolk nog getrokken.

Zeide W.S. Richard die in schaduwen sluipt waarom komt ge niet tot de mis ge zijt een goed katholiek zijt ge niet? Ik antwoord heer ik vreesde het ware een valstrik gelegd door achtervolgers om namen te schrijven van hen die de heilige mis bezoeken gelijk heden ten dage zo dikwijls gebeurt. Nee zeide hij zij zijn slechts goed volk van het land hechtende nog aan de oude religie. En gij zijt onder hen, zeide ik. Ten dele, zeide hij, want ik ben een goede man des Konings & neig mij naar de vereisten der macht & toon des zondags mijn gezicht alwaar de macht het vereist. Zeide ik: en gelooft niet? Dat, zeide hij, is voor God alleen & niet voor dezulken als gij noch des Konings majesteit te weten; maar al zeggen Johannes Calvijn & alle bisschoppen ik mag niet bidden voor de zielen mijner ouders & mijn kleine zoon, toch zal ik dat: al verdoemde het mij tot de hel, ik zal het doen. En zeggende dit hij keek zeer fel. Dan glimlacht hij, zeggende komt kijken ik toon u iets hetgeen u zal verwonderen, goede Spade stop uw mes weg dit is een vriend.

Alzo wij gaan door de oude stenen van de priorij geheel overwoekerd
met varens & kleine bomen; het was de priorij van Sint Bosa zeide hij
wij daar gaande, ooit het verblijf van heilige zusters. Hij wijst meer-
malen: hier de kapel daar de kloostergang & ten leste komen wij bij
een kring van stenen & in het midden een zwarte cirkel. Dit is de hei-
lige bron van Sint Bosa zeide hij & luistert gij er wel naar & laat ge er
een kiezel in vallen & duurde lang alvorens wij horen zeer zacht de
plons. Het is diep zeide ik. Welzeker, zeer diep, zeide hij geen mens
heeft hem ooit gepeild. In vroeger tijden kwamen de meiden hier op
de dag van Sint Agnes bijeen & haalden een emmer op & tuurden in
het water om het gezicht hunner toekomstige echtgenoot te ontwaren.
Doch niet meer, niet meer: want gelijk wij nu weten leerde God be-
mint gemak noch speelsheid noch muziek noch glorieus vertoon noch
enig mooi ding noch werken van liefdadigheid. Hij wenst wij beven in
saaie lege ruimten, wij gekleed gelijk in de rouw, terwijl een bleek en
vroom persoon opdreunt wij zijn verdoemd, verdoemd, verdoemd tot
de hel. Dan lachte hij klopte mij op de schouder & zeide geen zulke
taal meer want wij gaan naar huis & eten & drinken & spelen negen-
mans morris gelijk simpele zielen.

Alzo deden wij & na de maaltijd begaven wij ons naar het veld heel
de familie & Spade sneed met zijn mes enige zoden om een bord te
maken & ze speelden. Ik zeide ik ken dit spel niet & W.S. zeide wat,
kunt ge niet morris spelen? Nee gij speelt diepere spelen gij sluwe neef
zo diep als de heilige bron van Bosa; alzo ik vroeg hem hetgeen hij be-
doelde & hij zeide ik bedoelde slechts Londense spelen met kaarten
gelijk pinero & gleak. Doch ik denk hij bedoelde iets anders.

Deze avond heeft hij nog laat een kaars & ik hoor hem door zijn ka-
mer lopen & ik luister goed & hoor het krassen van een pen & schui-
ven van papier — me dunkt hij schrijft nu ons stuk van Mary. Mijn-
heer u vraagt kan ik zijn papieren inzien teneinde te weten wat hij
schrijft & ik zal het pogen; doch hij is zeer geheim met zijn papieren
& geen mag ze zien tot het voltooid is. Ik bid het ga uwe heer goed &
heel uw huisgezin, uit Stratford-upon-Avon de negentiende juni 1611
van uwe edeles zeer nederige dienaar Richard Bracegirdle

13

Tussen het slapen, eten en schrijven van deze tekst door lees ik nu een beetje Shakespeare. Mickey heeft hier natuurlijk een Riverside-editie, om nog maar te zwijgen van alle aanvullende teksten, lexicons, kritische werken enzovoort. Moet ik mijn eigen hoopje vogelpoep aan de Mount Everest toevoegen? Ik denk van niet, al moet ik zeggen dat ik door Bracegirdle een iets andere kijk op de man heb gekregen. Zoals ik al zei heb ik veel te maken gehad met creatieve types, en ik heb bij hen vaak dezelfde nietszeggendheid aangetroffen die onze Richard bij W.S. is opgevallen. Alsof ze tegen je praten en zakendoen maar waarbij je tegelijk het gevoel hebt dat je niet tegen een normale persoon praat maar tegen een fictief, verzonnen personage. Ik heb het nu alleen over schrijvers; musici zijn heel anders: grote langharige kinderen.

De volgende morgen, zo zie ik in mijn kleine agenda, bracht ik door met een musicus die je ongetwijfeld zou kennen als je de popmuziek van de jaren tachtig hebt gevolgd. Deze man heeft minstens vijftien top 20-songs geschreven, zowel de muziek als de tekst, en had (zonder zo verstandig te zijn een goede IE-advocaat te raadplegen) het auteursrecht op die songs overgedragen aan zijn platenlabel. In ruil daarvoor had het stuk uitschot dat eigenaar van het label was hem een voorschot van zo'n vijfentwintigduizend dollar gegeven. En goh, het stuk uitschot bleef hem beetjes geld toestoppen, en natuurlijk werd de musicus beroemd, hij maakte tournees en verdiende nog meer geld. Twintig jaar later was zijn oorspronkelijke band allang verdwenen, evenals de massa's fans, maar de songs zijn nu klassiekers die steeds weer gedraaid worden op alle gouweouwestations in het land, en het stuk uitschot van het label verkoopt de rechten op die songs voor bijna een miljard dollar aan een mediaconcern, en wat krijgt mijn musicus? Nul komma nul, hetzelfde dat hij verdient aan al die keren dat zijn songs door die stations worden gedraaid, want dat is iets wat bijna niemand begrijpt: als je een nummer hoort op radio of tv, krijgt de artiest die het nummer zingt helemaal niets; alle royalty's gaan naar de eigenaar van het auteursrecht.

En dus ging ik met de mensen van dat concern om de tafel zitten. Ze wilden wel erkennen dat mijn cliënt ongelooflijk genaaid was, maar ze hadden een immens kapitaal neergeteld voor wat in feite een industrieel goed was, en het feit dat het uit het hart en de ziel van mijn cliënt was voortgekomen, deed absoluut niet ter zake. De musicus bleef er vrij rustig onder, moet ik zeggen. Hij grijnsde alleen maar en vond het verbazingwekkend dat dingen die uit zijn gedachten waren voortgekomen nu een gigantisch stuk eigendom waren, iets waarop een enorm commercieel imperium was gegrondvest, en dat hij zich tevreden moest stellen met al het plezier dat hij zoveel mensen had geschonken. Zoals ik al zei: grote langharige kinderen.

In tegenstelling tot Shakespeare, die altijd een scherp oog voor zaken had. Zeker, hij verkocht *Hamlet* voor tien pond, misschien veertigduizend dollar in deze tijd, maar hij verkocht het aan zichzelf, want hij was aandeelhouder in het theatergezelschap dat het kocht en hij verdiende er waarschijnlijk nog veel meer mee nadat Richard Bracegirdle zijn boekhouder was geworden.

Ik dwaal weer af, want wat nu komt is erg pijnlijk.

Na die droevige bespreking met het harige ex-kind ging ik met Ed Geller en Shelly Grossbart dwars door de stad naar een gigantische bijeenkomst van troepen advocaten, iets wat tegenwoordig vaak gebeurt als het ene mediabedrijf het andere wil overnemen. Ik ging mee omdat ik veel over buitenlands auteursrecht weet. Het is allemaal te saai voor woorden. Wat ik wil zeggen, is dat ik niet op mijn best was, want ik dacht aan mijn verdwenen Miranda en ook aan die arme stumper van een musicus. Niemand aan de lange glanzende tafel waaraan wij zaten was langharig, en evenmin had iemand ooit iets gecreëerd wat een normaal persoon zou willen zien of horen. Iemand bracht de kwestie van de ringtones ter sprake, hoe de EU daarmee omging, en Ed keek mij aan, want ik had daar het meest aan gewerkt, maar ik had niet goed opgelet en gaf het verkeerde antwoord. Shelly moest me met een omslachtige redenering uit de brand helpen.

Hoe dan ook, ik was niet op kantoor toen het belangrijke telefoontje kwam, en Olivia Maldonado had geen roze briefje in mijn in-bakje gelegd maar een geel Post-itbriefje op mijn bureaulamp geplakt, wat ze altijd doet wanneer iemand belt en we het gesprek niet willen registreren. In de meeste gevallen gaat het dan om een vriendin (al bellen die me niet vaak op kantoor), maar vandaag niet. Ik ging naar haar bureau en wapperde vragend met het gele briefje; ze zei dat Miranda Kellogg uit Toronto had gebeld. Ik belde meteen het nummer dat ze me gaf en kreeg een voicemail van het ministerie van Onderwijs: Miranda Kellogg zat niet aan haar bureau en wilde ik een boodschap inspreken? Ze hadden daar het bekende systeem: een machinestem deed het beleefde verzoek, terwijl de naam zelf vermoedelijk door de eigenaar van de mailbox werd ingesproken. Het was een vriendelijke Canadese stem, maar ik herkende hem niet. Mijn maag dreigde in opstand te komen; ik sprak geen boodschap in.

Daarna belde ik de politie en regelde met rechercheur Murray dat ik Bulstrodes dossier zou krijgen. Ik stuurde Omar om het op te halen en wachtte daarop. Intussen belde ik drie keer naar het nummer in Toronto en had ik de derde keer geluk. Er werd opgenomen en ik kreeg een onbekende stem aan de lijn, lager en langzamer dan de stem van degene die ik 'mijn' Miranda noemde. Ik vertelde haar wie ik was en vroeg of ze het nichtje van wijlen Andrew Bulstrode was, en ze zei dat ze nu pas over zijn dood had gehoord omdat ze nog maar net terug was in Toronto. Ze was in de Himalaya geweest waar niemand haar had kunnen bereiken. De Himalaya? Ja, ze had een prijs gewonnen; iemand had haar op een avond opgebeld en gezegd dat ze een trektocht door Nepal had gewonnen. Ze had kunnen kiezen uit Nepal, Tahiti en Kenia, en omdat ze altijd al naar India en Nepal had gewild, had ze daar voor gekozen. Eerst had ze gedacht dat het bedrog was, maar nee: de volgende dag had ze via Airborne Express een pakje gekregen met alle tickets en regelingen. Ze had diezelfde week moeten vertrekken, anders ging het niet door. Ik vroeg haar wanneer dat was, en ze zei dat het ongeveer zes weken geleden was. Dat moest dus begin oktober zijn geweest, kort voordat Bulstrode naar de Verenigde Staten was teruggekomen. Hoe dan ook, ze had na haar terugkeer over de dood van haar oom gelezen en zich voorgenomen te bellen, al nam ze aan dat het lichaam naar Oxford en Oliver terug zou gaan. Volgens haar was er geen geld, want ze wist dat haar rare oude oom geen cent had, maar wilde ik haar bellen als ik het testament had gelezen? Ze dacht dat het meeste van wat er was naar Oliver zou gaan, maar er was een sierspeld die van haar oma was geweest en die haar was beloofd. Ik zei dat ik het zou regelen en hing op. De telefoon gleed met een laagje van mijn zweet op de haak.

Ik belde meteen naar onze erfrechtspecialiste Jasmine Ping en liet een dringende boodschap voor haar achter. Ik zweette nog wat meer en probeerde me voor IE-recht te interesseren, maar dat lukte niet, al moest ik wel een stuk opstellen voor die gigantische mediafusie van die ochtend; nee, de woorden wilden zich niet aan het desbetreffende hersenweefsel vasthechten. Toen kwam Omar binnen met een grote kartonnen doos onder elke arm, en ik nam de inhoud door en vond een exemplaar van het échte testament van Andrew Bulstrode, in plaats van het neptestament dat mijn Miranda me had voorgelegd. Zoals de echte Miranda had aangegeven, liet hij al zijn aardse goederen aan zijn vriend Oliver March na, afgezien van enige kleine legaten voor wat andere personen, en het deed me goed te zien dat de echte Miranda haar sierspeld zou krijgen. In de doos zat ook een kleine, in een leren frame ingelijste bureaufoto van professor Bulstrode met een jongere vrouw die het gedrongen, aangenaam kikvorsachtige uiterlijk had dat een kenmerk van de Bulstrodes zou kunnen zijn. Ik nam aan dat het de échte Miranda Kellogg was.

Jasmine Ping kwam binnen toen ik omringd door al die papieren op de vloer zat. Ik gaf haar zwijgend het testament en vertelde mijn vermoedens. Ze ging de papieren zitten lezen, en het was interessant om te zien hoe haar volmaakte porseleinen gezicht geleidelijk overging in het soort duivelsmasker dat je op Chinese volksdansfestivals ziet. Het is geen goede zaak als een erfrechtadvocaat een vals testament bij de rechtbank indient. Jasmine had nog wat harde woorden over mijn persoonlijke affaires, een beetje onrechtvaardig vond ik, maar ik verdedigde me niet. Ze wilde weten hoe ik dit had laten gebeuren en liet doorschemeren dat ik achter mijn pik aan had gelopen, al was ze veel te beschaafd om dat in die bewoordingen te zeggen. Ze zei dat mijn partners moesten worden ingelicht; dat leek ook mij de enig juiste handelwijze. Ze wilde de verzekering van mij dat ik de bedriegster geen enkel onderdeel van de nalatenschap in handen had gegeven, en nu moest ik bekennen dat er wel degelijk een voorwerp van waarde tegelijk met de bedriegster was verdwenen. Ik legde uit wat het was en ze vertelde me wat ik al wist, namelijk dat als de echte erfgenaam het hard wilde spelen en de zaak aan de rechter voorlegde, ik een vergrijp had begaan waarvoor ik uit de advocatuur gezet kon worden. In elk geval mocht ik me niet meer inlaten met juridische zaken die op de nalatenschap van Bulstrode betrekking hadden. Ze keek naar de verspreid liggende papieren met een gezicht dat helemaal niet prettig was om te zien; een gezicht vol walging, alsof ik de bezittingen van de overledene aan het doorzoeken was in de hoop een spaarvarkentje achterover te drukken dat door iedereen over het hoofd was gezien. Zonder verder nog iets met me te bespreken belde ze naar onze chef de bureau: ze wilde onmiddellijk wat papieren verplaatst hebben. Terwijl ze daarmee bezig was, zag ik kans Bulstrodes agenda onder de bank in mijn kamer te werpen.

Er kwamen een paar stevige kerels die alle Bulstrode-papieren in de dozen deden en wegbrachten. Zodra mijn kantoor weer leeg was, pakte ik de agenda op en keek naar de weken die aan zijn dood voorafgingen. In juli vond ik wat ik zocht, 24 juli half twaalf. Daar stond 'Sh. Ms? Carolyn R. Crosetti'. Dat moest het zijn: de nep-Miranda had het over een Carolyn gehad die erbij betrokken was, en er stond ook 'Sh. Ms.' Carolyn R. Crosetti moest de verkoper zijn of als bemiddelaar fungeren. Ik ging vlug naar Olivia Maldonado's kamer, maakte een fotokopie van de relevante pagina, gaf haar de agenda en zei tegen haar dat die bij het Bulstrode-materiaal hoorde en over het hoofd was gezien. Ze moest hem onmiddellijk naar mevrouw Ping brengen. Ik denk dat dit de eerste leugen was die ik ooit aan Olivia vertelde, en dit was een nog veel groter teken van mijn morele verderf dan de fout met het testament of de daaruit voortkomende minachting van de kant van Jasmine Ping. Het is slecht, erg slecht als een advocaat tegen zijn secretaresse liegt.

Crosetti is gelukkig geen naam die veel voorkomt. Toen ik de telefoonboeken van New York en omgeving had doorgenomen, had ik er maar achtentwintig gevonden, al zat daar geen Carolyn R. Crosetti bij. Ik ging naar mijn kantoor terug met de lijst die ik had gemaakt en belde de nummers. Natuurlijk waren er op dat uur van de dag alleen bejaarden en zieken thuis, en ik had geen zin om telkens een boodschap in te spreken. Om redenen die ik nu niet meer weet begon ik met de namen in de voorsteden en werkte me geleidelijk naar het centrum van de stad toe. Ergens in Queens stak Olivia haar hoofd om de deur om te zeggen dat meneer Geller me meteen wilde spreken. Ik knikte en ging verder met bellen. Na een aantal antwoordapparaten of telefoons die in een leeg huis rinkelden, kreeg ik een vrouwenstem aan de lijn, een hees New Yorks accent waar een laagje beschaving overheen was gelegd. Ik vroeg of ze een Carolyn Crosetti kende en ze zei dat ze alle Crosetti's uit New York en wijde omgeving meende te kennen en dat er niet iemand met die naam bestond. Toen zweeg ze even, lachte en voegde eraan toe: 'Tenzij mijn zoon met haar is getrouwd zonder het me te vertellen.'

'Wie?' vroeg ik.

Een korte stilte, en toen met een meer formele stem: 'Met wie spreek ik?'

Toen keek ik naar de bladzijde uit Bulstrodes agenda en zag dat ik een kleine fout had gemaakt. Bulstrode had een rommelig, bijna medisch handschrift en zijn notitie voor de ochtend van 24 juli was uitgelopen naar de regel voor de vorige dag. Hij had niet 'Carolyn R. Crosetti' geschreven, maar

Carolyn R.
A. Crosetti

Ik besloot de vrouw half naar waarheid te antwoorden en zei: 'Ik ben Jacob Mishkin van advocatenkantoor Geller Linz Grossbart en Mishkin. Ik behandel de nalatenschap van Andrew Bulstrode en ik onderzoek een transactie van professor Bulstrode in juli. Ik heb in zijn agenda een notitie gevonden over een afspraak met A. Crosetti en Carolyn R. Weet u daar iets van?'

'Ja,' zei de vrouw. 'Albert Crosetti is mijn zoon. Ik neem aan dat het over het manuscript gaat.'

Er ging een golf van opluchting door me heen. 'Ja! Ja, inderdaad,' riep ik uit, en toen wist ik even niet wat ik moest zeggen. Ik dacht aan de verschillende mogelijkheden die ik met Mickey Haas had besproken. Praatte ik met een dief, een slachtoffer of een schurk?

'En…?' zei de vrouw.

'En wat?'

'En compenseert de nalatenschap de verachtelijke list waarmee wijlen uw cliënt mijn zoon ertoe heeft gebracht een waardevol zeventiende-eeuws manuscript voor een habbekrats aan hem over te dragen?'

Dus dit was het slachtoffer. 'Dat is beslist een van de punten van overweging, mevrouw Crosetti,' zei ik.

'Ik hoop het.'

'Ik wil u graag spreken.'

'Ik zal mijn advocaat contact met u laten opnemen. Dag, meneer Mishkin.'

Ik zou haar meteen weer hebben gebeld, maar de deuropening van mijn kamer werd nu opgevuld door de stevig gebouwde, strijdlustige Ed Geller. Op papier zijn alle partners van Geller Linz Grossbart & Mishkin elkaars gelijken, maar zoals bij zulke firma's vaak het geval is, gaat de leiding naar degene die daar het happigst op is, en in ons geval was dat Ed, en hij kreeg dan ook meestal zijn zin. Bovendien waren hij en Marty Linz de oprichters van de firma en dus wat meer hetzelfde dan de anderen. Ed trilde nu van woede, waarschijnlijk vooral omdat ik niet was gekomen toen hij me had laten roepen en hij nu staande met me moest afrekenen, in plaats van achter zijn bureau, dat subtiel boven de vloer was verheven en omringd werd door fauteuils waar je diep in wegzakte. Ik wist wel beter dan me nu in mijn volle lengte op te richten.

'Ik neem aan dat je met Jasmine hebt gepraat,' zei ik.

'Ja,' zei hij. 'En wil je me nu alsjeblieft vertellen wat er aan de hand is?'

'Het is allemaal een misverstand, Ed. Het wordt vast wel gauw opgehelderd.'

'Uh-huh. Dus het is niet zo dat je een waardevol onderdeel van de nalatenschap van onze cliënt in bezit hebt genomen en dat je dat voorwerp aan je vriendin hebt overgedragen?'

'Nee. Ik was het slachtoffer van bedrog. Een vrouw deed zich voor als Bulstrodes erfgename. Ze had een testament dat echt leek…'

'Was dat testament door ons opgesteld?'

'Nee. Ik nam aan dat het na zijn dood tussen zijn bezittingen was ge-vonden. Ik... We waren alleen maar voor een specifiek doel door de over-ledene in de arm genomen: om een document in bewaring te nemen en hem te adviseren over de IE-status daarvan en van andere documenten die eruit afgeleid konden worden.'

'Hoe eruit afgeleid?'

Ik haalde diep adem. 'Het was een zeventiende-eeuws document dat geschreven zou zijn door een man die William Shakespeare had gekend. Afgezien van de wetenschappelijke waarde, die aanzienlijk was, werd in het document gezinspeeld op het bestaan van een onbekend toneelstuk van Shakespeare in diens eigen handschrift. Het gaf ook aanwijzingen voor de plaats waar dat toneelstuk te vinden zou zijn.'

Ed is een grote procesvoerder, zoals ik al meen te hebben opgemerkt, en het hoort bij de kunst van de procesvoering dat je nooit verbazing toont. Maar nu keek hij me met grote ogen aan. 'Jezus christus! En het was echt?'

'Dat weet ik niet, maar Bulstrode geloofde van wel en hij was een van de grootste deskundigen ter wereld op dit gebied.'

'En dat voorwerp, dat zeventiende-eeuwse manuscript, is nu in het be-zit van jouw bedrieglijke sletje?'

'Ik zou haar niet mijn bedrieglijke sletje willen noemen. Maar ja, zij heeft het.'

Hij streek door zijn implantaten. 'Ik begrijp het niet. Hoe kon je zo dom zijn? Wacht, geef daar geen antwoord op! Je *sjtupte* die meid, hè?'

'Wil je het hele verhaal horen, Ed?'

'Jazeker. Maar laten we naar mijn kamer gaan.'

Of iets van die strekking, met termen van meer obscene aard. Ed is het soort advocaat dat bij krachtdadig optreden vooral aan overvloedig ge-bruik van schuttingtaal denkt. Onderweg naar zijn kamer, waarbij het personeel medelijdende blikken op mij wierp, vroeg ik me even af of ik belangrijke feiten kon achterhouden voor een van de beste kruisverhoor-ders van de New Yorkse advocatuur. Nee, de pijnlijke waarheid zou boven tafel moeten komen, maar niet de speculaties, en niet mijn plannen. Toen we ieder op onze plaats zaten, gaf ik hem de elementaire feiten, en nadat hij me tot zijn voldoening de mantel had uitgeveegd, zei hij dat we de po-litie moesten inschakelen en dat we contact met de echte erfgenaam, Oliver March, moesten opnemen om hem te laten weten wat er gebeurd was. Maar ik was niet degene die dat zou doen. Trouwens, nu we het daar toch over hadden: het was hem opgevallen dat ik me de laatste tijd min-der goed kon concentreren. Ik moest toegeven dat hij dat goed had gezien. We spraken over mijn slechte prestatie tijdens de bespreking van die ochtend en hij merkte op dat het bij die voorgenomen fusie om de belangen van belangrijke cliënten ging en dat ik in de staat waarin ik momenteel verkeerde waarschijnlijk niet veel voor hen kon betekenen. Hij gaf me in overweging een tijdje vrij te nemen, en toen gedroeg hij zich vaderlijk, zoals hij bij mij maar zelden doet, ongeveer als een King Kong die niet Manhattan verwoest maar maatschappelijk werker wordt. Na een tijdje zei hij het jammer te hebben gevonden dat Amalie en ik uit elkaar gingen. Volgens hem was ik daarna nooit meer de oude geweest. Zodra hij dat zei, zodra die woorden in de lucht hingen, was het of er een ballon knapte in mijn hoofd en… het is moeilijk te beschrijven, het was geen gevoel dat ik buiten mijn lichaam was getreden of zoiets, eerder dat ik grote afstand tot dit gesprek nam, alsof Ed tegen iemand praatte die ik niet echt zelf was.

Eigenlijk was het op een afschuwelijke manier wel interessant, en vreemd genoeg dacht ik aan mijn moeder in haar laatste dagen en vroeg ik me af of ze zich misschien zo had gevoeld: alleen in die armoedige woning, de kinderen weg (ja, ik was er nog, maar ik maakte haar goed duidelijk dat alleen een grimmig plichtsbesef me bij haar hield), een stomme baan – waarom zou je doorgaan, wat had dat voor zin? Ed had het er nu over dat hij mijn werk aan allerlei medewerkers zou overdragen – tot je er bovenop bent – en een van die zaken was natuurlijk die van de ringtones voor mobiele telefoons. En die frase nam me nu helemaal in beslag (*ringtones voor mobiele telefoons! ringtones voor mobiele telefoons!*), en de absurditeit daarvan trof me als een taart in mijn gezicht: daar zaten we dan, volwassen mensen, echte mensen, de kroon der schepping, en we maakten ons druk om geld dat aan de juiste personen moest worden uitbetaald wanneer het mobieltje van een of andere idioot *bie-die-boep-a-doep-doep* deed in plaats van *ding-ding-a-ling*, en dat stond dan op een vreemde manier in verband met het gevoel dat ik afstand tot mezelf had genomen en met mijn gedachten aan mijn moeder, en ik lachte en huilde tegelijk en kon me verschrikkelijk lang niet inhouden.

Olivia Maldonado werd ontboden, en ze was zo verstandig om Omar te bellen, die binnenkwam en me, om niemand in verlegenheid te brengen en de secretaresses niet bang te maken, via de zij-ingang van ons kantoor naar buiten leidde. Onderweg naar mijn huis vroeg ik hem of hij wel eens aan zelfmoord had gedacht. Hij zei dat hij daarover had gedacht nadat zijn jongste zoon in zijn hoofd was geschoten toen die ten tijde van de eerste intifada stenen naar soldaten gooide; hij zei dat hij er toen over had gedacht zichzelf op te blazen en zoveel mogelijk anderen mee te nemen, en dat er mensen in Fatah waren die zoiets aanmoedigden. Maar toen had hij gedacht dat het een zonde was, zowel de zelfmoord als de moord op gewone mensen. Het was heel iets anders om te sterven nádat je een machthebber had vermoord, maar niemand had hem daar ooit de gelegenheid voor gegeven. En dus was hij in plaats daarvan naar Amerika gegaan.

Die middag pakte ik dit pistool uit zijn geheime bergplaats achter in mijn bezemkast en stelde ik mezelf voor het eerst serieus de grote vraag van Camus, aangezien ik jammer genoeg al in Amerika wás. Ik stak zelfs de loop in mijn mond om de smaak van de dood te proeven, en ik fantaseerde erover en vroeg me af of er iemand was die zwaar getroffen zou worden door mijn dood. Amalie zou opgelucht zijn, want ze zou met iemand kunnen trouwen die haar meer waard was; de kinderen wisten toch al amper dat ik bestond; Paul zou kwaad zijn maar daar wel overheen komen; Miriam zou een maand of zo pillen slikken; Ingrid zou een andere minnaar vinden, die in geen enkel belangrijk opzicht van mij te onderscheiden was. In mijn testament krijgt Omar de Lincoln en een mooi legaat, dus hij zou ook beter af zijn.

Natuurlijk heb ik de trekker toen niet overgehaald, want ik zit hier nog te typen. Ik ben zelfs vrij snel van mijn hysterie hersteld. Dat is een van de voordelen als je zo oppervlakkig als een plat bord bent. Het was ook niet zo dat ik een week in bed bleef liggen, zonder te eten, zonder me te scheren. Nee, dacht ik indertijd, de oude Jack komt vanzelf terug en dan ga ik verder met wat voor mijn leven door moet gaan, alleen dan zonder de ringtones. Uiteindelijk denk ik dat mijn nieuwsgierigheid me in leven heeft gehouden. Ik wilde uitzoeken wat Bracegirdle als spion had ontdekt, en of dat toneelstuk nog bestond, en ik wilde met Osip Shvanov praten. Ja, mijn nieuwsgierigheid en ook enige wraakzucht. Ik wilde uitzoeken wie mijn leven had verwoest met al die intriges, en ik wilde de vrouw te pakken krijgen die zichzelf voor Miranda Kellogg had uitgegeven en mij belachelijk had gemaakt.

Ik had om tien uur een afspraak met Shvanov in SoHo, maar ik had eerst nog iets in de stad te doen, want ik had beloofd Imogen naar haar repetitie op school te brengen. Mevrouw Rylands, de lerares drama op de Copley Academy, voert elke drie jaar *Midsummer Night's Dream* op, en in de andere jaren *Romeo and Juliet* en *The Tempest*. Vorig jaar speelde Imogen een geest in dat laatste stuk, maar dit jaar heeft ze de rol van Titania en is ze onuitstaanbaar trots. Ik heb haar niet die rol van geest zien spelen omdat ik, zoals ik al meen te hebben gezegd, niet naar het theater ga. Niet omdat de dingen die ze tegenwoordig vertonen me tegenstaan, maar ik houd het letterlijk niet uit om in een donkere zaal te zitten en acteurs op een toneel te zien optreden. Drie minuten nadat het doek is opgegaan, raken mijn luchtwegen verstopt, krijg ik geen adem meer, zit mijn hoofd in een pijnlijke bankschroef en wil mijn spijsverteringsstelsel zich aan beide uiteinden van zijn inhoud ontdoen. Mijn zus heeft natuurlijk gelijk als ze zegt dat ik mijn hoofd moet laten nakijken, al vertik ik het om die raad op te volgen.

Ik heb daarentegen geen probleem met repetities, als de lichten aan zijn en er mensen rondlopen, de regisseur zijn instructies roept en acteurs te laat opkomen of hun tekst niet weten. Het is wel grappig, heel anders dan wanneer je in het donker gevangenzit en geen geluid mag maken, terwijl levende, lelijk geschminkte mensen doen alsof ze iemand anders zijn dan wie ze zijn; net als ik.

Toen ik bij het huis van mijn vrouw aankwam, stond mijn dochter op de stoep te wachten, samen met twee jonge mannen. Die hoorden blijkbaar bij de witte Explorer met vergulde accenten die dubbel geparkeerd in de straat stond, met de achterdeur open om de buurt te laten meegenieten van stampende, saaie, eentonige muziek op een volume dat steen zou kunnen vergruizen. Omdat ze zich blijkbaar kostelijk amuseerde, vond ik het jammer haar te moeten storen. De jongemannen begroetten me beleefd, want ze kwamen van Paul en hielden een oogje op mijn huis, zoals hij had beloofd. Imogen reageerde een beetje geërgerd toen ik haar dat achter in de Lincoln vertelde, want ze had gedacht dat ze iets deed wat niet mocht: praten met onmiskenbare gangsters. Toen dat was rechtgezet, reden we zwijgend naar de school, dat wil zeggen: ik zweeg; Imogen pakte meteen haar mobieltje en praatte met meisjes met wie ze zojuist de hele dag had doorgebracht en die ze over een paar minuten zou terugzien. Alles was beter dan een praatje met pa.

Nou, weet je, er gaat echt niets boven Shakespeare, zelfs wanneer hij wordt uitgevoerd door kinderen. Mevrouw Rylands houdt van *Midsummer Night's Dream* omdat het stuk haar in de gelegenheid stelt kinderen van allerlei leeftijden op de planken te zetten, van zowel de lagere als de middelbare school. Ze gebruikt de kleine kinderen als elfjes en de iets oudere voor de belangrijkere elfenrollen, eerste- en tweedeklassers van de middelbare school als de koninklijke figuren en de minnaars, en de oudste kinderen als ruwe werklui. Als de jongens gaan ravotten en uit hun rol vallen, zegt ze tegen hen dat de grootste vrouwenrollen op de planken werden gebracht door twaalfjarige jongens, en dat niemand dat belachelijk vond en moet je jullie nu eens zien, grote lummels die eindelijk mannen spelen! En het is opmerkelijk: als de prachtige teksten over hun lippen stromen, kunnen ze tijdelijk de besloten hel van het tienernarcisme vergeten en in een ruimer, rijker universum komen. Tenminste, die indruk had ik. Ik zag mijn dochter tijdens de eerste scène van het tweede bedrijf opkomen en haar grote, woedende betoog houden: *Ziehier de ver-valsingen van jaloezie.* Ik weet niet waar ze het vandaan haalt, maar ze weet hoe ze het moet uitspreken:

Is 't op heuvel, in dal, in bos, in veld,
Bij een fontein of bij een snelle beek,
Of op het strand aan de boord van de zee,
Onze krulletjes dansen in fluitende wind.

Daarbij trekt ze een gezicht en neemt ze een houding aan waarmee ze beelden oproept van dansende elfjes. Mevrouw Rylands was ook gefascineerd, en het zit er dik in dat Imogen volgend jaar, als ze veertien is, Juliet mag spelen en harten zal breken.

Zoals ik al zei ben ik graag bij repetities. Als ik er daar maar zoveel mogelijk van bijwoon, voel ik me minder schuldig over het feit dat ik nooit naar de voorstellingen zelf ga. Bovendien zat de zaal vol met bekoorlijk jong vlees en hun aanbiddelijke moeders, en dat was ook prettig. Ik wisselde enkele smeltende blikken met enkelen van hen, en dat deed me denken aan Ingrid. Toen Imogen klaar was met haar scène, ging ik de zaal uit en belde ik naar Tarrytown om na te gaan of ik haar na mijn ontmoeting met de Rus kon zien, maar Ingrid stelde zich koel op en zei dat ze werk te doen had. Ik ben er altijd vrij handig in geweest om door de telefoon te horen of iemand liegt, en ditmaal hoorde ik dat ook. Dit klonk heel anders dan de Ingrid die nooit om iets heen draaide. Zou ze een andere minnaar hebben? Waarschijnlijk. Vond ik dat erg? Ja, een beetje. Ik vind het altijd erg, maar niet zo heel erg. En het zou zeker niet de eerste keer zijn; vandaar de historisch snelle ommekeer in mijn romantische leven.

Na de repetitie vroeg ik Imogen of ze ergens heen wilde. Vroeger, toen ze nog papa's lieveling was, ging ze graag naar een bepaalde gelegenheid waar dan een Shirley Temple met veel fruit en andere dingen voor haar werd gemaakt, maar die tijd was voorbij. Imogen vindt scheiden maar niks. Bijna al haar leeftijdgenoten zijn wat we kinderen uit een gebroken gezin noemen, en ze vond het wel cachet hebben om uit een ongebroken gezin te komen. Of misschien ook niet. Ik heb geen toegang tot dat mooie hoofdje van haar. Daarom reden we bijna in stilte naar huis, al vertelde ze me wel dat onze huisnerd de afgelopen week de ene na de andere bladzijde met genealogische gegevens had geprint, zodat niemand anders (dat wil zeggen, Imogen) de printer kon gebruiken; kon ik hem daar niet mee laten ophouden, mama gaf hem altijd zijn zin. Ik zei dat ik er met hem over zou praten, en toen we bij Amalie aankwamen deed ik dat.

In alle opwinding was ik bijna vergeten wat ik Niko had laten doen, maar zoals ik tot mijn schade heb ondervonden, zijn dwangneurotici in vergelijking met mijn zoon zoiets als elfjes die huppelend door bos en veld gaan. Ik zocht hem op in de computerkamer, waar hij vellen papier rangschikte op de lange schraagtafel die we daar hebben staan. Hij legde elk papier precies op de juiste plaats, met steeds gelijke ruimte tussen de rijen en de afzonderlijke papieren. Ik keek een tijdje naar hem terwijl hij daarmee bezig was en zei toen: 'Niko? Imogen zegt dat je iets voor me hebt ontdekt. Over Bracegirdle?'

'Ja,' zei Niko. Dat is een van de voordelen wanneer je een firma voor zoiets inhuurt: ze komen bij je, geven je het beste antwoord dat ze hebben gevonden, incasseren hun geld en zijn weg. Maar als je Niko om een antwoord vraagt, krijg je het hele verhaal tot in de kleinste details, vanaf de allereerste poging, met beschrijving van alle redeneringen waardoor hij zich heeft laten leiden, plus de verschillende strategieën die hij heeft gevolgd, de bronnen die hij heeft geraadpleegd, valse sporen die hij heeft blootgelegd, en natuurlijk álle feiten die hij heeft ontdekt. Omdat ik een gewoon mens ben, zal ik het hier samenvatten: onze Bracegirdle had een zoon die ook Richard heette en die in leven bleef, trouwde en zeven kinderen kreeg, van wie er vijf volwassen werden. Al die vijf trouwden en kregen kinderen. De mannen gingen vaak naar zee of in het leger en brachten het aan het eind van de zeventiende en in de loop van de achttiende eeuw tot officier. Een Bracegirdle voerde bevel over een peloton in het leger van Wolfe op de Plains of Abraham bij Montréal, en een ander was kapitein der fusiliers bij Plessy. Er waren ook walvisvaarders en slavenhandelaren bij, en om een lang verhaal kort te maken: de laatste afstammeling van Richard in mannelijke lijn overleed kinderloos in 1923 aan verwondingen die hij in de Eerste Wereldoorlog had opgelopen.

Oké, een goed idee dat niets had opgeleverd. Misschien had ik aan een familieschat gedacht, een kist met oude papieren op zolder waar toevallig een stuk van Shakespeare in zat zonder dat iemand het wist. Ik keek naar mijn zoon en zijn nutteloze werk en had opeens medelijden met hem. Ik zou hem willen omhelzen, maar wist wel beter.

Ik zei: 'Nou, dat is dan jammer, Niko. Het was het proberen waard. Heb je hier nog Russische gangsters zien rondhangen?'

'Nee. Er hangen wel twee stellen zwarte jongens rond. Het ene stel rijdt in een witte Ford Explorer, nummer HYT-620 uit New York, en het andere stel in een groene Pacer, nummer IOL-871 uit New York. Ik ben nog niet klaar met de afstammelingen. Ik had het alleen over die in mannelijke lijn.'

'Zijn er ook vrouwen?'

'Ja. Gemiddeld is de helft van de nakomelingen van het vrouwelijk geslacht. Drie kinderen van Richard Bracegirdles zoon Richard waren van het vrouwelijk geslacht. De oudste, Lucinda Anna, trouwde in 1681 met Martin Lewes…'

En daar gingen we weer. Ik lette niet zo goed op, moet ik zeggen. Als je bij Niko bent, is het vaak net of je bij een snelle beek zit. Op een vreemde manier is het geruststellend. Ik dacht aan mijn komende gesprek met de Rus, en ook aan mijn instorting van die middag, en vroeg me af waar mijn volgende seksuele ontmoeting vandaan zou komen, en onder dat alles zat voortdurend de grote pulserende wond die Miranda Kellogg heette. Niko's verhaal was bijna op zijn eind. Hij pakte de stapeltjes papier en niette ze zorgvuldig aan elkaar vast. Hij zei dat ik ze moest meenemen, want zijn moeder zei dat hij te veel van die papieren had en hij interesseerde zich niet meer voor Bracegirdles genealogie. Hij wendde zich tot zijn scherm, zette zijn koptelefoon op en was niet meer aanwezig. Ik vond een grote envelop, stopte de papieren erin en ging weg. Ik zag Amalie niet en zocht haar ook niet, al wist ik dat ze ergens in het huis was, als een gerucht over oorlog.

Rasputin is een kleine keten van semifastfoodrestaurants, opgezet door een paar Russische immigranten, een van de talloze pogingen om het volgende succes na de pizza te vinden. Je kunt er een assortiment van pirosjki, borsjtsj, Russisch gebak en sterke thee in hoge glazen krijgen. Het decor is de goeie ouwe Sovjet-Unie: posters met socialistisch-realisme, tegelvloeren, serveersters in boerenblouses en lange rokken, dampende samovars en zorgvuldig gerangschikte stukjes Rode militaria. De menukaarten zijn in nep-Cyrillisch, met de 'r' verkeerd om enzovoort. Omar zette me om vijf voor tien af bij het enige Rasputin-restaurant in Manhattan, aan Lafayette Street, en bleef voor de deur in de Lincoln zitten, voor het geval onze gangster geweld wilde gebruiken.

Binnen was het eigenlijk niet onaangenaam: dampend en met de geuren van kaneel en kool. Ik ging onder het sierlijk ingelijste portret van de krankzinnige monnik zitten aan wie het restaurant zijn naam dankte, mijn rug tegen de muur en mijn gezicht naar de deuropening, en bestelde een glas thee en een paar pirosjki. Het restaurant was halfvol, vooral met buurtbewoners die eens wat anders wilden dan Chinees of Italiaans of te duur trendy. Om tien over tien kwam er een man binnen die voor mijn tafel bleef staan. Ik stond op en schudde zijn uitgestoken hand, en hij ging zitten en keek glimlachend om zich heen. Hij was ongeveer net zo oud als ik en half zo groot, met een bos peper-en-zoutkleurig haar, een grote gok van een neus en intelligente, donkere ogen, diep in hun kassen. Hij droeg een wollen jas, een zwarte zijden coltrui en modieuze

O, wat maakt het ook uit hoe hij eruitzag of wat voor kleren hij droeg? Ik kom net terug van een ommetje over het terrein. Geen enkel geluid in de vroege ochtendmist. Ik keek in het botenhuis, het pomphuis en de dubbele garage, waarin ik mijn gehuurde Cadillac Escalade heb gezet; een voertuig dat bijna groot genoeg is om mij op de bestuurdersplaats te laten passen. Ik begrijp nu waarom die monsters zo populair zijn onder dikke Amerikanen. Naast mijn huurauto staat Mickeys Harley-Davidson Electra Glide, die hij kocht toen ik op mijn bmw ging rijden, waarschijnlijk om me te laten zien dat hij ook lef had, al had ik mijn motor gekocht omdat ik het me niet kon veroorloven met een auto door de stad te rijden. Een klein ontbijt en nu zit ik hier weer achter het toetsenbord.

Ik moet onderzoekend om me heen hebben gekeken, want Shvanov zei: 'Verwacht u iemand anders?' Ik zei dat ik me altijd had voorgesteld dat Russische gangsters een gevolg bij zich hadden. Daar moest hij om lachen, zodat te zien was dat zijn gebit in een van de westerse democratieën van dure kronen was voorzien. 'Ja, zes kaalkoppen in zwart leer en een paar Oekraïense sletten. Zou u dat willen? Ik kan het wel regelen.' Hij sprak bijna accentloos Engels en beging maar een heel enkele keer de fout het lidwoord of het voornaamwoord weg te laten, zoals mensen vaak doen wier moedertaal veel met stembuigingen werkt. Hij wilde beleefdheden uitwisselen, alsof we oude vrienden waren die elkaar na een korte scheiding weer ontmoetten. Ik gaf hem zijn zin en we praatten over mijn zuster en haar fabelachtige carrière, en over Rasputin, en hij zei dat hij een van de investeerders uit de begintijd was. Ik maakte de grap dat hij een aanbod had gedaan dat ze niet konden weigeren.

Nu werd zijn glimlach een beetje strakker en hij zei: 'Meneer Mishkin, ik weet niet wie u denkt dat ik ben, dus laat me u voor alle duidelijkheid vertellen dat ik zakenman ben. In vroeger tijden werkte ik voor Sovjetregering, net als iedereen, maar de afgelopen vijftien jaar ben ik zakenman. Ik heb belangen in Rusland, Oekraïne, Kazachstan, in staat Israël, en ook hier. Wat voor zaken wilt u weten. Ik ben vooral investeerder. Iemand heeft een idee, ik heb het geld, en ook de contacten. Contacten zijn erg belangrijk in Russische gemeenschap, want zo leerden we vroeger zakendoen. Vertrouwen, weet u wel? Omdat het ons ontbreekt aan wat u de zakelijke normen noemt, het rechtsstelsel enzovoort. In ruil voor die investering krijg ik een deel van de winst, net als de New Yorkse effectenbeurs.'

'U bent een woekeraar,' zei ik.

'En Citicorp is woekeraar, J.P. Morgan Chase is woekeraar – wat denkt u, die vragen geen rente? Ze nemen geen onderpand? Ik verstrek leningen waaraan wat meer risico is verbonden, zoals voor dit restaurant. Niemand anders kan hen aan het geld helpen, en dus komen ze naar Shvanov, geven ze me een deel van de winst, en zo is iedereen tevreden.'

'En als ze niet tevreden zijn stuurt u mensen om hun benen te breken. Dat is een verschil tussen u en Morgan Chase.'

Weer dat strakke glimlachje. Hij maakte een laatdunkend gebaar. 'Alsjeblieft, ik onderhoud geen contact met die incassowereld. Dat wordt allemaal uitbesteed aan heel andere firma's, verzeker ik u.'

'Uitbesteed?'

'Precies. U koopt een paar Nikes, maar weet u wie ze heeft gemaakt? Misschien wel een gekidnapt klein meisje dat in China aan een machine is geketend. Ze geven haar niet te eten en slaan haar. Op de schoenen staat Nike – meer weet u niet, een respectabele firma. Ik denk dat Nike niet eens weet wie de schoenen maakt. Als u zo zuiver wilt zijn, moet u in de kerk gaan, niet in zaken. Ben u het daar niet mee eens?'

'Niet helemaal. En over gekidnapte meisjes gesproken: ik geloof dat een van uw toeleveringsbedrijven een werknemer van mij heeft mishandeld en laatst een jonge vrouw uit mijn huis heeft gekidnapt.'

Shvanov wenkte een serveerster en bestelde thee en blini. Toen ze weg was, zei hij: 'En waarom zou ik dat doen?'

'Misschien kunt u me dat vertellen.'

Hij negeerde de opmerking en keek ernstig. 'Kidnapping is een ernstig misdrijf. Ik neem aan dat u contact met de autoriteiten hebt opgenomen?'

'Ja, wel over de mishandeling van mijn personeelslid. Maar niet over de kidnapping. Ik wil dat liever tussen ons zakenlieden houden.'

De serveerster bracht zijn bestelling veel sneller dan ze de mijne had gebracht. Hij dronk wat thee, at een beetje, slaakte een zucht en zei: 'Hoor eens, meneer Mishkin, we hebben het beiden druk, dus laten we geen tijd verspillen. Dit is het hele verhaal van mijn kant. Die geleerde, die Bulstrode, komt naar me toe en zegt: Shvanov, ik heb de sleutel tot een grote culturele schat en ik doe op jou als man van cultuur een beroep om me te helpen die schat te vinden en aan de wereld terug te geven. Daar heb ik een beetje geld voor nodig. En ik zeg: natuurlijk, professor, natuurlijk, hier hebt u twintigduizend dollar, als u meer wilt hebben, zegt u het maar. U begrijpt, zelfs een zakenman als ik heeft een ziel en wil geen leven van alleen maar sauna's en pirosjkiwinkels en bars met meisjes. Trouwens, ik zie het als een mogelijke bron van grote inkomsten voor mijn firma. Dus ik geef hem geld om naar die schat te zoeken. Dan gaat hij het land uit en hoor ik niets meer. Er gaan weken voorbij en ik krijg verontrustend bericht uit betrouwbare bron. Die bron zegt: de professor is terug en heeft die schat gevonden, maar wil hem niet delen met Shvanov. Nou, wat moet ik doen? Ik bel hem en hij ontkent alles: geen schat, dat was een doodlopend spoor. Nu gebeurt het in mijn wereld vaak dat mensen iets niet met me willen delen, en dan moet ik harde maatregelen nemen…'

'U liet hem martelen.'

'Alstublieft! Dat deed ik niet. Ik had níéts met marteling te maken, net zomin als president Bush. Hoe dan ook, mijn bronnen vertellen me dat mijn professor de papieren – waarvan ik geloof dat ze mijn eigendom zijn – bij uw firma heeft gedeponeerd, meneer Mishkin, en ik hoor van mijn bronnen dat er erfgename is komen opdagen die erover kan beschikken, en natuurlijk hoop ik dat ze zo fatsoenlijk zal zijn die papieren aan mij over te dragen. Ze heeft contact met u over juridische zaken, en ik verwacht dat ze mij gauw benadert en dat we dan tot zaken kunnen komen. En nu vertelt u me dat ze gekidnapt is. Daar weet ik absoluut niets van, zo helpe mij God.'

Vreemd genoeg geloofde ik hem, wat ik nooit zou hebben gedaan als ik niet had geweten dat Miranda een bedriegster was. Ik zei: 'Wel, meneer Shvanov, dat zet de dingen in een heel ander licht. Als u Miranda Kellogg niet vasthoudt, waarom dan deze ontmoeting?'

'Waarom? Omdat u de advocaat van de nalatenschap van Bulstrode bent, en die nalatenschap heeft iets wat mij toebehoort, namelijk een zeventiende-eeuws manuscript, geschreven door Richard Bracegirdle. Ik heb dat manuscript gezien. Ik heb ervoor betaald om het wetenschappelijk te laten onderzoeken en de echtheid te laten vaststellen. Ik heb papieren die mij het recht erop geven. Het is allemaal volkomen legitiem en rechtdoorzee. Is dat niet de reden waarom ú naar deze ontmoeting bent gekomen?'

Ik zei: 'Nou, toen ik mijn zus dit liet regelen, dacht ik dat u het Bracegirdle-manuscript met geweld en bedreiging in handen probeerde te krijgen.'

'Wat bedoelt u, geweld en bedreiging?'

'Mensen sturen om het manuscript uit mijn huis te stelen. Mensen naar mijn sportschool sturen om de eigenaar daarvan te bedreigen, zodat hij mijn lidmaatschap intrekt. En zoals ik al zei: de vermoedelijke kidnapping van Miranda Kellogg.'

Hij schudde zijn hoofd en bewoog tegelijkertijd zijn opgestoken vinger heen en weer. 'Ten eerste heb ik nooit zulke mensen gestuurd om iets te stelen. Zoals ik heb uitgelegd, heb ik daar geen reden voor. Wat die sportschool betreft moet er een misverstand in het spel zijn. Ik wilde alleen maar op een vertrouwelijke manier met u in contact komen, zonder dreigementen. Zoals ik al zei is het vaak moeilijk om toeleveranciers in de hand te houden. Ik zal het regelen en ervoor zorgen dat u weer als lid wordt toegelaten, met mijn verontschuldigingen.'

'Dank u.'

'Graag gedaan. Nu, wat moet ik doen om aan mijn eigendom te komen?'

'Tja, dat is een probleem. Tot mijn spijt moet ik u zeggen dat de vrouw die ik als Miranda Kellogg heb gekend niet Miranda Kellogg bleek te zijn, en bovendien is zij nu verdwenen, met manuscript en al. Ik denk dat we allebei zijn beetgenomen door dezelfde persoon.'

Een ogenblik liet Shvanov het imago van beminnelijke zakenman varen en flitste er iets verschrikkelijks in zijn ogen op. Toen was het weer weg. Hij produceerde een zuur glimlachje en haalde zijn schouders op. 'Wel, dat kan zo zijn. Soms win je en soms verlies je, nietwaar? Als het u lukt haar of het manuscript te vinden, verwacht ik dat u contact met me opneemt. Ik heb alle papieren om te bewijzen dat het oude document mijn eigendom is.'

Ik zei dat ik dat vast en zeker zou doen en vroeg van hem hetzelfde. 'Natuurlijk,' zei hij, 'of andere papieren van dezelfde soort, natuurlijk.'

'Wat bedoelt u met andere papieren?'

'Ik heb gehoord dat toen het Bracegirdle-manuscript werd gevonden, daar andere historische papieren bij zaten die de mensen die het manuscript aan Bulstrode verkochten er niet bij hebben geleverd. Dat is geen standaardpraktijk bij het zakendoen, denk ik. Vertelt u me eens, meneer Mishkin, hebt u die papieren?'

'Nee.'

'Mocht u ze ergens tegenkomen, dan zult u zich herinneren dat ze ook mijn eigendom zijn.'

'Zeker, ik zal me herinneren dat u ze als uw eigendom beschouwt,' zei ik, en ik besefte dat dit de echte reden was waarom hij bereid was geweest mij te ontmoeten: de mogelijkheid dat ik die verrekte brieven in geheimschrift had. Ik hechtte meteen geen waarde meer aan alles wat hij had gezegd.

'Dank u. Ik denk dat we daarmee onze zaken hebben afgehandeld. Het was me een genoegen.'

We gaven elkaar een hand en hij haalde een dikke rol bankbiljetten uit zijn zak en liet een twintigje op de tafel vallen. 'Voor het meisje,' zei hij. 'De rest zal niet in rekening worden gebracht. Ik trakteer.' Toen keek hij me aan, zijn hoofd schuin, zijn ogen een beetje dichtgeknepen, zoals we doen wanneer we iets wat we zien vergelijken met iets wat ons voor ogen staat, en wat hij nu zei wierp me bijna van mijn stoel.

'Weet u, het is verbazingwekkend hoeveel u op uw vader lijkt.'

'U kent mijn váder?'

'Uiteraard. We hebben samen investeringen gedaan enzovoort. In staat

Israël.' Hij stond op en zei: 'Als u hem weer ziet, wilt u hem dan mijn oprechte groeten doen?'

Hij liep weg, mij stomverbaasd achterlatend.

DE VIERDE BRIEF IN GEHEIMSCHRIFT

Mijn Heer met de grootste eerbied voor uwe edele & de hartelijke wensen voor u & heel uw huisgezin. Het is thans lang geleden ik een brief ontvangende van u of van Heer Piggott, doch u had zekerlijk grotere affaires te verrichten. Mijn nieuws is dat W.S. het stuk voltooid heeft, dat is van Mary Koningin der Schotten & hem hebbende mij gezeid alzo ik smeekte hem laat mij het direct lezen. Eerst hij zeide nee laat mij het kopiëren wellicht komen er correcties gelijk hij vaak doet doch ik verder aandringende hij gaf toe. Alzo ik lees zijn vuige papieren. Mijn Heer me dunkt wij vergisten ons in onze man: tenzij ik verkeerd oordeel heeft hij niet gewrocht hetgeen wij wensten. Doch ge zult het zien want ik heb hier uit mijn memorie het verhaal & de strekking geschreven; want hij verbood mij het te kopiëren zelfs geen regel.

Eerst komt een proloog zeggende dit stuk behandelt twee grote koninginnen in wedijver, waarbij niet slechts koninkrijken gevaar lopen doch ook zielen: der kerken strijd in Engeland is verdwenen uit de zon / Doch als ge beklaagt haar die verloor beklaag dan ook haar die won. Of van die strekking. Zo heeft hij gedaan. Wij dachten hij zoude Elizabeth tiranniek & grillig tonen & alzo doet hij; doch zij zucht om haar droge schoot & dat de zoon ener andere vrouw haar rijk zal hebben, juist die vrouw die zij moet verslaan & hij toont meelij met haar eenzaamheid, zij die om staatsbelang het enige mensenwezen moet doden dewelke haar vriendin kan zijn.

Wij dachten hij zoude Mary als een goede Christelijke dame tonen om onze toorn omtrent haar lot te wekken & alzo doet hij; doch ook als wilde, roekeloze zelfvernietiger. Zij loopt met open ogen in het plan dat haar te gronde richt; want (gelijk hij vertelt) zij ziet Babbington als een dwaas, zij weet dat Walsingham haar berichten leest

271

doch gaat desondanks voort met de zaak. En waarom? Zij wenst zich te redden & bekommert zich niet langer of zij Koningin van Engeland of Schotland of enig ander land is, als zij maar vrij kan ademen en rijden. Door haar venster ziet zij een edelvrouw op valkenjacht & wenst met haar van plaats te wisselen, al haar titels opgeven voor een weinig lucht et cetera. Zij berouwt haar zondigheid van vroeger tijden doch denkt met haar paapse bijgeloof zij is vergeven. Schoon een gevangene verheft zij zichzelve & veracht Elizabeth de Koningin om haar droge schoot & hebbende geen lust & zeide Grote Bess uw maagdelijkheid is een groter gevang dan deze tralies hier. Pocht ook zij hadde liefde gehad terwijl de Koningin van Engeland niets had dan het vertoon van dezelve. Buitendien hij zeide van Koningin Mary de bewijzen tegen haar zijnde ten dele vals; want hij zeide Mary beraamde nimmer Elizabeths dood doch wenste slechts ontsnappen & vrij zijn. Alzo Walsingham is in dit stuk gelijk een meinedige schavuit.

Omtrent religie: hij heeft een rol voor Mary's huispriester ene Du Preau dewelke strijd omtrent het juiste geloof der Christenen heeft met Sir Amyas & me dunkt wint het despuut zij het slechts nauw. Hij heeft lage vlerken een Puritein & een Paap de affaires bespottende. Wellicht zijn deze alleen reeds genoeg om W.S. te hangen doch ware beter hij schaamtelozer schrijvende. Het tafereel waarin Koningin Mary naar haar dood gaat is zeer liefdevol & doet die het hoort vergeten dat zij een vuile moordende hoer was. Wellicht zal dit Mijn Heer genoeg behagen, want het is zeer kunstig & vol humor schoon ik een slechte oordelaar over toneel ben. Doch wanneer ik het u kan zenden, kunt ge oordelen of het aan uw doeleinden voldoet. Tot dan verblijf ik uw trouwe & nederige dienaar wensende allen welzijn & lang leven voor u genadige Heer Londen achtentwintig oktober 1611, Richard Bracegirdle

14

Als je gewapend was, merkte Crosetti, voelde dat aan als wanneer de rits van je gulp kapot was. Hij voelde zich onbehaaglijk en enigszins idioot, en hij vroeg zich af hoe zijn vader dat zijn hele loopbaan had kunnen verdragen. Of misschien lag het anders als je politieman was. Of misdadiger. Toen hij op zijn werk kwam, wist hij niet of hij het ding in zijn tas moest laten (het kon gestolen worden; iemand kon het vinden!) of dat hij het op zijn lichaam moest dragen. Eerst liet hij het in de tas, maar toen hij dat had gedaan, merkte hij dat hij de tas niet uit het oog wilde verliezen; en nadat er op die manier een onbehaaglijk uur was verstreken, haalde hij het wapen uit de tas en klemde hij aan zijn broeksband vast, waar het verborgen bleef onder de katoenen stofjas die hij in het souterrain droeg.

Omdat Glaser een uitgebreide inkoopreis maakte, had Crosetti niet veel te doen, al moest hij Pamela, de niet-Carolyn, boven aflossen als ze pauze nam. Winkels met dure, zeldzame boeken krijgen niet veel klanten die zomaar binnen komen lopen, zelfs niet aan Madison Avenue, en dus was Pamela het grootste deel van haar tijd met haar vriendinnen aan het bellen, die allemaal topkomieken waren, tenminste, als je mocht afgaan op Pamela's gierende lach die telkens tot in het souterrain doordrong. Of anders zocht ze op internet naar een betere baan, iets bij een uitgeverij, had ze hem ongevraagd verteld. Crosetti besefte dat hij zich nogal hufterig tegenover haar gedroeg – het zou hem de kop niet kosten als hij een beetje vriendelijker was – maar hij kon geen enkele belangstelling opbrengen voor een kakmeisje dat een baan bij een uitgeverij ambieerde.

Toen het weer eens wisseling van de wacht was, vroeg ze hem een boek van een hoge plank te pakken. Hij deed het en hoorde haar een schrikgeluidje maken. Toen hij haar het boek gaf, vroeg ze hem met grote ogen: 'Heb je daar een pistool aan je riem? Ik zag het toen je naar boven reikte…'

'Ja. Het is een gevaarlijk vak, boeken. Je kunt nooit voorzichtig genoeg zijn. Er zijn mensen die alles doen voor een eerste druk van Brontë – álles.'

'Nee, serieus!'

'Serieus? Ik ben een internationale spion.' Een loze kreet, en hij dacht er even over te zeggen dat hij gewoon blij was haar te zien, om na te gaan of ze die tekst uit *She Done Him Wrong* kende; en dan kon hij haar vragen of ze de film waar die tekst uit kwam echt had gezien, en zeggen dat het Mae Wests enige Academy-nominatie was geweest enzovoort enzovoort, zijn gebruikelijke praatje, maar waarom zou hij die moeite doen? Hij haalde zijn schouders op, keek haar met een strak glimlachje aan, gaf haar het boek en ging achter de toonbank staan.

Toen ze van haar lunch terugkwam, deed ze nog minder haar best om vriendelijk te zijn dan daarvoor. Blijkbaar was ze zelfs een beetje bang voor hem, en dat kwam Crosetti goed uit. De rest van de middag belde hij mensen die hij kende, op zoek naar woonruimte, en keek hij met hetzelfde doel op websites. Na zijn werk ging hij naar de meest waarschijnlijke plaats die hij had gevonden, een kamer in een zolderappartement bij de Brooklyn Navy, waar een studievriend van hem, een freelance geluidstechnicus, woonde met zijn vriendin, een zangeres. De lijst van huurders was rijk aan mediafiguren in spe en de vriend zei dat de Navy Yard het nieuwe Williamsburg zou worden. Het gebouw stonk naar oude gifstoffen maar was vervuld van een geelbruin licht dat door de enorme, vuile industriële ramen naar binnen viel en hem pijnlijk aan Carolyns appartement deed denken. Omdat hij iemand was die zich graag aan oud zeer overgaf, was dat feit alleen voor hem al doorslaggevend; en toen Crosetti de splinterige trap af liep, was hij achthonderd dollar armer en had hij afgesproken er na Thanksgiving zijn intrek te nemen. Hij moest op verschillende bussen overstappen om terug te komen bij de A-lijn en de trein naar 104th Street, Ozone Park, te kunnen nemen.

Toen hij Liberty Avenue verliet om 106th Street in te slaan, waar hij woonde, liep hij langs een zwarte SUV met geblindeerde ruiten. Het was niet het soort buurt waar je veel nieuwe, glanzende wagens van veertigduizend dollar zag, en omdat hij alle auto's kende die in zijn straat thuishoorden, en Klims waarschuwing van de vorige avond meteen bij hem opkwam toen hij die SUV zag, was Crosetti misschien niet helemaal klaar voor wat er nu gebeurde maar werd hij er ook niet volkomen door verrast. Toen hij vlug doorliep hoorde hij twee autoportieren opengaan, gevolgd door het geluid van voetstappen. Hij draaide zich om en zag twee mannen in zwarte leren jassen op hem afkomen. Ze waren allebei groter dan hij, een van hen zelfs veel groter. Ze hadden de capuchons van hun sweatshirts strak om hun gezicht getrokken en hun ogen werden verduisterd door grote donkere brillenglazen, hetgeen volgens hem een teken van slechte bedoelingen was. Zonder erbij na te denken trok Crosetti de

.38 van zijn vader en schoot in de richting van de grootste man. De kogel ging door het leren jasje en verbrijzelde de voorruit van de suv. Beide mannen bleven staan. Crosetti bracht de revolver omhoog en richtte hem op het hoofd van de grotere man. De mannen deinsden langzaam terug en stapten weer in hun wagen, die met gierende banden wegreed.

Crosetti ging op de stoeprand zitten en liet zijn hoofd tussen zijn knieën zakken tot hij niet meer het gevoel had dat hij zou braken en flauwvallen. Hij keek naar de revolver alsof die een artefact uit een buitenaardse beschaving was, en liet hem in zijn tas vallen.

'Albert! Wat is er gebeurd?'

Crosetti draaide zich snel om en zag een kleine, grijsharige vrouw in een roze trainingspak en een dik lichtblauw vest bij de deur van haar bungalow staan.

'Niets aan de hand, mevrouw Conti. Een paar kerels wilden me kidnappen en ik schoot op een van hen en toen gingen ze weg. Het is voorbij.'

Stilte. 'Wil je dat ik 911 bel?'

'Nee, dank u, mevrouw Conti. Ik geef het zelf wel door.'

'*Madonna!* Dit was vroeger een goede buurt,' zei mevrouw Conti, en ze ging terug naar haar keuken.

Crosetti krabbelde overeind en liep met trillende benen naar zijn huis. Langs de stoeprand stond een oude Cadillac-lijkwagen, en hij wierp er een sombere blik op toen hij over het pad naar de achterdeur liep. Hij wilde de keuken binnenglippen, misschien een groot glas rode wijn inschenken en dan naar zijn kamer gaan om tot bedaren te komen, maar nee, twintig seconden nadat hij de deur voorzichtig had dichtgedaan, stond Mary Peg tegenover hem.

'Allie! Daar ben je. Ik probeer je de hele dag al te bereiken. Reageer je niet meer op boodschappen?'

'Sorry, ma, ik heb veel mobiel gebeld.' Hij haalde diep adem. 'Weet je, ik was op zoek naar woonruimte. Ik denk dat ik iets in Brooklyn heb gevonden, bij Beck, je weet wel, van school.'

Mary Peg knipperde met haar ogen, knikte en zei: 'Nou, het is je eigen leven, jongen. Maar waarover ik met je wilde praten: Bulstrodes advocaat heeft gebeld.'

'Bulstrode is dood,' antwoordde hij automatisch.

'Ja, maar dode mensen hebben ook advocaten. Hun nalatenschap.' Ze keek hem aandachtig aan. 'Albert, is er iets met je aan de hand?'

Crosetti dacht er even over om te verzwijgen wat hem zojuist was overkomen, maar hij besefte dat Agnes Conti informatie verspreidde met een snelheid waar telecomingenieurs nog jaloers op waren en binnenkort alle details zou doorbellen, zowel de echte als de gefantaseerde. Hij zei: 'Ga zitten, ma.'

Ze gingen in de keuken zitten. Crosetti nam zijn glas wijn en vertelde het verhaal. Mary Peg luisterde naar hem en vond dat ze er vrij goed tegen kon. Eigenlijk, dacht ze, bracht het haar in een enigszins betere positie dan waarin ze anders zou hebben verkeerd, in het licht van wat ze haar zoon nu te vertellen had.

'Ma! Waarom deed je dat?' klaagde Crosetti meteen toen ze het had verteld. 'God, wat heb ik er de pest aan als je dingen achter mijn rug om doet.'

'Bijvoorbeeld de revolvers van je vader stelen en van mijn huis een bewapend legerkamp maken?'

'Dat is niet hetzelfde. Het was een noodgeval,' zei Crosetti zonder enthousiasme. Hij wilde echt heel graag even gaan liggen.

'Nou, ik vond ook dat we actie moesten ondernemen, en omdat jij niet bereikbaar was en het te druk had met van huis weglopen, of weet ik veel, boodschappen te beantwoorden…'

Ze zweeg, want op dat moment stopte er een auto voor het huis. 'O, dat zal Donna zijn,' zei Mary Peg, en ze ging naar de deur. Crosetti schonk nog een glas wijn in. Terwijl hij dat opdronk kwam Radeslaw Klim de kamer in. Hij was pas geschoren, droeg een zwart uniformjasje met das en hield een zwarte pet met glanzende klep in zijn hand.

'Wil je wat wijn, Klim?'

'Nee, dank je, ik moet nog rijden.'

'Het is al donker. Ze hebben 's avonds geen begrafenissen.'

'Nee, het is geen echte begrafenis. Het is voor vampiers.'

'Sorry?'

'Ja, dat is tegenwoordig in de mode, weet je, rijke jonge mensen die doen alsof ze vampiers zijn en in lijkwagens rijden, en een feest geven in de crypte van een vroegere kerk. Ah, daar is je moeder. En dit moet de dochter zijn. Hoe maakt u het?'

Donna Crosetti, of De Donna, zoals ze in de familie werd genoemd, was een magere, roodharige kloon van haar moeder. Ze was ook een sieraad van het Genootschap voor Rechtsbijstand in New York, steun en toeverlaat van de verdrukten, en een softie die geharde criminelen vrijpleitte zodat ze weer de straat op kwamen – dat hing ervan af of je met haar moeder of met haar zus Patty praatte. Ze was de jongste dochter, niet meer dan een jaar ouder dan Crosetti, en zoals veel middelste kinderen voelde ze zich vaak enorm verongelijkt; al vanaf haar prilste jeugd kwam dat vooral door de iets jongere broer, het voorwerp van haat en rancune en toch ook het schepsel dat ze tegen alle bedreigingen verdedigde, tot op de laatste druppel bloed. Crosetti had precies dezelfde gevoelens en kon ze net zomin onder woorden brengen: een volmaakte patstelling van liefde.

Klim stelde zich voor, gaf de nogal geschrokken Donna Crosetti een hand, kuste Mary Peg formeel op beide wangen, en ging weg.

'Wie was dát?'

'Dat is het nieuwe inwonende vriendje,' zei Crosetti.

'Wat?' riep De Donna uit, die niet was geraadpleegd.

'Dat is niet waar,' zei Mary Peg.

'Dat is hij wel,' zei Crosetti. 'Hij is ook chauffeur van een lijkwagen.'

'Ook 's avonds?'

'Ja, hij zegt dat het voor vampiers is. Hoe gaat het, Don?'

'Hij is níét mijn inwonende vriendje,' zei Mary Peg. 'Hoe kon je zoiets zeggen, Albert?'

'Dat is hij wél,' hield Crosetti vol. Hij voelde dat de jaren van hen af gleden, en dat was tegelijk onaangenaam quasipsychotisch en geruststellend. Straks zou Donna gaan krijsen en hem met een of ander kookgerei in haar kleine vuistje om de keukentafel achtervolgen, en hun moeder zou schreeuwen en proberen hen tegen te houden en links en rechts meppen uitdelen en dreigen met de apocalyps: wacht maar tot jullie vader thuiskomt.

Donna Crosetti keek haar moeder en broer fel aan. 'Nee, echt…'

'Echt,' zei Mary Peg. 'Hij is een vriend van Fanny die ons helpt een zeventiende-eeuwse brief te ontcijferen die Allie heeft gevonden. Hij werkte er nog laat aan, dus ik gaf hem Patty's kamer voor de nacht.'

'Dat was drie avonden geleden,' zei Crosetti. Hij sloeg zijn armen om zichzelf heen en maakte kussende geluiden.

'O, word nou toch eens volwassen!' zei zijn zus. Crosetti stak zijn tong naar haar uit, en ze rolde met haar ogen naar hem en ging aan de keukentafel zitten. Ze haalde een leren map uit haar grote tas, klapte hem met een zakelijk gebaar open en zei: 'Als die man om acht uur komt, hebben we niet veel tijd. Laten we bij het begin beginnen.' Crosetti keek zijn moeder aan.

'Ik begrijp niet waarom we dit moeten doen,' mopperde hij.

'Omdat je bent bedrogen. We willen nagaan of je tegen de nalatenschap kunt procederen en of je het manuscript terug kunt krijgen, of de echte waarde daarvan.'

'Ik wíl het niet terug,' zei Crosetti. Hij werd chagrijnig van de wijndampen die van zijn lege maag naar zijn hoofd stegen. 'Ik wou dat al die dingen nooit gebeurd waren. Dát wil ik.'

'Nou, mijn kind,' zei Mary Peg, 'daar is het een beetje te laat voor. Dit moet worden ontrafeld door een advocaat, en Donna is de advocaat in onze familie. En je zou het op prijs moeten stellen dat ze aanbiedt ons te helpen, zeker nu je net hier in de straat op iemand hebt geschoten…'

'Wat?' riep de familieadvocate uit. 'Heb je op iemand geschóten? Heb je de politie…'

'Nee, en dat ga ik ook niet doen. Twee kerels wilden me kidnappen…'

'Wat? Wie?'

'Donna, rustig,' zei hij. 'Je klinkt net als Abbott en Costello die hun activiteit opvoeren. Wil je het verhaal horen of niet?'

Donna haalde een paar keer adem en had blijkbaar haar professionele houding teruggevonden. Het duurde bijna een heel uur voor het verhaal was verteld, want ze stelde veel vragen en haar kleine broertje ging steeds in de tijd terug en dwaalde veelvuldig af, typisch iets voor hem, vond ze, om gek van te worden. Bovendien moest hij uitleg geven over het geheimschrift, de rol van Klim in het gezin en het bijzondere geval van Carolyn Rolly. Toen Donna tevreden was, heerste er een onbehaaglijke warmte in het kleine keukentje en was het peil van de rode wijn in de grote karaf met minstens vijf centimeter gedaald.

Donna bladerde in haar aantekeningen en keek op haar horloge. 'Oké, laten we een paar dingen doornemen voordat die man hier is. Allereerst kun je geen enkele eis in verband met oplichting tegen de nalatenschap van Bulstrode indienen, want je had niet het recht om dat manuscript te verkopen. En je vriendin Rolly had dat ook niet. Jullie spanden samen om iets te verkopen wat eigendom was van jullie werkgever. Het is nu dus vooral zaak dat ik die Mishkin overhaal de hele zaak te vergeten. Je had echt eerst met mij moeten praten.'

'Niemand heeft iets gestolen, Donna,' zei haar broer. 'Dat heb ik je al uitgelegd. Sidney gaf ons de opdracht de boeken uit elkaar te halen en dat hebben we gedaan. Hij kreeg de waarde van de kaarten en de platen en de rest was volledig verzekerd. Het is net als bij een afgedankte auto. De sloper geeft er tien dollar voor en als hij een cd-speler onder de voorbank vindt, hoeft hij die niet terug te geven.'

'Dank je, confrère. Ik zie dat jij ergens anders rechten hebt gestudeerd dan ik. "Wat je vindt, mag je houden" geldt alleen op het speelplein. Als jouw sloper een diamanten ring in dat autowrak vindt, denk jij dat hij die dan aan zijn vriendin mag geven?'

'Waarom niet?' vroeg Crosetti.

'Omdat hij niet redelijkerwijs kon verwachten dat er een diamanten ring in de auto zou liggen. Als de juridische eigenaar die vriendin met die ring toevallig zou zien, zou hij teruggave kunnen eisen, en dat zou hij winnen. Toen Glaser jullie die boeken gaf, wist hij niet dat er een manuscript in zat dat veel geld waard was. Toen jullie het vonden, hadden jullie hem moeten vertellen dat zijn eigendom meer waard was geworden. Jullie hadden je dat manuscript niet mogen toe-eigenen.'

'Dus als ik op een rommelmarkt een schilderij vind en ik weet dat het een Rembrandt is, en de verkoopster weet dat niet, moet ik dat dan tegen haar zeggen? Mag ik haar dan niet tien dollar geven en het voor tien miljoen verkopen?'

'Dat is een heel andere situatie. Je zou profiteren van je superieure kennis, en dat is geoorloofd, en je zou het schilderij in eigendom hebben voordat je het verkocht. Dat heeft Bulstrode trouwens met jou gedaan. Het is gluiperig, maar volkomen legaal. Aan de andere kant ben jij nooit eigenaar geweest van de boeken waar het manuscript uit kwam. Glaser was en is de eigenaar. Ik stel voor dat je nu meteen contact met hem opneemt en hem vertelt wat er aan de hand is.'

'O, ga weg!'

'Idioot kind, denk nou na! Je hebt een voorwerp van tussen de vijftig- en honderdduizend dollar gestólen. Over een paar minuten komt hier iemand die denkt dat die waarde deel uitmaakt van een nalatenschap die hij in beheer heeft. Wat denk je dat hij gaat doen als we hem moeten vertellen dat het waardevolle voorwerp in werkelijkheid eigendom van iemand anders is, en nog steeds diens eigendom was toen je het aan zijn cliënt verkocht?'

'Luister naar haar, Albert,' zei Mary Peg streng.

Crosetti stond van tafel op en liep de keuken uit, ziedend van woede. Met allerlei logische redenaties had hij zichzelf ervan overtuigd dat de hele transactie met het manuscript een soort grap was, zoiets als een stopbord van een paal wegslaan. Daarna had Andrew Bulstrode hem bedrogen en dat was genoeg straf voor hem geweest. In moreel opzicht, had hij tegen zichzelf gezegd, was de hele zaak een storm in een glas water. Maar nu zat hij met twee van de drie vrouwen ter wereld op wie hij het meest indruk wilde maken (de derde, Rolly, was verdwenen) en waren ze het erover eens dat hij een kolossale idioot en een misdadiger was. Al het gewicht van de familie drukte op zijn schouders: de teleurstelling – hoezeer ook verhuld door vriendelijkheid – omdat hij niet de held was die zijn vader was geweest, niet zo goed presteerde als zijn zussen, en vooral omdat hij niet aan Princeton én aan Columbia had gestudeerd, zoals Donna. Daar kwam nog bij dat hij suf was van de wijn en bedacht dat hij net zo goed met zijn revolver naar boven kon gaan om zich door het hoofd te schieten; dat zou iedereen een hoop moeilijkheden besparen.

Maar omdat hij in wezen een fatsoenlijke jongeman uit een liefhebbende familie was, en niet de gekwelde neurotische artiest die hij zich soms (nu bijvoorbeeld) verbeeldde te zijn, haalde hij zijn mobiele telefoon te-voorschijn en belde hij Sidney Glaser in Los Angeles. Hij had Glasers mo-biele nummer natuurlijk in zijn eigen telefoon opgeslagen, en Glaser nam op toen zijn telefoontje drie keer was overgegaan. Een ouderwetse kerel, die Sidney, maar hij maakte een uitzondering voor mobiele telefoons.

'Albert! Is er iets mis?'

'Nee, met de winkel is niets aan de hand, meneer Glaser. Er is iets ge-beurd en het spijt me dat ik u lastigval, maar ik moet meteen een ant-woord hebben.'

'Ja?'

'Nou, eh, het is nogal een lang verhaal. Kunt u praten?'

'O, ja. Ik wilde net naar beneden gaan om te eten, maar ik kan wel even praten. Wat is er?'

'Oké, dit staat in verband met de Churchill. De boekdelen die verwoest werden door het vuur. U hebt Carolyn gevraagd ze uit elkaar te halen.'

'Ja? Wat is daarmee?'

'Ik vroeg me af hoe het met de, eh, rest zat. Ik bedoel, de boeken waar de platen uit gehaald waren…'

Een korte stilte. 'Ben je door de verzekering gebeld?'

'Nee, het is niet echt een verzekeringskwestie…'

'Want, eh, wat ze hebben uitgekeerd was veel minder dan wat we op een veiling hadden kunnen krijgen, en dus, eh… luister, Albert, als ze bel-len, als ze óóit bellen, wil je ze dan naar mij doorverwijzen? Praat niet met hen over het uit elkaar halen van die boeken, of over wat Carolyn heeft gedaan, of over iets anders. Ik bedoel de platen en kaarten, de omslagen. Dat zijn eigenlijk maar kleinigheden en je weet hoe die verzekeringsmen-sen zijn…'

'Sorry… de omslagen?'

'Ja, Carolyn zei dat ze een klant voor de omslagen had en vroeg of ze ze mocht opglanzen en van hun geur ontdoen om ze te verkopen, en ik heb ze aan haar overgedragen. Er moet een papieren rekening in het archief zitten. Maar waar het om gaat…'

'Neemt u me niet kwalijk, meneer Glaser. Wanneer was dat?'

'O, die dag, de dag na de brand. Ze kwam boven en vroeg me of ze met de karkassen mocht spelen, het leer en zo. Wist je dat ze amateurboekbin-der was?'

Mary Peg riep: 'Albert? Kom terug om te praten!' Crosetti drukte met zijn duim op de telefoonversterker en schreeuwde: 'Ik kom zo, ma. Ik ben met meneer Glaser aan het bellen.'

Hij hervatte zijn gesprek en zei: 'Uh-huh, ja, dat wist ik. Dus u hebt haar de boeken in feite verkocht?'

'O, ja, alleen de karkassen, zonder de platen en zo. Ik geloof dat ze dertig dollar per deel heeft betaald. Ik hou me liever niet bezig met dat aspect van het vak en Carolyn heeft daar al jaren een handeltje in. Ze lapt mooie omslagen van waardeloze boeken op en verkoopt ze aan woninginrichters, die ze dan weer doorverkopen, waarschijnlijk aan ongeletterden die er hun drankkasten mee afschermen. Nu, wat wilde je me vragen?'

Crosetti verzon iets, een vraag over hoe hij het verlies door de brand in hun inventarissysteem moest verwerken, kreeg een kort antwoord en beëindigde het gesprek. Hij was tegelijk opgelucht en verbaasd: opgelucht omdat nu duidelijk was wie juridisch eigenaar van het manuscript was, verbaasd omdat Carolyn hem had laten denken dat ze met een louche zaakje bezig waren terwijl dat dus helemaal niet het geval was. Maar waarom had ze hem dan toegestaan het manuscript in bezit te nemen? Waarom had ze gedaan alsof ze min of meer door hem werd gechanteerd om dat goed te vinden? Waarom had ze dat zogenaamde misdrijf als emotioneel pressiemiddel gebruikt om hem het manuscript aan Bulstrode te laten verkopen? Er was geen touw aan vast te knopen. En hoe moest hij dat alles aan zijn zus voorleggen?

Hij ging terug naar de keuken en vertelde in het kort wat Glaser door de telefoon tegen hem had gezegd. Zoals hij al had verwacht, maakte Donna allerlei bezwaren, dingen die alleen maar vluchtig door zijn hoofd waren gegaan. Maar hij onderbrak haar. Nu hij het recht aan zijn kant had, voelde hij zich agressiever. 'Donna, allemachtig, dat doet er allemaal niet toe. In feite ben ik eigenaar van het Bracegirdle-manuscript. Carolyn is er niet, en Glaser zal er geen werk van maken, want ik krijg de indruk dat hij de verzekering oplicht met die verwoeste boeken. Waarschijnlijk heeft hij de hele waarde gedeclareerd en is hij vergeten te vermelden wat hij voor de kaarten en platen heeft gekregen, een slordige vijfduizend dollar. Dus dat zit wel goed.'

'O, ik weet het niet,' zei Donna. 'De verzekeringsmaatschappij zou kunnen zeggen dat zij eigenaar zijn. Ze hebben ervoor betaald.'

'Laat ze dan maar procederen,' snauwde Crosetti. 'Maken we intussen een kans het manuscript uit de nalatenschap terug te krijgen?'

'Jíj kunt procederen,' zei Donna even fel.

'Kinderen,' zei Mary Peg sussend, 'rustig nu. Als niemand iets heeft gestolen, hebben we een heel andere situatie, goddank. Waarom wachten we niet af wat die meneer Mishkin te zeggen heeft? Ik maak me veel meer zorgen om die poging tot kidnapping. Ik ga Patty bellen. Ik vind dat we de politie erbij moeten halen.'

Ze ging naar de keukentelefoon, maar voordat ze kon bellen ging de deurbel. Mary Peg liep naar de deur en liet een erg grote man in een zwarte leren jas binnen. Hij had gemillimeterd haar en een sombere, harde uitdrukking op zijn gezicht, en in een moment van paniek dacht Crosetti dat het misschien een van de mannen was die hem zojuist hadden aangevallen. Maar toen de man naar voren boog om zich voor te stellen, zag Crosetti dat hij ondanks zijn harde trekken geen gangster was en dat hij een trieste blik in zijn donkere ogen had. Crosetti moest aan zijn vader denken, ook een man met een hard gezicht en trieste ogen.

Mary Peg zei dat ze het met zijn allen comfortabeler zouden hebben in de huiskamer (ze bedoelde: weg van de gênante glazen op de tafel en de lucht van rode wijn), en dus liepen ze naar de kamer met de versleten meubelen, de snuisterijen en het Portret, en Mary Peg zei dat ze koffie zou zetten, en kon ze meneer Mishkins jas aannemen?

Toen ze zaten liet Donna meteen blijken dat ze de leiding had. Ze vertelde de grote man wie ze was en dat ze tijdelijk namens de familie optrad. Ze zette ook de feiten uiteen waar het volgens haar in deze zaak om draaide: haar broer was in goed vertrouwen naar professor Bulstrode gegaan om een zeventiende-eeuws manuscript te laten beoordelen dat hij in bezit had; Bulstrode had de professionele verantwoordelijkheid gehad om een eerlijk oordeel te geven, maar hij had gelogen over de inhoud van het manuscript, dat een waardevol document voor het Shakespeare-onderzoek was, en hij had het van Albert Crosetti gekocht voor een fractie van de werkelijke waarde, een transactie die door elke rechtbank onredelijk zou worden bevonden. En wat was Mishkin van plan daaraan te doen?

Mishkin zei: 'Nou, mevrouw Crosetti, ik kán er niet veel aan doen. Weet u, in zekere zin ben ik hier onder valse voorwendsels gekomen. Ik ben persoonlijk bij deze zaak betrokken geraakt doordat professor Bulstrode kort voor zijn tragische dood naar me toe kwam en het manuscript dat hij van meneer Crosetti had gekocht bij onze firma in bewaring gaf. Hij wilde advies over intellectueel eigendom, en dat heb ik hem verstrekt. Het manuscript maakte na zijn dood deel uit van de nalatenschap, en toen er een vrouw verscheen die beweerde zijn erfgename te zijn, hebben we haar door onze erfrechtspecialist laten bijstaan. Ik persoonlijk houd me daar niet mee bezig.'

'Waarom bent u hier dan?' vroeg Donna, en toen zijn bewoordingen tot haar doordrongen, vroeg ze: 'En wat bedoelt u met "bewéérde zijn erfgename te zijn"?'

'Nou, wat dat laatste betreft lijkt het erop dat we misleid zijn. Die vrouw, het zogenaamde nichtje van de overledene, Miranda Kellogg, ging er met het manuscript vandoor. Haar verblijfplaats is momenteel onbekend.'

Alom verbijstering. 'U maakt een grapje!' zei Donna.

'Ik wou dat ik dat deed, mevrouw Crosetti. En ik geef toe dat het helemaal mijn schuld is. Deze persoon won mijn vertrouwen met een volkomen geloofwaardig verhaal en ik gaf haar het document.'

Mishkin keek Crosetti met zijn trieste ogen aan. 'U vroeg waarom ik bij u ben gekomen. Vertelt u me eens: bent u, of is iemand uit uw omgeving, op enigerlei wijze bedreigd?'

Crosetti wisselde een snelle blik met zijn zus en antwoordde toen: 'Ja. Daarstraks probeerde een stel kerels me te ontvoeren.'

'Waren dat twee mannen, de ene erg groot en de andere iets kleiner, en hadden ze een zwarte suv?'

'Ja, dat klopt. Hoe wist u dat?'

'Ze hebben mij vorige week ook aangevallen en probeerden toen het manuscript te stelen. Ik kon me tegen hen verweren, maar kort daarna zijn zij, of anderen, in mijn huis binnengedrongen. Ze sloegen mijn assistent buiten westen en gingen ervandoor met het manuscript en de vrouw die zich als mevrouw Kellogg voordeed. Ik dacht dat ze was gekidnapt, maar nu lijkt het erop dat ze onder één hoedje speelde met die aanvallers. Ik kan alleen maar veronderstellen dat ze die eerste aanval in scène hebben gezet om een band tussen mij en de vrouw tot stand te brengen, om eventuele argwaan bij mij weg te nemen. Of anders hebben we te maken met twee afzonderlijke tegenstanders. Overigens, meneer Crosetti, neem ik aan dat u de persoon kent die in Bulstrodes agenda vermeld staat als Carolyn R.'

'Ja! Ja, die ken ik. Carolyn Rolly. Dat is degene die het manuscript in een stel boeken heeft gevonden. Weet u waar ze is?'

'Nee, dat weet ik niet, maar mevrouw Kellogg belde me na haar verdwijning en zei dat er een zekere Carolyn bij betrokken was. Ik zou niet kunnen zeggen of ze een slachtoffer is of dat ze met de gangsters samenwerkt. In elk geval wist ze dat u niet het hele manuscript hebt overgedragen, dat u een aantal bladzijden, blijkbaar in geheimschrift, hebt achtergehouden. Degene die hier achter zit weet dat u die papieren hebt en wil ze hebben.'

'Maar ze zijn nutteloos,' protesteerde Crosetti. 'Ze zijn niet te ontcijferen. Wat mij betreft mogen ze ze hebben. Wilt u ze hebben? U kunt die verrekte dingen krijgen…'

'Ik vind het geen goed idee om je bezit over te dragen omdat je wordt bedreigd,' zei Donna.

'Nee? Waarom neem jíj het dan niet over?'

'Wat overnemen?' zei Mary Peg, die met een dienblad vol koffiekopjes en een schaal biscotti-koekjes binnenkwam.

'Albert wil zijn manuscripten met geheimschrift aan de gangsters geven,' zei Donna.

'Onzin,' zei Mary Peg, terwijl ze de koffiekopjes neerzette. 'We geven niet toe aan geweld.' Ze ging naast haar zoon op de bank zitten. 'Nou, we zijn hier nu allemaal op verschillende manieren bij betrokken. Als we nu eens onze verhalen met elkaar delen, van het begin af aan, zoals ze in detectiveromans doen? Misschien kunnen we het er dan over eens worden wat we gaan doen.'

'Moeder, dat is absurd!' riep Donna uit. 'We moeten meteen de politie bellen en de hele zaak aan hen overdragen.'

'Schat, de politie heeft wel andere dingen aan haar hoofd dan geheime brieven en pogingen tot kidnapping. Ik zal Patty laten weten wat er is gebeurd, maar ze is het vast wel met me eens. De politie kan echt niet iedereen in deze familie vierentwintig uur per dag bewaken. We moeten dit zelf oplossen en daar zijn we ook heel goed toe in staat. Trouwens, ik ben kwaad. Ik houd er niet van als schurken mijn mensen lastigvallen. Als dat gebeurt, word ik ook lastig.'

Nu keken de beide kinderen van Mary Peg haar aan, en voor het eerst in vele jaren herinnerden ze zich bepaalde gênante gebeurtenissen uit hun kindertijd. Alle kinderen Crosetti hadden op de Holy Family-school bij hen in de straat gezeten. Ze behoorden tot de laatste generatie Amerikaanse katholieke kinderen die minstens voor een deel les kreeg van nonnen. In tegenstelling tot de ouders van al hun vrienden liet Mary Peg zich niet door de zusters op haar kop zitten. Vele malen was ze in de naar krijt ruikende gangen tegen de nonnen tekeergegaan als ze vond dat die haar kinderen onrechtvaardig, onachtzaam of onbekwaam hadden behandeld. Ze was daarmee doorgegaan ondanks smeekbeden van de kinderen om ermee op te houden. Nu geloofden ze tot op zekere hoogte nog steeds dat iemand die het tegen een vuurspuwende, vier meter grote Zuster van Liefde kon opnemen geen enkele moeite zou hebben met een stelletje simpele gangsters.

'Wilt u beginnen, meneer Mishkin?' zei ze.

'Jake,' zei meneer Mishkin.

'Net als in *Chinatown*,' zei Mary Peg.

'Ik hoop het niet,' zei Mishkin, die nu een kleine agenda uit zijn zak haalde. 'Eens kijken. Op 11 oktober komt Bulstrode naar mijn kantoor en vraagt om advies over intellectueel eigendom…' En hij vertelde het hele verhaal, met uitzondering van de onverkwikkelijke delen. Hij eindigde met het gesprek dat hij met Osip Shvanov had gehad, die had ontkend ook maar iets met de gewelddadigheden te maken te hebben.

'En je geloofde hem?' vroeg Mary Peg.

'Beslist niet. Hij vroeg me zelfs naar die brieven in geheimschrift. De mensen die jou daarstraks wilden kidnappen, Albert, deden dat omdat ze iets wilden hebben wat jij hebt, en dat kunnen alleen maar die brieven zijn, waarvan je zegt dat je ze niet kunt ontcijferen.'

De drie Crosetti's keken elkaar snel aan, en na een geladen stilte zei Crosetti dat hun dat inderdaad niet was gelukt. Hij legde ook uit waarom, en toen zei Mary Peg: 'Albert, begrijp je wat dit betekent?'

Crosetti zei: 'Nee, dat begrijp ik niet,' een tijdelijke leugen om de afschuwelijke waarheid nog even voor zich uit te schuiven.

'Nou, het lijkt mij wel duidelijk,' zei zijn moeder. 'Er zijn nog maar twee mensen in leven die wisten dat er geheimschriftbrieven in die verwoeste boeken hadden gezeten, jij en die Carolyn; en de enige mensen aan wie jij het hebt verteld, zijn volkomen betrouwbaar…'

'Ja hoor! En Klim dan?'

'… volkómen betrouwbaar. Dat betekent dat die vrouw Rolly vanaf de allereerste dag achter dit alles heeft gezeten.'

'Nee.'

'Kom nou, Albert, je moet de feiten onder ogen zien. Wie haalde je over om het manuscript aan Bulstrode te verkopen? Rolly. Wie verdween er meteen daarna naar Engeland? Rolly. Bulstrode moet in Engeland iets hebben ontdekt en waarschijnlijk was zij bij hem toen hij het vond. En dan komt hij terug en wordt hij doodgemarteld om te vertellen wat hij heeft ontdekt; en hoe konden degenen die dat deden weten dat hij iets had ontdekt? Van Rolly!'

'Moeder, dat is zo… zo volslagen absurd. Je gaat er zonder enig bewijs van uit dat Carolyn de dader is. Ze kan net zo makkelijk een van de slachtoffers zijn. Ze kan ook zijn gemarteld. De daders kunnen op die manier van het geheimschrift hebben gehoord.'

'Hij heeft gelijk, ma,' zei Donna, die weer de aandrang voelde haar broer te verdedigen. 'We weten gewoon niet genoeg om over de schuld van Carolyn Rolly te kunnen speculeren, al moeten de schurken wel van haar over het geheimschrift hebben gehoord, tenzij het lek indirect van Allie komt. Intussen is dit duidelijk een criminele zaak en…'

Pang.

Het geluid kwam van de straat en de drie Crosetti's wisten meteen wat het was, want ze waren geen familie die zou zeggen: 'Ik dacht dat het een voetzoeker of een ploffende uitlaat was.' Gedurende de volgende seconden werd er buiten hevig geschoten. Iedereen stond op en Mary Peg liep naar de draadloze telefoon die op een bijzettafeltje stond. Ze hoorden nu brekend glas, zware voetstappen, en drie grote mannen stormden de kamer in, alle drie met een groot 9mm semiautomatisch pistool. Een van hen schreeuwde naar Mary Peg dat ze de telefoon moest neerleggen. Ze negeerde hem en toetste 911 in. Toen ze de centrale aan de lijn had, noemde ze twee keer haar adres en zei: 'Schoten gelost. Indringers in huis,' voordat de telefoon uit haar hand werd gegrist en een grote man haar om haar hals greep en een pistool tegen haar slaap drukte.

DE VIJFDE BRIEF IN GEHEIMSCHRIFT

Mijn Heer ik heb in vijf maanden geen tijding van u ontvangen &
wat zal ik doen? W.S. zeide hij geeft zijn stuk van Mary niet aan enig
ander dan mijn Heer Rochester zelve dan wel iemand van zijn huis.
Zal ik het hem ontstelen & zenden? Heer Wales is deze week doodge-
stoken aangetroffen in Mincing Lane. Van Londen de tweede decem-
ber 1611 uwe Edeles meest trouwe & nederige dienaar Richard Brace-
girdle.

15

Toen Shvanov was vertrokken nam ik mijn mobieltje en belde Miriam. Ze was natuurlijk niet thuis en had haar mobieltje uitgezet (ik heb in meer dan twintig jaar nog nooit bij de eerste poging contact gekregen met mijn zuster), en dus sprak ik een enigszins koortsachtige boodschap in. Waarom? Omdat niemand pa gekend mag hebben behalve wij drieën? Belachelijk, maar het was nu eenmaal zo. Ik was vervuld van afgrijzen.

Om een uur of tien de volgende morgen werd ik gebeld door een zekere Donna Crosetti, die zei dat ze haar broer Albert vertegenwoordigde in de zaak betreffende bepaalde papieren die frauduleus door wijlen Bulstrode waren verkregen. Ik antwoordde dat het nog te bezien stond of er fraude had plaatsgevonden, maar dat ik haar of Albert graag zou willen ontmoeten om de zaak te bespreken. Intussen vond ik het wel vreemd dat een advocaat namens een familielid optrad, en ik verbaasde me ook over de ontmoetingsplaats die ze voorstelde: geen advocatenkantoor maar een huis in Queens. Nadat we de afspraak voor die avond hadden gemaakt, draaide ik het nummer vanwaar ze had gebeld en kreeg ik tot mijn verbazing het Genootschap voor Rechtsbijstand aan de lijn. Daaruit bleek weer eens dat ik ze op dat moment niet allemaal op een rijtje had. Als ik bij mijn normale verstand was geweest, zou ik nooit met zo'n ontmoeting akkoord zijn gegaan.

Intussen heb ik niet veel meer aan mijn agenda, want ik was vervreemd van mijn werk op kantoor. Mijn afspraken waren voor onbepaalde tijd verzet, iets wat helemaal niet zo gunstig bleek te zijn. Tegen mensen die onder stress gebukt gaan wordt vaak gezegd dat ze rust moeten nemen, maar soms is het juist de stress die hen op de been houdt, zoals de spreekwoordelijke oude tweedekker met elastiek en ijzerdraad bijeen wordt gehouden omdat hij anders uit de lucht zou vallen. Nu ik niets te doen had, een voor mij heel ongewone situatie, trilden alle radertjes los of liepen ze juist vast. Ik liep te ijsberen. Ik keek tv en zapte aan een stuk door. Ik keek door mijn raam naar duiven en het verkeer. Ik kreeg zo ongeveer een zware hartaanval…

In wat nog maar het begin van paniek was voelde het zo aan: kortademigheid, zweten, tintelingen in de armen, een beetje dyskinesie. Mijn mobieltje liet zijn simpele, door de fabriek geïnstalleerde riedeltje horen en ik greep ernaar alsof het apparaatje het leven zelf was. Het was Omar, die vroeg of ik die dag ergens heen ging. Dat ging ik inderdaad. Ik had vrienden en kennissen in de stad, maar er was één persoon van wie ik vond dat ik haar kon opzoeken nadat ik wegens een ambtsmisdrijf uit mijn kantoor was gezet, en dat was mijn vrouw. En dus knapte ik me op, kleedde me casual maar zorgvuldig, keek in de spiegel of ik fysieke tekenen van verdorvenheid zag, zag er vele, nam een Xanax om daar niet te veel over te piekeren, en toen gingen we op weg. Nog meer *Dummheit!* Ik vergeet altijd dat mijn vrouw me begrijpt.

Ik heb, geloof ik, al verteld dat Amalie een financiële nieuwsbrief verstuurt vanuit een klein kamertje in ons herenhuis. Dat is een beetje misleidend, want er is ook een echt kantoor vol financiële specialisten aan Broad Street, en verspreid over de planeet zijn er nog meer kantoren in de tijdzones die voor het internationale geldverkeer van belang zijn. Mijn vrouw komt daar zo min mogelijk, want ze beeldt zich in dat ze een eenvoudige huisvrouw en moeder is met een hobby die geld oplevert, alsof ze pannenlappen haakt in plaats van aan het hoofd te staan van een onderneming waarin vele miljoenen omgaan. In financiële kringen worden er grappen over gemaakt, heb ik gehoord, maar het schijnt (vraag het maar aan Mike Bloomberg) dat een financieel informatie-imperium na een tijdje min of meer vanzelf draait en dat de oprichter vooral de taak heeft zich er niet te veel mee te bemoeien.

Ik had dan ook alle reden om aan te nemen dat Amalie tijd had voor een troostend gesprekje, maar toen ik bij het huis aankwam, door Lourdes werd binnengelaten en vroeg waar Amalie was, zei ze tegen me (met wel heel veel voldoening, vond ik) dat Amalie niet beschikbaar was, dat ze een bespreking had. Ik kon in de huiskamer wachten.

En dus wachtte ik, ziedend van woede en met het idee dat ik meer kalmerende middelen had moeten innemen. Mijn borst trok zich samen en het wachten leek wel uren te duren, al gaf mijn horloge, waar ik op bleef kijken, me te kennen dat het nog geen veertig minuten waren. Toen hoorde ik stemmen in de hal, sprong ik overeind en kon ik er getuige van zijn dat Amalie drie mannen in pakken uitliet. Die mannen keken nieuwsgierig naar mij, alsof ze een tentoonstelling bekeken (verbeeldde ik me): werkloze ex-man, aanwezig op de achtergrond. Amalie was blijkbaar helemaal niet verrast en stelde me ook niet voor aan de mannen in pakken, maar leidde hen gracieus naar buiten.

Toen ze terugkwam zei ik luchtig: 'Belangrijke bespreking?'

'Ja,' zei ze. 'Wat is er, Jake?'

Ik vertelde het verhaal van het advocatenkantoor met zoveel mogelijk pathos en zelfverachting, zittend op haar/mijn leren bank terwijl zij zedig op de stoel tegenover me zat. Ik liet die weerzinwekkende Rus van de vorige avond weg.

'Arme Jake,' zei ze toen ik klaar was. 'Wat ga je doen?'

'Ik weet het niet. Een tijdje vrij nemen, nadenken over het leven. Misschien ga ik op zoek naar dat verdwenen toneelstuk.'

'O, maak daar nou geen grappen over!'

'Waarom niet?' zei ik. 'Wat kan dat voor kwaad?'

'Het is al erg genoeg. Volgens jou is er een man gestorven vanwege dat manuscript en moeten mijn kinderen door Pauls gangsters worden beschermd. Zo kan ik niet leven, Jake. Ik heb tegen Paul gezegd: ik stel je aanbod zeer op prijs, maar nee, dank je.'

'Wat, past er niemand op de kinderen?'

'Nee, en er is geen enkele reden waarom iemand zich voor hen zou interesseren, want jij hebt niets meer wat ze willen hebben.' Ze moet iets op mijn gezicht hebben bespeurd waarvan ik me zelf niet bewust was, want ze voegde er een beetje krachtiger aan toe: 'Tenminste, zo heb je het mij verteld. Is er iets aan de hand?'

'Nee,' zei ik vlug. 'Natuurlijk niet. Ze hebben de originele brief al en meer heb ik nooit gehad. Het is voorbij.'

Ze bleef me afwachtend aankijken. Ten slotte zei ik: 'Wat is er?'

'Niets. Ik heb niets te zeggen. Jij bent degene die naar mijn huis komt.'

'Ik dacht dat we konden praten,' zei ik.

'Waarover? Zullen we het over je nieuwe vriendin hebben?'

'Er is geen nieuwe vriendin.'

'Dat zou me verbazen. Zeg, we hebben al grote ruzie gehad, de zoveelste grote, beschamende ruzie over je leugens en je meisjes, en je hebt je op je werk ook nog onmogelijk gemaakt vanwege een van hen, en nu kom je bij mij voor... waarvoor? Dat zou ik wel eens willen weten. Om straf te krijgen? Moet ik als een vrouw in een tekenfilm met mijn armen over elkaar in de deuropening gaan staan, tikkend met mijn voet en met een deegroller in mijn hand? Of je terugnemen? Op welke basis? Dat je je als een hitsige straathond gedraagt wanneer je maar wilt, en dat ik dan met de lamp voor het raam op je zit te wachten?'

Ik weet niet meer wat ik daarop heb geantwoord. Ik weet niet meer wat ik van die vrouw wilde. Dat het verleden werd uitgewist, denk ik, dat ik met een schone lei kon beginnen. Ik geloof dat ik zelfs zo diep gezonken ben dat ik een beroep deed op haar christelijke naastenliefde: dacht ze dat ik niet meer op vergeving kon hopen? Waarna zij mij erop wees dat ik heel goed wist dat er zonder berouw geen vergeving mogelijk was, en dat ik niet echt berouw had. Toen hield ze zich in en riep dat ik het weer deed, ik gaf haar weer het gevoel dat ze een preutse zondagsschoollerares was: ze moest haar man niet de les lezen over morele zaken, hij werd geacht daar alles al van te weten.

Enzovoort. Al in het begin van onze relatie had Amalie me verteld dat haar vader, toen zij dertien was, erop betrapt was een compleet tweede gezin te hebben aan de andere kant van de Mont Blanc-tunnel: een maîtresse en twee dochters, à la Mitterand, heel verfijnd en beschaafd natuurlijk, geen sprake van een scheiding, gewoon een altijd maar voortdurende hel van stille maaltijden en aparte slaapkamers. De kinderen werden naar kostscholen gestuurd. Amalie had dus een grote afschuw van ontrouw opgedaan, en daarom was ze uit het decadente Europa naar het puriteinse Amerika gevlucht: wij zijn dik en dom en hebben geen cultuur, maar misschien zijn we niet zo hypocriet wat betreft onze huwelijksbeloften. En ze trouwde met mij.

Toen veranderde ze van onderwerp. Ze stond op en liep een beetje voorovergebogen heen en weer, haar handen diep in de zakken van het kasjmieren vest dat ze vaak draagt als ze aan het werk is. Ze vertelde me dat de mannen die ik had zien vertrekken tot de Dow Jones-organisatie behoorden. Ze hadden al een tijdje over Mishkins Arbitragebrief onderhandeld en Amalie was zojuist akkoord gegaan met de verkoop daarvan voor een bedrag dat net niet genoeg was om een squadron superieure jachtvliegtuigen te kopen. Ze voegde eraan toe dat ze het huis ook ging verkopen en dat ze naar Zürich zou gaan verhuizen. Haar moeder werd een jaartje ouder en voelde zich eenzaam en depressief. Het zou haar goed doen om de kleinkinderen bij zich te hebben. Bovendien was Amalie kwaad op mijn land, ze wilde haar kinderen niet grootbrengen onder een christelijk-fascistisch regime, dat had ze nooit in gedachten gehad toen ze voor het eerst over de oceaan naar het vrije Amerika vloog. Verder wilde ze zich fulltime wijden aan charitatief werk in de armste delen van de wereld. En op dat moment gooide ik eruit: 'En ik dan?'

Het doet echt pijn als iemand van wie je hebt gehouden je medelijdend aankijkt, zoals Amalie op dat moment. Nu ik erover nadenk, had ik moeten weten dat ik de liefde nog steeds in mijn hart had, anders zou het niet zoveel pijn hebben gedaan. Zonder die liefde had ik de onverstoorbare gescheiden man van de wereld kunnen zijn, zoals je die op zondag in de parken en modieuze restaurants van Manhattan ziet: toch niet helemaal op hun gemak, gespeeld blij, veel te toegeeflijk voor hun ongelukkige kroost. Blijkbaar geneerde ze zich voor wat ze zag. Ze sloeg haar ogen neer, pakte een papieren zakdoekje uit het pak dat ze altijd in de zak van haar vest had, veegde over haar ogen, snoot haar neus. In mijn slechtheid dacht ik: ach, ze huilt, dat is een goed teken! Onwillekeurig smeekte ik haar om niet te gaan, ik zou veranderen enzovoort. Ze zei dat ze van me hield en altijd van me zou houden, en dat ze heel graag aan mijn wensen tegemoet zou komen, maar dat het niet kon; en als ik ooit besloot verder te gaan met mijn huwelijk, maar dan met volmaakte trouw, zou ze zien wat ze zou doen, en ik zei: kom, kom, ik héb dat besloten, en ze keek me onderzoekend aan zoals alleen zij dat kan en zei: o, nee, Jake, dat heb je helemaal niet besloten.

Dat was waar, want kort vóór dat moment, toen ik dacht dat ze misschien zou bezwijken, dacht ik nog steeds dat ik Miranda terug kon krijgen; misschien kon ik ons kleine misverstand ophelderen en zou ik zowel de oude als de nieuwe Amalie tot mijn beschikking kunnen hebben. Ik kan er niet tegen om nog meer te typen van dit weerzinwekkende verslag van wat er door mijn gluiperige hoofd ging. Het is ook niet van belang.

Wat deed ik nadat ze mij, terecht, de deur had gewezen? Ik ging naar de sportschool, waar Arkady me met een warme handdruk, een omhelzing en een scheve blik verwelkomde. God mag weten wat Shvanov had geregeld om me daar weer toegelaten te krijgen, maar het was duidelijk dat de ongedwongen kameraadschap tussen mij en de sportschoolhouder verleden tijd was. Blijkbaar had het nieuws zich ook onder de andere gewichtheffers verspreid, want ik werd behandeld als een besmettelijke ziekte. Ik hoefde nergens op mijn beurt te wachten! Ik trainde met gewichten tot ik bijna moest overgeven en nam toen een pijnlijk hete douche; Arkady staat bekend om de gevaarlijk hoge temperatuur van zijn douchewater (er hangen zelfs waarschuwende borden), en ik vroeg me af of je jezelf per ongeluk of opzettelijk op die manier kon doden. Toen ik zo rood was als een kreeft, draaide ik de warme kraan helemaal dicht en liet ik mezelf onder het ijskoude water lijden tot mijn tanden ervan klapperden.

Ik was me aan het aankleden toen mijn mobieltje ging. Het was mijn zus. Zonder plichtplegingen vroeg ik haar of ze wist dat Osip Shvanov onze vader kende. Zeker, zei ze. Ze kennen elkaar uit Israël. Wat is daarmee?

Ja, wat was daarmee? Het joeg me een angst aan als uit mijn kinderjaren, toen je wel eens iets voor je ouders verborgen moest houden zonder te weten waarom, alleen dat ze, als ze er toch achter kwamen, zich door hun kwaadaardigheid zouden laten leiden, of erger nog, door de onbewuste impuls een stuk van je ziel op te eisen, je in alle onschuld op te eten!

'Jake, is er iets mis?'

Eerlijk waar, ik weet echt niet wat ik had gezegd waardoor ze dat vroeg. Ik zal wel een eind weg hebben gebabbeld. Ik schrok er wel van, want Miri interesseert zich eigenlijk nooit voor wat er mis is met haar dierbaren, er is zoveel mis met háár waar ze veel liever over praat.

'Niets,' loog ik. 'Zeg, Miri, heb jij, eh, die toestand van dat manuscript waarbij ik betrokken ben geraakt met iemand besproken? Met Shvanov? Of met pa?'

'Welk manuscript?'

'Je weet wel, ik heb je erover verteld toen we die avond bij Amalie waren... Shakespeare, doodgemarteld?'

'O, dat. Ik geloof het niet, maar weet je, ik hou geen zorgvuldige, eh, transcriptie bij van alles waarover ik praat. Hoezo? Is dat een groot geheim? Nee, laat het daar niet staan! Zet het bij de piano!'

'Pardon?'

'O, ze bezorgen iets. Zeg, ik moet nu ophangen, schat, die mensen verwoesten mijn hele huiskamer. Tot kijk.'

Ze hing op en liet mij achter met de waarschijnlijkheid dat mijn zus het amusante verhaal over haar broer die de sleutel tot een fabelachtige schat had gevonden in haar grote vriendenkring had rondgebazuind, een vriendenkring waartoe nogal wat types uit het schemergebied tussen zakenwereld en onderwereld behoorden. Miri had zich nooit erg druk gemaakt om dat onderscheid. Dat betekende dat Shvanov heel goed de waarheid kon hebben gesproken: de stad zat vol met Russische gangsters die je kon inhuren, en degenen die mij hadden aangevallen hadden misschien niets met Shvanovs toeleveranciers te maken gehad. Maar misschien ook wel. Misschien was het een grote samenzwering: ze keken en wachtten tot ze konden aanvallen; en waarom was ik zo dom geweest om naar een sportschool vol misdadige Russen te gaan? Een paniekgevoel blijft niet hangen, denk ik, het is zo vluchtig als een geur, al kan het wel à la Proust terugkomen wanneer de oorspronkelijke prikkel zich opnieuw voordoet. Ik ben nu een beetje getikt en kan me dan ook vrij goed de irrationele wanhoop herinneren die bij me opkwam toen ik halfnaakt in die naar wintergroen ruikende kleedkamer zat. Ik had mijn mobiele telefoon in mijn hand en belde bijna zonder erbij na te denken naar Mickey Haas. Ik sprak een boodschap in, vroeg hem me onmiddellijk terug te bellen, en ik moet wel opgewonden hebben geklonken, want hij belde me twintig minuten later al terug, toen ik op de stoep stond te wachten tot Omar kwam voorrijden.

'Lunch?' zei ik toen hij belde.

'Is dit een lunchtelefoontje? Je klonk alsof je broek in brand stond.'

'Het is een wanhopig lunchtelefoontje. Ik word achtervolgd door Russische gangsters. Ik moet echt met iemand praten.'

'Oké. Ik had iets met mijn uitgever, maar dat kan ik afzeggen. Stuur je Omar?'

'Ik kom zelf. We gaan naar iets nieuws.' Natuurlijk zouden ze de gelegenheden in de gaten houden waar ik vaak kwam...

We gingen naar Sichuan Gardens aan 96th Street. Mickey vond dat wel grappig. Het is een schemerig verlicht restaurant op de eerste verdieping van een winkelblok en ik zat met mijn rug naar de spiegelwand, zodat ik de ingang kon zien. Om nog een beetje alerter te worden nam ik een martini.

'Nou, Lefty,' zei hij toen we hadden besteld, 'heeft Big Max een prijs op je hoofd gezet?'

'Dit is niet grappig, man,' zei ik. 'Zo zou mijn leven niet moeten zijn.'

'Nee, je leven zou uit lange saaie dagen op kantoor moeten bestaan, en werk waar je eigenlijk niet van houdt en dat tot doel heeft creativiteit nog meer tot handelswaar te maken dan het al is. En buiten kantoortijd achter de wijven aan, op zoek naar de definitieve oplossing van je romantische problemen, al heb je die jaren geleden al gevonden. En als je er ooit nog eens van overtuigd zou zijn dat je de ideale dame had gevonden, zou je meteen na de bruiloft weer achter andere wijven aan gaan. Het is een naargeestige cyclus waar pas een eind aan komt als je iemand vindt die standvastig, degelijk en op geld belust is, en die bij je blijft om je als terminaal patiënt te verzorgen en uiteindelijk alle buit binnen te halen.'

'Dank je voor je steun, Mickey,' zei ik zo ijzig als ik kon. 'Hartelijk dank.'

'Terwijl je nu,' ging hij onverstoord verder, 'het leven van een man lijdt: elke seconde vervuld van betekenis, met gevaar en opwinding. Een shakespeareaans leven, zou je kunnen zeggen; een leven Richard Bracegirdle waardig. Zou je willen dat Hamlet weer ging studeren en toetrad tot het corps? Dronken worden en feestvieren en een zes halen voor scholastiek?'

'Komt hij aan het eind van het stuk niet om het leven?'

'Ja, maar geldt dat niet voor ons allemaal? De keuze is alleen: hoe leven we in de voorafgaande vijf bedrijven? Over huiveringwekkende opwinding gesproken: ben je nog wat dichter bij het vinden van het Bracegirdle-origineel gekomen?'

'Nee, en dat ben ik ook niet van plan,' snauwde ik. Ik was eerlijk tegen Mickey en had geen behoefte aan zijn medelijden. Het kon me niet schelen of hij dacht dat ik in gevaar was, al had ik mijn vrouw, leugenachtig als ik ben, juist op die mogelijkheid gewezen. 'Ik wil niets met Bracegirdle te maken hebben, behalve dat ik ervoor wil zorgen dat die Russische gangsters, of wie er ook maar achter dat geheimschrift aan zitten, me met rust laten. En jij? Ben jij sinds de vorige keer dat ik je zag nog dieper in het raadselachtige manuscript doorgedrongen?'

'Nee, en dat ben ik ook niet van plan,' zei hij me na. 'Als je zoiets aan een wetenschapper geeft, is dat net zoiets als wanneer je een mooie foto van een heerlijk diner aan een uitgehongerde man geeft. Het water loopt hem in de mond, maar zo'n foto heeft geen voedingswaarde. Ik geloof dat ik al heb gezegd dat de tekst zonder het origineel geen enkele waarde heeft. Wat heb je aan een brief die misschien is geschreven door iemand die de man heeft bespioneerd? Ik kan op een achternamiddag een overtuigende facsimile van Shakespeares persoonlijke dagboek in elkaar knutselen en daarin antwoord geven op vragen die de geleerden al jaren bezighouden. Welke Russische gangsters?'

Nu kwam het er allemaal in één keer uit: Miranda, Amalie, Russen, het advocatenkantoor enzovoort. Mickey ging zijn kruidige rundvlees en boekweitnoedels met zijn eetstokjes te lijf en luisterde intussen aandachtig, zoals hij al jaren doet en zoals ik ook altijd naar hem luister. Toen ik aan het eind van mijn verhaal was, vroeg ik hem om zijn mening en zei ik dat hij me niet meer hoefde te vertellen dat ik in de puree zat, want dat wist ik zelf ook wel.

Hij zei: 'Ga je naar die jongen van Crosetti die het geheimschrift heeft?'

'Ja, maar ze denken dat ik kom onderhandelen om de originele brief die Bulstrode hem afhandig heeft gemaakt niet te hoeven teruggeven. Ik heb niets waarmee ik hem kan overhalen, behalve geld.'

'Dat lijkt me anders een vrij goed pressiemiddel. Wat ben je intussen van plan met je leven? Denk je dat je echt uit de advocatuur wordt gezet?'

'Misschien wel, als de erfgenaam een klacht indient. Ik zou natuurlijk schadevergoeding moeten betalen…'

'Je moet met hem gaan praten.'

'De erfgenaam? Dat kan ik niet doen!'

'Waarom niet? Je praat met hem, vertelt hem wat er gebeurd is, verkettert jezelf en smeekt om genade. Weet je wat het probleem met jullie advocaten is? Omdat jullie alles juridisch willen afhandelen, vergeten jullie soms het normale menselijke contact. Wat kan hij je doen? Zeggen dat je een klootzak bent? Dat weet je al. En misschien kom je dan ook iets te weten over je-weet-wel-wat. Misschien heeft Andrew zijn oude vriend in vertrouwen genomen. Hoe dan ook, je kunt een leuk gesprekje met hem hebben. Jij bent waarschijnlijk een van de laatsten die zijn vriend in leven hebben gezien, dus waarschijnlijk zal hij je graag ontvangen. En je kunt Andrews persoonlijke bezittingen aan hem geven. Dat zou een mooi gebaar zijn na alles wat je verkeerd hebt gedaan.'

Ja, Mickey was beslist degene die me op het idee bracht om naar Engeland te gaan om met Oliver March te gaan praten. Toen ik Mickey bij de campus afzette, wist ik nog steeds niet of ik zou gaan of niet, maar dat veranderde door gebeurtenissen die volgden. Na de lunch voelde ik me beter. Bijna elk Chinees restaurant in New York heeft een volledige vergunning, zelfs restaurants waarvan het ernaar uitziet dat ze nog niet één martini per maand verkopen. Ik nam er drie, iets wat ik nooit eerder in mijn leven bij een lunch had gedaan.

De rest van de middag is enigszins wazig. Misschien heb ik met Omar over het huwelijk gepraat, stelde ik hem vragen over moslimpraktijken op dat gebied. Was het gemakkelijker om trouw te zijn als je twee of drie vrouwen had? Ik kan me zijn antwoord niet precies herinneren. We gingen terug naar mijn appartement en ik nam weer iets te drinken, whisky, en viel daarna in slaap. Ik werd wakker van het vrolijke deuntje van mijn mobiele telefoon, waar ik bovenop lag. Ik drukte op de groene toets en toen ik 'Lul!' hoorde, wist ik dat het mijn broer was.

Blijkbaar had hij met Amalie en Miri gepraat terwijl ik had gegeten en geslapen, en had hij het hele verhaal vanuit hun beider perspectief gehoord. Hij liet me ook even weten hoe hij over mijn gedrag van de laatste tijd dacht. 'Was dat het?' zei ik toen de uitbarsting was weggestorven. 'Want ik heb over twintig minuten een afspraak in een kinderbordeel.'

Daar ging hij terecht niet op in, en hij zei dat

Wat doet het er eigenlijk toe wat hij zei? Ik was suf van de drank en van onaangename, benevelde dromen, dus ik kan het me niet precies herinneren. Ik denk dat we het over Amalie hadden, over haar verzoek aan hem om zijn gangsters terug te roepen, over haar plan om het land te verlaten. Ik ben waarschijnlijk grof tegen hem geweest, zoals ik vaak ben, want ik heb het hem nooit helemaal vergeven dat hij uiteindelijk een beter mens is geworden dan ik, terwijl ik er ook genoeg van had om van mijn familie te horen wat er allemaal fout aan mij was. Misschien heb ik hem naar onze vader gevraagd, of die in verband stond met Shvanov en diens praktijken. Hij zei dat hij het niet wist, maar het was mogelijk, als er sprake was van zwendel. Wat voor zwendel?

Dat Shakespeare-gedoe, sukkel, zei hij. Het vertoont alle kenmerken van zwendel: het geheime document, waarvan de echtheid nooit was bevestigd en dat nu verloren was gegaan, de onnoemelijk waardevolle schat, de beetgenomen Bulstrode, de valse erfgename. Dat riekte naar bedrog, en omdat het om extreem gevaarlijke gangsters ging die waren bedrogen, zou het verstandig zijn als ik me er niet meer mee zou bemoeien en zou laten weten dat ik niet meer in het spel zat. Zoiets. Heb ik hem gesmeekt om er bij Amalie op aan te dringen dat ze het land niet uit ging? Misschien wel. Zoals ik al zei: het is allemaal vaag.

Daarentegen is het gruwelijk helder wat er de rest van mijn avond is gebeurd. Mijn maag speelde op, zoals hij altijd doet wanneer ik overdag te veel drink, en dus maakte ik gepocheerde eieren, toast en thee voor mezelf klaar. Om een uur of zes liet ik me door Omar naar dat godvergeten Queens brengen, naar Ozone Park. Het was al donker toen we in een straat met deprimerende, kleine bungalows aankwamen, allemaal met voortuintjes zo groot als postzegels, met Madonna's en spiegelballen op voetstukken en om dat alles heen een hekje van gaas. Het deed me op een onaangename manier denken aan mijn ouderlijk huis in Brooklyn en aan mijn ongelukkige kindertijd. Ik was erop voorbereid dat ik een hekel aan de bewoners zou hebben.

Toen ik had aangebeld, werd er opengedaan door een magere vrouw met een Iers gezicht en een hoofd vol rossige krullen. Ze droeg een zwarte, katoenen kraagloze trui en een versleten spijkerbroek. Een mooi sproetengezicht, maar wel met het soort scherpe blauwe ogen waar je zo moeilijk tegen kunt liegen. Ik stelde me voor en we gaven elkaar een hand. Dit was Mary Crosetti, moeder van. Naar de huiskamer: oud, versleten, redelijk schoon meubilair, een middenklassehuis zoals dat waarin ik ben opgegroeid; verzorgd maar niet zo goed onderhouden als het huis van mijn moeder, geen geuren van boenwas en bleekmiddel. Wel een krachtige wijnlucht. Albert Crosetti was een weldoorvoede man met een normaal postuur, een open gezicht en grote donkere ogen die graag behoedzaam wilden zijn als ze maar wisten hoe dat moest. De zus die advocaat was, was daarentegen een van óns: intelligent, beheerst, met iets van een moordenaar in zich. Slank en aantrekkelijk, ook roodharig, lichter haar dat ze in een paardenstaart had als een schoolmeisje, minder sproeten dan ma: het soort vrouw waarop mijn charme geen uitwerking heeft. De vader van het gezin was blijkbaar politieman geweest, en hij keek op ons neer vanaf een van die afschuwelijke schilderijen die ze van foto's maken, die portretten waarop iedereen opgezet en met vinyl bespoten lijkt te zijn.

Na enige beleefdheden vertelde ik mijn verhaal, legde ik mijn bekentenis af. Ik hoorde dat ze het geheimschrift in bezit hadden maar er niet in waren geslaagd het te ontcijferen. Toen praatten we over Carolyn Rolly, de vrouw met wie Crosetti het manuscript aan Bulstrode was gaan verkopen. Rolly leek me een interessante vrouw, misschien wel een sleutelfiguur in deze affaire, en ik wilde net vragen of iemand een serieuze poging had gedaan haar te vinden, toen de gangsters binnenkwamen.

Ik heb geloof ik al gezegd dat ik geen gewelddadige man ben en dat mijn militaire ervaring grotendeels bestaat uit het verzorgen van zieken. Daarom mag uit wat ik na het binnenstormen van de gangsters deed niet worden afgeleid dat ik iets anders ben dan een doodgewone lafaard. Er was een schot gevallen op straat, al had ik het niet als zodanig herkend, en er waren nog veel meer schoten op gevolgd. Ik dacht dat het voetzoekers waren, maar de Crosetti's stonden allemaal op en de jonge Crosetti keek uit het raam. Mevrouw Crosetti pakte een draadloze telefoon en belde 911. Ik zei onzinnig: 'Wat gebeurt er?' Niemand gaf antwoord en toen brak er glas en stormden drie mensen de huiskamer in; om te begrijpen wat er nu gebeurde, moet je weten dat we ons met zijn allen in een ruimte van ongeveer drie meter breed bevonden.

Ik herkende hen als de mannen die ik voor de deur op straat had aangetroffen: de heel grote man, de man die ik als menselijke knuppel had gebruikt en de derde man. Ze hadden allemaal een pistool. Er werd geschreeuwd, al deed geen van de vrouwen dat. Ik denk dat de schurken wilden dat we gingen liggen of zoiets, maar de Crosetti's kwamen niet in beweging. Ik weet nog wel dat de knuppelman naar me toe kwam en zijn pistool omhoogbracht om me op mijn hoofd te slaan, om wraak te nemen vanwege de slechte behandeling die hij eerder van mij had gekregen, denk ik. Ik weet nog dat ik een zekere opluchting voelde, want dit betekende dat het amateurs waren.

Ik greep het neerkomende pistool, pakte met mijn andere hand zijn pols vast en trok het pistool uit zijn hand. Hij keek verrast toen ik dat deed, want in de films die hij had gezien, waarin het afpakken van een pistool een veelvoorkomend verschijnsel is, ging het nooit op deze voor de hand liggende manier. Zoals mijn broer me heeft verteld: als je iemand kwaad wilt doen en je hebt een handvuurwapen, kun je het beste op hem schieten. Daarom zitten er kogels in, zegt hij, en trouwens, een semiautomatisch pistool is een vrij kwetsbaar stuk gereedschap, niet ontworpen voor hard contact met een menselijke schedel.

Intussen was de heel grote man dichterbij gekomen en sloeg hij de telefoon uit mevrouw Crosetti's hand. Hij greep haar om haar hals vast en richtte zijn pistool op haar slaap. Hij schreeuwde iets, maar hij had zo'n zwaar accent en was zo opgewonden, dat ik er niets van verstond. De derde man was bij de deur blijven staan. Hij wees met zijn pistool in het rond en schreeuwde ook. Toen hij zag dat ik het pistool van zijn vriend had, loste hij een schot op me, maar het lichaam van diezelfde kerel zat in de weg. Ik nam een schiethouding aan, zette een stap achteruit en draaide me naar de man die mevrouw Crosetti vasthield.

Hij maakte veel kabaal, wilde dat ik mijn pistool liet vallen, anders schoot hij haar dood; en om zijn dreiging kracht bij te zetten drukte hij de loop van zijn pistool hard tegen haar hoofd. Hij was dus ook iemand die naar films keek en die nadeed wat hij op het scherm had zien doen, en die dus geen gebruikmaakte van het duidelijke voordeel van elk vuurwapen, namelijk dat je enige afstand tot je slachtoffer kunt nemen en schade kunt aanrichten terwijl het ongewapende slachtoffer niet bij je kan komen. Mevrouw Crosetti daarentegen kende het verschil tussen realiteit en fictie en duwde het pistool van de man bij haar hoofd vandaan. Het schoot zonder schade aan te kunnen aanrichten in het plafond, waarna ik de man door het bovenste deel van zijn neus schoot, op een afstand die weinig meer dan een meter kan zijn geweest.

Toen werd ik van achteren vastgegrepen door de knuppelman, en op dat moment klonk er weer een schot. De man gaf een schreeuw en zakte tegen me aan, want de derde man had per ongeluk zijn kameraad neergeschoten, die heldhaftig had geprobeerd mij van achteren vast te grijpen en zo in de vuurlijn terecht was gekomen. De gewonde man schreeuwde in een vreemde taal (waarschijnlijk Russisch) en ging op de salontafel zitten, die bezweek. Nu de gewonde man niet meer in de weg zat, schoot ik de derde man twee keer in zijn borst. Hij zakte hevig bloedend in elkaar.

Ik denk dat er zo'n vijfenveertig seconden waren verstreken sinds we dat eerste schot hoorden. Ik heb een beeld van mezelf zoals ik daar met het pistool in mijn hand stond, terwijl de gangster van wie ik het had afgepakt langzaam van de versplinterde salontafel overeind kwam. Hij stond krom, alsof hij in die korte tijd veertig jaar ouder was geworden. In mijn oren galmden de schoten nog na, maar op straat werd er nog steeds geschoten en ik vroeg me vaag af wat er aan de hand was. Ik maakte geen aanstalten om de man tegen te houden, en toen hij mijn onverschilligheid zag, draaide hij zich om en sleepte hij zich langzaam de kamer uit. Niemand probeerde hem tegen te houden.

Dat alles is bijzonder scherp in mijn geheugen gegrift en is het onderwerp van veel nachtmerries die ik daarna heb gehad: ik word zwetend wakker, verbeeld me dat ik twee mannen heb doodgeschoten, en dan dringt het tot me door dat het geen droom is, dat ik ze echt heb doodgeschoten. Het is een buitengewoon onaangename ervaring. Het is trouwens niet zo gemakkelijk om iemand met een handvuurwapen te doden, tenzij de kogel het hart of de hersenen raakt en vernietigt, of een inwendige bloeding veroorzaakt, want pistoolkogels zijn niet zo vreselijk krachtig. Een standaard 9mm patroon genereert in de loop ongeveer 0,7 kJ, en het is niet leuk als je daardoor wordt geraakt, maar niet absoluut vernietigend. Je krijgt daardoor dan van die situaties waarin de politie iemand veertig keer raakt. Politieagenten leren dat ze moeten blijven schieten tot het doelwit op de grond ligt, en soms is daar gewoon zoveel lood voor nodig. Geweerkogels zijn veel krachtiger; daarom hebben soldaten geweren. Een 30.06 patroon raakt je met 4 kJ, en inderdaad, ik vermijd het volgende deel van mijn verhaal door met al deze weetjes te komen, die ik van mijn broer heb gekregen ten tijde van zijn glorieuze militaire carrière, want het geheugen is tegelijk verschrikkelijk en vaag, net als nare dromen: je verbeeldt je dat het misschien nog erger was dan je je het herinnert, een beeld dat nader- hand wordt bevestigd doordat van tijd tot tijd een detail uit het duister op- duikt om je opnieuw te schokken, terwijl je dacht dat je het gelukkig was vergeten.

Nu, daar sta ik dus in de kruitdamp, en de kinderen Crosetti staan om hun moeder heen. Ze tillen haar op en leggen haar op de bank; ze zit he- lemaal onder het bloed en de stukjes weefsel van die kerel wiens hersenen ik zojuist uit zijn hoofd heb geschoten. Ik kijk naar het dode gezicht van de derde man: ik heb maar twee keer op hem geschoten, maar blijkbaar had ik geluk, want hij is morsdood, de ogen halfopen, het gezicht wit en slap. De plas bloed is enorm, zo groot als een kleine trampoline. Het is een kerel die er goed uitzag, achter in de twintig. Maar ik hoef niet zo no- dig naar hem te kijken, en ook niet naar de man wiens hersenen over me- vrouw Crosetti's bijzettafeltje verspreid liggen. En dus loop ik naar het raam, trek de zonwering opzij en zie dat er op straat een vuurgevecht aan de gang is. De deelnemers zijn een man uit de zwarte suv, een man die over de motorkap van een Cadillac-lijkwagen schiet en die ik nooit eer- der heb gezien, en Omar, die van achter de Lincoln aan het schieten is. Eigenlijk kan het me allemaal niets schelen, het lijkt allemaal zo ver weg, en nu zie ik dat mijn knieën zo erg beven dat ik me letterlijk niet meer staande kan houden. Daarom laat ik me in een luie stoel vallen. Ik hoor sirenes, al zijn ze eerst nog moeilijk te onderscheiden van het galmen in mijn oren. Er volgt nu een overgang die ik me niet goed kan herinneren, al is het mogelijk dat mevrouw Crosetti me vroeg hoe het met me ging.

Toen stond de kamer opeens vol met schreeuwende politiemannen, het soort met machinepistolen, helmen en zwarte uniformen die wel wat lijken op wat mijn opa droeg. (Waarom is de Amerikaanse politie zich gaan kleden als de ss, en waarom heeft niemand daar bezwaar tegen ge- maakt? Of de helmen in nazistijl die onze troepen tegenwoordig dragen? Waar zijn de semiotici als we ze nodig hebben? Allemaal druk bezig met zeuren over Shakespeare, denk ik.) Veel van die machinepistolen waren nu op mij gericht. Ik besefte dat ik het pistool op mijn schoot had liggen, zoals een dame haar tasje tijdens de opera.

Ik moest op de vloer gaan liggen en werd geboeid, maar ik werd niet gearresteerd, want de leider van de invasie was een collega van wijlen in- specteur Crosetti geweest en was dus geneigd te luisteren naar mevrouw Crosetti, of Mary Peg, zoals ik haar daarna op haar verzoek noemde. Blijkbaar zijn we nu allemaal vriendjes. De jonge mevrouw Crosetti

– Donna – heeft zichzelf tot verdedigster van zowel mij als Omar be-
noemd, en ook van een lijkwagenchauffeur die Klim heet en die tevens
een Poolse cryptograaf is die aan ons geheimschrift heeft gewerkt, zoals
ik later hoorde. Er arriveerden ook ziekenbroeders en die verklaarden
mijn slachtoffers dood en voerden hen af, met achterlating van een werkelijk buitengewone hoeveelheid stollend bloed. De politie nam ter plaat-
se verklaringen af. Alle deelnemers gingen afzonderlijk naar de keuken en
spraken met twee rechercheurs, wier naam ik ben vergeten, zoals ik ook
ben vergeten wat ik hun heb verteld. Blijkbaar wilden ze wel geloven dat
ik uit zelfverdediging had gehandeld; ik kreeg de indruk dat Mary Peg
veel gezag had bij de politie van New York. De enigen die werden gearresteerd, waren de bestuurder van de suv en de gewonde gangster, die werd
opgepikt toen hij enkele straten verderop door de buurt liep.

Uiteindelijk ging de politie weg. Ze hadden twee zondebokken die ze
de schuld van de schietpartij konden geven, en ze zagen geen kans nog
meer mensen te arresteren zonder de weduwe en de zoon van een heldhaftige politieman erbij te betrekken. Mary Peg keek naar de ravage in
haar huiskamer en jammerde, en ik jammerde heel onelegant met haar
mee. Klim sloeg zijn armen om haar heen en sprak zachtjes in haar oor,
en Omar deed hetzelfde bij mij. Achteraf is het verhaal van het vuurgevecht op straat wel duidelijk. Omar zat in de Lincoln te wachten toen de
suv aan kwam rijden en de drie gewapende mannen eruit sprongen en
het huis in renden. Omar pakte zijn pistool en ging achter hen aan, maar
de bestuurder schoot op hem en Omar dook weg achter onze auto en
schoot terug. Toen kwam de lijkwagen aanrijden en mengde Klim zich in
de strijd. Opmerkelijk genoeg raakten ze geen van drieën gewond, waaruit maar weer eens blijkt hoe weinig je aan een handvuurwapen hebt als
je een serieuze slachtpartij wilt aanrichten, of er moet al toeval in het spel
zijn of de afstand tot een ongewapend slachtoffer moet extreem klein
zijn.

Later werden er pizza's besteld. We zaten met zijn allen om de keukentafel en aten ze op, dronken rode wijn en wensten elkaar geluk met het feit
dat we nog leefden. Donna Crosetti ging weg, nadat ze haar cliënten had
aangeraden niet met de politie te praten, en Mary Peg en Albert Crosetti
konden zich zo langzamerhand enigszins ontspannen. Ze hielden zich
niet meer zo in; niet wat praten en niet wat drinken betrof. We dronken
koffie met royale scheuten Jameson-whisky. De gebeurtenissen van die
avond raakten een beetje op de achtergrond, en ik barstte nog maar één
keer in tranen uit, al kon ik gelukkig wegglippen naar de wc voordat de
bui begon. Posttraumatische stress is de hedendaagse term voor wat je
voelt als je een medemens hebt gedood, en dan maakt het niet uit of het

gerechtvaardigd was of niet, al lijkt moord de nationale sport van vele naties op de wereld en schijnen duizenden en duizenden mensen het zonder scrupules of wroeging te kunnen doen. Waarschijnlijk zal ik er zelf nooit helemaal van herstellen.

Eigenlijk is dat niet waar. Je dénkt dat je nooit herstelt, maar je herstelt wel degelijk, ik althans. Misschien zit er meer van mijn grootvader in mij dan ik dacht. Paul is blijkbaar hersteld van een veel uitgebreidere carrière als moordenaar, al zegt hij dat hij elke dag bidt voor de zielen van de mensen die hij in Azië heeft gedood. Ik weet echt niet wat dat betekent, 'bidden voor de zielen'.

Hoe dan ook, ik kwam terug van de plee en niemand zei iets over mijn rode ogen. Klim voerde een gesprek met de jonge Crosetti dat ik bijzonder interessant vond. De Pool was van mening dat we het geweld, dat nu blijkbaar aan het escaleren was, alleen konden keren door de sporen van Bulstrode terug te volgen en te vinden wat hij had gevonden – áls hij iets had gevonden – en dat dan te pakken te krijgen. Als we het Ding eenmaal in handen hadden en in de openbaarheid hadden gebracht, zou niemand nog gewelddaden hoeven te plegen. Als er daarentegen Niets was, zouden we de schurken daarvan moeten overtuigen, en dat was een iets moeilijkere maar niet onmogelijke taak. Het was vooral belangrijk dat we het tempo opvoerden. We moesten niet defensief reageren, maar zelf het initiatief nemen. Als in het schaakspel.

Crosetti zei nee, het was juist zaak dat ze er níét dieper bij betrokken raakten, dat ze dicht bij huis bleven. Als ze de papieren wilden hebben, konden ze ze krijgen. Hij wilde niets meer met de hele zaak te maken hebben. Ik had medelijden met die jongen. Ik voelde met hem mee: ik wilde ook dat niets van dit alles was gebeurd. Maar ik vond ook dat Klim gelijk had. Zolang iemand zonder moraal, iemand die over gewapende mannen beschikte, dacht dat wij de sleutel vormden tot een Voorwerp dat misschien wel honderd miljoen dollar waard was, was niemand van ons veilig. Klim dacht dat hij Mary Peg voor een korte tijd goed genoeg kon beschermen, en de politie kon een oogje houden op de rest van de Crosetti's, althans een tijdje, en tegelijk allerlei Russische gangsterbendes onder druk zetten. Toch was dat alleen maar een tijdelijke oplossing, zoals hij uitlegde. Het verhaal van de schat zou zich door de onderwereld verspreiden en binnen de kortste keren zou een andere schurk een poging wagen.

Ten slotte zei Crosetti: 'Oké, laten we zeggen dat ik akkoord ga. Wat moet ik doen? Eindeloos door Engeland ronddwalen? Hoe kom ik dan aan geld?'

'Je hebt toch spaargeld?' vroeg Mary Peg.

'O, ja! Ik heb me uit de naad gewerkt voor dat geld. Het is voor mijn opleiding en ik verdom het om het te verkwanselen aan een of ander idioot idee.'

'Ik kan een deel van mijn pensioen laten uitkeren,' stelde ze voor.

'Wat, en dan met minder pensioen verdergaan? Dat is krankzinnig! Je kunt nu al bijna niet rondkomen.'

'Geld is geen probleem,' zei ik, en ze keken me allemaal aan alsof ik had gezegd dat de aarde plat was. 'Nee, serieus,' zei ik. 'Ik ben rijk. En het zal me een genoegen zijn Albert als mijn gast mee te nemen naar Engeland.'

DE ZESDE BRIEF IN GEHEIMSCHRIFT (FRAGMENT 1)

waarom zou ik enige gunst van u ontvangen? Want ik heb tegen mijn Koning gehandeld doch ik zweer mijn Heer op enig ding dat ge zult noemen dat ik het niet wist en werd verraden en verrader werd gemaakt door de listen van mijn Heer Dunbarton gelijk ik heb gezeid.

Nu zal ik verhalen hoe ik zelve werd verraden & lever mij aldus uit aan de genade van uwe edele. Het was des winters nu enige dagen na Maria-Lichtmis me dunkt toen ik Heer Piggott zag lopende door Fenchurch Street. Ik maakte mij op hem te begroeten doch hij gaf te kennen niet wensende & liep verder. Doch ik liet mij niet aldus afschepen want ik had vele weken geen tijding ontvangen van mijn Heer D. of Heer Piggott en het kwelde mij dat zij mij aldus beledigden ik hebbende veel moeite gedaan voor hun complotten. Ik volgde hem en hij begaf zich naar de rivier bij St. Clements Lane en betrad een herberg geheten The Lamb, een laag vuil duister hol & ik vond een veegjongen en gaf hem een shilling en vroeg hem naar binnen te gaan en zich bier en vlees te kopen en dicht bij Heer Piggott te zitten, die ik hem beschreef zo goed als ik kon en buiten te komen & te zeggen hetgeen hij had gehoord en welke de man hij bij was indien iemand & indien hij dit goed deed hij zoude nogmaals een shilling krijgen.

Alzo ik wacht in de schaduw van het pand & na enige tijd komt de jongen en zegt mij mijn man ontmoette Harry Crabbe en John Simpson & zij spraken zacht doch hij hoorde geld werd overgegeven in een beurs. Wij wachten in schaduw & spoedig komt Heer Piggott buiten & weldra komen twee ongunstige lieden, een met afgesneden neus & droeg een leren in plaats van dezulke & de ander een beer gelijk, zwart van tronie maar protserig gekleed met een lange gele pluim op de hoed. De jongen wees nu, zeggende dat zijn de mannen die hij ontmoette. En wat voor mannen zijn het, vroeg ik hem, en hij zeide,

Crabbe (die met de valse neus) is goed genaamd want hij houdt zo-
zeer van de krabben dat hij mensen aan ze voert & die Simpson is
hieromtrent genaamd Johannes de Doper, dewijl hij in het water der
Theems doopt & beter dan een bisschop eveneens, want degenen die
hij doopt zondigen nimmer meer in deze wereld; waarmee hij zeide
hij verdronk hen. Zeide ik: hebt ge niets van hun complotten gehoord?
Hij zeide: ja, ik hoorde de speler moet sterven & Simpson zei tien en-
gelen maken slechts één engel & ge moet tien meer geven als ge wilt
gindse jongen Richard in de rivier bij hem & uw man beaamde zulks
maar nors en geeft meer & moge u mijn meester zo gul zijn als hij.
Alzo ik betaalde hem en verliet die straat met grote vrees & wetende
niet waar hulp te zoeken.

Mijn hart aldus in verwarring verkerende begaf ik mij over de rivier
naar de Globe & aldaar aan het werk, maar zeer melancholiek & an-
deren van het gezelschap zagen dat & aangezien nergens meer roddel
dan in een gezelschap van toneelspelers werd ik het doelwit van vele
plagerijen, een zeide hij is verliefd, een ander zeide nee, hij heeft ver-
nomen hij heeft de pokken, een derde nee, hij heeft al verloren met
kaarten & zal zijn mantel & hanger bij de Joden verpanden: tot ik
een kruk naar Saml. Gilbourne wierp, en spoedig daarna waren
Thos. Pope & ik nagenoeg met dolken stekende, totdat Heer Burbadge
en anderen ons verzochten op te houden uit vrees voor onderdompe-
ling, doch wij wilden niet & werden voor ons eigen bestwil in de ri-
vier geworpen.

Toen hadden wij die middag de tragedie van Hamlet & ik zoude een
dienaar des konings spelen & met hen allen opkomen in Actus Pri-
mus, scena ii, doch kijkende naar de toeschouwers op de penny-plaat-
sen mijn hart stopte nagenoeg in mijn borst want daar vooraan ont-
waardde ik die twee schurken uit de Lamb & ik zweer ik bewoog gelijk
een geverfde pop op een bord & miste mijn claus tot Harry Cordell
mij in de ribben porde.

16

Crosetti twijfelde aan het nut van de reis die ze maakten, maar daar stond tegenover dat hij ervan genoot in een privéjet te vliegen. Het was voor hem natuurlijk de eerste keer en hij kende ook niemand die het had gedaan. Het beviel hem uitstekend. Blijkbaar reisde Mishkin nooit op een andere manier. Een kaart van zijn firma gaf hem recht op een aantal vlieguren met een privéjet, en als je maar genoeg mensen in zo'n toestel stopte, zoals ze nu deden, was het maar een beetje duurder dan first class, tenminste, als je een paar duizend dollar per persoon een beetje noemde, zoals Mishkin deed. Hij had het Crosetti uitgelegd toen ze naar Teterboro reden. Blijkbaar wilde hij hem laten geloven dat hij een gewone jongen was en niet een ongelooflijk rijke man. Zeker, hij had een inkomen van meer dan een miljoen, maar niet zoveel meer. Hij koos vooral voor privéjets omdat hij eigenlijk niet gebouwd was voor lijntoestellen. Hij zou het anders geen enkel probleem hebben gevonden om in de rij te staan en samen met zijn medeburgers zijn schoenen uit te trekken. Crosetti wist niet waarom Mishkin hem dat alles wilde wijsmaken, maar hij had diezelfde houding meegemaakt bij een paar mensen die hij via zijn filmcontacten had ontmoet; kerels die scenario's hadden verkocht voor bedragen met zes of zeven cijfers voor de komma en hun uiterste best deden om te laten zien dat ze nog doodgewone mensen waren, net als ieder ander: ik heb die Carrera alleen gekocht omdat ik een slechte rug heb, hij heeft orthopedisch gezien de beste stoelen…

Het vliegtuig was een Gulfstream 100. Het was bestemd voor acht passagiers, en tot enige verbazing van Crosetti zaten er zes in: behalve hij en Mishkin waren er mevrouw Mishkin, de twee Mishkin Munchkins (een frase die bij Crosetti opkwam toen ze in de terminal aankwamen en die bleef plakken als kauwgom onder een theaterstoel) en een man die zo sterk op Rutger Hauer leek dat het een beetje angstaanjagend was en die Paul, de broer van de gastheer, bleek te zijn. Blijkbaar zouden vrouw en kinderen na hun tussenstop in Londen doorgaan naar Zürich, maar zou de broer aan de Bulstrode-missie deelnemen.

Crosetti vond dat een beetje vreemd, maar intussen had hij het gevoel gekregen dat er een steekje los zat aan Jake Mishkin. Toen ze bijvoorbeeld in de lounge zaten die op Teterboro aan passagiers van privéjets ter beschikking werd gesteld, arriveerde daar een man die blijkbaar een van die mensen was waarvan zakelijke imperia geheel en al afhankelijk zijn, want het bleek dat hij geen moment het contact mocht verliezen. Uit zijn managementstijl – luidruchtig, bijna schreeuwerig, met veel schuttingtaal – bleek duidelijk dat zijn ondergeschikten een lui en recalcitrant stelletje waren. Zijn gesprekspartners kregen herhaaldelijk opdracht hun bek te houden, te luisteren, en tegen andere stomme klootzakken te zeggen dat ze konden doodvallen. Mevrouw Mishkin stoorde zich duidelijk aan de man, evenals de anderen in de lounge. Ten slotte beëindigde de lomperik zijn gesprek met het bevel: 'Zeg tegen die lamzak dat hij me meteen moet bellen! Direct!' Hij staarde bijna een minuut naar het toestelletje, onder mompelend gevloek, en toen ging het ding weer over met het *Walküren*-thema van Wagner en hervatte hij zijn tirade tegen de nieuwe lamzak, waarop Mishkin opstond, naar de man liep en boven hem uittorende als de Jungfrau boven Stechelberg. Hij zei iets op gedempte toon en kreeg als antwoord 'Rot op!', waarop hij het telefoontje uit de hand van de man plukte, het in tweeën brak en in een afvalbak gooide. Er ging een licht applaus op onder de andere wachtende passagiers. Mishkin liep naar hen terug, en na een verbijsterd ogenblik liep het hufterige heerschap met grote stappen de lounge uit, misschien om een ander telefoontje of een politieagent te halen, maar dat zouden ze nooit weten, want op dat moment kwam een slanke jonge vrouw in een geelbruin uniform de lounge binnen om tegen Mishkin te zeggen dat ze aan boord konden gaan.

Crosetti was de laatste die het vliegtuig binnenging en nam plaats op de overgebleven stoel, waarvan het leer zo soepel was als meisjes, en comfortabel genoeg om op zichzelf al een doodzonde genoemd te mogen worden. De stewardess vroeg hem of hij iets wilde drinken, en natuurlijk vroeg hij om champagne en kreeg hij het ook: een halfje Krug, perfect gekoeld, en een kristallen fluitglas om het uit te drinken, met daarnaast een mandje kleine crackers en een aardewerken bakje met zachte kaas. De man aan de andere kant van het gangpad nam een glas bier, maar hij had ook zo'n mandje. Dat was de broer. Crosetti keek zijdelings naar hem, terwijl het vliegtuig over de baan taxiede. De man droeg een donkere trui, een blauwe spijkerbroek en goedkope sportschoenen. Het arme familielid? Hij las de *New York Times* van die ochtend, of eigenlijk keek hij hem alleen maar vluchtig door, alsof het nieuws hem verveelde of alsof hij al wist wat er in die krant stond. Crosetti kende dat gevoel; zo las hij zelf ook de krant, behalve wat betreft de filmrecensies. Hij vroeg zich af of de man acteur was. Hij zag er best wel angstaanjagend uit, en hij verbaasde zich ook over de genetica die deze man en Mishkin in dezelfde worp had voortgebracht.

Plotseling sloeg de man de krant dicht, vouwde hem op en stopte hem in het vakje aan de stoel voor hem. Hij keek Crosetti aan en zei: 'Ik kan in het nieuws de waarheid niet meer van verzinsels onderscheiden, met uitzondering van de sportuitslagen. Ik weet niet waarom ik nog een krant inkijk. Ik word er alleen maar kwaad van en kan die woede niet op een redelijke manier uiten.'

'U kunt de krant in flarden scheuren en daarop stampen.'

De man glimlachte. 'Dat kan, maar het lijkt me eerder iets wat mijn broer zou doen.'

'Hij is wat opvliegend. Dat van dat mobieltje?'

'Ja, en hij heeft twee mensen doodgeschoten. Maar het gekke is dat hij níét opvliegend is. Ik ken niemand die milder en verdraagzamer is dan hij. Ik ben in de familie juist degene die opvliegend is.'

'Het is dat u het zegt.'

'Ja, maar hij is niet zichzelf,' zei de broer. 'Geweld heeft soms die uitwerking. Ik heb het in het leger ook veel meegemaakt. Mensen bouwen een persoonlijkheid op, een masker, en dan gaan ze geloven dat ze dat echt zijn, tot in de kern, en als er dan dingen gebeuren die ze niet hadden verwacht, valt die aangeleerde persoonlijkheid weg en staat hun gevoelige, zachte binnenkant bloot aan de elementen.'

'Posttraumatische stress?'

De man maakte een laatdunkend gebaar. 'Als je psychologentaal wilt gebruiken. Het komt onze beschaving wel goed uit om een heleboel symptomen die niets met elkaar te maken hebben en die bij totaal verschillende soorten mensen voorkomen en het gevolg zijn van totaal verschillende gebeurtenissen allemaal in één doos te stoppen met dat etiket erop. Dat is ongeveer zo nuttig en intellectueel steekhoudend als postzegels verzamelen. Mijn broer leidde een strak beheerst bestaan dat weliswaar enorm succesvol was, maar dat hem door een verslaving ook afzonderde van het leven zelf. Hij leefde een leugen, zoals ze wel eens zeggen, en zulke levens zijn kwetsbaar. Er zit niet veel veerkracht in.'

'Waaraan is hij verslaafd?'

'Hé, jij bent nieuwsgierig.' Dat zei hij niet onvriendelijk, en Crosetti grijnsde.

'Ik verklaar me schuldig. Het is een slechte gewoonte. Ik voer tot mijn verontschuldiging aan dat ik de diepte van de menselijke ziel wil doorgronden ten behoeve van mijn werk.'

'O, ja, je bent scenarioschrijver. Jake zei daar iets over. Leer dan eerst je eigen diepten kennen. Wat vind je van Tarantino?'

'Geen kenner van diepten,' zei Crosetti, en hij imiteerde het laatdunkende gebaar van de andere man. 'Wat doet u in Europa?'

'Familiezaken.'

'In verband met dit alles? Ik bedoel de jacht op de papieren, het geheime manuscript…?'

'Indirect.'

'Uh-huh. U bent ook advocaat?'

'Nee, dat ben ik niet.'

'Weet u, als u niets wilt vertellen kunt u beter geen raadselachtige opmerkingen maken maar een fictieve en saaie persoonlijkheid verzinnen. James Bond zei altijd dat hij een gepensioneerde ambtenaar was en meestal was het gesprek dan meteen afgelopen. Een kleine tip uit de wereld van de film.'

'Oké. Ik ben jezuïetenpriester.'

'Dat is goed genoeg wat mij betreft. Ik denk dat we vertrekken. We hebben niet eens een veiligheidsdemonstratie gehad. Kan het ze niet schelen of kan niemand zich voorstellen dat de heersende klasse een ongeluk krijgt?'

'Het laatste, denk ik,' zei Paul. 'Het is moeilijk om rijk te blijven zonder een defect in het invoelingsvermogen op te lopen.'

Crosetti was nog nooit zo snel opgestegen. De motoren ronkten even, de cabine hing achterover als een leunstoel en het leek wel of ze binnen enkele seconden boven de wolken waren.

Toen ze weer horizontaal vlogen zei Crosetti: 'Ik neem aan dat u het hele verhaal tot nu toe kent. Ik bedoel over de brief van Bracegirdle en het geheimschrift en zo.'

'Nou, ik heb de brief gelezen en Jake heeft me iets verteld van wat jullie over het geheimschrift te weten zijn gekomen.'

'Wat vindt u ervan?'

'Van onze kans om het te ontcijferen en een verdwenen toneelstuk te vinden? Verwaarloosbaar. Volgens jou zouden we het rooster nodig hebben, en hoe groot is nou de kans dat een stuk geperforeerd papier bijna vierhonderd jaar blijft bestaan? En hoe zouden we het herkennen? En zonder geheimschrift geen toneelstuk, dat lijkt me wel duidelijk.'

'Waarom bent u hier dan?'

'Ik ben hier omdat toen die brief was opgedoken, mijn broer me voor het eerst in zijn hele leven om hulp vroeg. Twee keer. Ik wil dat aanmoedigen. Jake heeft veel hulp nodig. En ik sta bij hem in het krijt. Hij is erg goed voor me geweest toen ik in de gevangenis zat en in de tijd daarna, al had hij alleen maar minachting voor me. Dat was echte barmhartigheid, en ik wil iets voor hem terugdoen als ik dat kan.'

'Waarom zat u in de gevangenis?' vroeg Crosetti. Maar de andere man grijnsde, liet een kort, laag lachje horen, schudde zijn hoofd, haalde een dikke pocket uit zijn tas en zette zijn leesbril op. Nieuwsgierig keek Crosetti naar de titel: *Bestaat God?* van Hans Küng, wat Crosetti een nogal vreemde keuze vond voor een boek dat je in een vliegtuig las, maar wat wist hij van de man? Hij haalde zijn laptop uit zijn aktetas, zette hem op de stevige tafel en deed hem aan. Tot zijn verbazing lichtte het internet-icoontje op, maar natuurlijk zou het soort mensen dat met privéjets vloog ook in de lucht niet zonder internet kunnen. Mobiele telefoons werkten waarschijnlijk ook. Hij zette de koptelefoon op en schoof *Electric Shadows* in de drive. O, natuurlijk, de stoel had ook netvoeding. God verhoede dat de rijken ooit van laptopaccu's afhankelijk zouden zijn! Hij keek kritisch en ontevreden naar de film, zoals altijd wanneer hij een debuutfilm zag van iemand van zijn eigen generatie. En een vrouw nog wel. Een Chinése vrouw. Xiao Jiang was vrij goed, en hij deed zijn best om dat te waarderen en geen lelijke gedachten te hebben over wat ze had gedaan om de kans te krijgen. Het was *Cinema Paradiso* tegen de achtergrond van de Culturele Revolutie, en de film wilde blijkbaar laten zien dat slechte kunst en staatscontrole nooit konden verhinderen dat films glamour hadden. De film versprong steeds dertig jaar in de tijd, en dat was goed gedaan. Bovendien bezat hij de typische esthetische gratie van alle Chinese films. De plot en de emoties die door de cast werden opgewekt waren soapachtig, vond hij. In gedachten schreef hij de recensie: een goed debuut van een getalenteerde regisseur, maar natuurlijk niet te vergelijken met Albert Crosetti, die nóóit de kans zou krijgen om een film te schrijven en te regisseren…

Toen de film was afgelopen riep hij Final Cut op, een tekstverwerkingsprogramma om scenario's te schrijven, en begon hij aan een nieuw scenario. Het had een titel nodig. Hij typte *Carolyn Rolly* in en dacht aan films die naar vrouwen waren genoemd: *Stella Dallas. Mildred Pierce. Erin Brockovich. Annie Hall.* Ja, maar… Hij wiste het en typte *De boekbindster*, een origineel scenario van A.P. Crosetti. A. Patrick Crosetti. Albert P. Crosetti.

Crosetti was meestal een langzame schrijver, iemand die veel uitwiste, een telganger, een talmer, maar nu schreef het verhaal zichzelf, zoals de domme uitdrukking luidt. Hij had bijna het hele eerste bedrijf af, van de brand in de boekwinkel tot en met de eerste avond in het zolderappartement van de boekbindster en de ontdekking van het manuscript, inclusief de eerste flashback, een korte scène uit Carolyns kindertijd en de verschrikkingen daarvan. Hij las het door en vond het goed, verdacht goed, beter dan alles wat hij eerder had gemaakt, diep en duister en Europees, maar met een hoger tempo dan de meeste serieuze Europese films. Hij keek op zijn horloge: er waren bijna twee uren verstreken. Buiten werd het donker; het vliegtuig vloog over een dicht veld van poolwolken. Hij rekte zich uit, gaapte, sloeg zijn werk op en ging naar het toilet. Toen hij terugkwam trof hij Mishkin op zijn plaats aan. Zo te zien was de advocaat in een druk gesprek verwikkeld met zijn broer.

'Kun je ons even alleen laten?' vroeg Mishkin.

'Het is jouw vliegtuig, baas,' zei Crosetti. Hij pakte zijn laptop en liep naar voren om op de stoel te gaan zitten waar Mishkin had gezeten, met aan de andere kant van het gangpad mevrouw Mishkin of ex-mevrouw Mishkin; hij wist nog niet precies hoe die relatie in elkaar zat. Hij kwam langs de twee kinderen en zag onwillekeurig dat ze allebei van de nieuwste Apple PowerBook waren voorzien. Crosetti had nooit echt rijke kinderen gekend en vroeg zich af wat voor leven ze leidden, of ze straal verwend waren en of ze deden alsof ze minder rijk waren dan in werkelijkheid het geval was, zoals hun pappie deed. Misschien waren ze zozeer gewend aan het rijke leven dat het ze geen moer meer kon schelen. Het meisje keek naar een muziekvideo: rappers die een droom van seks en geweld uitbeeldden. De jongen schoot op monsters in Warcraft. Crosetti ging op Mishkins plaats zitten, bij de vrouw of ex-vrouw, die blijkbaar sliep, met haar gezicht tegen het raam gedrukt. Er was niets van haar te zien, alleen de curve van een blond hoofd en een witte hals die uit een grijs truitje kwam. Hij zette zijn laptop neer en stortte zich weer in het fictieve universum.

De stewardess kwam langs, bracht hem nog een glas ijskoude champagne en legde een menu op zijn tafel. Blijkbaar kon je kiezen uit filet mignon cordon bleu, koude Schotse zalm of een chili dog. Crosetti koos voor de filet en zat weer te typen toen hij zich bewust werd van een bijzonder geluid, als dat van een klein blaffend hondje, nee het was hoesten – een soort onderdrukt, schel gepiep. Eerst dacht hij dat het uit de computer van een van de kinderen kwam, maar toen hij naar mevrouw Mishkin keek, zag hij dat de geluiden synchroon liepen met een schokkende beweging van haar schouder en hoofd. Ze huilde.

Hij zei: 'Pardon, gaat het wel goed met u?'

Ze maakte een handgebaar dat 'geef me even de tijd' of 'bemoei je met je eigen zaken' kon betekenen en snoot toen haar neus met een verrassend hard toetergeluid in een prop papieren zakdoekjes. Ze draaide zich naar hem om en zijn eerste gedachte was 'buitenlandse'. Crosetti had altijd gedacht dat er iets vaags aan Amerikaanse gezichten was als hij ze vergeleek met gezichten van mensen die hij in films uit andere landen zag, en dit was een voorbeeld van dat verschil. Mishkins vrouw had het interessant geconstrueerde Noord-Europese gezicht dat ervoor gemaakt leek te zijn om te stralen in zwart-wit cinematografie. Het effect werd een beetje bedorven doordat het puntje van haar neus en de randen van haar ogen rood waren, maar hij zat onwillekeurig gefascineerd naar haar te kijken. Ook dit wees erop dat hij zijn echte leven achter zich had gelaten en in een draaiboek terecht was gekomen. Ze zag hem kijken en haar hand vloog naar haar gezicht en haar haar, het eeuwige gebaar van de vrouw die op ontreddering is betrapt.

'O mijn god, ik moet er wel afschuwelijk uitzien,' zei ze.

'Nee, u ziet er goed uit. Kan ik iets doen? Ik wil niet nieuwsgierig zijn, maar…'

'Nee, er is niets aan de hand. Het leven is gewoon zo stom dat je soms moet huilen.'

Ze had ook het juiste accent. Over een paar seconden zou Bergman of Fassbinder de cockpit uit komen en de belichting aanpassen. Wat was zijn volgende tekst? Hij zocht naar iets wat wereldmoe en existentieel genoeg was.

'Of champagne drinken,' zei hij, en hij hief zijn glas. 'We kunnen ons verdriet verdrinken.'

Ze beloonde die kleine kwinkslag met een glimlach, een van de mooiste glimlachen die hij tot dan toe in zijn leven had gezien, zowel op als buiten het scherm. 'Ja,' zei ze, 'laten we champagne drinken. Daarmee kunnen we de kleine problemen van de rijken verdrijven.'

De stewardess bracht meteen een gekoelde fles, en ze dronken iets samen.

'Jij bent de schrijver,' zei ze na het eerste glas, 'die dat verschrikkelijke manuscript ontdekte dat al onze levens heeft verstoord. En toch ga je zelf gewoon door met schrijven. Ik hoor je klik-klik-klikken. Sorry, ik ben je naam vergeten…'

Crosetti noemde zijn naam en kreeg op zijn beurt het verzoek haar Amalie te noemen. 'Wat schrijf je?'

'Een scenario.'

'Ja? En waar gaat dat scenario over?'

De champagne gaf hem moed. 'Dat vertel ik je als jij me vertelt waarom je huilde.'

Ze keek hem een hele tijd aan, zo lang dat hij het gevoel kreeg dat ze zich beledigd voelde, maar toen zei ze: 'Lijkt dat je een eerlijke ruil? Waarheid tegen fictie?'

'Fictie ís waarheid. Als de fictie goed is.'

Ze zweeg weer en knikte toen snel. 'Ja, dat kan ik begrijpen. Goed. Waarom ik huil? Omdat ik van mijn man houd en hij van mij, maar hij lijdt aan de aandoening dat hij met andere vrouwen naar bed moet gaan. Er zijn veel vrouwen die dat zouden accepteren, die zelf ook verhoudingen hebben en het huwelijk als een sociale regeling in stand houden. In sommige kringen heet dat beschaving. Half Italië en Latijns-Amerika leeft op die manier, denk ik. Maar ik kan het niet. Ik ben een moralist. Ik geloof dat het huwelijk heilig is. Ik wil dat ik de enige ben en dat hij de enige is. Anders kan ik niet leven. Vertel eens, ben jij gelovig?'

'Nou, ik ben katholiek opgevoed...'

'Dat vraag ik niet.'

'Je bedoelt, écht gelovig? Dan moet ik nee zeggen. Mijn móéder is gelovig en ik kan het verschil zien.'

'Maar je gelooft in... waarin? Films?'

'Ik denk het. Ik geloof in kunst. Ik denk dat als er zoiets als de Heilige Geest bestaat, hij zich in grote kunstwerken manifesteert, en ja, daar zijn ook films bij. Ik geloof ook in liefde. Waarschijnlijk zit ik wat dat betreft dichter bij jou dan bij je man.'

'Dat denk ik ook. Mijn man kan nergens in geloven. Nee, zo is het niet. Hij gelooft dat ik een heilige ben en dat zijn vader de duivel in eigen persoon is. Maar ik ben geen heilige, en zijn vader is geen duivel, en toch gelooft hij het, omdat hij dan niet hoeft te denken dat hij mij kwaad doet – ze is een heilige, dus natuurlijk is ze boven zulke jaloezie verheven, nietwaar? En hij hoeft zijn vader niet te vergeven – wat het ook moge zijn dat zijn vader hem heeft aangedaan, want hij heeft dat nooit verteld. Hij is een goede, aardige man, Jake, maar hij wenst dat de wereld anders is dan die waarin we leven. Dus daarom huil ik. Nou, waar gaat je film over?'

Crosetti vertelde het haar. Hij sprak niet alleen over het scenario zelf, maar ook over de grondslag ervan in het echte leven, Carolyn en hun meelijwekkend korte contact, en over zijn eigen leven en wat hij daarmee wilde doen. Ze luisterde aandachtig en bijna stil, heel anders dan zijn moeder, die altijd boordevol onzinnige ideeën zat en het geen enkel punt vond om ze met anderen te delen. Toen hij klaar was, zei Amalie met onverholen bewondering: 'En dat heb je allemaal zelf uitgedacht. Ik verbaas me daarover, want ik bezit geen enkele creativiteit, behalve wat betreft kinderen voortbrengen, en kleine dingen als decoraties maken en eten koken. En een heleboel geld verdienen. Is dat creativiteit? Ik denk van niet.'

'Het is in elk geval nuttig,' zei Crosetti, die niets van dat talent bezat.

'Misschien wel, maar uiteindelijk is het geen kunst maar handigheid, net als lood gieten. En je hebt altijd het knagende gevoel dat het onverdiend is. En dat is het ook. Daarom is het voor de rijken zo moeilijk om in de hemel te komen.'

Op dat moment kwam de stewardess achter haar gordijn vandaan en diende ze de maaltijden op. Amalie gaf haar kinderen opdracht hun koptelefoon af te zetten en beschaafd te dineren, zoals ze het noemde. De stoelen werden omgedraaid en Crosetti kwam tegenover de kleine jongen te zitten. De brede blankhouten tafel tussen hen in was gedekt met een tafellaken, echt porselein en tafelzilver, en er stond ook een vaasje met een kleine witte roos erin. Blijkbaar had Mishkin besloten niet met zijn gezin maar met zijn broer te eten. Na enkele minuten begreep Crosetti waarom. De kinderen praatten aan een stuk door onder het eten, dat in het geval van de jongen vreemd genoeg uit een kom Cheerios bestond. De conversatie van het meisje bestond voor een groot deel uit geflikflooi – dingen die ze wilde kopen, plaatsen die ze wilde zien, dingen die ze in Zwitserland wilde doen, dingen die ze vertikte te doen. Amalie was streng voor haar, maar wel op een vermoeide manier en Crosetti voorzag tranen en schreeuwerige ruzies tussen de Alpentoppen. De jongen beantwoordde een beleefde vraag over het computerspel dat hij speelde met een eindeloze stroom van informatie over al zijn wederwaardigheden in het Warcraft-universum, alle eigenschappen van zijn game-personage, alle schatten die hij had gewonnen, alle monsters die hij had bevochten. Zijn uiteenzetting was niet met een van de conventionele sociolinguïstische uitwijkmanoeuvres te onderbreken, en de verveling was intens genoeg om bijna alle smaak aan de voortreffelijke filet en de Chambertin te onttrekken. Crosetti had zin om het kind neer te steken met zijn vleesmes.

Zijn moeder voelde dat blijkbaar aan, want ze zei: 'Niko, denk aan wat we hebben afgesproken: als je praat, moet je de ander ook laten praten.' De jongen hield midden in zijn zin op, als een radio die werd uitgezet, en zei tegen Crosetti: 'Nu moet u iets zeggen.'

'Kunnen we over iets anders dan Warcraft praten?' zei Crosetti.

'Ja. Hoeveel penny's gaan er in een kubieke voet penny's?'

'Ik heb geen idee.'

'Negenenveertigduizend honderdtweeënvijftig. Hoeveel gaan er in een kubieke meter?'

'Nee, nu is het mijn beurt. Wat is je favoriete film?'

Het duurde even voor hij daar achter was, vooral omdat hij het nodig vond de verhaallijnen van de films die hij koos te beschrijven, maar uiteindelijk werden ze het eens over het oorspronkelijke *Jurassic Park*. Natuurlijk had de jongen die film op zijn harde schijf staan (hij had hem zesenveertig keer bekeken, zei hij), en Crosetti liet hem de film afspelen met de belofte dat hij hem zou vertellen hoe ze alle trucages hadden gedaan. De jongen haalde het stekkertje tevoorschijn waarmee twee personen tegelijk met hun koptelefoon naar één computer konden luisteren, en daarna was het een kwestie van nerds onder elkaar. Crosetti vond dat hij het als verstrekker van saaie feiten niet slecht deed.

De piloot maakte bekend dat ze naar vliegveld Biggin Hill afdaalden, en ze keerden hun stoelen om en maakten hun gordels vast. De stewardess deelde warme handdoeken uit. Amalie glimlachte naar Crosetti en zei: 'Dank je voor je geduld met Niko. Dat was erg aardig van je.'

'Geen probleem.'

'Voor de meeste mensen is het dat wel. Mensen kunnen niet van Niko houden, maar zelfs mensen als hij hebben liefde nodig. Het is een ellendig lot om van ze te houden, maar misschien ben jij een van ons en kun je dat lot delen.'

Crosetti wist niet wat hij daarop moest zeggen, maar dacht onwillekeurig aan Rolly. Dat was ook niet iemand om van te houden, maar hield hij van haar? En maakte het iets uit of hij van haar hield? De kans was groot dat ze elkaar nooit terugzagen.

Het vliegtuig landde soepel en taxiede kort over het kleine vliegveld naar de terminal. De regen sloeg tegen de ruiten. Crosetti en de gebroeders Mishkin pakten hun handbagage en jassen. Hij kreeg een handdruk en een onverwachte kus op zijn wang van Amalie Mishkin, die zei: 'Ik stel het op prijs dat je met mij en met Niko hebt gepraat. En nu ga je naar wat voor krankzinnig avontuur het ook maar is waar Jake je heen voert en zien we elkaar nooit meer terug. Ik hoop dat je je film zult maken, Crosetti.'

Toen bleef Jake Mishkin achter hem in het gangpad staan. Crosetti kreeg sterk het gevoel dat hij het vijfde wiel aan de wagen was en ging vlug het vliegtuig uit. De terminal was klein, schoon en efficiënt ingedeeld. Geüniformeerde dames leidden hem langs de douane en de immigratiedienst. Ze deden dat met het soort service dat tegenwoordig alleen nog beschikbaar is voor de rijken en dat Crosetti nooit eerder had meegemaakt. Buiten stond een Mercedes-limousine te wachten, met een man die een enorme paraplu had.

Crosetti stapte in, tien minuten later gevolgd door Paul en Jake Mishkin. De auto reed weg.

'Waar gaan we heen?' vroeg Crosetti.

'Naar de stad,' zei Jake. 'Ik heb wat juridische zaken af te handelen. Het zijn eigenlijk onbelangrijke dingen, maar genoeg om deze reis als aftrekpost te kunnen opvoeren en mijn firma tevreden te houden, of in elk geval minder ontevreden te maken. Het neemt hooguit een dag in beslag. Je zult je in Londen wel vermaken. Paul kan je rondleiden. Hij is een echte wereldreiziger.'

'Lijkt me leuk,' zei Crosetti. 'En daarna?'

'Dan zoeken we Oliver March op in Oxford. We geven hem Bulstrodes persoonlijke bezittingen en proberen te weten te komen wat Bulstrode hier afgelopen zomer deed. En dan zien we wel verder.'

Ze verbleven in een klein, stijlvol hotel in Knightsbridge. Mishkin was daar al eerder geweest, en het personeel gaf te kennen dat ze blij waren hem opnieuw te ontvangen en verwelkomden Crosetti even hartelijk als hem. Paul nam geen kamer in het hotel.

'Mijn broer houdt niet van luxe,' legde Mishkin later uit in de bar van het hotel. Hij had een stuk of wat whisky's gedronken; Crosetti had het op één glas bier gehouden. 'Ik geloof dat hij bij zijn medejezuïeten logeert. En intussen zorgt hij ook voor onze beveiliging.'

'Is hij een beveiligingsman?'

'Nee, hij is jezuïetenpriester.'

'Echt waar? Dat zei hij al, maar ik dacht dat hij me in de maling nam. Wat weet een priester van beveiliging?'

'Nou, Paul heeft veel talenten en interesses, zoals je vast nog wel zult ontdekken. Soms denk ik dat hij tot het elitekorps van pauselijke moordenaars behoort, waarover we tegenwoordig zoveel lezen. Wat vond je van mijn charmante gezin?'

'Ze leken me erg aardig,' zei Crosetti behoedzaam.

'Ze zíjn aardig. Zo aardig als maar kan. Veel te aardig voor mij. Mijn vrouw is Zwitserse, wist je dat? De Zwitsers zijn érg aardig. Dat is hun nationale specialiteit, naast chocolade en geld. Wist je dat Zwitserland voor de Tweede Wereldoorlog een heel arm land was? En toen was het plotseling heel rijk. Dat werden ze doordat ze de nazi's van allerlei technische spullen voorzagen. Die maakten ze in fabrieken die niet gebombardeerd mochten worden omdat ze o zo neutraal waren. En dan is er nog de kwestie van de honderdvijftig miljoen *Reichsmark* die de nazi's van vermoorde joden hebben gestolen. Dat is bijna driekwart miljard hedendaagse dollars. Wat zou daarmee gebeurd zijn? Om van de kunst nog maar te zwijgen. Mijn schoonvader heeft een voortreffelijke collectie impressionistische en postimpressionistische schilderijen: Renoir, Degas, Kandinsky, Braque, noem maar op.'

'Echt waar?'

'Echt waar. Voor en tijdens de oorlog was hij bankemployé. Hoe het hem is gelukt zo'n verzameling bij elkaar te krijgen? Door áárdig te zijn? Mijn kinderen zijn half Zwitsers, en dat betekent dat ze maar half aardig zijn, zoals je waarschijnlijk al hebt gemerkt. Je bent vast een goede waarnemer, Crosetti, omdat je creatief bent, een schrijver: altijd rondkijken en dingen in je opnemen. Waarschijnlijk weet je al precies hoe het zit met

Amalie, mij en de kinderen. Zie je er een scenario in? *De familie Mishkin*, een groot kassucces. De andere helft is half joods en half nazi, en dat is beslist níét aardig. Neem nog iets te drinken, Crosetti! Neem een cosmopolitan. Het drankje van jouw generatie.'

'Ik houd het op bier. Ik heb trouwens last van een jetlag…'

'Onzin! Neem een cosmopolitan van mij. De beste remedie voor jetlags, dat weet iedereen. Barkeeper, geef deze man een cosmo! En neem er zelf ook een. En doe mij er ook nog een, een dubbele.'

De barkeeper, een donker type dat niet veel ouder was dan Crosetti, maakte oogcontact voordat hij de drankjes klaarmaakte; het was een blik waarmee hij Crosetti leek te vragen of hij die eland uit zijn kleine barretje weg kon krijgen voordat het beest straalbezopen was. Crosetti sloeg laf zijn ogen neer.

'Jij denkt dat ik dronken ben, hè?' vroeg Mishkin alsof hij gedachten kon lezen. 'Je denkt dat ik straks volkomen stuurloos ben. Nou, daar vergis je je in. Ik ben nóóit stuurloos. Behalve soms. Maar dit wordt niet een van die keren. Volgens mijn schoonmoeder worden joden nooit dronken. Dat erkent ze als het enige voordeel dat aan het beschamende huwelijk van haar dochter verbonden is. Ze lieten zich niet misleiden door mijn lidmaatschap van de enige, heilige, katholieke en apostolische kerk. Dat ene voordeel, en verder zijn het natuurlijk goede kostwinners, joden. Geld, nuchterheid… o, ja, en ze slaan je ook niet. Dat zei ze echt zo, daar op die zijden canapé van haar, onder haar van dode joden gestolen Renoir. De katholieken in het zuiden van Europa zijn extreem antisemitisch. Wist je dat, Crosetti? De meeste belangrijke nazi's waren katholiek: Hitler, Himmler, Heydrich, Goebbels. En jij, Crosetti? Jij bent katholiek. Ben je antisemitisch? Maak je je ooit kwaad over de joodse maffia die de media beheerst?'

'Ik ben half Iers,' zei Crosetti.

'O, nou, dat pleit je vrij, want de Ieren staan erom bekend dat ze geen zweem van racisme vertonen. Zelf ben ik antisemitisch van moederskant. Is het niet grappig dat al die grote nazi's er min of meer joods uitzagen? Goebbels? Himmler? Heydrich werd op het schoolplein steeds weer in elkaar geslagen omdat de kinderen dachten dat hij een jood was. Arische trekken, maar een grote dikke zachte joodse reet. Mijn opa daarentegen was een echte ariër, en natuurlijk was mijn moeder, zijn dochter, dat ook. En mijn vrouw. Vind je mijn vrouw aantrekkelijk, Crosetti? Begeerlijk?'

'Ja, ze is erg aardig,' zei Crosetti. Hij keek hoe ver de uitgang was. De bar was zo klein en Mishkin was zo kolossaal dat het erop of eronder zou zijn als hij een vluchtpoging waagde. Het was net of hij in een badkamer opgesloten zat met een orang-oetan.

'O, ze is meer dan áárdig, Crosetti. Er zijn vurige diepten in mijn Amalie. Ik heb gezien hoe jullie je over het gangpad naar elkaar toe bogen. Je kreeg bij het afscheid ook nog een kus. Heb je een afspraakje met haar gemaakt? Dat zou me helemaal niet verbazen. Het zou mijn verdiende loon zijn. Ik moet wel veertig of vijftig vrouwen hebben genaaid sinds we getrouwd zijn, dus wat zou ik ervan kunnen zeggen? Eropaf, man! Vergeet die onzin van Shakespeare en vlieg naar Zürich. Ze wonen op Kreuzbuhlstraße 114. Je kunt haar neuken in het kleine gele bed uit haar meisjestijd. Ik zal je zelfs een paar tips geven over haar voorkeuren, bijvoorbeeld…'

'Ik ga naar bed,' zei Crosetti, en hij liet zich van zijn barkruk glijden.

'Niet zo snel!' riep Mishkin. Crosetti voelde dat zijn arm werd vastgegrepen; het was of hij klem zat in een autoportier. Voor hij wist wat hij deed, had hij zijn onaangeraakte cosmo van de bar gepakt en in Mishkins gezicht gegooid. Mishkin trok een grimas en veegde met zijn andere hand over zijn gezicht, maar liet hem niet los. De barkeeper liep om de bar heen en zei tegen Mishkin dat hij weg moest gaan. Mishkin schudde Crosetti hard genoeg heen en weer om zijn tanden te laten klapperen en zei tegen de barkeeper: 'Goed. Ik was meneer hier aan het uitleggen hoe hij mijn vrouw moet neuken en toen gooide hij zijn glas leeg in mijn gezicht. Wat vindt u daar nou van?'

De barkeeper beging de fout Mishkins arm vast te pakken, misschien in de hoop hem mee te tronen naar de deur, maar in plaats daarvan liet de grote man Crosetti los en gooide hij de barkeeper over de bar, midden in zijn felverlichte schappen met flessen. Crosetti maakte dat hij wegkwam. Hij wachtte niet op de lift, maar rende drie trappen op om bij zijn kamer te komen.

De volgende morgen verliet Crosetti het hotel in alle vroegte. Hij ging naar het British Film Institute op de South Bank, waar hij naar *Boudu sauvés des eaux* en *La règle du jeu* van Jean Renoir keek. Hij zou voor *La grande illusion* zijn gebleven, maar toen hij in de hal was om wat water te drinken, trok iemand aan zijn mouw. Hij draaide zich om en stond tegenover Paul Mishkin, die priesterkleren en een leren jas droeg. Crosetti vond dat hij op een acteur leek die een priester speelde.

'Hoe wist je dat ik hier was?'

'Waar zou je anders zijn? Niet bij Madame Tussaud's. Kom, de plannen zijn een beetje veranderd.'

'Namelijk?'

'We gaan direct naar Oxford. De auto staat buiten.'

'En onze bagage in het hotel dan?'

'Die wordt bij elkaar gezocht, ingepakt en ingeladen. Kom nou maar mee, Crosetti. Je kunt later vragen stellen.'

De Mercedes stond op straat te wachten en Jake zat onderuitgezakt op de achterbank, gehuld in een gevoerde Burberry, een sjaal en een tweedpet die hij omlaag had getrokken. Paul ging voorin op de passagiersplaats zitten (verrassend aan de verkeerde kant!) en Crosetti ging achterin zitten, zo ver mogelijk van Mishkin, die geen woord zei. Het beetje huid dat boven zijn sjaal te zien was, zag er grauw en reptielachtig uit.

Ze reden de stad uit door kilometers van natte bakstenen voorsteden, die geleidelijk in platteland overgingen toen ze Richmond voorbij waren. Daarna zaten ze algauw op een snelweg. Crosetti zag dat Paul steeds in het spiegeltje keek en meer belangstelling voor inhalende auto's had dan je van de gemiddelde passagier zou verwachten.

'Nou, waarom zijn de plannen veranderd?' vroeg Crosetti toen na vele kilometers duidelijk was geworden dat niemand uit eigen beweging met een verklaring zou komen.

'Om twee redenen. Ten eerste worden we gevolgd door een paar teams van mensen. Ze zijn er goed in, echte professionals, niet die malloten waarmee je in New York te maken had. De tweede reden is Jakes gedrag in de bar gisteravond. Er is hem verzocht het hotel te verlaten, en dus hebben we besloten geen ander hotel in Londen te zoeken maar nu meteen naar Oxford te rijden, daar te overnachten en morgen met onze man te gaan praten.'

'Ik wil meer over die professionals weten,' zei Crosetti. 'Als ze zo goed zijn, hoe weet jij dan dat ze er zijn?'

'Omdat wij een firma met nog betere professionals in de arm hebben genomen. Nietwaar, meneer Brown?'

Dat was aan de chauffeur gericht, en die antwoordde: 'Ja, meneer. Ze zaten achter meneer Crosetti aan vanaf het moment dat hij vanmorgen het hotel verliet, en natuurlijk zijn ze u van het jezuïetenhospitium naar de St. Olave gevolgd. Ze zitten in een blauwe BMW drie auto's achter ons en in een roodbruine Ford Mondeo voor die witte vrachtwagen op de rechterbaan daar voor ons.'

'Brown maakt deel uit van een zeer gerenommeerde en extreem dure beveiligingsfirma,' zei Paul. 'Het is maar goed dat het geld ons op de rug groeit.'

'Komt er een achtervolging?'

'Dat zit er wel in. En minstens één grote oranje benzine-explosie. Wil je weten wat ik in de St. Olave heb gevonden?'

'Aanwijzingen voor de plaats waar de Heilige Graal te vinden is?'

'Bijna. Je zult je herinneren dat Bracegirdle schreef dat de sleutel tot het geheimschrift te vinden is "waar mijn moeder ligt", en dat zijn moeder begraven is in de St. Katherine Coleman-kerk. Jammer genoeg is de

St. Katherine, die de Grote Brand van 1666 heeft overleefd, ten prooi gevallen aan de ontvolking van de Londense binnenstad en de trieste opkomst van de ongelovigheid, en de kerk is in 1926 gesloopt. De parochie is in 1921 samengegaan met St. Olave Hart Street, en dus ging ik daarheen.'

'Daarom heb je je priesterkleding aan.'

'Ja. Pater Paul die een beetje genealogisch onderzoek doet. Toen de St. Katherine in het stof beet, schijnen de graven naar de begraafplaats Ilford te zijn overgebracht, maar er waren ook crypten onder de kerk. In de middeleeuwse tijd werden mensen namelijk op kerkhoven begraven tot er alleen nog botten over waren, en dan werden die botten opgegraven en in knekelhuizen gelegd, omdat een klein kerkhof in de stad natuurlijk nooit langer dan een paar generaties alle doden van een parochie kon herbergen. En elke crypte had een deur, een soort raam dat met een rechthoekig koperen plaatje was afgedekt, geperforeerd om licht binnen te laten. Die perforaties vormden samen de figuur van een treurwilg. Toen de St. Katherine werd gesloopt, ging die plaat samen met andere kostbaarheden en gedenkwaardigheden van de kerk naar de St. Olave, waar hij in een vitrinekast in de consistorie werd ondergebracht.'

'Heb je hem gezien?' vroeg Crosetti.

'Nee. De kapelaan die ik sprak zei dat iemand vorige zomer in de kerk heeft ingebroken en die plaat heeft gestolen. Verder was er niets weg, alleen die plaat. Die kunnen we nu wel het rooster noemen, denk ik. En er is nog iets. Kort voordat de plaat werd gestolen, kwam er een jonge vrouw naar de kerk. Ze maakte wrijfafdrukken van koperen platen en vroeg of er ook nog meubelen of koperen voorwerpen uit de St. Katherine Colemankerk in de St. Olave waren. De kapelaan liet haar de verschillende voorwerpen zien en ze maakte foto's en een wrijfafdruk van de raamplaat uit de crypte. Een paar dagen later was het ding weg.'

Jake Mishkin bewoog zich en schraapte zijn keel. 'Miranda,' zei hij, en bijna tegelijk zei Crosetti: 'Carolyn!'

DE ZESDE BRIEF IN GEHEIMSCHRIFT (FRAGMENT 2)

*doch zij hielden mij & worstelen hoe ik deed ik kwam niet vrij: & de
kist was leeg & de beschuldigende munten lagen in het rond. Toen
hield Heer W.S. een kaars bij mijn gezicht zeggende Richard wat is
dit? Steelt ge van uw vrienden? Van mij? Zijn gezicht ziende barstte ik
in onmanlijke tranen uit. Hij deed mij op een stoel zitten & zond
mijn gevangennemer heen om buiten te wachten. Hij zette zich eveneens & zeide Richard gij zijt geen dief, als ge nood hebt kunt ge dan
niet tot uw neef komen, zal Will u niet helpen? Daarop nog meer tranen tot ik dacht mijn hart zoude breken & zeide ik nee, ge zijt te goed
voor mij ik ben een vuile verrader & geen vriend van u want ik heb
deze vele maanden gewerkt aan uw ondergang & nu ben ik zozeer
verstrikt in complotten dat ik mijn weg niet meer zie, o wee et cetera.
Hij zeide, nu Richard ge moet al bekennen ik zal uw priester zijn &
geen man zal weten hetgeen tussen ons gezeid is.*

*Alzo, mijn Heer Graaf, vertelde ik hem al hetgeen ik u hier tevoren in
deze brief heb medegedeeld, de Heer Dunbarton, Heer Piggott, het
stuk van Mary & alle complotten. En buitendien hetgeen ik des och-
tends had vernomen in het Lamb, St. Clements & de twee moordenaars die ons beiden zo na kwamen. Nu keek hij zeer ernstig & streek
enige tijd door zijn baard & zeide: Richard gij dwaze jongen wij moeten aan die netten ontkomen. O neef zeide ik vergeeft ge mij, & hij
zeide gij zijt een kind in die zaken en werd gedwongen de complotten
dier schurken uit te voeren teneinde u van de galg te redden. Doch al
is niet verloren, want ik ben geen kind.*

*Toen liep hij door de kamer & terug vele malen, en ten slotte zeide hij
weet ge de Heer Veney is in de Tower gezet, dezelfde die u de zogenaamde brief van mijn Heer van Rochester ter hand stelde waarmede
dit vrolijke spel een aanvang nam; & ik zeide nee, dat deed ik niet &*

wat betekent dit nieuws voor ons? Wel, zeide hij, Veney is de man van mijn heer Rochester & indien hij is opgebracht, is hij betrapt complotterende op enigerlei wijze tegen het Spaanse huwelijk, het scheelt niet hoe & zal spoedig verhoord worden & zo komt dit al aan het licht & ook deze affaire met ons toneelstuk. Derhalve moet ge het spoor wissen dat wij hebben gelegd: jij & ik moeten heengaan & het stuk verbranden, opdat mijn heer Dunbarton desgevraagd kan zeggen nee mijn heer dat is slechts een fantasie van een geradbraakte waarin ik niet de hand had & niemand over om de leugen te zeggen.

Ik vroeg hoe wij aan deze troebelen konden ontkomen wat zal ik doen & hij zeide kunt ge een zwaard gebruiken jongen & ik zeide slechts matig want ik ben kanonnier & leerde nooit schermen & hij zeide dat deert niet wij nemen Spade & Heer Wyatt & Heer Johnson zal van de partij zijn hij heeft een man gedood, althans zo zeide hij dikwijls & ik eveneens. Wat gij, zeide ik? Welzeker, zeide hij, heb ik in Vlaanderen niet meer duellos gestreden dan half de edelen? Ja, maar slechts met valse zwaarden, zeide ik. Denkt ge dat? zeide hij. Het zwaard aan mijn riem is geen namaak jongen en heb ik niet duizend avonden door Shore-ditch gelopen met een zak zilver uit de kist & daarom met rovers gevochten met mijn staal? Vraag Spade kan ik een zwaard benutten want hij leerde het mij & ik wed hij noemt mij niet zijn geringste leerling: voorwaar Shake-spear zal hedenavond zijn zwaard gebruiken. Trilt gij moordenaars!

Alzo verzamelden wij onze krachten Spade & Wyatt, Heer W.S. & Heer Johnson & mij in de George Inn in South-Wark & die avond gingen Heer W.S. & ik alleen op weg met de anderen op afstand & ziedaar wij worden belaagd door die schurken drie of vier van hen me dunkt. Ik trok mijn zwaard doch een man sloeg mij op het hoofd & neer & ik ziende niets dan donkere vormen & kleine lichten & weer opstaande zag ik Heer W.S. zijn zwaard benutten & hoorde een kreet van pijn o ik ben getroffen gij schobbejak & toen kwam onze partij ons te hulp & vocht, doch ik knielde slechts & spuwde. Doch wij triomfeerden twee moordenaars dood & Heer Spade verschafte zich een handwagen & laadde de lichamen daarop zeggende de vissen zullen hen eten & Heer W.S. zegt geen vis maar vlees voor ons Richard zeker twee weken lang, opdat wij niet kannibalen zijn & geen krabben tot Sint Michiel.

17

In de dagen die op de Avond van de Dood volgden, regelde ik onze reis, waaraan niet alleen mijn gezin maar ook Crosetti zou deelnemen. Amalie mag de feestdagen graag in Zürich doorbrengen, en hoewel ze anders zelf een vliegtuig zou hebben gecharterd, nam ze de lift die ik aanbood aan. Ik hoefde alleen maar een beetje te huilen om haar medelijden te wekken na het trauma dat ik had doorgemaakt. Trouwens, het zou een aanzienlijke besparing opleveren, en zoals de meeste rijke mensen gaat Amalie prat op haar zuinigheid.

We kregen geen problemen met de politie, maar er kwam ook geen informatie van die kant. De gearresteerde gangsters lachten hen alleen maar uit toen werd gevraagd voor wie ze werkten. De firma was blij dat ik een tijdje weg zou zijn en liet me met alle genoegen de vliegtuigkaart gebruiken voor wat onbelangrijk juridisch werk in Londen. Ik vertelde hun niet dat ik de erfgenaam van Bulstrode ging opzoeken.

Ik ging naar Paul, leuk gesprek over het doden van mensen, moest bijna huilen, maar voorkwam dat met twee milligram Xanax. Hij bood aan mee te komen om, zoals hij dat noemde, me rugdekking te geven. Ik had nooit iemand die uitdrukking letterlijk horen gebruiken en moest lachen, maar toen veranderde ik van gedachten. Ik vroeg naar zijn heilige missie. Geen probleem, God zou een oogje in het zeil houden, en trouwens, hij wilde Kerstmis bij Amalie en de kinderen doorbrengen, hij had het verdiend om even vrij te zijn van Gods akker. En dus ging ik akkoord. Van tijd tot tijd krijg ik het idee dat mijn broer echt van me houdt, dat ik niet alleen maar een verachtelijk blok aan zijn been ben. Dat wekt altijd een zekere nerveuze angst bij me op. Ik weet niet waarom. Omar wilde ook meekomen, maar hij staat al op de terreurlijsten en komt daardoor niet zo gemakkelijk de grens over. Hij zei dat hij voor me zou bidden.

De volgende morgen haalden we Crosetti in alle vroegte op van zijn schamele huis. Ik vergewiste me ervan dat hij kopieën van het geheimschrift bij zich had. Hij zei dat de originelen door een betrouwbare vriend van hem bij de politie van New York werden bewaard, achter bronzen deuren. Dat was verstandig van hem. Ik ontmoette de anderen op Teterboro, was gespannen, vervelend gedoe met klootzakje dat in mobiele telefoon vloekte, goedkeuring van de andere aanwezigen, maar Amalie keek ontzet. Wat is er? snauwde ik. We hadden woorden. In het vliegtuig: zoals gewoonlijk goede service en het toeval wilde dat de stewardess Karen 'Legs' McAllister was. We gedroegen ons allebei zo koel als een sorbet, al zijn we op vroegere vluchten herhaaldelijk in hogere sferen geweest. Amalie had dat natuurlijk door. Hoe? Laat ik sporen op vrouwen achter? Verraadt mijn gezicht me zonder dat ik het weet? Hoe dan ook, ze kreeg een huilbui, geluidloze snikken, het ergste wat er is, en ze wilde zich niet door me laten troosten. Ik kon daar niet tegen, ging naar achteren, gooide Crosetti uit zijn stoel en praatte met Paul.

Ik weet nog dat ik over mijn vrouw klaagde, een eentonig verhaal dat ik hier niet zal herhalen. Paul luisterde naar me en toen kwamen we over pa en Mutti te spreken, en over wie van ons de favoriete en de minst favoriete zoon was, een bekend gespreksonderwerp van ons als we over ons gemeenschappelijke verleden praten, en we haalden vrolijk herinneringen op aan een incident waarbij Paul, zeven jaar oud, een kostbaar Meissen-beeldje had gebroken. Mutti had toen met de haarborstel achter hem aan gezeten, het gebruikelijke bestraffingsmiddel. Dat was overigens niet zo'n goedkoop plastic ding uit een drogisterij, maar een massief stuk Duits esdoornhout met stekels van wilde zwijnen uit het Schwarzwald, een wapen waarmee ze de Saracenen uit Jeruzalem hadden kunnen verjagen. Bij die gelegenheid probeerde Paul te ontsnappen door om de ovale eetkamertafel heen te rennen, hysterisch gillend, Mutti achter hem aan onder het uiten van bedreigingen in het Duits. Wij kleinere kinderen keken gefascineerd toe. Toen we die herinnering helemaal hadden uitgemolken, merkte ik op dat ik in tegenstelling tot hem en Miriam die haarborstel bijna nooit had gevoeld, want ik was de brave zoon geweest. Hij keek me vreemd aan en zei: 'Ja, ze sloeg jou altijd met haar hand. In de slaapkamer.'

'Waar heb je het over? Ze heeft mij nooit aangeraakt.'

'Weet je dat echt niet meer? Bijna elke keer dat pa haar had geslagen maakte ze ruzie met jou, en dan nam ze je mee naar de slaapkamer, legde je over haar knie en sloeg met haar hand op je blote kont. Je krijste het uit en dan hield ze je op het bed tegen zich aan en mompelde lieve woordjes tot je ophield. Miri en ik keken altijd door het sleutelgat. Ze noemde je dan *mein kleines Judchen.*'

'Onzin! Dit verzin je.'

Hij haalde zijn schouders op. 'Hé, geloof me maar niet. Vraag het Miri.

We vonden het toen al vreemd, terwijl we bij ons thuis toch wel het een en ander gewend waren.'

'Denk je dat ik die mishandeling heb verdrongen? God, wat ongelooflijk banaal! En dat verklaart dan zeker alle problemen die ik tegenwoordig aan het liefdes- en gezinsfront heb?'

'Nee, die problemen heb je doordat God je een vrije wil heeft gegeven en jij hebt besloten die te gebruiken om te zondigen, in plaats van je monsterlijke trots te laten varen en je aan Gods wil over te leveren. Nu je daarnaar vraagt.'

Of iets van die strekking, een manier van redeneren die volkomen langs me heen gaat. Het was nog wel interessant dat ik een tijdje later aan Paul vroeg hoe onze ouders eigenlijk bij elkaar waren gekomen. Hij keek me weer vreemd aan en zei: 'Weet je dat echt niet?'

'Passie in oorlogstijd, heb ik altijd gedacht. Ze hebben nooit veel over hun gevoelens verteld.'

'Kom nou. Heb je het nooit vreemd gevonden dat een naziprinses met een jood trouwde? En nog wel met een heel joodse jood.'

'De mysteriën van de exogamie?'

'Nee, ze was alleen maar een goede nazi.'

Ik moet verbaasd hebben gekeken, want hij zei: 'Ze namen dat gepraat over het superras serieus. Het *Herrenvolk* had het recht om ieder ander volk te overheersen omdat het sterk is, ja? En wie is de grootste rivaal als het om de wereldoverheersing gaat?'

'De Russen?'

'Nee, de Russen zijn vee. De joden zijn het enige rivaliserende ras. Ze beheersen Rusland en ze beheersen de westerse mogendheden, met name de Verenigde Staten. De nazi's voerden de oorlog tegen de joden. En de joden wonnen.'

'Hè? De joden zijn vernietigd.'

'Ze hebben gewonnen. Zeker, ze hebben er zes miljoen verloren, maar ze kwamen in Jeruzalem terug en de Duitsers hebben er zéven miljoen verloren. En de legers die Duitsland in de pan hakten, werden beheerst door de geheime machinaties van het joodse ras. Heeft ze dat nooit tegen jou gezegd?'

'Nooit.'

'Dan ben ik een geluksvogel. Hieruit volgt dat de joden na hun overwinning het superieure ras waren – sorry van de concentratiekampen – en daaruit volgt weer dat het een arische maagd betaamde haar lendenen te verenigen met die van het superieure ras. Het is allemaal volkomen logisch, als je krankzinnig bent.'

Ik moet zeggen dat ik nooit op die gedachte was gekomen, en noch

Paul noch mijn zuster had het er ooit over gehad. Mijn ouders hadden natuurlijk als wilde katten met elkaar gevochten, maar ik had dat helemaal omweven met romantiek, dingen die ik uit films haalde. Mensen werden verliefd, ze kregen kinderen, de man was ontrouw en de vrouw gooide met serviesgoed, en dan kwam de man tot inkeer en besefte hij dat zijn hart bij zijn gezin lag, of anders ging hij weg en vond de moeder een nieuwe en betere man (Robert Young) en wees ze de slechte vroegere man af als hij met hangende pootjes terugkwam, of (beter nog) hij ging dood.

Na wat een heel lange stilte leek, waarin het vliegtuig trouwens niet uit de lucht viel, zei ik met krakende stem: 'Wat bedoel je, Paul? Dat wij fase twee zijn van het plan om het superras te kweken? Ik dacht dat ze juist geen vermenging wilden.'

'Ja, maar ze werden gefascineerd door bastaarden en het hele idee van fokken. Ze redden zelfs arisch lijkende joodse kinderen van de gaskamers en gaven ze aan goede naziouders. Dat zouden ze niet hebben gedaan als ze echt in hun theorieën over raszuiverheid geloofden. En al dat schedelmeten dat ze deden, en die experimenten van Mengele met tweelingen…'

Ik herinnerde me iets wat hij zojuist had gezegd en onderbrak hem. 'Wat bedoelde je nou met jou als geluksvogel?'

'O, alleen dat Mutti die preek voor mij en Miri hield en blijkbaar niet voor jou. Ik bedoel, dacht je dat ik dit allemaal zelf had bedacht?'

'Heeft ze jullie vertéld dat ze met pa is getrouwd om de rassentheorieën van het Derde Rijk uit te voeren?'

'Niet met zoveel woorden, maar we kregen wel vaak te horen dat de nazi's hadden verloren omdat ze te zuiver en te edel waren en dat ze zich dus had opgeofferd om wat gluiperige, slimme joodse genen in de mix te krijgen. Heb je nooit gedacht dat de vreemde mengeling van fysieke kenmerken in ons gezin iets te maken had met de manier waarop ze ons drieën behandelde? O, ja, dat ben jij min of meer vergeten. Hoe dan ook, wij stelden op *Übermensch*-terrein teleur, al zagen we er onberispelijk arisch uit: ik was een crimineel en Miri was een hoer, maar jij was bij wijze van spreken de gouden bastaard die het allemaal de moeite waard zou maken. Daarom heeft ze zelfmoord gepleegd. Wij tweeën waren buiten haar bereik en ze wilde niet dat jij van je studie werd afgeleid doordat je voor een oude dame moest zorgen. *Ritterkreuz mit Eichenlaub, Schwertern und Brillianten* voor de heldhaftige Mutti. Je kijkt verrast, Jake. Ben je nooit op dat idee gekomen?'

'Nee, en ik wil je bedanken voor de mededeling. We zouden meer van die broederlijke gesprekjes moeten voeren – ik voel me nu opeens zo vreselijk goed. Goh, en wat jammer dat Mutti niet op aarde is blijven rondhangen om te zien hoe de verloren zoon glorieus terugkeerde om over de levenden en de doden te oordelen. Wat zou ze trots zijn geweest!'

Zoals altijd negeerde Paul mijn sarcasme. Op milde toon zei hij: 'Ja, dat heb ik altijd jammer gevonden. Zijn we hier nu trouwens klaar mee? Want ik heb een paar ideeën over de situatie waarin jij momenteel verkeert.'

Daarna bespraken we de strategie. Hij kwam met het idee dat het allemaal bedrog was en vertelde wat dat betekende voor wat we in Engeland gingen doen. Ik kon zijn redenering goed volgen. Natuurlijk was het bedrog. Alles was toch bedrog?

Het vliegtuig landde. We reden naar Londen in een limousine van Osborne Security Service, de beveiligingsfirma die door Paul was ingehuurd. De chauffeur, een zekere Brown, was een agent van die firma en volgens Paul ook een ex-SAS-moordenaar. Hij maakte op mij niet veel indruk, een tengere man met een onopvallend uiterlijk. In het hotel heb ik te veel gedronken – dat was onder de omstandigheden wel begrijpelijk, vind ik – en daarna ging ik naar bed. De volgende morgen werd ik veel te vroeg wakker met een stampende kater, een vieze droge tong en de aanblik van mijn broer, die zijn priesterkleding droeg en me mededeelde dat we onmiddellijk vertrokken. Blijkbaar had zijn beveiligingsteam een paar schurken in het oog gekregen en moesten we ze afschudden. Ik liet me door hem opknappen en even later pikten we Crosetti op, die van de ene op de andere dag in een vijandig ventje leek te zijn veranderd. Onderweg naar Oxford zei hij bijna geen woord.

Misschien ben ik in slaap gesukkeld, maar ik werd wakker van Paul, die iets beschreef wat hij in een kerk in de Londense binnenstad meende te hebben gevonden. Het rooster dat Bracegirdle had gebruikt om de brieven te versleutelen, dacht hij, en dat zou natuurlijk een grote vondst zijn, maar eerlijk gezegd kon ik er op dat moment niet veel belangstelling voor opbrengen. Ik ben een man van vaste gewoonten, dat heb ik al gezegd, en het is niets voor mij om in een auto door een ander land te rijden. Ik zag wel een schittering in de ogen van de jonge Crosetti, en misschien zou ik weer in slaap zijn gevallen als Paul niet had gezegd dat het rooster door een jonge vrouw was gestolen. Wie kon het anders zijn geweest? Ik wees Crosetti's veronderstelling dat het ook Carolyn Rolly geweest kon zijn meteen van de hand. De plaats van het delict zat onder de vingerafdrukken van Miranda: de onschuldige benadering, het vertrouwen winnen van een waarschijnlijk eenzame kapelaan, de snelle, gewelddadige actie... Miranda! Ik ging niet eens met hem in discussie. Ik dacht nog wel dat wij het geheimschrift hadden en dat ze dus met haar rooster naar ons toe zou moeten komen, en er kwam een aangename spanning bij me op zoals ik maar zelden meemaak. Ik voelde me net een kind dat op weg is naar de kermis.

Intussen naderden we Oxford. Het liep tegen de middag en ik kreeg honger. Ik zei dat tegen Paul en hij zei dat we Oliver March in een dorpscafé zouden ontmoeten. Kort nadat Paul me die informatie had verstrekt, reed Brown opeens als een gek. Hij vloog op het laatste moment over vier rijbanen van de m40 om de a40 te nemen en verliet die meteen om een plaatselijke weg in te slaan. We waren nu even ten westen van Oxford.

Crosetti vroeg hem of hij onze achtervolgers probeerde af te schudden en Brown antwoordde: 'Nee, één van hen.' Daarna reden we over kleinere wegen, waar we waaiers van modderwater opwierpen en genadeloos door elkaar werden geschud. Ik keek naar mijn metgezellen. Zo te zien genoten ze van het ritje, en misschien ook van mijn steeds grotere ongemak. Na een bijzonder heftige afslag naar wat zo te zien een karrenspoor was, stopte Brown. Hij sprong uit de auto, maakte de kofferbak open en trok er een lange, zwarte nylon zak uit. Ik stapte ook uit, waggelde naar een laag hekje en braakte langdurig. Toen ik hersteld was, hoorde ik een auto naderen. Ik keek in de richting waar hij vandaan kwam en zag onze Brown onder een kale wilg langs het weggetje staan, met een enorm, exotisch aandoend geweer dat hij in een vertakking van de boom liet rusten en op de weg gericht hield. Een blauwe bmw kwam met grote snelheid op hem af, en toen de afstand tot zo'n honderd meter was geslonken, schoot hij op de auto. De motor maakte dure brekende geluiden en de auto kwam tot stilstand, met stoom uit de motorkap. Brown stopte zijn geweer terug in de tas en zag mij met grote ogen staan kijken terwijl ik met een zakdoek over mijn mond wreef.

'Gaat het wel, meneer?' vroeg hij.

'Ja. Heb je daarnet op iemand geschoten?'

'Nee, meneer, alleen op de auto. Dit is een Barrett-geweer, meneer, het ideale wapen om een auto tot stilstand te brengen. Pater Paul wil dat de ontmoeting in alle privacy plaatsvindt.'

Ik keek hem aan en hij pakte mijn elleboog vast. 'Laten we weer instappen, meneer.'

Dat deden we, en we reden nog wat over kleine weggetjes, tot we bij een typisch Engels dorp kwamen waarvan ik de naam ben vergeten: Dorking Smedley? Inching Tweedle? Zoiets was het. We stopten bij een herberg zoals ze op het deksel van koektrommels staan: rieten dak, zwarte Tudor-balken, dik, paarsig glas-in-lood, het soort herberg waar Richard Bracegirdle een glas malvezij ging drinken. We gingen met zijn allen naar binnen, behalve Brown, die bij de auto bleef en in een knetterende radio praatte.

Binnen was het schemerig en knus, met een vuur in de haard. Er stond een grote man met onmodieuze rode bakkebaarden achter de tapkast, en toen hij ons zag knikte hij en wees opzij, naar een deur. Achter die deur bevond zich een kamertje met een gashaard en een gehavende ronde tafel, waaraan een tengere, knappe man van achter in de vijftig zat die een tweedjasje, een geruit overhemd en een zwarte wollen das droeg. Toen wij binnenkwamen stond hij op, en Paul stelde ons aan elkaar voor. We gaven elkaar een hand en gingen zitten. Dit was Oliver March, de vriend van Bulstrode. Ook hieruit bleek dat Paul de leiding van deze expeditie had genomen. Dat vond ik niet erg. Ik voelde me net een van die grote zwarte tankers met chemicaliën die je in de haven ziet, traag en kolossaal, voortgeduwd door kleine sleepbootjes.

Na enige beleefdheden zei March: 'Ach, geheime bijeenkomsten. Het lijkt allemaal zo vreemd: wanneer heb je je vader voor het laatst gezien en zo…'

Ik keek Paul verbaasd aan, en hij legde uit dat het een beroemd schilderij was van een koningsgezinde jongen die door soldaten van het parlement werd ondervraagd, een stijlfiguur. De professor ging verder. 'Ja. En ik zou nooit met een ontmoeting op zo'n ongebruikelijke plaats akkoord zijn gegaan als u niet had laten doorschemeren, pater Mishkin, dat de verklaring die de politie voor Andrews dood heeft gegeven niet juist was.'

Het was de eerste keer dat ik over Pauls betrokkenheid bij de zaak-Bulstrode hoorde en ik luisterde met belangstelling naar wat hij nu zei: 'Nee, die verklaring klopt niet. Ze hebben een aan dope verslaafde schandknaap, een zekere Chico Garza, erop betrapt dat hij de creditcard van uw vriend gebruikte, en toen hebben ze hem onder druk gezet en legde hij een bekentenis af. Hij had niets met Andrews dood te maken.'

'Hoe weet u dat?'

'Nou, ten eerste heb ik die jongen in het huis van bewaring opgezocht. Ten tijde van de moord sliep hij in een kraakpand en daar werd hij wakker met Andrews portefeuille in zijn zak. Hij heeft Andrew Bulstrode nooit ontmoet, maar de moord is hem zorgvuldig in de schoenen geschoven. De politie vond forensische sporen van Garza in Andrews appartement; het was dus goed voorbereid. Er is nog een andere, betere reden: behalve mijn broer en zijn secretaresse wist niemand dat Andrew de Bracegirdle-papieren bij het advocatenkantoor had gedeponeerd, en toch werd mijn broer binnen enkele dagen na de moord door Russische gangsters geschaduwd. Hoe wisten ze het? Ze moeten die informatie uit uw vriend hebben losgekregen.'

Het woord 'losgekregen' bleef in de lucht hangen en March deed zijn ogen even dicht. Op dat moment dacht ik het volgende: Shvanov had het over 'bronnen' gehad toen hij me vertelde waarom hij belangstelling voor mij had gekregen en ik had daar niet nader op aangedrongen. Natuurlijk hebben gangsters 'bronnen'. Mensen vertellen dingen aan hen, of ze laten mensen volgen. Of misschien loog Shvanov, misschien had hij Bulstrode gemarteld...

(Nogmaals, achteraf, met enige emotionele afstand, zijn dingen soms wonderbaarlijk helder, maar op het moment waarop ze zich voordoen gaan ze gehuld in dichte nevelen. En we zijn er goed in om te ontkennen wat we voor onze ogen zien gebeuren, zoals bijvoorbeeld het verhaal over Mutti en mij dat Paul me in het vliegtuig had verteld en waaraan ik sinds-dien elke dag moet denken. Je moet het me dus niet kwalijk nemen dat ik nu vragen stel waarop ik later een duidelijk antwoord zal hebben.)

Op dat moment kwam er een serveerster binnen; niet het soort serveer-ster dat zo'n herberg zou moeten hebben, een jolig roze blondje in een boerenblouse en een schort van jute, maar een mager, donker, stil meisje in een olijfgroen broekpak, misschien een Maltese of Corsicaanse, die onze bestellingen voor eten en drinken opnam en zonder enige Falstaff-scherts de kamer uit liep. March zei nu: 'Ik begrijp niet hoe Andrew iets met Russische gangsters te maken kan hebben gekregen. Daar kan ik echt niet bij.'

'Hij had geld nodig om de authenticiteit van het manuscript te laten vaststellen,' zei ik. 'En als het authentiek was, had hij weer geld nodig om het manuscript van het toneelstuk te vinden dat Bracegirdle noemt.'

'Pardon... Bracegirdle?' zei March, en we keken hem alle drie verbaasd aan.

Crosetti gooide eruit: 'Heeft Andrew u dan níéts verteld over de reden waarom hij afgelopen zomer naar Engeland kwam?'

'Alleen dat hij onderzoek deed. Maar hij deed altijd wel een of ander onderzoek. Wie is Bracegirdle?'

Ik vertelde het hem in het kort, en intussen kwam de serveerster ons eten en drinken brengen. Ik had een glas bier besteld en dronk het snel genoeg op om het meisje te kunnen vragen me er nog een te brengen. March luisterde aandachtig en stelde een paar vragen. Toen ik klaar was, schudde hij spijtig met zijn hoofd. 'Andrew en ik zijn bijna dertig jaar min of meer voortdurend bij elkaar geweest,' zei hij, 'en we hebben altijd vrij openhartig gepraat over de dingen die in onze levens gebeurden – open-hartig voor professoren, bedoel ik, dus niet dat we alles er maar uitflapten – maar ik moet zeggen dat ik hier geen flauw idee van had. Andrew hield natuurlijk wel eens dingen voor zich, vooral na die catastrofe die hij had doorgemaakt, maar evengoed... En hiermee is de oorspronkelijke vraag helemaal niet beantwoord. Als hij geld nodig had voor zijn onderzoek, waarom kwam hij dan niet naar mij toe?'

'Bent u erg rijk?' vroeg ik.

'O, nee, dat niet, maar ik heb wel wat bezit, dingen die ik heb geërfd. Ik denk dat ik op korte termijn wel honderd bij elkaar had gekregen zonder tot de bedelstaf te vervallen. Denkt u dat hij meer geld nodig had dan dat?'

'Als u het over honderdduizend pond hebt, zou ik zeggen: nee, meer had hij niet nodig. We hebben geen reden om aan te nemen dat hij meer dan zo'n twintigduizend dollar van de Russen heeft gekregen.'

'Grote goden! Dat is nog veel minder. Waarom vroeg hij het niet aan mij?'

'Misschien omdat hij zich geneerde vanwege dat schandaal,' zei ik, en ik vertelde dat Mickey Haas dezelfde vraag had gesteld. Zodra die naam viel, zag ik tot mijn verbazing een norse uitdrukking op March' verfijnde gezicht komen.

'Natuurlijk heeft hij Haas niet benaderd,' zei hij. 'Haas had de pest aan hem.'

'Wat? Hoe kunt u dat zeggen?' protesteerde ik. 'Het waren vrienden. Mickey was een van de weinige mensen in de academische wereld die voor hem opkwamen toen het schandaal van het valse kwarto losbarstte. Hij hielp hem aan een gastdocentschap op Columbia toen niemand anders een vinger voor hem uitstak.'

'Ik begrijp dat Haas een persoonlijke vriend van u is,' zei March.

'Ja, dat is hij. Hij is mijn oudste vriend en een van de fatsoenlijkste en edelmoedigste mensen die ik ken. Waarom beeldde Andrew zich in dat Mickey een hekel aan hem had?'

'Het had niets met inbeelding te maken,' snauwde March. 'Luister, twintig jaar geleden publiceerde Haas een boek over de vrouwen van Shakespeare, de vrouwelijke personages in zijn stukken, bedoel ik. Dat boek had de strekking dat we het giftige individualisme van de burgerlijke cultuur alleen maar versterken wanneer we Shakespeare als een oorspronkelijk genie zien. Hij zei, geloof ik, dat *Macbeth* in werkelijkheid helemaal over de drie heksen ging, en nog meer van dat soort gezever. Het *Times Literary Supplement* vroeg Andrew een recensie te schrijven en hij veegde er de vloer mee aan, zoals het hoorde. Hij wees niet alleen op logische fouten en wetenschappelijke ondeugdelijkheid, maar suggereerde ook op grond van Haas' eerdere publicaties dat Haas wel beter wist en dat hij dit ratjetoe alleen maar bij elkaar had geschreven om in het gevlij te komen bij de marxisten en feministes en weet ik veel wie er, zo schijnt het, op de Amerikaanse universiteiten nog meer over het benoemingsbeleid gaan. Niet dat ik daar zelf iets van weet. Wat literatuur betreft ben ik niet verder gekomen dan de middelbare school, ik ben maar een eenvoudige bioloog. Eigenlijk is het verbazingwekkend dat Andrew en ik zo goed met elkaar konden opschieten; misschien omdat we geen rivalen waren, twee helften die één geheel maken. Hij las me 's avonds wel eens stukjes voor. Nou, het werd een groot schandaal, woedende brieven over en weer in het *tls*, felle artikelen in de vaktijdschriften. Indertijd prees ik me gelukkig omdat ik in een vak zit waar je over concrete gegevens beschikt. Het waaide over, zoals met zulke dingen altijd gebeurt, en toen Andrew door dat akelige mannetje zijn reputatie kwijtraakte, stond Haas voor hem op de bres, en later bood hij Andrew zelfs dat gastdocentschap aan. Als ik het me goed herinner, hebben ze nooit meer over die eerdere schermutseling gepraat. We namen aan dat die kwestie vergeten was, het gebruikelijke geven en nemen in het academische debat. Maar dat was niet zo. Andrew was nog maar amper in New York aangekomen of Haas begon hem te pesten. In het begin waren het maar kleinigheden die je voor grove Amerikaanse humor kon aanzien, maar het werd erger, met kleine tirannieke plagerijen…'

'Zoals?'

'O, er was hem beloofd dat hij een Shakespeare-seminar mocht geven en colleges voor ouderejaars, maar in plaats daarvan moest hij colleges compositie geven aan eerstejaars. Dat is te vergelijken met een hersenchirurg die opdracht krijgt de ziekenzalen schoon te maken, het bloed op te dweilen en de ondersteken leeg te gooien. Toen hij over die schandalige behandeling klaagde, zei Haas tegen hem dat hij blij mocht zijn dat hij iets had, dat hij niet werkloos was, dat hij niet horloges liep te verkopen op straat. Andrew belde me om me over die verschrikkelijke dingen te vertellen, en natuurlijk zei ik dat hij tegen Haas moest zeggen waar hij dat verrekte gastdocentschap in kon steken en regelrecht naar huis moest komen. Maar dat wilde hij niet. Ik denk dat hij er een boetedoening voor zijn wetenschappelijke zonde in zag. En… u zult het vreemd vinden, alsof Andrew in een hel van paranoia was afgedaald, maar hij had het gevoel dat Haas hem ook op nog geniepiger manieren kwelde. Zijn salarischeques verdwenen. Kleine dingen verdwenen uit zijn tas, uit zijn kamer. Iemand verving het slot van zijn kantoordeur. Op een dag kwam hij naar zijn werk en lagen al zijn spullen op de gang. Ze hadden hem een andere werkkamer gegeven zonder hem in kennis te stellen. Colleges die hij in een bepaalde zaal zou geven, waren op een raadselachtige manier verzet naar een andere zaal aan de andere kant van de campus, en hij moest daar in de zomerse hitte op een drafje naartoe om nog op tijd te komen. Die verschrikkelijke New Yorkse zomers, en hij had al zo'n last van de hitte.

Hier in Engeland is het niet zo heet, weet u. En zijn airconditioning ging steeds kapot…'

'Gaf hij Mickey daar ook de schuld van?' vroeg ik onvriendelijk.

'Ja, ik zie waar u heen wilt en ik beken dat ik dat ook dacht. Was hij gek aan het worden? Maar er waren zoveel aanwijzingen, weet u; al die afschuwelijke details die zich opstapelden – kon hij dat allemaal hebben verzonnen? Dat was onwaarschijnlijk: die arme Andrew was geen fantast, absoluut niet. We zeiden altijd voor de grap dat hij helemaal geen fantasie had, en dan is er ook nog iets wat ik zag toen hij in augustus terugkwam.'

Hij zweeg even en nam een slok bier. Zijn ogen leken me vochtig, en ik hoopte vurig voor hem dat hij niet instortte vanwege die arme Andrew. Ik nam een slok uit mijn eigen glas bier, mijn derde.

'Het is moeilijk te beschrijven. Hij was tegelijk manisch en bang. Hij had een jonge vrouw bij zich en stond erop dat ze bij ons thuis logeerde, al zijn er volkomen geschikte hotels in de buurt.'

'Carolyn Rolly,' zei Crosetti.

'Ja, ik geloof dat ze zo heette. Ze hielp hem bij een onderzoek…'

'Zei hij ook wat voor onderzoek dat was?' vroeg Paul.

'Nee, eigenlijk niet. Hij zei wel dat het de belangrijkste vondst was in de hele geschiedenis van het Shakespeare-onderzoek, en ook dat het vreselijk geheim was. Alsof ik het zou rondvertellen. In elk geval gingen ze van hot naar her. Blijkbaar had hij veel geld bij de hand, want hij huurde een auto en ze bleven dagenlang weg om dan in een opgewonden stemming weer terug te komen. Eén ding zei hij wel: hij wilde de authenticiteit van een manuscript laten vaststellen, maar niemand mocht weten dat hij dat deed. Dat was de voornaamste reden waarom hij mevrouw Rolly bij zich had. Als ik het goed begreep, stelden ze de authenticiteit met technische middelen vast. Daarna gingen ze naar Warwickshire.'

'Weet u ook waar in Warwickshire?' vroeg ik.

'Ja, ik stuitte op wat papieren die mevrouw Rolly had laten liggen. Blijkbaar waren ze in Darden Hall geweest. Andrew kwam alleen terug en maakte toen een vermoeide, angstige indruk. Ik vroeg hem naar mevrouw Rolly, maar hij scheepte me af. Ze was "weg", deed ergens onderzoek. Ik geloofde hem geen moment; ik dacht dat ze misschien ruzie hadden gekregen. Hoe dan ook, hij was veranderd, zoals ik al zei. Hij stond erop alle gordijnen dicht te doen en sloop 's nachts met een kachelpook door het huis en scheen met een zaklantaarn in donkere hoeken. Ik smeekte hem me te vertellen wat er aan de hand was, maar hij zei dat het beter voor me was om het niet te weten.'

Crosetti probeerde meer informatie over Rolly uit hem te krijgen.

Dacht hij dat ze tegelijk met Bulstrode naar Amerika was teruggekeerd? Hij wist het niet, en dat was min of meer het einde van ons gesprek. Nadat we hem hadden verzekerd dat we al Bulstrodes persoonlijke bezittingen naar hem toe zouden sturen en dat mevrouw Ping de nalatenschap zou afhandelen (natuurlijk zonder ook maar met een woord over de verdwijning van het manuscript te reppen), namen we afscheid.

In de auto terug waren we het niet helemaal eens over wat ons nu te doen stond. Paul vond dat we moesten doorgaan met het volgen van Bulstrodes spoor, zoals we oorspronkelijk van plan waren geweest. Dat zou nu betekenen dat we naar Warwickshire gingen, in het bijzonder naar Darden Hall. Crosetti wierp tegen dat Bulstrode daar blijkbaar niets had gevonden, en waarom zouden wij het beter doen dan een expert? Hij was ervoor om in Oxford te blijven en in het huis van March en Bulstrode naar die 'papieren' te zoeken waarover March het had gehad. Ik merkte op dat hij het blijkbaar belangrijker vond mevrouw Rolly te vinden dan het Voorwerp. Hij antwoordde dat Rolly de bron, de sleutel en de stuwende kracht in de hele affaire was. Vind Rolly en je had alle tot dusver beschikbare informatie over het Voorwerp, inclusief naar alle waarschijnlijkheid ook het ontvreemde rooster. We kaatsten de bal een paar minuten heen en weer, met steeds meer ergernis van mijn kant (want ik wist natuurlijk dat het Miránda was die het rooster had gestolen!), totdat Brown ons eraan herinnerde dat er nog meer agenten door deze omgeving zouden rijden die her en der zouden vragen of iemand een Mercedes sel had gezien, waarvan er waarschijnlijk niet zo heel veel rondreden in het landelijke Oxfordshire. Op die manier zouden ze ons weer op het spoor kunnen komen.

Paul stelde voor dat Crosetti naar de herberg terug zou gaan om March te vragen of hij die papieren mocht inzien; hij zou in een van die volkomen geschikte hotels kunnen logeren. Omdat March daar geen bezwaar tegen had, lieten we Crosetti bij hem achter. Ik was opgelucht, want ik was me steeds meer aan de man gaan ergeren. Dat zei ik tegen Paul toen Brown ons bij de herberg vandaan reed, en hij vroeg me waarom, want Crosetti was bescheiden genoeg op hem overgekomen. Onderweg naar het noorden had hij bijna geen woord gezegd.

'Ik mag hem niet,' zei ik. 'Een typische poseur uit Queens en dat soort wijken. Een scenarioschrijver, god nog aan toe! Volslagen onbetrouwbaar. Ik weet niet wat er in me was gevaren toen ik hem uitnodigde mee te komen.'

'Je moet aandacht schenken aan de mensen die je ergeren,' zei Paul.

'Wat bedoel je daar nou weer mee?'

'O, dat weet je vast wel,' zei hij op die irritant zelfverzekerde toon die hij soms aanslaat, als een stem uit de hemel.

'Ik weet het níét. Als ik het wist, zou ik het hebben gezegd, of is jou de kracht van het gedachten lezen toevertrouwd?'

'Hm. Kun je je een andere poseur uit dat soort wijken voorstellen, geen scenarioschrijver maar een acteur? Die kwam niet uit zo'n gelukkig gezin als Crosetti, had geen liefhebbende moeder, geen heldhaftige vader...'

'Wat, denk je dat ik jaloers op hem ben? Dat ik net zo ben als hij?'

'... en hij speelde op veilig en ging rechten studeren in plaats van te doen wat hij echt wilde doen; en nu ziet hij een jongen met een warme, liefhebbende familie die het lef heeft zijn dromen na te jagen...'

'Wat een gelul...'

'Nee. Daar komt nog bij dat je hem er min of meer van hebt beschuldigd jouw vrouw te willen verleiden, sterker nog, je hebt hem aangemoedigd dat te doen. Net voordat je de bar van je hotel kort en klein sloeg en de barkeeper in het ziekenhuis deed belanden.'

'Dat heb ik niet gedaan,' zei ik spontaan.

'Ik weet dat je denkt dat je het niet hebt gedaan, maar toch is het zo. Heb je ooit eerder zulke black-outs gehad?'

'O, dank je! In de kelder van die kerk van jou heb je vast wel een AA-groep waar ik zo bij kan.'

'Nee, ik geloof niet dat je alcoholist bent, nog niet tenminste, al zal niet iedereen midden op de dag drie pinten sterk Engels bier drinken.'

'Ik ben meerderjarig,' zei ik een beetje schaapachtig, want het kwam nu allemaal terug, kleine fragmenten van afschuwelijke herinneringen. Normaal gesproken ben ik geen drinker.

Nu houd ik erover op.

We kwamen om een uur of vier onder een betrokken hemel bij Darden Hall aan. De verrassend korte herfstdag zo ver in het noorden was bijna voorbij, en het schijnsel van onze koplampen gleed over donkere hopen bladeren langs het lange pad naar het landhuis. Het gebouw was nog niet zo lang geleden, na het overlijden van baron Reith in 1999, in het bezit van de National Trust gekomen en de renovatie was nog niet ver genoeg gevorderd om het open te stellen voor publiek. We hadden van tevoren gebeld om een afspraak te maken met de conservator, mevrouw Randolph.

Het was een vervallen gebouw zoals we dat kennen uit horrorfilms en anglofiele *Masterpiece Theatre*-fantasieën, al leek het door de weersomstandigheden en het uur van de dag vooral op een rekwisiet voor het eerste genre. Het had een zeventiende-eeuwse kern, twee achttiende-eeuwse vleugels en negentiende-eeuwse versierselen die de voorgevel bedierven. Voor het huis kwamen we een werkman op een klein trekkertje tegen die ons de weg wees naar wat ooit de bediendeningang was geweest. Toen we aanklopten werd er opengedaan door een stevige vrouw van in de veertig, een English Rose-type. Ze droeg een bril met halve glazen, een tweedrok en twee truien. Dat laatste was heel verstandig van haar, want de kamer waar ze ons heen bracht was zo koud dat de adem bijna als pluimpjes uit je mond kwam. Een elektrisch kacheltje gonsde verwoed, maar dat haalde blijkbaar niet veel uit. Het was het oude rentmeesterskantoor, vertelde ze, de enige bewoonbare kamer in het huis en ook haar werkruimte.

Ze vroeg wat ze voor ons kon doen en ik zei: 'We komen voor graaf Dracula.' Ze grijnsde en antwoordde met een passend *Masterpiece Theatre*-accent: 'Ja, dat zegt iedereen, en ook iets over de boeren die Frankenstein komen halen. Te veel griezelromans en -films, maar ik geloof trouwens dat er wel iets in al die onzin zit. Zelfs in die tijd, in de negentiende eeuw, toen het leek alsof het leven dat die huizen had voortgebracht eeuwig zou doorgaan, wisten sommige schrijvers blijkbaar dat er iets mis mee was, dat die huizen uiteindelijk op gruwelijk leed gefundeerd waren, en dat kwam dan in die griezelverhalen naar voren.'

'Op welk leed is dit huis gefundeerd?'

'O, u mag kiezen. De oorspronkelijke lord Dunbarton stal het in naam van Henry VIII van benedictijner nonnen die hier een ziekenhuis voor de armen hadden. De baron doekte dat ziekenhuis natuurlijk meteen op, en daarna maakten de Dunbartons hun fortuin met suiker en slaven. Daarmee financierden ze de achttiende-eeuwse aanbouw, en weer later hadden ze kolen, gas, en stedelijk onroerend goed in Nottingham en Coventry. Niemand van hen heeft in zijn hele leven ooit een eerlijke dag werk verzet en toch leefden ze als vorsten. Maar...'

'Wat?' vroeg Paul.

'Het is moeilijk uit te leggen. Komt u mee, dan laat ik u iets zien.'

We volgden haar de kamer uit en door een schemerige gang met alleen een paar gloeilampen van vijftien watt in muurkandelaars. De kilte in die kamer was behaaglijk geweest in vergelijking met de vochtige kou van de gangen: koud als het graf, dacht ik, met die griezelromans nog in gedachten. Ze maakte een deur open en drukte op een lichtschakelaar. Mijn mond viel open van verbazing.

'Dit was de zeventiende-eeuwse eetzaal en later de ontbijtruimte. Het hout schijnt het fraaiste voorbeeld van walnoothouten lambrisering uit de Midlands te zijn, om nog maar te zwijgen van het snijwerk in de kasten en de ingelegde parketvloer. Kijkt u eens naar de details! Dat is door Engelse ambachtslieden gedaan voor schurken die het verschil niet wisten tussen lambrisering en boomstammen. Waarom legden ze hun ziel in dat walnoothout? Uit liefde deden ze dat, en dat waardeer ik enorm in hen en daarom wil ik het behouden. Kom, er is nog meer.'

De volgende kamer was een balzaal. 'Kijkt u eens naar het plafond. Giacomo Quarenghi, circa 1775, *Britannia ruling the waves*. Daar zit Britannia in haar amfibische strijdwagen die door dolfijnen wordt getrokken, en langs de rand brengen alle zwartjes haar hun huldeblijken. De kamer zelf is van Adam. Let u op de verhoudingen! De ramen! Het parket! Niemand zal ooit meer zo'n huis bouwen, nooit meer, al hebben we mensen in dit land die alle lords Dunbarton kunnen uitkopen en dan nog wisselgeld in hun zak hebben. Dat betekent dat er iets geweldigs uit de wereld is verdwenen, en ik zou wel eens willen weten waarom.'

'Ik ook,' zei Paul. 'Ik ken het gevoel. Ik heb dat vaak in Rome. Corruptie en alle mogelijke verdorvenheid, het verval van de echte religie, en toch... wat maakten ze een prachtige dingen!'

Daarna praatten ze geanimeerd over Rome en esthetiek, terwijl ik naar Britannia omhoogkeek en de volkeren probeerde te identificeren. Toen gingen we naar het half warme kantoor terug en kwamen we ter zake. Paul deed het woord, want hij had al een relatie met haar opgebouwd, en trouwens, hij droeg het boordje – wie zou een priester niet vertrouwen? Toen hij klaar was, zei ze: 'Dus u bent helemaal hierheen gekomen omdat de politie de verkeerde heeft opgepakt? U volgt het spoor van die Bulstrode in de hoop zijn echte moordenaar te vinden?'

'Zo is het,' zei Paul. 'Kunt u zich herinneren dat hij hier was?'

'O, ja, natuurlijk. Ik krijg niet veel bezoekers met wie ik over iets anders kan praten dan voetballen en de benzineprijs, en als ik zulke bezoekers heb, leg ik nogal beslag op ze en praat ik ze de oren van het hoofd. Zoals ik ook met u deed, met excuses. Ja, professor Bulstrode uit Oxford, tijdelijk verbonden aan een universiteit in de Verenigde Staten, en hij had een jonge vrouw bij zich. Heette ze niet Carol Raleigh?'

'Dat komt er dicht genoeg bij. Weet u toevallig nog waar ze naar zochten?'

De vrouw dacht even over de vraag na, starend in de spiralen van het elektrische kacheltje. 'Ze zeiden dat ze onderzoek deden naar de familiegeschiedenis van de Dunbartons, maar er speelde ook iets anders mee, denk ik. Ze wisselden blikken, als u begrijpt wat ik bedoel, en verstrekten weinig details. Geleerden, heb ik ontdekt, praten meestal honderduit over hun onderwerp, en professor Bulstrode en zijn assistente deden dat niet. Aan de andere kant waren het mijn zaken niet. Hij beschikte over de juiste wetenschappelijke kwalificaties, en dus gaf ik hun de sleutel van de archiefkamer en ging ik verder met mijn eigen werk. Ze zaten daar de hele

dag, wat eigenlijk wel opmerkelijk is, want dat archief is een onbeschrijf-
lijke chaos, nooit goed gecatalogiseerd, en toen ze terugkwamen, waren
ze bedekt met het stof der eeuwen. Ik vroeg of ze hadden gevonden wat ze
zochten en ze zeiden ja en bedankten me, en de professor leverde een bij-
drage aan de stichting, geld voor de restauratie, honderd pond nog wel,
erg royaal. En toen gingen ze weg.'

'Hebben ze iets meegenomen?'

'U bedoelt of ze een document hebben gestolen? Ik denk van niet,
maar ze kunnen hele stapels hebben meegenomen. Ik lette er niet op, en
ik heb ze natuurlijk niet gefouilleerd toen ze weggingen.'

Op dat moment ging de telefoon. Mevrouw Randolph nam de zware
antieke hoorn op en luisterde. Ze zei dat het belangrijk was, het was de
aannemer, en ze bedankten haar en gingen weg.

Terug in de warmte van de auto vroeg ik Paul wat hij ervan vond.

'Ik denk,' antwoordde hij, 'dat ze iets hebben gevonden en dat Rolly ermee vandoor ging. Het schijnt een lastige tante te zijn.'

'Misschien wel. Zo, broer, wat nu? We hebben wel zo'n beetje alles gedaan.'

'Ja, hier wel.' Hij keek op zijn horloge. 'Vandaag kunnen we niets meer
doen. Ik stel voor dat we teruggaan naar Oxford, in een volkomen geschikt hotel overnachten, morgenvroeg Crosetti oppikken en naar Aylesbury gaan.'

'Waarvoor? Wat is er in Aylesbury?'

'Springhill House, een van Hare Majesteits gevangenissen. Ik wil met
Leonard Pascoe praten, de internationaal befaamde vervalser van oude
documenten. Meneer Brown, kunt u ervoor zorgen dat we op weg daar
naartoe gevolgd worden?'

'Jazeker, meneer. Er is vast wel een slecht mens dat aan iemand door-
geeft waar we naartoe zijn gegaan.'

'Ja, er is veel slechtheid in de wereld,' zei Paul met zoveel sluwe voldoening op zijn gezicht dat ik zin had hem een stomp te geven.

'O, en meneer Brown?' zei Paul.

'Meneer?'

'Wilt u onderweg naar een boerderij uitkijken? Waar ze ganzen houden.'

'Ganzen,' zei de chauffeur. 'Ja, meneer.'

'Wat is dat, Paul?' vroeg ik hem.

'O, we gaan Richard Bracegirdle ontmoeten,' zei hij, en verder wilde hij
niets loslaten, de zelfvoldane rotzak.

DE ZESDE BRIEF IN GEHEIMSCHRIFT (FRAGMENT 3)

wij naar de George & converseerden laat: Heer W.S. zeide tot zichzel-
ve ik heb een man gedood ik moet biechten & waar vind ik een pries-
ter in deze tijden. Toen zeide hij, Richard, nu zonden wij uw twee
schurken naar de Hel doch de Hel heeft er nog meer, de duivel heeft ze
in tonnen gelijk haringen, dus als Piggott van deze kloppartij ver-
neemt zal hij meer zenden & nog meer tot wij overwonnen zijn, nee
wij moeten aan de wortel toeslaan & dat is mijn heer Dunbarton. Nu
moeten wij roepen naar hen die groter zijn dan wij, want grote heren
komen slechts ten val door nog grotere heren. Nu ben ik goed met de
Montagues & de Montagues zijn goed met de Howards, zijnde beiden
vrienden van de oude religie & Frances Howard heeft het hart van
mijn heer van Rochester, gelijk heel het hof weet & zij zal de brief
brengen & zweren het is waar, want waar is het & alzo komt mijn
heer Dunbarton ten val & gij gered. Welke brief is dat, heer, zeide ik.
Nee, zeide hij, ik zeide beter twee brieven, de eerste die welke gij van
de valse Veney ontving, veinzende gekomen te zijn van mijn heer Ro-
chester zelve & de andere een die gij hedenavond zult schrijven om
heel uw verhaal te doen. En alzo schreef ik Mijn Heer wat ge nu leest
& het gereed zijnde hij las het & zette tekens alwaar het wellicht an-
ders kon doch ik zeg nee want dit is mijn brief maak mij niet een
uwer schepsels want dit is ernst & geen spel. Hij lacht & roept genade
zeggende jongen, gij hebt het recht hierop want gelijk een slager moet
ik elk kalf aanporren onverschillig of dat het mijne is.

Dan vraag ik hem, Heer zijt ge zeker dat dit ons redt of moeten wij
anders doen & hij zeide ik denk dit redt u maar omtrent mij weet ik
niet. Doch waarom, en ge zijt vrienden met de groten gelijk ge zeide &
hij antwoordde aldus: zaken veranderen telkens & het tij stroomt niet
ten gunste van mij. Koning Hendrik van Frankrijk onlangs vermoord
zijnde, en door een monnik ook, koning James ziet her en der paapse

complotten. Hij maakte een fanatieke puritein tot aartsbisschop van Canterbury & zijn partij zet ons spelers onder steeds meer druk. Ikzelf ben in geschriften aangevallen & niemand waagde mij te helpen. De macht van mijn vrienden in het huis van Montague & anderen van aanzien taant, hun huizen, eertijds veilig, worden thans doorzocht gelijk gemene onderkomens. Ik zeide: doch gij schreef nog het stuk. Welzeker, zeide hij, dat deed ik, gelijk een lang gekluisterde gevangene trots voortstapt indien bevrijd van zijn boeien. O jongen, meende ge dat ik dacht het stuk zoude ooit worden opgevoerd? Nee, maar het vloeide uit mij na de geringe aanleiding die gij me gaf & wilde niet ophouden; grote dwaasheid weet ik doch hier is het voltooid & wat zal ik ermede doen? Verbranden, zeide ik. Ja, branden moet het, zeide hij, mijn ketterse papier.

18

Tik.

Crosetti bewoog in zijn slaap en probeerde terug te keren naar een nogal prettige droom waarin hij met Jodie Foster en Clark Gable op een filmset rondliep. Ze praatten gezellig over films en hij keek Jodie veelbetekenend aan, want zij tweeën kenden nu het geheim dat Gable niet echt dood was en wachtten tot hij uitlegde hoe hij de wereld had misleid, maar toen was er dat ratelende geluid achter hen en zei hij dat hij ging kijken wat het was…

Tik tik tik tiktiktiktik

Hij was wakker, in de onbekende kamer van het Linton Lodge Hotel, aan de rand van Oxford. Professor March was zo goed geweest de kamer voor hem te regelen en hij was er heel tevreden over. Hij had een erker met ramen die op de tuin uitkeken. Die ramen waren nu zwart van de nacht en ze waren ook de bron van het geluid dat hem uit dromenland had gehaald. Opnieuw tikten er steentjes tegen het glas. Hij keek op zijn horloge: half drie.

Hij stond op, trok zijn spijkerbroek aan, ging naar het raam, opende het en kreeg steentjes tegen zijn gezicht. Hij vloekte, leunde uit het raam en zag een donker silhouet op het gazon beneden. Het bukte zich om opnieuw een handvol kiezelsteentjes van het pad te pakken.

'Wie is daar?' riep hij met de harde fluisterstem die je gebruikt als je een slapend huis niet wakker wilt maken.

De persoon beneden richtte zich op en zei met dezelfde soort stem: 'Carolyn.'

'Carolyn *Rolly*?'

'Nee, Crosetti, een ándere Carolyn. Kom naar beneden en laat me binnen!'

Hij keek een hele tijd naar het bekende witte gezicht dat naar hem omhoogkeek. Toen deed hij het raam dicht, trok een shirt en sportschoenen aan, ging de kamer uit, rende terug om zijn sleutel te pakken, net voordat de deur dichtklapte, rende door het gangetje, vloog de trap af en ging door de hal naar de tuindeur. Hij maakte hem open en daar stond ze, in een zwart shirt met lange mouwen en een spijkerbroek, drijfnat, haar donkere haar in slierten aan weerskanten van haar gezicht geplakt.

Ze liep langs hem de hal in.

'Jezus, ik heb het ijskoud,' zei ze, en dat wilde hij wel geloven: in het zwakke rode schijnsel van de nooduitgangverlichting leken haar lippen donkerblauw. Ze keek even naar de bar. 'Kun je me iets te drinken geven?'

'De bar is gesloten. Maar ik heb een fles op mijn kamer.'

Die had hij inderdaad, een fles Balvenie die hij in de taxfreeshop voor zijn moeder had gekocht. Toen ze in de kamer waren, liet hij warm water in het bad stromen, gaf haar zijn oude geruite badjas en zei dat ze haar natte kleren moest uittrekken. Terwijl zij in de badkamer was schonk hij royale porties whisky in waterglazen van het hotel, en toen ze tevoorschijn kwam, in de badjas en met een handdoek om haar haar, gaf hij haar een van de glazen.

Ze dronk het snel leeg, hoestte even en zuchtte, en intussen keek hij naar haar gezicht. Ze zag hem kijken. 'Wat is er?' vroeg ze.

'Wat er is? Carolyn, het is 2 december, nee, 3 december nu, en je wordt vermist sinds, weet ik veel, eind augustus. Bulstrode is dood, wist je dat? Iemand heeft hem vermoord. En zijn advocaat heeft twee kerels doodgeschoten in de huiskamer van mijn moeder, en gangsters hebben geprobeerd mij te kidnappen en… o jezus, waar moet ik beginnen… Carolyn, waar heb je in vredesnaam gezeten en wat heb je in vredesnaam uitgevoerd?'

'Schreeuw niet tegen me!' zei ze met een gespannen stem. 'Alsjeblieft, mag ik even rustig zitten?'

Hij wees naar een fauteuil bij het raam, en toen ze erin zat ging hij tegenover haar op het bed zitten. Ze leek nu belachelijk klein en jong, al had ze wallen onder haar ogen en was het blauw daarvan mat, als metaal dat dof was geworden.

Ze dronk zwijgend haar whisky op en hield hem haar glas voor om het opnieuw gevuld te krijgen.

'Nee,' zei Crosetti. 'Eerst het verhaal.'

'Vanaf welk moment? Mijn geboorte?'

'Nee, je kunt beginnen met je huwelijk met H. Olerud op 161 Tower Road, Braddock, Pennsylvania.'

Ze hield haar adem even in en hij zag die bekende roze vlekken weer op haar jukbeenderen verschijnen. Rolly beheerste haar kleur minder goed dan hij van zo'n volleerde leugenaarster zou hebben verwacht.

'Daar weet je van?' vroeg ze.

'Ja. Ik ben er zelfs geweest, bij het huis. Ik heb een praatje gemaakt met Emmett.'

Nu gingen haar ogen wijd open en perste ze haar lippen even op elkaar. 'O, god, je hebt hem gezién? Hoe gaat het met hem?'

'Hij ziet er redelijk gezond uit, misschien een beetje mager. Het lijkt me een pientere jongen. Het meisje was er ook. Ze zag er ook gezond uit, voor zover ik kon zien. Hun vader kwam nogal agressief op me over.'

'Dat kun je wel zeggen. Harlan heeft losse handjes.'

'Dat zag ik. Hoe ben je bij hem verzeild geraakt? Hij lijkt ouder dan jij.'

'Hij was mijn zwager. Mijn moeder stierf toen ik dertien was, en mijn zus Emily ontfermde zich over me. Zij was vier jaar ouder dan ik en hij was zes jaar ouder dan zij.'

'En jullie vader?'

Ze liet een spottend lachje horen. 'De grote onbekende. Mama was serveerster en vulde haar inkomen aan door met mannen aan te pappen. Als je mijn huur van deze maand betaalt, mag je zo vaak als je wilt. Ze was een truckersliefje, zoals ze dat noemen. Een van die truckers schoot haar dood, en ook de man die ze bij zich had. Hij zal wel hebben gedacht dat het echte romantiek was. Op een dag kwam ik thuis van school en was de politie er. Ik belde Emily en ze haalde me op. Dat was in Mechanicsburg, en ik ging bij hen wonen. Moet je dit horen?'

'Ja. Dus er was geen oom Lloyd.'

'Nee, dat loog ik. Harlan was er wel. Hij begon met me te rotzooien toen ik veertien was en Emily deed niets om hem tegen te houden, zo bang was ze voor hem. Ik kreeg Emmett toen ik zestien was en vier jaar later Molly, en wat zal ik zeggen? Ik dacht dat de dingen nu eenmaal zo waren. Harlan had een baan op de accufabriek, we hadden te eten, en zo leefden we. Ik had Emily en zij had mij en we hadden samen de kinderen. Je zou ervan staan te kijken hoeveel mensen in plaatsen als Braddock op die manier leven. Toen raakte Harlan zijn baan kwijt en moest hij een snertbaan in een magazijn van Wal-Mart nemen en ging Emily dood en…'

'Hoe ging Emily dood?'

'Ze werd geëlektrocuteerd door de wasmachine. Daar kwamen altijd vonken af en Harlan beloofde steeds weer dat hij hem zou repareren, maar dat deed hij nooit, en we gingen er heel voorzichtig mee om. Ik denk dat ze min of meer bij toeval zelfmoord heeft gepleegd. Hij sloeg haar in die tijd aan de lopende band.'

'Uh-huh. En wanneer begon je met boekbinden?'

Plotseling keek ze hem scherp aan. 'Wil je mijn hele levensverhaal weten? Waarom eigenlijk? Omdat we een wip hebben gemaakt? Geeft dat je het recht op de hele cd-collectie van het leven van Carolyn Rolly?'

'Nee, Carolyn,' zei Crosetti. 'Ik heb nergens recht op. Maar je bent midden in de nacht naar me toe gekomen. Waarom? Voor een warm bad? Een glas whisky? Een praatje over die goeie ouwe tijd in de boekwinkel?'

'Nee, maar… zeg, ik heb je hulp nodig. Ik ben van ze weggelopen. Ik wist niet waar ik anders naartoe kon. En we hebben geen tijd om alle details te bespreken. Als ze wakker worden en zien dat ik weg ben, komen ze hierheen.'

'Wie zijn "ze", Carolyn?'

'Shvanovs mensen. Het zijn er vier en ze zitten in een hotel hier drie kilometer vandaan. Ze weten waar je bent. Daardoor wist ik dat ook.'

'En nu… wat? Staan we weer aan dezelfde kant? Waarom zou ik iets geloven van wat je zegt?'

'O, god! Ik heb je al eerder gezegd dat ik niet weet hoe ik moet omgaan met… échte mensen als jij. Ik lieg, ik raak vreselijk in paniek en ik loop weg en dan… Jezus, wil je me niet wat te drinken geven? Alsjeblieft?'

Hij deed het. Ze dronk. 'Oké, we hebben geen tijd voor de lange versie. Boekbinden… Op een dag ging ik met de kinderen naar een dokter om ze voor school te laten inenten, en toen ik in de wachtkamer zat… zag ik dat boek. Het stond daar als versiering. Je weet dat sommige mensen dure boekenkasten hebben met oude gebonden boeken erin? Nou, deze dokter had zo'n kast en Emmett en Molly speelden ermee. Ze pakten de boeken eruit en gebruikten ze als blokken en de receptioniste zei dat ze daarmee moesten ophouden. Ik zette ze in de kast terug en er was er een bij dat *De kunst van het boekbinden* heette en ik pikte het. Het was kalfsleder met gouden sierdruk. Ik weet niet waarom ik het stal. Misschien omdat het zo rijk aanvoelde, dat leer en het papier, zo ón-Braddock, als een stukje van een andere wereld dat daar per ongeluk terecht was gekomen en mij zomaar in handen was gevallen, als een juweel. En toen ik thuiskwam verstopte ik het en las ik het 's avonds, elke avond, maandenlang; en het idee dat mensen met de hand boeken konden maken en dat het dan mooie dingen waren… Ik weet niet waarom, maar het liet me niet meer los. En toen ging Emily dood en sloeg hij míj. Ik wist dat ik als ik niet wegging ook dood zou gaan, net als Emily: hij zou het doen of ik zou het zelf doen, of ik zou hem vermoorden. En dus liep ik weg. De eerste keer kreeg hij me te pakken. Hij sloot me in de kelder op en sloeg me zo erg dat ik bijna niet meer kon lopen. De keer daarna wachtte ik tot de dag waarop hij zijn loon kreeg. Terwijl hij lag te slapen, pakte ik vijfhonderd dollar. Ik liep weg en ging liften en kwam in New York terecht, waar ik in een opvanghuis sliep. Ik vond een baan: 's nachts kantoren schoonmaken. Via die baan vond ik mijn zolderappartement. Het was illegaal en giftig, zoals ik al zei, maar het was spotgoedkoop, want de eigenaar wilde iemand in het gebouw hebben, zodat plunderaars het koper er niet uit sloopten. Dat was de eerste keer dat ik Shvanovs naam hoorde.'

'Hoe dan?'

'Omdat hij eigenaar van het gebouw was, voor een deel tenminste. Able Real Estate Management. Oké, dus ik had nu onderdak en ik werkte meer dan twee jaar 's nachts als schoonmaakster. Al mijn vrije tijd las ik in de bibliotheek over boekbinden en het boekenvak. Ik leerde ook hoe je een cv kunt vervalsen. Toen ging ik bij het schoonmaakbedrijf weg en nam ik een baan als serveerster in een restaurant, want ik moest naar gewone mensen kijken, hoe ze zich kleedden, hoe ze praatten, hun gebaren. Ik veranderde mezelf in iemand uit een beter milieu. Dat kostte me bijna een jaar. En toen kreeg ik die baan bij Glaser. Mijn trieste levensverhaal. Nou, wil je over het manuscript horen?'

'Ja.'

'Ik kende Bulstrode al. Ik heb je geloof ik al verteld dat Sidney ons in New York aan elkaar heeft voorgesteld. Ik volgde een cursus over manuscripten die hij op Columbia gaf. Zodra ik de papieren zag die ik uit de Churchill haalde, wist ik dat het een grote vondst was.' Ze nam een slokje uit haar glas en keek door het raam naar de zwarte nacht. 'En wil je weten waarom ik over de eigendom van die boekkarkassen loog, waarom ik deed of het allemaal niet veel bijzonders was, en waarom ik loog dat ik voortvluchtig was en jou de papieren voor een habbekrats aan Bulstrode liet verkopen?'

'Ik ben een en al oor.'

'Oké, ik ben een boekverkoopster die een manuscript heeft gevonden in boekomslagen die ik voor een grijpstuiver van mijn werkgever heb gekocht. Ik heb geen geld en er is veel geld voor nodig om de authenticiteit van het ding te laten vaststellen en het op een veiling te laten verkopen. En zodra ik ermee in de openbaarheid kom, presenteert Sidney de rekening en...'

'Wat bedoel je, presenteert hij de rekening?'

'O, ik merk dat je Sidney niet kent. Hij zou zeggen dat ik de omslagen heb opengemaakt en het manuscript heb gevonden en hem toen heb opgelicht door hem over te halen mij de boeken als losse omslagen te verkopen. Er zou meteen een smet op de papieren rusten en geen veilinghuis zou er iets mee te maken willen hebben. Sidney geniet veel gezag in die wereld en ik ben niemand. Ik had dus iemand nodig die in de openbaarheid kon treden en ik dacht aan Bulstrode. Ik belde hem toen jij die ochtend op straat stond te wachten. Ik vertelde hem wat we hadden gevonden en sprak met hem af hoe we het in zijn kantoor zouden aanpakken. Als het echt was, zei hij, zou hij mij vijfduizend dollar geven, naast wat hij jou betaalde. Dus toen was het Bulstrodes manuscript. Hij mag dan een keer bedrogen zijn, hij is nog steeds een grote geleerde en paleograaf met toegang tot enorm veel manuscriptbronnen. Niemand zou ooit verband hebben gelegd tussen hem en mij of hem en Glaser.'

'Goed, maar Carolyn, ik begrijp nog steeds niet waarom je me dit niet meteen hebt verteld.'

'O, in godsnaam – ik kénde je niet. Je had het de volgende dag tegen Glaser kunnen zeggen – hé, Carolyn heeft een kostbaar zeventiende-eeuws manuscript gevonden in die boeken die je haar als afval hebt verkocht, haha. En dus moest ik doen alsof ik jou bij het bedrog betrok zonder je te laten weten wat voor manuscript het werkelijk was.'

'O. En wat er daarna gebeurde, die nacht, hoorde dat ook bij het bedrog?'

Voor het eerst die nacht keek ze hem recht in de ogen. Crosetti's vader had hem eens verteld dat pathologische leugenaars de ondervrager altijd recht in de ogen keken en die blik langer vasthielden dan gebruikelijk was, en hij was blij dat Carolyn dat niet deed. Ze keek aarzelend en ook een beetje beschaamd, dacht hij.

'Nee,' zei ze, 'dat hoorde niet bij het plan. Ik wist dat je kwaad op me was, en ik had je dat verhaal over oom Lloyd verteld, en ik dacht dat je weg zou lopen, en toen je dat niet deed en al die aardige dingen deed… Weet je, in mijn hele leven heb ik nóóit zo'n dag gehad, iemand die ergens met me naartoe ging, die mooie muziek, iemand die dingen voor me kocht, alleen omdat hij om mij gaf als mens en niet alleen omdat hij me wilde betasten…'

'Ik wílde je betasten.'

'Ik bedoelde iemand door wie ik betast wilde worden, iemand van mijn eigen leeftijd, iemand die aardig was. Ik ben nooit kind geweest, nooit een tiener. Ik ben nooit met jongens naar de drive-inbioscoop geweest. Het was te vergelijken met drugs.'

'Dus je mag me graag?'

'O, ik ben gek op je,' zei ze zo nuchter dat het overtuigender overkwam dan wanneer ze het zuchtend had gezegd. Zijn hart maakte zowaar een sprongetje. 'Maar wat dan nog? Jij bent zo goed voor me dat het belachelijk is, en dan heb ik het nog niet eens over mijn kinderen, met die puinhoop wil ik je niet opzadelen, en dus dacht ik, oké, één nacht van… ik weet het niet, wat jij zei, één nacht van jéúgd, het soort dingen dat normale mensen doen van onze leeftijd, en het eindigde ongeveer als met Assepoester, maar dan zonder glazen muiltje en zonder prins. De volgende dag maakte ik plannen met Bulstrode. Hij zei dat hij wist waar we het benodigde geld vandaan konden halen en we gingen naar Shvanov. Heb jij Osip Shvanov ooit ontmoet?'

'Nee. Wel mensen die voor hem werken.'

'O, hij is een geval apart. Heel vriendelijk, met uitzondering van zijn ogen. Hij deed me aan Earl Ray Bridger denken.'

'Sorry…?'

'Een crimineel met wie mijn moeder een tijdje omging. Ik wil nu niet over hem praten. Hoe dan ook, ik zag meteen dat hij een schurk was, maar Bulstrode had daar geen idee van, en reken maar niet dat ik het hem aan zijn neus ging hangen. Toen wij bij Shvanov waren, hield hij zijn verkooppraatje over het stuk van Shakespeare. Hij zei dat het Bracegirdle-document zelf al vijftig- tot honderdduizend dollar waard was, maar dat de prijs niet meer te berekenen was als we het Shakespeare-manuscript zelf vonden. Honderd miljoen? Honderdvijftig miljoen? En Shvanov zou niets te verliezen hebben, want zelfs als we het manuscript niet vonden, kon hij nog steeds de brief van Bracegirdle verkopen. Nou, Shvanov gaf hem twintigduizend dollar en zei dat hij meteen naar Engeland moest gaan om onderzoek naar Bracegirdle en lord Dunbarton te doen en op het spoor van het toneelstuk te komen. En dat deed hij. Ik ging met hem mee…'

'Zonder afscheid van mij te nemen. Vind je dat niet een beetje hard?'

'Dat was het mooiste van de hele zaak: de wetenschap dat jij nooit iets met die schoft te maken zou krijgen.'

'Je beschérmde mij?'

'Ik dacht dat ik dat deed,' gaf ze toe. Om zich te verdedigen voegde ze eraan toe: 'En denk nu niet dat je dat niet nodig had. Jij kent die man niet.'

'Over kennen gesproken… Hoe kende een Britse geleerde een schurk als Shvanov?'

'Ik heb geen idee. Een wederzijdse vriend bracht ze met elkaar in contact. Ik dacht dat het een woekerzaakje was – Bulstrode had geen rooie cent en wilde ergens geld lenen voor dit project en uiteindelijk kwam hij bij Shvanov terecht. God, wat ben ik moe! Waar was ik?'

'Je was met de noorderzon vertrokken.'

'Ja. Oké, we gingen dus naar Engeland, en we gingen meteen naar Oxford en logeerden bij Ollie March. Bulstrode zei dat ik bij hen moest blijven, en March vond dat eigenlijk maar niks, maar Bulstrode zei dat het een kwestie van veiligheid was. Ik moest de authenticiteit van het manuscript laten vaststellen, zodat niemand wist dat Bulstrode erbij betrokken was, en toen dat was gebeurd, ging hij zich nog veel gekker gedragen. Ik mocht niet meer telefoneren, en ik mocht die brief aan Sidney alleen sturen nadat ik hem ervan had overtuigd dat het verdachter zou zijn als ik niets van me liet horen. Ik verzon een verhaal over de platen en stuurde hem een cheque. Bulstrode vertrouwde mij helemaal niet meer. Hij was bang dat ik bijvoorbeeld voor Shvanov werkte en aan hem doorgaf wat we deden, onze research en noem maar op.'

'Maar dat was niet zo.'

'Maar dat was wél zo. Natúúrlijk werkte ik voor Shvanov. Ik werk nog stééds voor Shvanov, tenminste dat denkt hij. Voordat ik uit New York vertrok, gaf hij me een mobieltje. Hij zei dat ik contact moest houden. Wat had ik tegen zo'n man moeten zeggen? Nee?'

Ze keek Crosetti uitdagend aan en hij zweeg. Ze greep de handdoek van haar hoofd en droogde haar haar zo wild dat hij ervan huiverde. Even later vroeg hij haar: 'Wat zei Bulstrode toen je hem over de brieven in geheimschrift vertelde?'

Nu kreeg ze weer een kleur. 'Dat heb ik hem niet verteld. Dat hoorde hij van Shvanov.'

'Maar jij vertelde het Shvanov.'

'Ik bevestigde zijn vermoedens,' gaf ze vlug toe. 'Hij weet dingen, Crosetti. Hij heeft overal mensen. Blijkbaar had hij van Bulstrode over jou gehoord, en hij moet hier en daar hebben geïnformeerd. Dacht je dat hij niet kan nagaan wat er in de New York Public Library gebeurt? Jezus nog aan toe, hij kan nagaan wat er bij de CIA gebeurt!'

'Ik dacht dat je mij erbuiten wilde houden,' zei hij.

'Het spijt me. Ik ben een lafaard en ik ben bang voor hem. Ik kan niet tegen hem liegen. Hoe dan ook, toen Bulstrode over dat geheimschrift hoorde, werd hij woedend. Ik moest zo ongeveer boven op hem gaan zitten om hem tot bedaren te brengen. Hij besefte dat die brieven in geheimschrift de sleutel tot het vinden van het toneelstuk waren. En als Shvanov ze van jou kreeg, zou hij óns niet meer nodig hebben, en waarschijnlijk zou dat niet zo goed zijn voor onze gezondheid. Ik stelde voor om na te gaan of de fraaie, nette exemplaren van de brieven die Bracegirdle aan Dunbarton had gestuurd nog aan de kant van Dunbarton bestonden.'

'Daarom gingen jullie naar Darden Hall.'

'Ja. Maar ze waren er niet, tenminste, wij konden ze niet vinden. We vonden wel een Breeches-bijbel. Weet je wat dat is?'

'Ja,' zei Crosetti. 'Een kleine Tudor-bijbel, 1560, drieëntwintig bij zeventien centimeter. We denken dat het geheimschrift van Bracegirdle daarop gebaseerd was. Maar hoe wisten jullie dat? Jullie hadden de geheimschriftbrieven niet.'

'Nee, maar we vonden een Breeches-bijbel met speldengaten in Dunbartons bibliotheek, gaten door willekeurige letters. Bulstrode dacht dat de geselecteerde letters de sleutel van het geheimschrift vormden en dat er ook een rooster was gebruikt. Hij wist heel veel van oude geheimschriften.'

'Daarom stalen jullie het rooster uit die kerk.'

'Daar weet je van?' Met enige schrik.

'Ik weet alles. Waarom stalen jullie niet gewoon die bijbel?'

'Bulstrode stál hem. En toen liet hij me dat rooster gappen. Man, inmiddels was hij zo paranoïde dat hij dacht dat er bendes geleerden op zoek waren naar hetzelfde. Hij wilde ze vertragen voor het geval ze dezelfde geheimschrifttekst hadden. Hij nam aan dat jij die versleutelde tekst aan iemand had gegeven, bijvoorbeeld je kennis bij de bibliotheek, en dat iedereen nu op jacht was. Daarom kwam hij terug naar New York. Hij wilde jou benaderen en de bladzijden in geheimschrift van jou te pakken krijgen. Hij had het rooster en...'

'Shvanov greep hem en martelde hem. Waarom?'

'Hij dacht dat Bulstrode hem bedroog. Iemand – ik ben er nooit achter gekomen wie – belde Shvanov en vertelde hem dat Bulstrode zakendeed met een andere groep die op jacht was naar het manuscript van het toneelstuk. Shvanov sprong uit zijn vel en...'

'Een andere groep? Je bedoelt ons? Mishkin?'

Ze dacht daar even over na en beet op haar lip. 'Nee, ik geloof niet dat ze jullie bedoelden. Iemand anders, andere gangsters. Een zekere Harel, ook een Rus. Het zijn allemaal Russische joden en ze staan allemaal met elkaar in verband, als rivalen of als vroegere compagnons. Omdat ze vooral in het Russisch praten, kwam ik niet veel te weten...'

'En hoe zit het met die Miranda Kellogg waar Mishkin het steeds over heeft? Wat is haar verhaal?'

'Ik heb haar maar één keer ontmoet,' zei ze. 'Ik heb geen idee wie ze werkelijk was, een actrice of een model, door Shvanov ingehuurd om het Bracegirdle-origineel bij Mishkin vandaan te krijgen. Ze stuurden de echte erfgename op een gratis vakantie en presenteerden de actrice als Kellogg.'

'Wat is er met haar gebeurd?'

'Ik denk dat ze Shvanov nog meer geld afhandig wilde maken toen ze het ding in handen had en dat hij zich toen van haar heeft ontdaan.'

'Heeft hij haar vermoord?'

'O, ja. Ze is dood. Weg.' Ze huiverde. 'Zo dood als Bulstrode. Shvanov houdt niet van mensen die hem bedriegen.'

'Werd Shvanov door Bulstrode bedrogen?'

'Ja, maar voor zover ik weet niet met andere gangsters. Hij is geen moment van plan geweest het toneelstuk over te dragen als we het vonden. Dacht je dat nu echt? March zei tegen me dat hij van plan was het aan de Britse staat te schenken, natuurlijk op voorwaarde dat hij als enige toegang tot de papieren zou krijgen en het recht kreeg een eerste uitgave te verzorgen. Ze zouden hem en het manuscript in de Tower opsluiten en Shvanov kon ernaar fluiten. Vergeet niet dat de man een Shakespeare-geleerde in hart en ziel was. Als hij over Shakespeare praatte, kreeg hij sterretjes in zijn ogen, de arme stumper!'

'Nou, voor zover ik weet is er geen geperforeerde bijbel opgedoken. We moeten er dus van uitgaan dat Shvanov hem heeft. Wat is er met het rooster gebeurd?'

'Dat heeft Shvanov blijkbaar ook, want Bulstrode nam het mee toen hij uit Engeland vertrok. En toen ze hem de duimschroeven aanzetten, zal Bulstrode hem hebben verteld dat Mishkin het origineel van de brief had. Hij wist al dat jij het origineel van de geheimschriftbrief moest hebben achtergehouden. Heeft niemand geprobeerd het van je af te pakken?'

'O, ja, dat hebben ze geprobeerd,' zei Crosetti, en hij vertelde haar in het kort wat er de laatste tijd in Queens was voorgevallen. Hij voegde eraan toe: 'Het komt er dus op neer dat wij alleen de tekst in geheim-schrift hebben en dat hij alleen het rooster heeft: de klassieke patstelling. Of ontgaat me nog steeds iets, Carolyn?'

Met die laatste woorden reageerde hij op een bijzondere uitdrukking die even over haar gezicht gleed. Ze zei: 'Heb je de geheimschrifttekst hier? Ik bedoel hier in deze kamer.'

'Nou, het origineel ligt veilig in een kluis in de New York Public Libra-ry. Maar ik heb een gedigitaliseerde versie op mijn laptop hier. Versleuteld natuurlijk. Ik heb ook een Breeches-bijbel. Mishkin heeft er twee ge-kocht. En ik heb een gedigitaliseerde tekst van de editie uit 1560 die ik in de stad op mijn laptop heb gezet voordat we…'

'Ik heb het rooster,' zei ze.

'O, ja? Waar?'

Ze stond op, trok de badjas opzij en zette haar voet op de armleuning van de stoel, zodat de binnenkant van haar dij te zien was. 'Hier,' zei ze, wijzend naar kleine blauwe stippen op de gladde witte huid. Hij knielde neer en keek ernaar, zijn gezicht op maar enkele centimeters afstand. De geur van rozenzeep en Carolyn liet zijn knieën trillen. Eerst leken de stip-pen hem willekeurig, maar toen zag hij het patroon: een gestileerde treur-wilg, symbool van de rouw. Hij schraapte zijn keel, maar zijn stem klonk toch schor. 'Carolyn, is dat een gevangenistatoeage?'

'Ja. Ik maakte hem in mijn kamer bij Ollie nadat ik het rooster had ge-gapt. Ik gebruikte een speld en balpeninkt. Het zijn negenentachtig gaat-jes.'

'Jezus christus! Is het nauwkeurig?'

'Ja. Ik heb het rooster op overtrekpapier overgenomen en met de bijbel uit Darden Hall vergeleken. De gaatjes komen overeen.'

'Maar waarom deed je dat?'

'Omdat ik dacht dat ik je op een dag zou tegenkomen en jij het geheimschrift dan nog zou hebben. En papieren raken weg of worden gestolen, zoals we heel goed weten, om nog maar te zwijgen van het feit dat die schoften me zo'n vijftig keer hebben gefouilleerd. Maar natuurlijk had het kreng dat me fouilleerde niet te horen gekregen waar ze precies naar moest zoeken, alleen dat ik niet iets in mijn lichaamsopeningen mocht hebben. En er zijn zoveel mensen met tatoeages. Heb jij overtrekpapier?'

'Nee. Maar ik heb wel een markeerstift met een dunne punt. We kunnen het glas uit dat lijstje gebruiken. Dat heeft ongeveer het goede formaat.'

Ze ging op haar rug op de rand van het bed liggen, haar linkerdij vlak en schuin ten opzichte van haar lichaam, terwijl Crosetti tussen haar gespreide benen op de vloer neerknielde. Alle lichten in de kamer waren aan. Hij hield het glas tegen haar huid en gebruikte de markeerstift om zorgvuldig een rode stip te zetten op elke blauwe stip op haar huid. Om dat te kunnen doen moest hij zijn linkerhand op haar warme huid leggen en zijn gezicht er dicht bij houden. Het was de meest erotische ervaring uit zijn leven, op één na, en hij moest er bijna om giechelen. Ze zeiden geen woord tegen elkaar. Rolly lag zo stil als een lijk.

Toen het klaar was, trok ze haar badjas weer om zich heen en zei: 'Op grond van het patroon van de gaatjes in de Darden Hall-bijbel dacht Bulstrode dat ze op de tweede bladzijde van Genesis waren begonnen en vanaf die bladzijde verdergingen. Je legt de buitenste gaatjes van het rooster, linksonder en rechtsonder, over de eerste en laatste letter van de onderste regel van elke bladzijde – dat zijn de indextekens – en je leest de letters onder elk van de gaten in de gebruikelijke leesvolgorde, van links naar rechts, van boven naar onder.'

Crosetti zat al aan de tafel, de oude bijbel opengeslagen. Zijn laptop was aangesloten en Word werd geopend. Hij legde de glasplaat over Genesis en hield de indexstippen boven de juiste letters. De inkt van de markeerstift was half doorzichtig en hij kon de letters die eronder zaten gemakkelijk lezen.

'Ik noem de letters en jij typt ze in,' zei hij. 'D… a… v… o… v…'

Het was ongelooflijk saai werk. Crosetti had de letters van de geheimschrifttekst natuurlijk geteld, en het waren er meer dan vijfendertigduizend, de spaties niet meegerekend, met een herhaalde Bijbelse lettersleutel voor elke letter. Hij rekende het vlug in zijn hoofd uit. Als hij dicteerde in een tempo van bijvoorbeeld één letter per seconde, zouden ze voor vijfendertigduizend letters bijna tien uur nodig hebben, om van pauzes en controles nog maar te zwijgen. Dat was veel te lang, als de mensen van wie Rolly was weggelopen haar zouden zoeken, en hij was er zeker van dat ze dat zouden doen. Ze konden nu weggaan en zich verstoppen – en zodra Crosetti dat dacht wist hij ook precies de juiste plaats daarvoor – maar op dat moment stierf hij bijna van nieuwsgierigheid naar de tekst. Toen hield hij op met dicteren.

'Wat is er?' vroeg Rolly.

'Dit is waardeloos. Er moet een gemakkelijker manier zijn. Wij zijn geen zeventiende-eeuwse spionnen. Shit! Ik heb hier een computer staan en kwam niet op het idee om…'

'Waar heb je het over, Crosetti?'

'Dit. Kijk eens naar dat rooster. De eerste letter van de sleutel is de derde letter van de eerste regel, dan de vijftiende letter, dan de tweeëntwintigste. Volgende regel: letter twee, dan zeven, dan veertien. Het rooster heeft hetzelfde patroon voor elke bladzijde die ze gebruikten. Ze gebruikten geen titelpagina's, hè?'

'Nee, alleen de bladzijden met gewone tekst waren gemarkeerd. En natuurlijk ook alle andere bladzijden, omdat de gaatjes door het papier heen gingen.'

'Uiteraard. Ze hebben vast alleen de rechterbladzijden gebruikt. We hoeven dus alleen maar de gedigitaliseerde versie van de editie uit 1560 op te roepen, de titelpagina's van de hoofdstukken eruit te halen én de linkerbladzijden, en dan een simpele zoekopdracht te schrijven om alleen de letters die het rooster aangeeft te tellen en achter elkaar te zetten. We kunnen de sleutel automatisch genereren. Ik heb ook een Vigenère-oplosser op de laptop zitten. Als dit werkt, kunnen we morgenvroeg Bracegirdles geheimen lezen.'

'Kan ik een dutje doen terwijl jij dat doet?'

'Ga je gang,' zei hij, en hij boog zich weer over de tafel.

Zoals het geval was met alles wat je met een computer doet, duurde het veel langer dan hij verwachtte. Het eerste daglicht was al door de erkerramen te zien toen Crosetti op de RETURN-toets drukte om de lange serie letters met, hoopte hij, de sleutel in de virtuele muil van de Vigenère-oplosser te sturen, die al geladen was met de hele reeks letters van de Bracegirdle-tekst. Het scherm van het programma meldde: 'OPLOSSEND…', en toen verscheen er in de lange lege strook onder dat woord een reeks kleine rechthoekjes, het ene na het andere, als een rij goederenwagons op een spoor. Crosetti had de hele nacht de oploskoffie van het hotel gedronken en hij had daar trillingen en een droge mond aan overgehouden.

'Crosetti… God, hoe laat is het?'

Dat kwam gemompeld onder het dekbed vandaan.

'Bijna zeven uur. Ik denk dat ik klaar ben. Wil je het zien?'

'Ik ruik koffie.'

'Er is nog over, maar het is bocht. Kom eens kijken. Dit zou de oplossing kunnen zijn.'

Ze kwam uit bed en ging naast hem staan, ruikend naar het bed. Het laatste rechthoekje verscheen en maakte plaats voor een scherm dat alleen een bestandtitel weergaf:

Bracegirdle geheimtekst.txt

Crosetti hield de cursor erop en zei: 'Aan jou de eer. Druk op de RETURN-toets.'

Ze deed het. Het scherm veranderde in een blok tekst met enkele regelafstand. De eerste regel daarvan luidde:

MIjnReerHefisnutweewebenenenigedajongeiedem

'O, nee!' riep ze uit. 'Het heeft niet gewerkt.'

'Het heeft wél gewerkt. Vergeet niet dat ze met twee verschillende bijbels werkten, die van Bracegirdle en die van Dunbarton, en de gemiddelde drukkwaliteit was nogal slecht, zeker bij een massaproduct als de Breechesbijbel. Geen twee exemplaren waren precies gelijk. Dus ze moeten toen hetzelfde probleem hebben gehad. Het rooster zal op Bracegirdles exemplaar een iets andere tekst hebben opgeleverd dan op dat van Dunbarton, maar het kwam er dicht genoeg bij. Hier, laat me dit naar een nieuw document overzetten – zo – en dan spaties en interpunctie toevoegen en de duidelijke fouten corrigeren – zo – en... dit is de eerste regel:

Mijn Heer Het is nu twee weken en enige dagen geleden dat ik

'O, god! Crosetti, je bent geweldig.'

Er kwam een verrukte glimlach op haar gezicht, de glimlach die al vele maanden tot zijn dromen doordrong, en hij voelde dat er op zijn eigen gezicht eenzelfde grijns verscheen. 'Valt wel mee,' zei hij. 'Het was een makkie voor elk superieur genie. Ga je me nu kussen?'

Dat deed ze. Kort daarna lag hij naakt onder het dekbed, en zij ook. Crosetti maakte zich van haar los en keek in haar ogen.

Hij zei: 'We gaan nu zeker niet meteen de tekst lezen.'

Ze kuste hem opnieuw. 'Die tekst ligt al vierhonderd jaar te wachten. Nog een uurtje extra kan geen kwaad. En je bent waarschijnlijk te moe.'

'Moe van het turen op het scherm, maar niet te moe voor dít.' Er volgde nog meer van dit en toen maakte hij zich abrupt van haar los en keek haar in de ogen.

'Je blijft nu, hè?' zei hij. 'Ik bedoel, je bent er morgen ook nog, en overmorgen...'

'Ik denk dat ik me voor die dagen wel kan vastleggen.'

'Maar niet voor nog meer dagen? Of moeten we hier voortaan dagelijks over onderhandelen?'

'Crosetti, alsjeblieft...'

'O, Carolyn, je wordt nog mijn dood.' Hij zuchtte. 'Ik ga dood als je hiermee doorgaat.'

En hij zou nog langer in die trant zijn doorgegaan, als ze zijn mond niet met haar tong tot zwijgen had gebracht en Richard Bracegirdles verloren gewaande geheimschriftrooster tegen zijn kruis had gedrukt.

'Dat was snel,' zei hij.

'Ja, dat was het. Snel en heftig.'

'Ik vind het mooi zoals je ogen openspringen als je klaarkomt.'

'Een feilloos teken,' beaamde ze. 'Dan onthoud ik wie.'

'Verstandig. Nu, hoewel ik hier graag min of meer eindeloos mee door zou willen gaan...'

'Je wilt het geheimschrift lezen. Ik ook, maar ik wilde het niet zeggen.'

'Opdat ik het niet verkeerd zou opvatten. Ik begrijp het. Nu we het daarover eens zijn, kunnen we een voor een naar de badkamer gaan. Daarna kan het gebeuren.'

Ze kuste hem nog even en glipte uit bed. Hij dacht: er kunnen weinig dingen mooier zijn dan een vrouw met wie je zojuist de liefde hebt bedreven door de kamer zien lopen, zoals haar rug en achterste er in het eerste daglicht uitzien. Hij dacht aan de filmopname die hij daarvan zou maken en die er precies zo uit moest zien als in het echte leven, toen Carolyn een kreet slaakte en zich op de vloer liet vallen.

'Wat is er?'

'Ze zijn er!'

In Carolyns ogen was de vos-in-de-koplampen-blik te zien die hij zich uit New York herinnerde, dierlijke angst. Meteen brak zijn hart weer helemaal opnieuw. 'Wie?' Al was het makkelijk te raden.

'Een van hen staat in de tuin. Semja. De anderen moeten aan de voorkant zijn. O jezus, wat moeten we doen?'

'Kleed je aan! En blijf bij het raam vandaan!' Ze gleed als een hagedis de badkamer in en Crosetti stond op en liep naakt naar het raam. Hij rekte zich uit en krabde zich over zijn buik als iemand die zojuist de slaap der rechtvaardigen had geslapen en niets te vrezen had. Er stond inderdaad een man in de tuin, een man met brede schouders. Hij droeg een wollen muts en een zwarte leren jas die tot zijn knieën reikte. Hij keek op, zag

Crosetti, keek even naar hem en richtte zijn aandacht toen op iets anders. Dus ook al wisten ze waar hij was, en dat Carolyn misschien naar hem toe was gegaan, ze kenden hém nog steeds niet. Dat was vreemd, want in die straat in Queens hadden ze hem gemakkelijk genoeg herkend. Tenzij dat een heel andere groep was geweest. Carolyn had het over twee rivaliserende organisaties gehad…

Maar daar kon hij nu niet aan denken. Hij kleedde zich aan, rukte het telefoonsnoer uit de muur, stak een telefoonadapter voor Britse systemen in het stopcontact, verbond hem met zijn computer, comprimeerde en versleutelde het Bracegirdle-materiaal en stuurde het naar zijn Earthlink-mailbox. Hij had in geen jaren internet gebruikt via een telefoonverbinding, maar het kon natuurlijk nog steeds. Het leek hem een eeuwigheid te duren voordat alles was verstuurd – misschien vijf minuten – en daarna gebruikte hij een schijfopruimprogramma om de geheimschrifttekst, de sleutel, de bijbel en de oplossing onherroepelijk van zijn harde schijf te wissen. Hij keek op en zag Carolyn in de deuropening van de badkamer staan.

'Wat dóé je?' fluisterde ze hard.

'Onze geheimen beschermen. Gek is dat. Ik heb zoveel films over deze situatie gezien dat het is alsof ik me aan een scenario houd. De man en het meisje moeten aan de schurken ontsnappen…'

'O, verdomme, Crosetti, dit is geen film! Als ze ons te pakken krijgen, martelen ze ons tot we ze de geheimen géven. Ze gebruiken snijbranders…'

'Dat staat niet in het script, Carolyn. Zet het uit je hoofd.'

Hij ging weer achter de computer zitten, werkte er nog een paar minuten aan, zette hem toen uit en deed hem in zijn tas. 'Nu moeten we jou wegstoppen,' zei hij, en hij liet de inhoud van zijn plunjezak op de vloer vallen. 'Ik hoop dat je hier lenig genoeg voor bent.'

Dat was ze, zij het maar amper. Als ze die truc in een film deden, wist Crosetti, had de held het meisje niet echt in de plunjezak zitten, maar een figuur van piepschuim. In het echte leven, ontdekte hij nu, was het veel moeilijker dan hij zich had voorgesteld om een vrouw van zestig kilo in een plunjezak een trap af te dragen. Hij hijgde en zweette hevig toen hij in de hal kwam.

Ze stonden daar met zijn tweeën toen hij zich uitschreef. Hij keek met opzet niet in hun richting, maar kreeg vanuit zijn ooghoek een impressie van leer, forsheid en kalme vastbeslotenheid. Aan de balie gaf hij de receptionist het briefje dat hij had gemaakt:

Alstublieft, spreekt u mijn naam niet hardop uit. Ik probeer de mensen te ontwijken die naar mij vroegen. Dank u.

Er was een biljet van twintig pond in de boodschap gevouwen. De receptionist, een jonge Aziaat, keek hem aan, knikte en werkte de uitschrijfprocedure in stilte af, met een simpel 'Tot ziens, meneer, komt u gauw terug' aan het eind.

Crosetti maakte de plunjezak open en haalde er de regenjas, das en pet uit die hij boven op Rolly had gepropt. Hij trok ze aan in het volle zicht van de gangsters, die zonder belangstelling naar hem keken. Hun blik was gericht op de grote trap en de trap van de nooduitgang aan het andere eind van de hal. Hij pakte de plunjezak op en liep langs hen naar buiten. De Mercedes E-klasse die hij via internet had besteld stond op straat te wachten, evenals een Daimler V8 er pal achter, met nog een leren gangster, die rokend tegen de motorkap geleund stond. De chauffeur van de limousine, een sikh met een witte tulband, hielp hem de plunjezak in de kofferbak te leggen, en toen Crosetti achterin zat, vroeg hij de man hem naar het dichtstbijzijnde warenhuis te brengen. De man stelde Templar Square voor en dat vond Crosetti goed. Het warenhuis, vond hij, leek op een Amerikaanse *mall* in een klein stadje, maar dan minder levendig. Het stemde hem droevig, al wist hij niet waarom.

Toen hij met zijn aankopen terug bij de auto was, liet hij de chauffeur de kofferbak openmaken. Rolly kroop er kreunend uit en hij hielp haar op de achterbank. Ze rook naar vocht, canvas en ongewassen kleren. Toen de auto weer reed, gaf hij haar een draagtas. Ze keek naar de kleren die erin zaten.

'Je koopt steeds kleren voor me, Crosetti. Moet ik me daar zorgen over maken? Ook ondergoed. Daar kreeg je zeker een kick van.'

'Een kwestie van netheid. Een van mijn ondeugden. Hoe vind je de kleren?'

'Verschrikkelijk. Ik zal eruitzien als een mislukte actrice of een amateurhoer. En wat moet ik met die Dolly Parton-pruik? Ik dacht dat we juist geen aandacht wilden trekken.'

'Zo trek je geen aandacht als je iemand met bruin haar bent die altijd zwarte kleren draagt. Trek ze maar aan.'

Ze mopperde maar deed wat hij zei. Even later droeg ze een lila truitje, een strakke gele broek, een wijde witte parka met een kraag van namaakbont en laarzen met fleecevoering.

'Het past allemaal,' zei ze. 'Dat verbaast me. Wat heb je daar?'

'Make-up. Draai je naar me toe en zit stil.'

Terwijl de auto over de snelweg reed, bracht hij foundation en blusher aan, veel pruimkleurige oogmake-up, en donkerrode lipgloss. In het spiegeltje van de poederdoos die hij had gekocht, liet hij haar zien hoe ze eruitzag.

'Hé, matroos, ga je mee?' zei ze tegen de spiegel. 'Crosetti, hoe heb je dit allemaal geleerd?'

'Ik heb drie oudere zussen en ik heb aan veel lowbudgetfilms meegewerkt,' zei Crosetti. 'En bedank mij niet. Mishkin heeft me voor ons vertrek een American Express-kaart gegeven.'

'En waar gaan we op Mishkins American Express-kaart naartoe?'

Crosetti keek vlug naar de chauffeur.

'Casablanca. We gaan naar Casablanca om te kuren. Ik heb een permanente uitnodiging. Daar zijn we veilig tot de zaak voorbij is. We kunnen het Bracegirdle-geheimschrift bestuderen en kijken waar het ons naartoe leidt, als het ons al ergens naartoe leidt.'

'Als ze nu eens mensen hebben op het vliegveld?'

'Dat is extreem onwaarschijnlijk. We zijn niet op de vlucht voor de overheid of voor Goldfinger. Dit is een stel plaatselijke gangsters. Op dit moment stormen ze waarschijnlijk onze kamer binnen. Ze zien de berg kleren en boeken en beseffen hoe we ze te slim af zijn geweest. Ze zullen weten dat we naar het vliegveld gaan, want ze zagen me in een limousine van de luchthaven stappen. Ze achtervolgen ons, maar er gebeurt ons niets.'

Ze blies haar adem uit, deed haar ogen dicht en leunde in het zachte leer achterover. Hij pakte haar hand vast, die warm en vochtig was als die van een kind, en deed ook zijn ogen dicht. Zo reden ze naar het zuiden.

DE ZESDE BRIEF IN GEHEIMSCHRIFT (FRAGMENT 4)

trekt hem uit zijn kast de kopie in het net, zeggende verbrandt ge dit
& ik dat doende nader de vlammen doch kon het niet, ik weet niet
waarom, het was mij als doodde ik een zuigeling; want ik hield van
hem en zag hij hield er veel van. Doch dit had ik niet in mijn hart om
in woorden te zeggen; in stede daarvan zeide ik bij nader inzien moe-
ten wij het wellicht veilig bewaren als bewijs voor dit vuige complot.
Nu keek hij lang in het vuur, in stilte, drinkende: toen zeide hij, dat is
een gedachte mijn Richard, een goede gedachte. Wij zullen haar niet
verbranden, noch haar gebruiken om tocht te stuiten dan wel vuur
aan te maken, maar ze zal verdrinken; want wie weet wat in een ko-
mende tijd uit water zal verrijzen als mensen deze zaken met een
nieuw oog aanschouwen. Toen lachte hij & zeide me dunkt dit arme
ongehoorde stuk zal in een komende tijd al zijn hetgeen van Will
wordt gehoord & dat slechts een komedie. Nee, zeide ik, want de me-
nigten komen op uw spelen af & geen sprake van dat ge het best zijt
voor komedies. Nu trok hij een gezicht als bijtende in rotte vis & hij
zeide, Codso, wat bazelt ge, Richard. Wat is een stuk? Nieuw op dins-
dag & een week later roepen zij reeds hebt ge niet iets anders, wij
hoorden dit al eerder. Al met al is het een kleine nering, nevens de be-
ren en de bordelen, van geen belang een ding van lucht en schaduw.
Nee, indien een man wil leven zijn botten al in de aarde liggende hij
moet zwaardere materie uit zijn hersenen maken, epische poëzie of
geschiedenissen, of uit zijn lendenen zonen maken. Ik heb geen ge-
schiedenissen & epos slechts twee in getal, en kleine. Had ik landerij-
en & rijkdom of geleerdheid ik zoude wellicht een tweede Sydney zijn,
een betere Spenser, doch sedert mijn jeugd moet ik verdienen, verdie-
nen, & een pen kan slechts geld trekken uit gindse houten O. En mijn
zoon is dood.

Wij spraken niet meer daaromtrent die avond. Later vertrokken wij naar Warwickshire & hadden een zware reis, het winter zijnde & alles in modder, doch arriveerden in Stratford de achttiende februari & begaven ons naar zekere plaats & verborgen het boek van dat stuk. Waar het is schreef ik in een geheimschrift dat slechts mij en Heer W.S. bekend is. Het is niet dit geheimschrift mijn heer, doch een nieuw ontworpen door mij met Heer W.S., want hij zeide verberg wat ik schreef met mijn geschriften en schreef mij de sleutel uit & deze instructie is altijd bij mij, en de man die het heeft & de sleutel heeft & in staat is mijn afstandmeter te benutten zal die plaats vinden alwaar het rust.

Mijn Heer, als ge dit stuk van Mary van Schotland van node heeft, zend dan slechts bericht, want ik streef in alle dingen aan uw verlangens tegemoet te komen.
Ik ben uwe Edeles nederigste & gehoorzaamste dienaar.

Londen, 22 februari 1611,
Richard Bracegirdle

19

We werden in de gevangenis verwacht door de adjunct-directeur in eigen persoon, mevrouw Caldwell, een dame met een statuur, cachet en accent als Thatcher. Ik vroeg me af hoe lang van tevoren Paul deze zaken had geregeld. Voorzag hij meteen al dat we de gedetineerde Pascoe moesten bezoeken toen hij van mijn betrokkenheid bij Bulstrode en de verschillende verborgen manuscripten hoorde? Dat was onwaarschijnlijk, maar het zou me niet verbazen. Zoals ik al opmerkte is Paul erg intelligent, en ook nog subtiel. Zijn voorgangers bij de jezuïeten hadden soms de leiding van hele naties gehad, zodat het voor hem misschien niet zo'n probleem was om een stel Russische gangsters, al waren het joden, te slim af te zijn. Is dat een logische redenering? Misschien niet, en misschien zit er ook een beetje omgekeerd antisemitisme in: joden zijn slim en dus sluw, je moet uitkijken als ze in de buurt zijn. In veel delen van mijn land is *to jew* nog steeds een werkwoord, en ik ben heus niet immuun voor het behaaglijke gevoel van oppervlakkig antisemitisme. Het tegendeel is het geval, zoals Paul vaak heeft opgemerkt.

De gevangenis was een strafinrichting klasse D, met andere woorden wat Hare Majesteit haar minimaal beveiligde inrichtingen noemt. Wij Amerikanen zouden van haar vakantieoorden spreken. Springhill House was ooit een woonhuis geweest en allen die er nu woonden waren volgens mevrouw Caldwell-Thatcher uit alle macht bezig zichzelf te verbeteren. En natuurlijk mochten we meneer Pascoe, een modelgedetineerde, spreken. Neemt u maar zoveel tijd als u wilt.

Pascoe was een onaantrekkelijk klein mannetje, zorgvuldig gekleed in een blauw zijden overhemd, een geelbruine trui van lamswol, een tweed broek en glanzende instappers. Zijn kleine apenogen bewogen schichtig achter zijn dikke brillenglazen en hij had zijn dunne haar (dat in een betreurenswaardige geeltint was geverfd) naar achteren gekamd tot aan zijn boord. Hij sprak met een bekakt accent en leed aan de zonde van hooghartigheid. Eigenlijk was het Pauls religieuze plicht hem daarop te wijzen en hem de gelegenheid tot berouw te bieden. Tot mijn spijt moet ik zeggen dat Paul dat niet deed maar in plaats daarvan de zonde van de man in ons voordeel gebruikte. Of in het algemeen belang, dat hing ervan af hoe je het bekeek. Zoals ik al zei: een subtiel type, mijn broer.

We zaten in Pascoe's kamer, een gezellig nest dat aan die knusse maar enigszins vervallen hotels deed denken waar de Engelsen blijkbaar zoveel van hielden. Het meubilair was institutioneel, maar Pascoe had het opgetrut met ingelijste schilderijen en reproducties van manuscripten, een sprei in artdecostijl, kleurrijke kussentjes op het bed en een versleten oosters kleedje, misschien wel echt. Hij leunde op een berg van die kussentjes achterover terwijl wij op rechte stoelen zaten. Hij maakte thee voor ons en was daar druk mee in de weer.

We praatten eerst over die goeie ouwe Bulstrode. Pascoe had van zijn dood gehoord en wilde graag meer informatie, die wij verstrekten, al vertelden we hem de theorie van de politie dat Bulstrode het slachtoffer was geweest van ruige seks, zonder erbij te zeggen dat wij er niet in geloofden. En dan was er iets wat ik op dat moment niet begreep. Het ging om de 'betaling', en Paul zei dat het geregeld was en gaf hem een papier, dat hij bekeek, opvouwde en wegstopte. Daarna leunde hij als een pasja in zijn kussens achterover, vouwde zijn lange, delicate handen en keek dromerig naar de plafondtegels.

En toen vertelde hij ons precies hoe hij de zwendel voor elkaar had gekregen. Dat wil zeggen, hij vertelde ons dat het Bracegirdle-manuscript een vervalsing was (hij vertelde tot in detail over de bron van het papier, het recept voor de inkt, hoe je dateertechnologie te slim af kunt zijn enzovoort) en dat iemand, van wie hij de naam niet noemde, hem de tekst had gegeven en hem van de benodigde materialen had voorzien. In de gevangenis? vroeg ik. Een makkie, zei hij. Hier in dit rusthuis zou hij bankbiljetten kunnen drukken zonder dat iemand het merkte. Hij had het werk gedaan, de papieren naar buiten gesmokkeld en de betaling ontvangen. Hij had zijn onbekende cliënt ook verteld hoe hij de zwendel moest aanpakken. Het was vooral belangrijk dat je het niet te gemakkelijk maakte. Het slachtoffer moest wat werk verzetten en het idee krijgen dat hij het allemaal zelf had ontdekt. Het begon met een naïeve getuige die de papieren uit een oud boek of een aantal oude boeken tevoorschijn zag komen; dat laatste was een kwestie van vingervlugheid. En dan haalde je Bulstrode, de expert, erbij.

Waarom Bulstrode? Pascoe moest daar akelig om lachen: dat van die ezel die zich geen tweede keer stoot is nonsens, mijn zoon. Het ideale slachtoffer is een man die zijn verlies wil goedmaken; die arme stumpers leren het nooit. In antwoord op vragen van Paul vertelde hij hoe hij het zogenaamde geheimschrift had gemaakt (niets is fascinerender dan een geheimschrift, heren; zoals ik al zei moet je de slachtoffers iets te doen geven). Hij vertelde over de 'ontdekking' van het onmisbare rooster en zette toen, bijna met zijn lippen smakkend, uiteen hoe hij de vondst van de lang verborgen schat had geënsceneerd. Hij verstrekte veel details, die ik hier niet zal herhalen, maar het verhaal was heel overtuigend en verbazingwekkend ingewikkeld. De handlanger van de vervalser in het kamp van het slachtoffer – want dat was ook van vitaal belang en het kon maar beter een vrouw zijn, een lekkere meid kon nooit kwaad als het slachtoffer ging twijfelen – die vrouw zou ervoor zorgen dat het Shakespeare-manuscript in handen van het slachtoffer kwam. En dat slachtoffer zou het dan aan het echte slachtoffer verkopen, de imbeciel met het geld. Want het sprak vanzelf dat je zoiets alleen met ongeletterden kon uithalen. Je kon niet écht een toneelstuk van Shakespeare vervalsen – de eerste de beste letterkundige zou het meteen doorhebben – en je moest dus iemand vinden met meer geld dan verstand, en dan moest er een heimelijke overdracht plaatsvinden, het manuscript voor geld, en dan was het dag met het handje. Helemaal aan het eind maakte het meisje de eerste sukkel het geld afhandig – een akkefietje – en dan was het voor elkaar.

En nu stond het allemaal op mijn apparaatje. Paul had daarop gestaan. Hij had er zelfs voor gezorgd dat de batterijen nieuw waren. Toen Pascoe klaar was zei Paul: 'Nou, laat u eens zien wat u kunt.' Hij haalde wat foliovellen oud papier, een glazen flesje sepiakleurige inkt en drie ganzenveren uit zijn tas. Pascoe straalde toen hij dat zag, als een moeder bij de aanblik van haar baby, en hij stond vlug op, pakte het materiaal en ging aan zijn tafeltje zitten. Hij bekeek het papier aandachtig, hield het tegen het licht van zijn bureaulamp en maakte waarderende geluiden. Toen maakte hij het inktflesje open, rook aan de inkt, proefde ervan, wreef een druppel tussen duim en wijsvinger.

'Geweldig materiaal,' zei hij ten slotte. 'Het papier is echt zeventiende-eeuws en de inkt is van talkroet en ossengal. Ik neem aan dat de inkt aan oude documenten is onttrokken?'

'Natuurlijk,' zei Paul.

'Briljant! Waar hebt u het vandaan?'

'De Vaticaanse Bibliotheek,' zei Paul. 'Een reorganisatie van de collectie.'

Pascoe grijnsde. 'Zo kun je het ook noemen,' zei hij, en toen zei hij niets meer en sneed hij scherpe punten aan de ganzenveders. Hij deed dat met een hobbymesje dat Paul hem gaf. Terwijl hij daarmee bezig was, pakte Paul iets wat ik herkende als een fotokopie van een pagina uit het Bracegirdle-manuscript. Pascoe was klaar met zijn ganzenveren en ging, nadat hij er een op kladpapier had uitgeprobeerd, aan het werk. Wij gingen zitten. Paul pakte zijn gebedenboek en mummelde. Het was net als een middag in een benedictijner scriptorium, maar dan zonder de klokken.

'Zo!' zei Pascoe, en hij liet ons de pagina zien. 'Wat vindt u daarvan?'

We keken. Hij had de eerste tien regels van het Bracegirdle-manuscript drie keer gekopieerd; eerst nogal primitief, de tweede keer veel beter en ten slotte niet te onderscheiden van Bracegirdles eigen handschrift, voor zover ik dat kon zien tenminste.

Paul was blijkbaar ook tevreden, want hij stopte alle dingen die we hadden meegebracht, inclusief het oefenpapier voor de vervalsing, weer weg. Pascoe zag het papier en de inkt met een verlangende blik in de tas verdwijnen.

Ik wachtte tot we weer in de Mercedes zaten en zei toen: 'Wil je me vertellen wat dat allemaal voorstelde?'

'Het is een vervalsing. Ik heb je al eerder gezegd dat het allemaal een grote zwendel is.'

'Daar lijkt het op. Over wat voor betaling hadden jullie het in het begin?'

'Pascoe heeft een vriend en hij wil dat er voor hem wordt gezorgd. Daarom maakte hij de vervalsing en praatte hij met ons. Ik heb ervoor gezorgd dat die vriend een mooie cheque krijgt.'

'Je financiert onnatuurlijke handelingen?'

'Beslist niet. De heer Pascoe zit veilig in de gevangenis en is alleen in staat tot solitaire onnatuurlijke handelingen. Het valt in hem te prijzen dat hij niet wil dat zijn liefje zich gedwongen ziet als schandknaap de straat op te gaan en dat hij hem wil ondersteunen. Ik geloof dat het een daad van naastenliefde is om hem te helpen.'

'Jij bent echt een volmaakte hypocriet, nietwaar?'

Paul lachte. 'Verre, verre van volmaakt, Jake. Het is wel interessant dat de jongeman die nu in luxe door Pascoe wordt ondersteund dezelfde is die Pascoe na die *Hamlet*-toestand met zijn getuigenverklaring in de gevangenis heeft doen belanden.'

'En hoe ben je dat allemaal te weten gekomen?'

'O, ik heb contacten. De jezuïeten vormen een wereldwijde organisatie. Ik liet iemand met Pascoe praten en toen kwam het hele verhaal eruit, in strikt vertrouwen natuurlijk, en voordat we naar Engeland gingen heb ik Pascoe opgebeld.'

'Wat doen we nu?'

'Hetzelfde wat we zouden hebben gedaan als het ding echt was geweest,' zei Paul. 'We werken de hele procedure af, krijgen het vervalste toneelstuk in handen en geven het aan de schurken. Dan hebben jij en de jouwen niets meer te vrezen.'

'En die schurken? En Bulstrode en degene – wie het ook is – die de mensen stuurde die ik heb neergeschoten? Blijven die buiten schot?'

'Dat is aan jou, Jake. Jij maakt deel uit van het juridische systeem; ik niet. Ik wil alleen maar een eind aan alle problemen maken.'

We reden nu in de richting van Oxford, en Brown vertelde ons dat we naar de gevangenis waren gevolgd en dat we nog steeds werden gevolgd. Paul was daar blij om. Op deze manier lieten we de gangsters weten dat we met Pascoe hadden geprat en voegden we een belangrijk detail aan ons vervalsingverhaal toe. Wat beheerste na al deze onthullingen mijn gedachten? Ik dacht er vooral aan hoe ik al deze nieuwe informatie kon gebruiken om Miranda Kellogg of wie ze maar was terug te zien. Ik heb al gezegd dat mijn Niko obsessief en compulsief is, en dat is hij ook, de arme jongen, maar weet je, de appel valt niet ver van de boom.

Ik haalde mijn mobieltje tevoorschijn en belde naar een nummer; niet omdat ik zo graag met Crosetti wilde praten, maar het was wat psychologen een verdringingshandeling noemen. Dieren likken bijvoorbeeld over hun geslachtsdelen als ze in gespannen situaties terechtkomen, maar hogere diersoorten pakken een sigaret of, de laatste jaren, een mobiele telefoon. Tot mijn ergernis kreeg ik een ingesproken bericht te horen: de mobiele klant die ik trachtte te bereiken was niet beschikbaar. Was de man echt zo dom dat hij zijn telefoon had uitgezet? Ik verbrak de verbinding en belde een ander nummer om een kamer in het Dorchester te boeken; voor mensen als ik is het uitgeven van grote hoeveelheden geld ook een verdringingshandeling. Onderweg lukte het ons de opname van het gesprek dat we met Pascoe hadden gehad op mijn laptop te zetten en vervolgens op een cd, en die cd nam Paul in bezit. Ik vroeg er niet naar.

Enkele uren later zetten ze me bij het hotel af. De sfeer in de auto was nogal kil geweest en er hadden zich geen dramatische gebeurtenissen voorgedaan. We spraken over de beveiliging. Brown verzekerde ons dat zijn mensen ook in Londen op me zouden passen.

'Dit moet een fortuin kosten,' merkte ik op.

'Dat is zo,' zei Paul, 'maar jij betaalt het niet.'

'Wat? Toch niet het advocatenkantoor?'

'Nee. Amalie.'

'Wiens idee was dat?'

'Haar idee. Ze stond erop. Ze wil dat we veilig zijn.'

'En ze wil natuurlijk ook precies horen wat ik doe,' merkte ik met een voor mij ongewoon venijn op. Paul negeerde dat, zoals hij altijd doet wanneer ik zoiets zeg. We gaven elkaar een hand, dat wil zeggen, ik wilde hem een hand geven, maar hij omhelsde me, iets wat van mij niet zo nodig hoeft. 'Het komt allemaal goed,' zei hij, en hij glimlachte zo hartelijk dat ik me gedwongen voelde ook een glimlach tevoorschijn te toveren. Dat stoort me zo aan hem. Brown beperkte zich tenminste tot een korte handdruk, en toen waren ze in het chaotische Britse verkeer verdwenen.

Mijn kamer was blauw, stijlvol gestoffeerd zoals je in het Dorchester kunt verwachten, met kwasten en franjes, geen versierbare plaats onversierd. Ik belde Crosetti opnieuw, met hetzelfde resultaat, nam een whisky, en nog een, en voerde enkele zakelijke gesprekken om afspraken te maken voor de komende dagen. Onze firma vertegenwoordigde een grote multinationale uitgever en de besprekingen gingen over de manier waarop de Europese Unie met gedigitaliseerde tekst omging, met name over de royaltykwesties die daaraan verbonden waren. Het was precies het soort oersaai werk waarin ik me heb gespecialiseerd, en ik verheugde me erop zo saai te zijn als ik kon, in het bijzijn van collega's die zo saai zijn dat ik in vergelijking met hen een Mercutio ben.

De volgende dag belde ik regelmatig naar Crosetti, maar ik kreeg hem niet te pakken. De eerste avond, na een saai diner met specialisten op het gebied van internationaal auteursrecht, dacht ik er even over om een van die elegante prostituees te laten komen waar dit deel van Londen bekend om staat, een langbenig blondje misschien, of een Charlotte Rampling-type met een sluw glimlachje en liegende blauwe ogen. Maar ik weerstond de verleiding. Het sprak me wel aan om Amalies onzichtbare toekijkers (en hun opdrachtgeefster natuurlijk) op die manier te provoceren, maar ik wist ook dat ik er niet erg van zou genieten en dat ik me na afloop enorm depressief zou voelen. Daaruit bleek dat ik nog niet gedoemd was om altijd voor de zelfdestructieve optie te kiezen, en ik was opeens belachelijk ingenomen met mezelf. Ik sliep de slaap der rechtvaardigen en werd de volgende morgen onder het ontbijt teruggebeld door Crosetti.

Toen hij zei dat hij bij Amalie in Zürich was, ging er zo'n hevige vlaag van woede en jaloezie door me heen dat ik bijna mijn glas sinaasappelsap omgooide. Tegelijk herinnerde ik me tot in details het gesprek dat ik met hem had gehad in de bar van mijn vroegere hotel. In het obscene seksuele schimmenspel dat mijn huiselijke leven is geworden, ben ik nooit over een bepaalde streep gegaan, een streep waarvan ik weet dat veel schuinsmarcheerders eroverheen stappen zonder erbij na te denken. Daarmee bedoel ik dat ze hun zonden projecteren op de getroffen vrouw, hetzij door haar van ontrouw te beschuldigen hetzij door haar er subtiel toe aan te zetten ook een verhouding te beginnen, want daarmee kunnen ze zichzelf dan rechtvaardigen. Met 'iedereen doet het' kun je jezelf vrijpleiten, en zo kunnen we allemaal verdorven zijn op een verfijnde manier. Had ik Crosetti echt aangemoedigd? Had hij mijn aanbod echt aangenomen? Had Amalie…?

Nu beefde mijn hele morele universum. Het zweet brak me uit en ik moest het knoopje van mijn boord losmaken om genoeg lucht in mijn longen te krijgen. Op dat afschuwelijke moment begreep ik dat mijn excessen alleen mogelijk waren geweest omdat mijn partner de gouden standaard van emotionele eerlijkheid en kuisheid was. Als zíj ook ontaard bleek te zijn, zou alle deugd uit de wereld verdwijnen, zou alle genot waardeloos worden. Het lukt me nu niet goed om weer te geven hoe diep dat idee me trof. (En natuurlijk zakte het, zoals veel van zulke ideeën, gauw weer weg; dat is de kracht van wat de kerk wellust noemt, de macht der gewoonte – voortkomend uit de zondeval, als je het theologisch wilt zien – die ons naar de zonde teruglokt. Een uur later smachtte ik naar Miranda en flirtte ik tegelijkertijd op mijn eerste bespreking met een jonge assistente.)

Na enkele lange seconden zei ik schor in de telefoon: 'Neuk je mijn vrouw, jij geile spaghettivreter?' Ik zei dat hard genoeg om de aandacht van enkele gasten in de stijlvolle ontbijtkamer van het Dorchester te trekken.

Waarop hij geschokt antwoordde: 'Wat? Natuurlijk niet. Ik ben hier met Carolyn Rolly.'

'Rolly? Wanneer is zij opgedoken?'

'In Oxford. Ze is op de vlucht voor Shvanovs mensen.'

'En jij hebt haar ondergebracht bij mijn vrouw en kínderen, jij klootzak!'

'Rustig maar, Jake. Het leek me een goede zet. Waarom zouden ze haar in Zürich zoeken? Of mij? Intussen zijn er nieuwe ontwikkelingen…'

'Ik ben hier tegen! Ga daar weg! Ga ergens anders heen!' Ongelooflijk dom, weet ik nu, maar het idee dat Crosetti een huis met Amalie deelde zat me dwars.

'Goed, dan gaan we naar een hotel. Zeg, wil je dit horen… Het is belangrijk.'

'Vertel maar,' bromde ik. Het was een heel verhaal. In het kort kwam het erop neer dat Rolly een kopie van het rooster bij de schurken vandaan had gesmokkeld en dat ze de spionagebrieven hadden kunnen ontcijferen. Ik probeer me te herinneren wat voor gevoel ik had toen ik dat hoorde. Niet zo'n bijzonder gevoel, denk ik, want ik wist dat het allemaal zwendel was. Ik vroeg hem me de ontcijferde tekst te e-mailen en vroeg ook: 'Nou, staat erin waar het toneelstuk ligt?'

'Er staat dat hij zijn exemplaar heeft begraven en dat hij op een antwoord van Rochester wacht. Hij verried Dunbarton en wilde het stuk gebruiken om te bewijzen dat er een complot was geweest. Misschien heeft hij zijn antwoord gekregen en het stuk opgegraven, en wie weet wat er daarna mee is gebeurd?'

'Wacht eens even. Was een van de geheimschriftbrieven aan iemand anders gericht?'

'Ja, de graaf van Rochester, de man tegen wie de samenzwering van Dunbarton gericht was. Blijkbaar werd Dunbarton als samenzweerder betrapt en wilde hij zijn sporen uitwissen door Bracegirdle en Shakespeare te laten vermoorden. Bracegirdle raakte in paniek en probeerde de geldkist van het theater te plunderen om zijn vlucht te financieren. Hij werd betrapt, bekende alles aan Shakespeare, en ze besloten de zaak bekend te maken. Er ontbreken bladzijden uit die brief, maar het is evengoed vrij duidelijk. Shakespeare kende hooggeplaatste personen die voor de hele zaak konden instaan en ze schreven de brief in hetzelfde geheimschrift.'

'En ze waren niet bang dat Dunbarton hem te pakken zou krijgen en zou lezen?'

'Nee, dat is het mooie van zijn cijferschrift: je had alleen maar een rooster nodig dat gemakkelijk te kopiëren was, en een verwijzing naar een bladzijde uit de Breeches-bijbel, en je was klaar; maar als je die bladzijde niet wist, had je pech. Hij moet het rooster, de geheimschriftbrief en het bladzijdenummer aan een van Rochesters mensen hebben gegeven en…'

Ik interesseerde me niet voor de details en zei: 'Dus we weten nog steeds niet waar dat stuk ligt?'

'Nee. Hij schreef dat de instructies daarvoor op een veilige plaats waren opgeborgen, wat hij daar ook maar mee bedoelde. Blijkbaar heb je ook die afstandmeter nodig die hij heeft uitgevonden.'

'O, goed. Ik ga meteen langs alle antiekzaakjes. Dus dat is het? Een dood spoor.'

'Daar lijkt het wel op, baas, tenzij iemand een kist met Bracegirdliana heeft bewaard. Aan de andere kant is dit misschien de grootste vondst uit de hele geschiedenis van het Shakespeare-onderzoek. De Folger Library heeft er vast heel wat voor over.'

'Ja. En wat ga jij nu doen?'

'Ik ga terug naar New York, denk ik. De geheimschriftbrieven zijn Carolyns eigendom, en ze zal ze wel willen verkopen. Amalie zei dat jij een vooraanstaande Shakespeare-geleerde kent…'

'Ja. Mickey Haas. Wat is er met hem?'

'Nou, misschien kun je hem vragen de verkoop te regelen, in ruil voor een eerste inzage en zo.'

'Dat zal ik graag doen. En als je met me wilt terugvliegen: we vertrekken donderdagavond, overmorgen dus, vanaf Biggin Hill. En Rolly? Vergeet maar wat ik over Amalie zei, en dat je het huis uit moet. Ik ben tegenwoordig een beetje gek.'

Waarom vertelde ik hem op dat moment niet dat het allemaal zwendel was? Dat weet ik niet meer, maar ik zal wel bang zijn geweest dat ik Miranda nooit meer te zien zou krijgen als ik te snel met de ontknoping kwam. Misschien was ik meer dan een beetje gek.

Ik ging naar mijn besprekingen, had mijn flirt, zoals ik al zei, en dineerde heel aangenaam met mejuffrouw Wie-dan-ook, maar zette haar daarna heel kuis na een handdruk in een taxi. De volgende dag ontbeet ik met Paul in het Dorchester en gaf ik hem de uitdraai van het mailtje dat Crosetti me had gestuurd. Hij las hem terwijl ik koffiedronk. Toen hij klaar was, vroeg ik wat hij ervan vond.

'Briljant,' zei hij. 'Ik wou bijna dat het echt was.'

Daarna praatten we over Mickey en de dode Bulstrode en het leven in wetenschappelijke kringen, en over Mary, koningin der Schotten, en over het feit dat niemand ooit had kunnen vaststellen wat ze werkelijk had gedaan. Had ze echt samengezworen om haar man, lord Darnley, te vermoorden? Wat had haar bezeten om met een maniak als Bothwell te trouwen? Had ze de belastende brieven over het complot tegen Elizabeth echt geschreven? Waarom had ze haar hele leven nooit eens rustig nagedacht?

Ik zei dat ik het niet wist. Voor mij was het allemaal *Masterpiece Theatre*. Het zou trouwens niet de eerste keer zijn geweest dat het lot van naties afhankelijk was van iemand die een beetje neukwerk wilde waarop hij of zij eigenlijk geen recht had.

'Ja, maar wat zou Shakespeare van haar hebben gemaakt? Ik bedoel, toen hij aan Cleopatra en lady Macbeth en de vrouwen in zijn historische stukken werkte, had hij niets om van uit te gaan, en nu had hij opeens massa's materiaal, en het ging over iets wat in de tijd van zijn grootouders was gebeurd. Hij moet mensen erover hebben horen praten toen hij een kind was, zeker in het katholieke Warwickshire.'

'Nou, we zullen het nooit weten, hè? Over samenzweerders gesproken: heb je van de Russen gehoord?'

'Niets. Ik kan niet geloven dat dit je niet interesseert. Jij gaat door voor de romanticus in de familie.'

'Ik? Ik ben juist prozaïsch. Intellectueel eigendom? Jij bent de oorlogsheld. En de priester.'

'Het meest onromantische beroep.'

'Kom nou! Niets is romantischer dan een priester. Het onbereikbare is de essentie van de romantiek. Dat is een van de belangrijkste redenen waarom die sukkels priester worden: de fascinatie voor het celibaat. Plus het feit dat jullie in vrouwenkleren kunnen rondlopen zonder er belachelijk uit te zien.'

'Althans niet erg belachelijk,' zei Paul grijnzend. 'Al herinner ik me dat jíj degene was die in Mutti's kleren rondliep.'

'O, nu probeer je me echt gek te maken. Ik heb nooit in…'

'Ja, dat deed je wel; jij en Miriam zochten altijd in haar ladekast. Vraag het haar maar als je mij niet gelooft. Je moet trouwens de groeten van haar hebben.'

'Waar is ze?'

'Op doorreis. Ze belde gisteravond. Ze wilde weten wat we in ons schild voerden, maar tegelijk wilde ze niet de schijn wekken dat ze nieuwsgierig was. Je weet wel, zoals ze altijd probeert dingen uit je los te krijgen die je haar best zou willen vertellen als ze er ronduit naar vroeg.'

'Ja, en als je iets uit háár los wilt krijgen, is dat net zoiets als vlees uit een kreeft peuteren. Wil dat "op doorreis" zeggen dat ze in Europa is?'

'Zo begreep ik het,' zei Paul vaag. 'Ik had de indruk dat ze op weg was naar pa.'

'En jij? Ga jij hem ook opzoeken?'

'Misschien wel, nu ik hier toch ben,' zei hij met dat irritante glimlach-je van hem.

'Alles is vergeven, hè?'

'Dat hoort bij mijn baan.'

'En hij verontschuldigt zich voor wat hij heeft gedaan?'

'Absoluut niet. Hij heeft tegen mij of Miri nooit iets over die keer ge-zegd, of over moeder. Hij denkt dat ik een lul en een idioot ben en behan-delt Miri als een dienstmeisje. Voor zover ik kan nagaan is hij geen spat veranderd sinds Brooklyn; hij is nu alleen ouder, rijker en corrupter en hij doet het met steeds jongere vrouwen. O, en natuurlijk is hij in politiek opzicht een volslagen fascist, nog rechtser dan de Kach-partij. Dood aan de Arabieren, Sharon verkwanselt onze belangen, je kent dat wel.'

'Charmant. Paul, waarom verspil je in godsnaam je tijd aan hem?'

Hij haalde zijn schouders op. 'De plicht van een zoon. En nu hoeft Miri de hele last niet in haar eentje te dragen. Of misschien hoop ik dat hij zichzelf in een positie manoeuvreert waarin ik hem kan geven wat hij no-dig heeft.'

'Wat zou dat dan zijn?'

'Weet ik niet precies. Berouw en verzoening? Ik bid dat ik het weet als het zover is. Intussen is hij mijn vader; en al is hij een gemene rotschoft, hij is nog steeds een deel van mij, en het doet me goed hem van tijd tot tijd te zien. Jij zou het ook eens moeten proberen.'

Ik zei dat ik daarvoor paste en hij drong niet aan. Dat doet hij nooit. Ik kan me de rest van het gesprek niet herinneren en ik had mijn apparaat-je in mijn kamer laten liggen, maar ik herinner me nog heel goed de keer daarna dat ik mijn broer zag. Om ongeveer tien uur die avond kwam hij mijn kamer binnenstormen met het nieuws dat mijn kinderen waren verdwenen.

Natuurlijk had Amalie eerst naar mijn mobiele nummer gebeld, maar zoals je waarschijnlijk al wel hebt begrepen, heb ik enorm de pest aan die dingen en zet ik het mijne altijd af als ik een bespreking heb, en die avond was ik vergeten het weer aan te zetten. Ik weet ook nog dat ik haar niet had verteld dat ik in het Dorchester logeerde in plaats van in mijn gebruikelijke hotel in Knightsbridge. Daardoor kon ze me niet te pakken krijgen en had ze Paul gebeld.

Ik belde haar natuurlijk meteen terug. Met een merkwaardig zielloze stem vertelde ze me het verhaal. Amalie was gaan schaatsen met de kinderen in de buurt van haar huis. Omdat schaatsen de enige sport is die Niko bedrijft, is zijn moeder altijd bereid om met hem naar de ijsbaan te gaan. Meestal schaatst hij in kleine obsessieve cirkels, starend naar het ijs. Imogen is een vrij goede kunstrijdster en houdt van alles waarmee ze kan paraderen. Ze gingen met Crosetti en zijn vriendin naar de ijsbaan en dronken na afloop warme chocolademelk bij Zic-Zac. De kinderen hadden het op en renden naar buiten om te wachten, zoals kinderen doen, vooral wanneer hun moeder denkt dat ze Amerikaanse barbaren zijn die het zelfs in een eenvoudig eethuisje in Zürich niet waard zijn om bediend te worden. De volwassenen dronken hun koffie op, en toen ze buiten kwamen waren de kinderen weg. Een vrouw op straat zei dat er een auto was gestopt. Een blonde vrouw had haar hoofd uit het raam gestoken om hen aan te spreken, en toen waren ze vrijwillig in de auto gesprongen. Ze had gedacht dat ze de vrouw in de auto kenden, anders had ze wel alarm geslagen. Natuurlijk dacht ik eerst dat de vrouw in de auto Miranda was geweest, en ik moet bekennen dat ik heel even blij was – al was ze een crimineel die mijn kinderen had gekidnapt, in zekere zin was ze in mijn leven terug, misschien zou ik haar weer ontmoeten!

'Ik kom meteen,' zei ik tegen mijn vrouw. 'Ik kan er om zeven uur zijn.'

Maar ze zei dat ze me niet wilde. Ze zei dat ik er al had moeten zijn, dat het juist gebeurd was omdat ik er niet was, omdat ik het gezin had verscheurd en allerlei rottigheid had toegelaten in wat ons veilige huis zou moeten zijn; en nu wil je doen alsof je me komt troosten? Ik wil jouw troost niet. Jij hebt geen troost te bieden. En nu je kinderen door gangsters zijn ontvoerd, zul je nog vrijer zijn om te doen wat je wilt, en wil je weten wat ik vind? Ik vind dat het dwaasheid van me was om kinderen te willen opvoeden met een man als jij; ik dacht, ja, ik dacht dat ik het allemaal in orde kon maken met liefde, dat ik een deken van liefde over ons heen kon leggen zodat er in deze angstaanjagende wereld één hoekje was dat alleen van ons was, maar nee, jij wilde dat niet, jij scheurde mijn mooie kleine dekentje aan stukken; en wat ga je nu doen, Jake, op welke grondslag ga je om je kinderen rouwen? Zul je ze zelfs erg missen? Dat weet ik niet eens. Hoe kun je dan bij me komen om me te troosten?

En nog veel meer in die trant, waarbij ik mijn verontschuldigingen aanbood en me verdedigde; in godsnaam, Amalie, wat ben je aan het doen? Heb je de politie gebeld? En nog meer van die praktische dingen waarop ik haar aandacht wilde vestigen, om nog maar te zwijgen van de gedachte (die ik niet met haar wilde delen) dat er maar één reden was waarom iemand mijn kinderen zou willen ontvoeren: het Voorwerp. Dat had ik niet in mijn bezit, en als Crosetti gelijk had, zou ik het ook niet in handen krijgen. Zo praatten we een hele tijd langs elkaar heen als mensen in een postmodernistisch stuk, en uiteindelijk zei ze dat ze niet meer met me wilde praten en vroeg ze of ze Paul kon spreken. Ik gaf hem de telefoon en ging op het bed zitten, verdoofd en verlamd, starend naar het bureau, dat zich toevallig in mijn gezichtsveld bevond. Op het bureau lagen keurige stapels papier en mappen in allerlei kleuren, waarin ik de resultaten van mijn juridische werk van de laatste dagen had opgeborgen. Mijn laptop keek me uitnodigend aan en de duiveltjes in mijn hoofd zeiden, ach, ik had altijd mijn werk nog; geen kinderen, dat was jammer, maar evengoed... Daarop volgde het besef wat mijn werk wás, en toen werd ik *matagalp*, zoals ze, als ik het goed heb, op de Filippijnen zeggen.

Ik liet een bulderkreet horen als King Kong en haalde de kamer overhoop. Ik gooide het bureau om, de stoel kletterde tegen de spiegel, de laptop vloog de badkamer in. Ik gooide een vrij zware Regency-fauteuil door het raam en wilde net alle papieren en mijn aktetas erachteraan gooien toen Paul me tackelde. Ik ben natuurlijk veel sterker dan hij, maar hij zag kans me in een pijnlijke greep te krijgen – zoals ze vroeger schildwachten buiten gevecht stelden – en na enkele seconden van pijnlijke, vergeefse strijd zakte mijn razernij af tot gesnik. Ik geloof dat ik nog een tijdje heb geschreeuwd en gebruld. De politie kwam vanwege dat gebroken raam, maar Paul kon het regelen, want priesters krijgen bijna altijd het voordeel van de twijfel.

Enkele uren later, toen ik mezelf met Xanax in een staat van doffe apathie had gebracht, kwam het verwachte telefoontje. Paul gaf de hoteltelefoon aan me door. Het was een stem met een accent, misschien Russisch, maar niet die van Shvanov. Deze persoon dreigde helemaal niet. Hij zei dat hij geen barbaar was, dat mijn kinderen op een veilige, comfortabele plaats waren – niet op stoelen vastgetapet in een leegstaande fabriek of zoiets – en dat noch ik noch mijn vrouw zo dom zou zijn de politie erbij te betrekken. Ik verzekerde hem dat we dat niet zouden doen. Hij zei dat dit alles op een beschaafde manier kon worden geregeld, aangezien ik ongetwijfeld wist wat ze wilden hebben, en dat ik, zodra ik het had, een advertentie op die-en-die website moest zetten, waarna ze contact met me zouden opnemen. Toen ik zei dat ik geen idee had waar dat vervloekte ding was, zei hij: wij hebben geduld en wij hebben vertrouwen in u, en daarna verbrak hij de verbinding. Ik had nog maar net opgehangen of mijn mobiele telefoon maakte het geluid dat hij maakt als er een boodschap voor je is ingesproken. Ik ging naar mijn mailbox en daar was een foto van beide kinderen, glimlachend, met een boodschap van Imogen: 'Hallo, pa, we zijn gezond en wel en worden niet gemarteld zoals in films. Maak je geen zorgen.' Een bewijs van leven noemen ze dat, erg professioneel. En ze klonk echt gezond en wel.

Oké, nu spoel ik even door. Paul is weg. Hij wilde blijven praten, maar ik schopte hem eruit, vooral omdat hij dieper door de kidnapping getroffen was dan ik en ik geen behoefte had aan zijn medelijden. Ik ben alleen in de ravage van de hotelkamer. De directie heeft dik plastic over het raam aangebracht, maar ik heb gezegd dat ik de kamer zelf wil opruimen om mijn belangrijke vertrouwelijke papieren terug te vinden. Er is letterlijk met geld gestrooid onder het personeel. Ik pak de papieren op en stop ze lukraak in mijn aktetas als mijn blik op een dik pak uitdraaien valt dat ik niet meteen herken. Ik kijk nog eens goed en zie dat het de genealogie van de Bracegirdles is die Niko voor me heeft gemaakt. Ik wil de papieren net in de prullenbak gooien als ik zie dat het de afstammelingen in vrouwelijke lijn zijn. Daar had ik nog niet naar gekeken. Ik ga op de rand van het bed zitten, blader de papieren door en zie dat er van Richard Bracegirdle nog één nakomeling in leven is, een zekere Mary Evans, geboren in 1921 in Newton, Maryland, en daar nog steeds woonachtig.

Het was in Engeland half tien 's avonds, dus het was middag aan de oostkust van de Verenigde Staten. Ik vroeg het nummer op en belde. Een vrouwenstem. Nee, tot haar spijt moest ze me vertellen dat mevrouw Evans dood was. Kortgeleden gestorven. Ik sprak met Sheila McCorkle, iemand van mevrouw Evans' kerk, een katholieke kerk waarvan wijlen Mary een steunpilaar was geweest. Mevrouw McCorkle hielp het huis op te ruimen, en goh, wat waren er een boel oude dingen! Ik zei dat ik uit Londen in Engeland belde en dat maakte indruk op haar. Ik vroeg haar of ze bezittingen van mevrouw Evans had weggegooid. Nee, nog niet. Hoezo? Ik vertelde haar dat ik de advocaat van de familie Bracegirdle was en dat ik graag in mevrouw Evans' huis naar belangrijke dingen van vroeger zou willen zoeken; zou dat kunnen? Ja, ze dacht van wel. Ik kreeg haar eigen telefoonnummer en maakte een afspraak voor de volgende dag.

Ja, het zal wel krankzinnig van me zijn geweest dat ik in zo'n vergezocht spoor geloofde, maar heeft de grote La Rochefoucauld niet gezegd dat er situaties zijn die zo moeilijk zijn dat je wel halfgek moet zijn om er levend uit te komen? Ik belde Crosetti en zei tegen hem: zorg dat je naar Londen kunt vertrekken zodra ik je bel, want ik wil een spoor volgen in Amerika, en als het iets oplevert, heb ik iemand in Engeland nodig. Een korte stilte op de lijn. Moest hij niet bij Amalie blijven? Ik zei dat dit misschien onze enige kans was om het Voorwerp te pakken te krijgen, en dat als we mijn kinderen terug wilden hebben dit misschien belangrijker was dan eventuele steun die hij mijn vrouw kon geven. We maakten afspraken en toen hing ik op en belde onze piloot.

Om zes uur de volgende morgen bevond ik mij boven de Atlantische Oceaan. We hadden de wind mee en bereikten het vliegveld Baltimore-Washington in iets meer dan zeven uur. Drie uur daarna stopte ik met mijn gehuurde Lincoln in Newton, Maryland, voor een bescheiden houten huis dat wit en verweerd tussen bladerloze eiken en kornoelje stond. Mevrouw McCorkle bleek een stevig gebouwde vrouw van in de vijftig te zijn, met een alledaags open gezicht, gekleed in werkkleren die je ziet op het platteland, een schort en handschoenen. In het huis hing de beladen atmosfeer van een lang leven dat door de dood was uitgehold. Er stonden kartonnen dozen en mevrouw McCorkle deed dappere pogingen de verkoopbare dingen van de rotzooi te scheiden. Mary Evans was een oude vrijster geweest, zei ze (ze gebruikte die in onbruik geraakte oude term), een triest geval. Ze had eens een verloofde gehad, maar die was niet uit de oorlog teruggekomen. Haar vader had te lang geleefd, ze had voor hem gezorgd, nooit getrouwd, het arme ding, en ja, ze was een Bracegirdle van moederskant, katholiek natuurlijk, uit een oude familie zei ze, ze waren in 1679 naar Amerika gekomen, op een van de schepen met katholieken van lord Baltimore, nou, dat het een óúde familie was wilde ze wel geloven, moet u al die spullen toch eens zien, het lijkt wel of ze nooit iets hebben weggedaan sinds 1680! Kijkt u gerust rond. Daar bij de haard liggen de dingen waarvan ik denk dat ze te verkopen zijn. Ze heeft in haar testament alles aan de St. Thomas nagelaten, daarom ben ik hier.

Ik keek eerst in de doos met boeken. Een oude Douay-bijbel, afbrokkelend leer, binnenin een stamboom die terugging tot Margaret Bracegirdle, de oorspronkelijke emigrante. Margaret was blijkbaar in Amerika getrouwd, en haar zoons en dochters waren ook getrouwd; de naam was in de bevolkingsregisters verloren gegaan, maar niet in het geheugen, want er stonden in de stamboom veel mensen die de voorouderlijke naam als tweede voornaam droegen: Richard Bracegirdle Clement, Anne Bracegirdle Kerr…

Ik legde de oude bijbel weg en zocht dieper in de doos.

Het was natuurlijk een kwarto. De rode kalfslederen rug was bijna zwart van ouderdom en de omslagen en schutbladen waren gezwollen en vlekkerig van het vocht, maar de bladzijden waren er allemaal nog, het bindwerk was intact en de naam die in een vertrouwd handschrift met verbleekte sepia inkt op het schutblad was geschreven was 'Richard Bracegirdle'. Een editie van 1598, zag ik toen ik het voorwerk bekeek. Er zaten kleine gaatjes in Genesis. Op het achterste schutblad stond in hetzelfde handschrift een reeks letters in veertien onregelmatige rijen geschreven.

Ik klapte het boek dicht. Mevrouw McCorkle keek op van haar sorteerwerk en vroeg of ik iets had gevonden wat me aanstond.

'Ja, dat heb ik. Weet u wat dit is?'

'Een bijbel, zo te zien.'

'Dat is het. Het is een Geneefse bijbel uit 1598. Hij is van Richard Bracegirdle geweest, een voorouder van uw vriendin.'

'O ja? Is hij waardevol?'

'Ja. Ik denk dat hij vijfentwintighonderd dollar zou kunnen opbrengen, vanwege de beschadigingen. Het is geen perfect exemplaar, en natuurlijk is deze vertaling zo'n tachtig jaar lang door bijna alle Engelsen die konden lezen gebruikt, dus er zijn er veel van in omloop.'

'Hemel! Vijfentwintighonderd dollar! Dit is net zo'n antiekprogramma op televisie.'

'Bijna. Ik ben bereid nu meteen een cheque van vijfentwintighonderd dollar voor u uit te schrijven. Dat is veel meer dan u van een handelaar zou krijgen.'

'Dat is erg royaal van u, meneer Mishkin. Kan ik u voor wat mooi Fiesta-aardewerk interesseren?' We keken elkaar nu glimlachend aan.

'Nou, nee, maar er is wel iets anders waar ik naar zoek. Het wordt in oude familiepapieren genoemd en het is een oud landmeetinstrument, gemaakt van koper…'

'Landmeetinstrument? Nee, ik denk van niet. U bedoelt zo'n ding met een statief en een kleine telescoop?'

'Dat hoeft niet. Het moet wel draagbaar zijn geweest, minder dan een meter lang en nog geen tien centimeter breed, zoiets als een grote liniaal…'

'U bedoelt toch niet dát?' Ze wees. Richard Bracegirdles uitvinding hing boven de schoorsteenmantel, zacht glanzend, bewaard en gepoetst door generaties van vrouwelijke afstammelingen, nog helemaal gebruiksklaar.

Het kon ook door de zwendelaars zijn gemaakt, dacht ik. Opnieuw was ik onder de indruk van het ingewikkelde complot. Was Mary Evans erbij betrokken geweest? Hadden ze een echte afstammelinge van Richard Bracegirdle gevonden, of waren ze met deze oude dame begonnen en hadden ze de hele zwendel rond dit oude instrument en een oude bijbel opgebouwd en een bijpassende voorvader verzonnen? Hoewel ik zelf een meester in het liegen was, had ik onwillekeurig grote bewondering voor minutieuze details.

Op het vliegveld Baltimore-Washington ging ik naar een van de lounges die ze aan de welvarende reiziger ter beschikking stellen en belde ik Crosetti in Zürich. Ik vertelde hem wat ik net had gekocht en gebruikte toen de computerfaciliteiten om het geheimschrift op het schutblad van Bracegirdles bijbel te scannen en via e-mail naar hem toe te sturen. Hij zei dat hij het door zijn oplossingsprogramma zou halen en me dan terug zou bellen. Ik nam koffie en wat snacks en wachtte ongeveer een uur, en toen belde hij me terug, en niet met goed nieuws. Het geheimschrift was niet op te lossen met de bijbel en de roostersleutel die ze voor de brieven hadden gebruikt.

'Waarom zou hij dat hebben gedaan?' vroeg ik Crosetti. 'Hij had een geheimschrift dat niet te breken was. Waarom die verandering?'

'Ik weet het niet. Misschien was hij paranoïde. Hij had met twee vijandige partijen te maken, Dunbarton en Rochester. Die wilden allebei iets hebben wat hij had, en ze hadden allebei het bijbelgeheimschrift. Misschien wilde hij iets achterhouden, of misschien kon hij op dat moment niet zo helder denken.'

Ja, dat laatste kon ik me voorstellen. 'Dus hij gebruikte een ander rooster?'

'Dat hoeft niet. Ik denk dat het een gewoon boekgeheimschrift is, dus een doorlopende sleutel, gebaseerd op een tekst.'

'Welke tekst? De bijbel?'

'Dat denk ik niet. Weet je nog dat hij in die laatste brief met Shakespeare praat over de plaats waar het toneelstuk verborgen moet worden, en dat hij dan uitlegt hoe een sleutel werkt en dat Shakespeare toen gezegd zou hebben dat hij zijn eigen woorden moet gebruiken om zijn stuk te verbergen?'

Ik wist het nog, zij het vaag. Ik zei: 'Dus we moeten Shakespeares complete oeuvre doornemen om het te vinden? Dat duurt een eeuwigheid.'

'Nee, dat hoeft niet. Vergeet niet dat Shakespeares stukken pas in 1623 in een complete editie werden gepubliceerd. Bracegirdle wilde natuurlijk geen stuk gebruiken waarvan er verschillende edities in omloop waren, waaronder edities met veel fouten. Hij zat in het vak – hij wist zulke dingen.'

'Wat dan?'

'Nou, veertien regels geheimschrift. Misschien is het een sonnet. De sonnetten werden gepubliceerd in 1609.'

'Probeer die dan.'

'Ja, baas. O, ja, als dit ook niets oplevert, moet je Klim gaan opzoeken, bij mijn moeder.'

'Want…?'

'Want hij is de enige serieuze cryptograaf die ik ken. Als het een doorlopende sleutel is, niet gebaseerd op een tekst die we al kennen, moet er een veel verfijndere analyse aan te pas komen. Dat is niet onmogelijk, niet met het soort computerkracht dat hij kan mobiliseren, maar het is ook geen kleinigheid, misschien een aantal mogelijkheden van twee tot de macht veertig of zo. Ik kan het niet oplossen, maar hij wel. En dan heb je mijn moeder er ook nog bij.'

'En die is ook cryptograaf?'

'Nee, maar wel een heel slimme vrouw die het cryptogram van de *Sunday Times* in twintig minuten oplost. Ik bel haar en zeg dat je komt.'

En dus ging ik met het vliegtuig naar LaGuardia. Onderweg waarschuwde ik Omar. Hij haalde me af en was helemaal van de kaart toen ik hem over de kinderen vertelde. Er kwamen echte tranen in zijn ogen, zoals de echte vader ze nog niet had vergoten. Zelfs mijn personeel wekte schaamtegevoelens bij me op, was mijn verachtelijke gedachte toen we over de altijd drukke Van Wyck reden. Het was niet ver rijden vanaf het vliegveld; dat was misschien wel het enige voordeel van wonen in Queens. Bij het kleine huisje aangekomen, zag ik meteen dat alles niet was zoals het zou moeten zijn. Een vuile pick-uptruck stond met één wiel op het trottoir, en de voordeur van het huis hing open, hoewel het een kille dag was. Ik gaf Omar opdracht een eindje door te rijden en met zijn mobieltje in de aanslag in onze auto te blijven zitten terwijl ik poolshoogte ging nemen bij het huis. Hij maakte bezwaar, zei dat we allebei moesten gaan, hij met zijn wapen, maar ik wees het aanbod van de hand. Ik zei het niet, maar ik besefte dat ik in het kader van deze ellendige affaire zijn leven al verscheidene keren op het spel had gezet. Dat wilde ik niet nog een keer doen. Als hier een risico aan verbonden was, redeneerde ik, was het beter dat de man met de minste waarde zich eraan blootstelde. Ik zou het niet eens zo erg vinden als het ergste gebeurde. En ik keek eigenlijk wel uit naar een gelegenheid om iemand pijn te doen.

En dus sloop ik door het steegje aan de zijkant van het huis. Ik liep voorovergebogen en tuurde door elk raam. In de huiskamer was niets te zien. Het badkamerraam was van matglas. Voor me lag de kleine achtertuin: twee vijgenbomen in jute, een stukje vergeeld gazon, een sluimerend bloembed met een betonnen beeld van de Heilige Maagd in het midden. Vanuit deze tuin kon ik in de keuken kijken, en daar was iets te zien. Mevrouw Crosetti en Klim zaten op stoelen aan de tafel en hun mond was dichtgeplakt met tape. Een grote man met gemillimeterd haar stond bij hen in de keuken, met zijn rug naar het raam. Hij praatte blijkbaar op hen in, en in zijn hand had hij een grote vernikkelde revolver.

Zonder erbij na te denken trok ik het beeldje uit de grond – het woog een kilo of vijfentwintig – bracht het boven mijn hoofd en rende op het huis af. De man moet iets hebben gehoord, of misschien kwam het door mevrouw Crosetti's ogen die wijd opengingen van schrik; in elk geval draaide hij zich om naar het raam en kreeg daardoor het volle gewicht van de vliegende Mary (plus glassplinters) recht in zijn snuit.

Daarop volgde het vertrouwde ritueel van de politie en het langzaam boven tafel brengen van informatie. Mevrouw Crosetti stelde zich heel gracieus op, al mopperde ze wel over mijn neiging om gewelddaden te plegen in haar huis, wat ik een beetje onredelijk vond. De man was niet dood, hoorde ik tot mijn genoegen, maar ging voorlopig niet naar het bal. Hij heette Harlan P. Olerud, een bewaker ergens uit Pennsylvania, die geloofde dat Albert Crosetti ervandoor was met zijn vrouw Carolyn, en hij wilde haar terug. Blijkbaar was hij naar het huis in Queens geleid door een computerkaart die de jonge Crosetti in zijn slordigheid op de straat bij Oleruds huis had laten vallen toen hij op zoek was naar de raadselachtige Carolyn Rolly. De politie vond de kaart in Oleruds pick-uptruck, waarin zich ook twee angstige kinderen bevonden. Normaal gesproken zouden ze zijn overgedragen aan de instantie die in New York voor ouderloze kinderen zorgt, maar omdat Mary Peg erbij betrokken was, ging het deze keer anders. Ze wilde voor de kinderen zorgen tot we wisten hoe het met die mysterieuze C.R. zat, en verder had ze, geloof ik, een leegnestsyndroom zo groot als de staat Montana. Ik denk dat ik mijn gewelddadige entree in het huis goedmaakte door pater Paul in Londen aan de lijn te krijgen. Paul weet alles van de kinderbescherming in New York. Hij belde een paar mensen, stond voor Mary Peg in, voerde argumenten aan – ongewone omstandigheden, politieonderzoek, mogelijk gevaar, het belang van het kind enzovoort – en toen was het geregeld, in elk geval tijdelijk. Er kwamen bordspelen van zolder, er werd pizza gemaakt van ingrediënten die toevallig voorhanden waren, en iedereen amuseerde zich kostelijk, alleen versloeg Klim me met vijftig punten toen we scrabble speelden. Dat zat me niet lekker, want Engels was mijn eerste taal en niet de zijne.

Toen Mary Peg de kinderen naar bed had gebracht en in de huiskamer terugkwam, zag ze er opvallend gelukkig uit (ik werd meteen pijnlijk herinnerd aan Amalie in dezelfde situatie, mijn gebroken gezin…). Ze ging naast Klim op de bank zitten. Na alle gedoe met de politie en de kinderen konden we nu pas rustig praten. Ik stelde hen op de hoogte van wat ik had gedaan en liet hun de bijbel en de afstandmeter van Bracegirdle zien die ik in Maryland had gekocht. Natuurlijk zei ik met geen woord dat het allemaal zwendel was. Ik deelde ook uitdraaien van de ontcijferde brieven uit, en terwijl ze die aan het lezen waren, belde ik Crosetti in Zürich wakker om hem te vragen of er nieuwe ontwikkelingen waren. Hij zei dat Paul hem de vorige dag had verteld dat iemand Amalie per e-mail een foto van de kinderen met de *New York Times* van die dag had gestuurd. Ze glimlachten allebei en zagen er goed uit, zonder dreigende kerels met zwarte maskers. Ik zei dat ik dat vreemd vond, en hij was het daarmee eens: 'Net of ze op schoolreisje zijn. Dit klinkt niet als de Shvanov die wij kennen.'

Ik gaf toe dat het eigenaardig was, maar in elk geval was het goed nieuws. Toen vertelde ik hem over Harlan P. Olerud en de twee kinderen. Hij zei dat hij het Rolly zou vertellen en ik zei dat ik de kinderen hun moeder zou laten bellen en hem zou inlichten als we geluk hadden met het nieuwe geheimschrift. Hij wilde zijn moeder spreken en ik gaf de telefoon aan haar.

Klim was met de afstandmeter aan het spelen. 'Een ingenieus ding, zijn tijd ver vooruit. Er moet een nieuw spiegeltje in – hier – en dan werkt hij weer als vanouds, denk ik. Mag ik het geheimschrift uit de bijbel zien?'

Ik gaf het hem en hij keek er een tijdje naar en zei dat hij de tekst in Crosetti's pc zou invoeren en zou kijken wat die ervan kon maken. 'Alle werken van Shakespeare zijn natuurlijk in digitale vorm beschikbaar, dus als de sleutel uit zijn bekende werk komt, moet het lukken.'

'Tenzij hij regels uit het verloren gegane toneelstuk gebruikte,' zei Mary Peg. 'Dat zou net wat voor Bracegirdle zijn.'

'In dat geval,' zei Klim, 'moeten we er krachtiger methoden op loslaten.' Hij woog de bijbel in zijn hand, glimlachte en liep weg.

Mary Peg beëindigde haar gesprek met haar zoon en zei: 'Dat van je kinderen is afschuwelijk. Je vrouw moet in alle staten zijn. Moet je niet bij haar zijn?'

'Ja, maar ze wil me daar niet hebben. Ze geeft mij de schuld van de hele affaire en ze heeft gelijk. En ik heb het gevoel dat de ontvoering iets anders is dan wat het lijkt.'

'Wat bedoel je?'

'Dat wil ik liever nog niet zeggen. Maar ik heb wat dingen naast elkaar gelegd en ik denk niet dat ze in direct gevaar verkeren. Misschien later wel, maar nu niet, mits we dat Ding kunnen vinden.'

'O, het is volkomen duidelijk waar het is.'

Ik keek verbaasd. 'Ja,' zei ze. 'Ze hebben het in die put gegooid waar hij het over had, je weet wel, toen Shakespeare en zijn maat door Bracegirdle het bos in waren gevolgd, naar die katholieke dienst. Die verwoeste priorij…' Ze zocht tussen de uitdraaien en vond de bladzijde: 'De put van Sint Bosa. Waar zou het anders zijn? Hij zegt dat ze naar Stratford gingen en die put is daar maar een halve dag rijden vandaan.'

'Misschien wel,' zei ik, 'maar waar is die put? Bracegirdle zei dat het zelfs in Shakespeares tijd een geheim was. Hij kan wel onder een fabriek of een woonwijk liggen.'

'Zeker. In dat geval moeten we de zaak in de openbaarheid brengen en aan de autoriteiten overdragen. Soms denk ik dat we dat al op de eerste dag hadden moeten doen. Maar…' Nu verscheen er een onkarakteristiek wolfachtige uitdrukking op haar Ierse gezicht. 'Ik zou dat toneelstuk erg graag willen vinden. We kunnen dus alleen maar hopen dat die put er nog steeds is, eeuwenlang vergeten.'

Daarna zette ze koffie, die we dronken met Jameson-whisky erin. We praatten over familie, herinner ik me, en kinderen, en hun goede en slechte buien. Ik had er een beetje spijt van dat ik haar zoon niet sympathiek had gevonden. Het zou wel door mijn gekte komen, dacht ik, en ik besloot voortaan aardiger voor hem te zijn. Toen we enige tijd van de hak op de tak waren gesprongen, kwam Klim met een somber gezicht terug.

'Het is jammer, maar dit geheimschrift levert met geen enkel geschrift van William Shakespeare een tekst op. Zoals ik al eerder heb gezegd is dat nog niet het einde, want we kunnen waarschijnlijke teksten op de geheimschrifttekst zetten en kijken of we dan iets begrijpelijks krijgen. Daar ben ik mee begonnen, maar ik wil nu graag wat van jullie Irish coffee.'

Die kreeg hij, en ik vroeg hem of hij al iets begrijpelijks had gevonden.

'Ja, natuurlijk beginnen we met de woorden die in het Engels het meest voorkomen. We kijken of de geheimtekst ons met behulp van een standaard tabula recta bijvoorbeeld het woord *the* oplevert. Uiteraard kan Bracegirdle ook een tabula hebben gebruikt die niet standaard was, maar dat heeft hij tot nu toe niet gedaan, dus laten we aannemen dat hij haast had en het simpel wilde houden. We gebruiken de computer om na te gaan of ergens in de geheimschrifttekst drie letters de combinatie *t-h-e* als deel van onze sleutel opleveren, en dan blijkt dat het geval te zijn: zowel TKM als WLK leveren ons *the* op, en als we die sleutel weer op de geheimschrifttekst toepassen, krijgen we ADI en DEG, en dat zijn gelukkig twee combinaties die in het Engels veel voorkomen. Op dezelfde manier levert het woord *and* één treffer en de lettercombinatie FAD op, die in het

Engels ook veel voorkomt. Als we *be* gebruiken krijgen we twee treffers, en we krijgen ENDF voor de tekst en ook nog wat extra's, want het eerste *be* staat vlak voor het *the* dat we al hebben ontdekt, zodat we nu weten dat *be the* een onderdeel van de sleuteltekst is. En zo gaan we verder. Elke kleine vooruitgang leert ons iets meer van de tekst én van de sleuteltekst op. De twee ontcijferingen versterken elkaar. Daarom is een doorlopende sleutel die op een boek is gebaseerd zo zwak. Precies daarom gebruikte de KGB alleen almanakken en handelsrapporten met veel rijen cijfers, dan is de entropie hoger. Nou, het volgende woord dat we gaan proberen zou *is* of *of* moeten zijn, denk ik...'

'Nee,' zei Mary Peg. 'Probeer *Jesus*.'

'Is dat een religieus advies, lieve?'

'Nee, het woord. Je zei dat je de sleutel op het complete werk had toegepast en dat je toen niets vond?'

'Ja. Afgezien van wat willekeurige onzin.'

'Maar hij heeft één ding geschreven dat niet in zijn gepubliceerde werken staat. Zijn grafschrift.'

Ze liep vlug naar een plank en pakte *Shakespeare's Lives* van Schoenbaum eraf. En daar stond het op de eerste bladzijde:

Good friend for Jesus' sake forbear
To dig the dust enclosed here.
Blessed be the man that spares these stones
And cursed be he that moves my bones.

'Bij nader inzien,' zei ze, 'moeten we de oude spelling nemen. Die staat in het boek van Wood, geloof ik.'

Hij stond er. Klim voerde de oude spelling aan de Vigenère-oplosser en het werkte. Hij kreeg:

vanguystowerpalnaarhetzuide
nzetzevenentachtiggradenallezijd
enhijligtviervaamenvoetdie
ponderderandindeoostmuur

'Dat lijkt me duidelijk genoeg. Je staat ergens waar het Guy's Tower heet en zet Bracegirdles instrument zo neer dat het nulpunt in het midden volgens het kompas dat erin zit pal naar het zuiden wijst. Dan zet je de armen van het instrument op zevenentachtig graden, en ik neem aan dat je iemand met een vlag moet laten lopen. Je kijkt door het instrument tot de twee beelden van de vlag samenvallen en dan heb je je afstand en richting.

Je vindt dan die put, laat je er aan een touw in zakken met een kaars die met heet vet op je hoofd is geplakt, en dan, op een diepte van… wat is een *vaam*?'

'Een vaam,' zei Mary Peg. 'Zes voet. Een meter tachtig.'

'Ja,' zei Klim. 'Dus op een diepte van laten we zeggen zevenenhalve meter vinden we in de oostelijke muur van die put ons toneelstuk. Of een leeg gat. Als we wisten waar die "Guy's Tower" was.'

'Dat moet op kasteel Warwick zijn,' zei ze vol vertrouwen. 'Bracegirdle schreef dat je vanaf de ruïne van Sint Bosa het kasteel kon zien.'

Even later bevestigde internet dat er inderdaad een Guy's Tower op kasteel Warwick was, en nog aan de zuidkant ook. Ik zei: 'Dat wordt een interessante ervaring. Boven op een grote toeristenattractie door een instrument turen terwijl iemand met een vlag tussen de huizen loopt.'

Maar Klims vingers vlogen al over de toetsen, en na een paar minuten verscheen er op het scherm een beeld dat de toren van een kasteel van bovenaf liet zien. Het leek of het op zo'n zeven meter hoogte was gemaakt.

'Heel indrukwekkend,' zei ik. 'Is dat een commercieel satellietbeeld?'

'Nee, het is van de Amerikaanse luchtmacht. Ik ben er via een anonieme link op gestuit, maar evengoed kunnen we er niet lang naar blijven kijken.'

'Hoe deed je dat?' vroeg ik.

'Hij is spion,' zei Mary Peg met enige trots.

'Ik ben een vroegere Poolse spion, volkomen onschuldig. Maar ik weet nog wel iets van die dingen af. Amerika heeft de slechtste beveiliging van alle landen. Dat is in die kringen bekend. Het is zelfs een soort grap. Nu gaan we wat hulpmiddelen gebruiken om een slimme bom op meneer Shakespeares toneelstuk te laten vallen.' Nog meer geklik en er verscheen een rood raster over het beeld, met langs een van de randen van het scherm een palet van tekenhulpmiddelen. Hij zei tegen Mary Peg: 'Lieve, wil je dat instrument even meten?'

'Eenennegentig komma vier centimeter,' antwoordde ze nadat ze een meetlint had gebruikt.

'Wel… eens kijken, eenennegentig komma vier centimeter. Dat leggen we op het midden van de noord-zuiddiameter van deze toren… zo… en dan maken we aan weerskanten een hoek van zevenentachtig graden en trekken we een lijn. Op die manier krijgen we twee lijnen die elkaar uiteindelijk kruisen… Hier. Dat is de plaats. We hoeven de toeristen op de toren niet te hinderen. Met de complimenten aan het satellietprogramma van de Amerikaanse luchtmacht.' Hij drukte op een toets en de printer bromde. Ik keek naar de uitdraai. Pal ten zuiden van het kasteel lag naar het westen toe een stuk grond dat blijkbaar een omgeploegde akker was, omringd door groepjes bomen. De rode lijnen vanuit de toren kwamen in een van die donkere bosjes samen.

'Hoe nauwkeurig denk je dat dit is?' vroeg ik Klim.

Hij haalde zijn schouders op. 'In elk geval nog net zo nauwkeurig als in 1611. Zo te zien is daar geen parkeerterrein of limonadekiosk, dus misschien is die put nog te vinden.'

Ik belde Crosetti opnieuw en vertelde hem wat hij moest doen. Dat duurde even. Wat was er veel slimheid en moeite besteed aan deze zwendel! Wat zouden veel aardige mensen teleurgesteld zijn! Een perfect symbool voor mijn leven.

20

Toen Carolyn Rolly van Crosetti had gehoord wat er in het huis van zijn moeder in Queens met haar kinderen en met Harlan P. Olerud was gebeurd, huilde ze een hele tijd, en daarna stond ze erop dat ze hen zou bellen om met hen te praten, totdat Crosetti haar er eindelijk van wist te doordringen dat het in New York laat op de avond was, en niet vroeg in de ochtend zoals in Zürich. Toen werd hij op zijn mobieltje gebeld door een man van Osborne Security Services die zei dat er op een vliegveld in de buurt een toestel op hen stond te wachten. Ze namen afscheid van Amalie, met wie Carolyn het verrassend goed had kunnen vinden; verrassend omdat hun achtergrond en levensvisie totaal verschillend waren. Misschien, dacht hij, kwam het doordat ze allebei moeder waren en de situatie waarin hun kinderen verkeerden een vergelijkbare, vreselijke stress met zich meebracht. Met zijn gebruikelijke nieuwsgierigheid keek Crosetti naar de omhelzing waarmee de twee vrouwen afscheid van elkaar namen. Ze leken fysiek niet erg op elkaar, maar ze straalden allebei dezelfde stevige individualiteit uit. Hij kon zich van geen van beiden voorstellen dat er iets wezenlijks aan hen veranderde. Carolyn en Amalie: wat je zag was wat je kreeg, al was Amalie de eerlijkheid zelve en loog Carolyn als een slang. Als Carolyn blond was geweest, dacht hij, hadden ze voor twee zussen kunnen doorgaan, de goede en de slechte.

Een korte vlucht met een kleine, krachtige Learjet. De zwijgzame, bekwame piloot liet zijn toestel manoeuvres maken die voorzichtige piloten van lijntoestellen vermeden. Halverwege de vlucht kreeg Rolly contact met haar kinderen, tenminste, dat dacht Crosetti: ze vertelde hem er niet over, maar zat met vochtige ogen voor zich uit te kijken. Ze vond het wel goed dat hij haar hand vastpakte.

Geland op een vliegveld in de Midlands waarvan Crosetti de naam niet goed had verstaan, werden ze opgewacht door Brown van Osborne, die een gele overall en werkschoenen droeg. Brown leidde hen naar een witte Land Rover met het logo van Waterbeheer Severn Trent. Op de snelweg zette hij het plan uiteen: er recht op afgaan, het ding vinden, als het daar te vinden was, en wegrijden. Er stond in de buurt van Londen een ander vliegtuig klaar om hen naar New York terug te brengen. Crosetti vroeg hem of hij wist wat ze zochten.

'Nee, ik niet,' zei Brown. 'Ik hoef het niet te weten; ik ben alleen maar de hulp. Achter ons rijdt een huurbusje met al het materieel en een paar mannen om het te bedienen: grondradar, weerstandmeters, noem maar op. Als daar een put is, vinden ze hem. Wij gaan allemaal graven, denk ik.'

'Dit moet wel erg duur zijn,' merkte Crosetti op.

'O, ja. Geld is geen probleem.'

'En u bent niet nieuwsgierig?'

'Als ik nieuwsgierig van aard was, meneer, zou ik al lang dood zijn,' zei Brown. 'Dat daar in de verte zal Warwick zijn. Straks kunnen we het kasteel zien.'

Het verhief zich boven een rij bomen, bleef daar een tijdje hangen en verdween toen de weg omlaag ging, als een visioen in een sprookjesverhaal. Nadat ze een tijdje door anonieme voorsteden hadden gereden, verscheen het kasteel weer links van hen, kolossaal opdoemend boven de rivier.

'Anders dan Disneyland, hè?'

'Ja, dit is het echte werk,' zei Brown. 'Al heeft Madame Tussaud het kitscherig ingericht. Evengoed zit er nog echt bloed tussen de stenen. Een gruwelijke tijd natuurlijk, toen dat het nieuwste in de militaire technologie was, maar niettemin…'

'U zou graag in die tijd hebben geleefd?'

'Soms. Een eenvoudiger tijd. Als iemand je bijvoorbeeld dwarszat, trok je je metalen pak aan en hakte je erop los. Nou, ik denk dat we er zijn.' Hij stopte langs de kant van de smalle weg die ze volgden, keek op een stafkaart en vouwde hem weer op. Toen reed hij de Land Rover een greppel rechts van de weg in en volgde een pad door een eiken- en beukenbos.

'Er ligt kleding voor u in het busje,' zei hij bij het uitstappen. 'Het is belangrijk dat we er authentiek en officieel uitzien.'

Crosetti en Rolly liepen naar de achterdeur van het busje. Daarin zagen ze een stalen tafel, rekken met gereedschap, lange stalen buizen, ladders, takelgerei, elektronische apparatuur, en twee mannen, die zich voorstelden als Nigel en Rob. Nigel was uilachtig en bebrild, Rob had brede schouders, gemillimeterd bruin haar en uiteenstaande tanden. Ze gaven gele overalls, laarzen en gele helmen met lampen erop aan Crosetti en Carolyn. Het verbaasde Crosetti niet dat de laarzen en de overall hem precies pasten. Dat was bij Carolyn ook het geval, zei ze.

'Osborne lijkt me een heel efficiënte firma. Vind je het niet verontrustend dat ze onze schoenmaat weten?'

'Ik verbaas me nergens meer over,' zei ze. 'Wat doen ze?'

'Ik heb geen idee,' zei Crosetti.

Ze zagen de twee mannen een vierwielige wagen van stalen buizen uit het busje rijden, en Crosetti kreeg opdracht allerlei zware elektronica en autoaccu's uit het busje op de wagen te zetten.

'Wat ís dit alles eigenlijk?' vroeg hij Rob.

'Het is een installatie voor een grondradar, het beste van het beste. Het geeft een beeld van wat er onder de oppervlakte ligt, van één tot dertig meter diepte, dat hangt van de bodem af. We kunnen hier een goede doorboring verwachten. Het is triassische zandsteen.'

'Tenzij er klei-intrusie is.'

'En als er klei-intrusie is?' vroeg Crosetti.

'Dan kunnen we het wel schudden,' antwoordde Rob. 'Dan moeten we op weerstandmeting overgaan en zijn we de hele week bezig.'

'Werken jullie allebei voor Osborne?'

'Wij niet,' zei Nigel. 'Wij zijn geologen van de universiteit van Hull. Gecorrumpeerd door het goud van het bedrijfsleven, nietwaar, Robbie?'

'Volkomen. Waar zoeken jullie eigenlijk naar? Een Vikingschat?'

'Zoiets,' zei Crosetti. 'Maar als we het vinden, moeten we jullie doden.' Ze lachten allebei, maar wel een beetje nerveus, en ze keken om naar Brown, die een eindje was weggelopen.

Rolly porde op enige afstand in de grond en Crosetti liep naar haar toe om te zien wat ze aan het doen was.

'Je hoeft niet met je vingers in de aarde te wroeten,' zei hij. 'We hebben al die hightechspullen.'

'Kijk eens wat ik heb gevonden.' Ze hield hem haar hand voor en daarin lag een platte, ongeveer driehoekige witte steen waarin een volkomen rechte dubbele lijn was gegrift, met daaronder iets wat op een roos leek.

'Het is de priorij,' zei ze. 'Hier is het. Ik huiver ervan.'

'Ik ook. Je ziet er geweldig uit in die overall en met die helm op. Zou je naar me fluiten als ik voorbijliep?'

Deze plagerij kwam hem op een van haar strenge blikken te staan, en toen riepen Nigel en Rob hem te hulp bij het trekken van de wagen. Ze sjorden het ding door het bos, over hobbels en boomwortels. Nigel liep voorop met een gps-apparaatje en Rolly volgde met schoppen en houwelen die ze op haar schouders droeg.

'Laten we hier stoppen en de radar aanzetten, mensen. Als dat satellietbeeld van jou correct was, zegt meneer gps dat dit de plek is.' Ze stonden in een ondiepe geul met een dichte laag goudgele beukenbladeren tussen drie oude grijze bomen, waarvan de takken kriskras tegen de melkachtige hemel afstaken. Nigel zette zijn apparaat aan en stelde het bij. Het zoemde en uit een spleet in een van de metalen kastjes kwam een breed papierlint. Nigel schoof zijn bril hoger op zijn neus en bestudeerde de kleuren die op het papier waren afgedrukt. Toen liet hij een juichkreet horen. 'Krijg nou wat. In één keer raak. Daar bevindt zich de leegte en die zit zo te zien vol met brokken gehakte steen. Dit is het. Kijk ook eens, Robbie.'

Dat deed Rob en hij bevestigde de vondst. Ze haalden de bladeren en de aarde aan de oppervlakte weg en begonnen te graven, en algauw hadden ze de resten blootgelegd van wat de bovenrand van een put leek, met in het midden een berg onregelmatige lichtgekleurde keien.

'Hij staat droog,' zei Crosetti.

'Ja,' zei Rob. 'De hydrologische omstandigheden zijn de afgelopen vierhonderd jaar sterk veranderd. Dat komt door de kanalen die zijn gegraven, de siervijvers van de landadel, en de afwateringssystemen. We hebben veel werk te doen,' zei hij met een sombere blik op de opening. 'Ze hebben het ding volgegooid met keien. Hoe diep moeten we?'

'Een meter of acht,' zei Crosetti.

'Verrek,' zei Rob. 'Daar zijn we de hele dag mee bezig.'

Het was zwaar, onaangenaam werk, van het soort dat hun voorouders in het nog niet zo verre verleden elke dag hadden gedaan: het met de hand overbrengen van zware stukjes planeet van de ene plaats naar de andere. Er paste maar een van hen tegelijk in het gat, en die legde de keien op een canvas draagdoek die via kettingen met een katrol van stalen buizen was verbonden die de twee geologen op een driepoot hadden geïnstalleerd. Als de kei te zwaar was om op te tillen, moest hij een gat boren, daar een oogbout in vastzetten en een haak aan die bout vastmaken. Toen ze een uur aan het werk waren ging het regenen, een koude plensbui uit de vettige laaghangende wolken, net genoeg om hen te laten uitglijden en zich te laten bezeren. In de kou maakte zich een doffe verdoving van hen meester. Crosetti's geest werd helemaal leeg. Hij vergat Shakespeare en dat verrekte toneelstuk. De wereld verschrompelde tot het probleem van de volgende kei. De drie mannen werkten beurtelings een half uur en klauterden dan een aluminium ladder op om uitgeput achter in het busje te gaan liggen. Rolly had een gasbrandertje gevonden en voorzag hen van sterke, zoete thee. Als ze daar niet mee bezig was, stond ze met een stalen meetlint bij de put en liet ze dat telkens zakken als er weer een laag keien naar boven was gekomen. Ze riep de diepte af: vijf meter twintig, zes meter achttien, maakte grappen en bemoedigende blije opmerkingen en lachte om de vloeken die ze terugkreeg.

Om half een namen ze een lunchpauze. De altijd efficiënte Brown had allerlei voedsel in de Land Rover gestopt en Rolly had soep en sandwiches klaargemaakt en nog meer thee gezet, ditmaal met rum erin. Om uit de regen te zijn aten ze in het busje, en vanaf dat hogere punt konden ze Brown in de verte bij de weg zien praten met een man die een Barbour-jasje en een tweedpet droeg. De man maakte gebaren met een stok en was blijkbaar nogal opgewonden. Na enkele minuten keerde hij naar zijn eigen Land Rover terug en reed weg. Brown liep over de drijfnatte akker naar het busje terug.

'Dat was iemand van de National Trust,' zei Brown. 'Hij maakte zich kwaad. Dit veld valt onder de monumentenzorg en hij heeft ons absoluut verboden het te verstoren. Hij gaat de autoriteiten inlichten en die bellen dan naar het waterbeheer en krijgen te horen dat wij niet zijn wie we zeggen dat we zijn. Hoe dichtbij zijn we?'

'Zes meter tweeëntachtig,' zei Rolly.

'Dan moeten we in een half uur meer dan een meter graven, het Voorwerp pakken – als het er is – en maken dat we wegkomen. De pauze is voorbij, heren.'

Ze gingen terug naar de put en groeven tien minuten als duivels, en nu zat het hun eindelijk mee, want de volgende laag puin bestond uit kleine regelmatige stenen zo groot als straatstenen en die konden gemakkelijk in de draagdoek worden gegooid. Crosetti was in de put toen het meetlint langs zijn gezicht naar beneden kwam en Rolly riep: 'Acht meter zestien.'

Hij hurkte neer en scheen met zijn mijnwerkerslamp op de muur aan de oostkant. Eerst zag hij niets, alleen het min of meer rechthoekige metselwerk van de putschacht. Hij nam een kort breekijzer en sloeg op de ene na de andere steen, en bij de vijfde poging leek er beweging in een van de stenen te komen. Hij zette het rechte uiteinde van het breekijzer tussen die steen en de volgende, oefende druk uit en de steen gleed een beetje verder van zijn plaats. Na twee minuten had hij de steen van zijn plek gekregen en keek hij in een ruimte waaruit de geur van oeroude vochtige aarde kwam. Het licht van zijn lamp viel op een ronde vorm, ongeveer zo groot als de bodem van een groot verfblik.

Crosetti, die nauwelijks nog ademhaalde, stak het kromme uiteinde van het breekijzer zo ver mogelijk in de opening, manoeuvreerde ermee tot hij voelde dat hij het voorwerp te pakken had en trok het toen langzaam naar zich toe. Het bleek een loden buis te zijn, ruim dertig centimeter lang en zo breed als een gespreide hand. Hij was aan weerskanten afgesloten met loodsoldeer. Toen Crosetti de ladder opging, hield hij het vast als een klein kind dat hij had gered.

'Is dat het?' vroeg Rob.

'Wat weet jij toch weinig, Rob,' zei Nigel. 'Dat is de pik van koning Arthur op sterkwater. Nu kan Engeland weer groot worden.'

Crosetti negeerde hen en ging het busje in, op de voet gevolgd door Carolyn. Rob wilde hen volgen, maar Brown legde zijn hand op zijn arm. 'Tijd om te vertrekken, heren,' zei hij op een toon die geen tegenspraak duldde. 'Ik stel voor dat jullie alles inpakken en wegrijden voordat de politie komt.'

'Mogen we niet eens kijken?' vroeg Rob.

'Ik ben bang van niet. Jullie kunnen het beter niet weten.' Brown haalde een dikke envelop uit de binnenzak van zijn parka. 'Het was me een genoegen om zaken te doen,' zei hij terwijl hij de envelop aan Nigel gaf. De twee geologen zochten gehoorzaam hun spullen bij elkaar.

In het busje vond Crosetti een zware klem, een hamer en een hakbeitel. Hij maakte de cilinder aan de stalen tafel vast en hakte aan het ene uiteinde door het lood. In de buis vond hij een rol dik papier met een donker lint eromheen. Het papier was net niet helemaal wit en leek bijna nieuw, niet bruin en verkruimeld zoals hij van vierhonderd jaar oud papier had verwacht. Hij besefte met een schok dat de laatste persoon die dit papier had aangeraakt Richard Bracegirdle was, en daarvoor William Shakespeare. Hij zei dat tegen Carolyn.

'Ja, nu ben jij één met de groten. Maak dat lint los, in jezusnaam!' Hij maakte de knoop los en spreidde de papieren op de tafel uit. De inkt was zwart, nauwelijks geoxideerd zag hij, en het was niet Bracegirdles handschrift. De bladzijden waren allemaal netjes gelinieerd en in drie verticale kolommen beschreven: naam van personage, dialoog en toneelaanwijzingen. De zuinige bard had beide kanten van elk papier gebruikt. Aan de bovenkant van het eerste vel stond, in letters zo groot dat hij ze met zijn beperkte kennis van zeventiende-eeuws secretary-handschrift zelfs kon lezen: *De Tragedie van Mary Koningin van Schotland*.

Zijn hand beefde toen hij het papier vasthield. Hoe had Fanny het genoemd? Het kostbaarste draagbare voorwerp ter wereld. Hij rolde de papieren weer op, schoof ze met het lint eromheen in de cilinder terug en deed de loden afsluiting in de zak van zijn oliejas. Toen sloeg hij zijn armen om Rolly heen, draaide haar rond, gaf een maniakale schreeuw en drukte ten slotte een kus op haar mond.

Toen ze weer in de Land Rover zaten, zei Brown: 'Ik neem aan dat het resultaat bevredigend is? Dat geluid dat u maakte, was een triomfkreet en geen weeklacht?'

'Ja, al onze dromen zijn uitgekomen. Ik neem aan dat u deze auto achterlaat.'

'Ja, een eindje verderop,' zei Brown. 'We hebben een paar escorterende wagens voor het geval de beveiliging wordt doorbroken.'

Ze reden een weggetje in en daar stonden de vertrouwde Mercedes, of een die er sterk op leek, en een anoniem zwart Ford-busje met twee mannen op de voorbank. De beveiliging was blijkbaar niet doorbroken, want ze bereikten vliegveld Biggin Hill zonder dat er zich incidenten voordeden. Het was behaaglijk in het busje en Crosetti, die voorin zat, viel telkens in slaap. Brown had er niet naar gevraagd, had niet verzocht te mogen zien wat erin zat, maar had hen beiden overgedragen aan een vriendelijke, moederlijke vrouw in een blauw uniform, mevrouw Parr, hun begeleidster, en was daarna in efficiënte anonimiteit vertrokken.

Mevrouw Parr bracht hen naar de passagierslounge en toen ze nog eens naar Crosetti had gekeken, vroeg ze of hij zich wilde opfrissen, waarop hij antwoordde dat hij graag wilde douchen en schone kleren wilde hebben, als dat geregeld kon worden, en natuurlijk kon dat geregeld worden, want wat kon niet geregeld worden voor mensen die in privéjets vlogen? En kon hij ook twee kussenenveloppen en tape krijgen? Dat alles werd hem gebracht, en Crosetti begaf zich daarmee, en met zijn tas en het kostbaarste draagbare voorwerp ter wereld in de loden buis, naar de herentoiletten. Toen hij alleen was in de blauw betegelde ruimte, haalde hij het manuscript uit de buis. Hij stopte het in een van de enveloppen en maakte dat met de tape onder de voering van de rug van zijn corduroy jasje vast. Het jasje hing hij aan een van de douchehaken, buiten het plastic gordijn, en daarna trok hij zijn kleren uit en nam hij een douche. Hij verbaasde zich over de bijna Mississippiaanse hoeveelheden modder die van zijn lichaam spoelden. Terwijl hij stond te douchen, vroeg hij zich af waarom hij dat verrekte ding niet gewoon bij Carolyn had achtergelaten en waarom hij het voor haar verborgen hield.

Omdat je haar niet vertrouwt, was het antwoord van Rationele Albert. Maar ik hou van haar en zij houdt van mij, zei Amoureuze Albert. Dat heeft ze gezegd. Maar Crosetti besefte dat de extreme vreemdheid van de vrouw juist een deel van haar aantrekkelijkheid was, het onbetwistbare feit dat ze tot alles in staat was. Zelfs op dat moment was het mogelijk dat ze, als hij uit deze badkamer kwam, verdwenen was en hij haar nooit meer zou zien. Die gedachte zette hem aan tot meer haast bij het toiletmaken. Vijf minuten later kwam hij – nog vochtig maar keurig gekleed in jasje, zwarte jeans en flanellen overhemd – de lounge in, met zijn tas (waarin zich Bracegirdles loden buis bevond) en een kussenenvelop, die hij met toeristenbrochures had volgestopt en met tape had afgesloten. Carolyn zat in de lounge. Ze had ook een douche genomen en schone kleren aangetrokken, en haar vochtige haar was nog donkerder dan eerst.

Hij ging naast haar zitten. 'Nog één vliegreis,' zei hij, 'en dan is dit avontuur voorbij.'

'Ik hoop het,' zei ze. 'Ik heb de pest aan avontuur. Ik wil ergens zijn waar ik 's morgens opsta en dezelfde mensen tegenkom en elke dag min of meer hetzelfde doe.'

'Boekbinden.'

'Ja. Ik weet dat jij het saai vindt. Ik weet dat jij het maken van films serieuze kunst vindt en het maken van boeken... ik weet het niet, zoiets als kleedjes knopen. Dat kan me niet schelen. Het wordt mijn leven. Ik ga mijn kinderen halen en dan ga ik naar Duitsland, waar ik het boekbindvak kan leren, en dan doe ik niets anders dan studeren en boeken maken. Dat wordt mijn leven.'

'En zal ik je dan 's zomers komen opzoeken?'

Ze wendde haar hoofd af en maakte dat wegduwende gebaar met haar handen. 'Niet nu, Crosetti. Ik kan dat nu even niet hebben. Kunnen we de komende uren niet gewoon bij elkaar zijn zonder allemaal langetermijnplannen te maken?'

'Goed, Carolyn. Zoals je wilt,' zei hij, en hij dacht: dat zou er op het pakje afgedrukt moeten staan als onze relatie een product was: INHOUD GIFTIG of ZEER ONTVLAMBAAR.

Hij liep een eindje bij haar vandaan en belde Mishkin in New York. Mishkin nam het nieuws in zich op, feliciteerde hem en zei dat hij hen van het vliegveld zou laten afhalen.

Hun vliegtuig was ditmaal een Citation x, kleiner en nog gestroomlijnder dan de Gulfstream, bestemd voor zes passagiers, met aan de achterkant twee afgescheiden slaapkamertjes. Toen Crosetti dat zag, deed hij bijna het voorstel dat het voor hen tweeën een mooie gelegenheid was om zich bij de Eight Mile High Club aan te sluiten, maar hij zei het toch maar niet. De sfeer was niet goed, zoals wel vaker bij Carolyn Rolly. Hij zuchtte, maakte zijn gordel vast en dronk zijn champagne. Het vliegtuig gierde, gooide hem tegen de rugleuning van zijn stoel en schoot agressief steil de lucht in. Hij voelde het Kostbaarste Draagbare Voorwerp op zijn rug. De envelop waar het manuscript zogenaamd in zat lag op de plaats naast hem. Hij las een tijdje in een blad en trok toen zijn deken om zich heen en over zijn hoofd. Het was niet de dunne deken die de commerciële luchtvaartmaatschappijen je gaven, maar een dik, groot ding zoals die door de beste hotels werd gebruikt. Hij liet zijn rugleuning bijna helemaal achteroverzakken en viel uitgeput in slaap.

En werd wakker van het geluid van bestek en serviesgoed en van heerlijke etensgeuren. De stewardess stond op het punt een maaltijd te serveren. Crosetti ging rechtop zitten, liet zijn rugleuning overeind komen en keek door het gangpad. Carolyn was naar het toilet. Hij keek naar de envelop die hij naast zich had liggen. De tape zat er nog precies zo op, maar toen hij goed keek, zag hij dat een van de benedenhoeken van de envelop zorgvuldig was losgemaakt en vervolgens weer behendig was dichtgemaakt door iemand voor wie papier en lijm geen geheimen hadden. Hij snoof aan de rand en bespeurde een zweem van aceton. Ze had nagellakremover gebruikt om de lijm week te maken en de envelop weer dichtgeplakt toen ze constateerde dat het een afleidingsmanoeuvre was. Hij vroeg zich af wat ze met het echte manuscript zou hebben gedaan, en wat ze had gedacht toen ze ontdekte dat hij er onzinpapieren in had gedaan en hem daarna in het volle zicht had laten liggen. Voor wie anders dan voor haar kon die afleidingsmanoeuvre bestemd zijn? O, Carolyn!

Toen ze terugkwam trok hij een vriendelijk gezicht. Onder de maaltijd zaten ze stijfjes en zwijgzaam tegenover elkaar, en daarna ging ze terug naar haar plaats. Hij keek naar *The Maltese Falcon*, prentte nog meer van het scenario in zijn geheugen, en terwijl hij naar die film keek, wilde hij heel graag dat ze hem zou vragen waar hij naar keek, dan kon hij haar uitnodigen om er samen met hem naar te kijken en zou hij zien of het personage Brigid O'Shaughnessy op haar geweten inwerkte. Maar hij vroeg het niet, want hij was bang dat ze hem weer zou afwijzen. En eigenlijk wilde hij het ook helemaal niet weten.

Op vliegveld JFK passeerden ze de douane en de immigratiedienst, en toen ze de eigenlijke terminal verlieten, zagen ze in de vertrekhal een donkere man staan die een bord met CROSETTI omhooghield. Zodra Carolyn dat zag, legde ze haar hand op zijn arm en zei: 'Hè, ik heb daarnet iets bij de douane laten liggen.'

'Wat dan, Carolyn? Je had alleen dat tasje.'

'Nee, iets wat ik heb gekocht. Ik ben zo terug.'

Ze liep snel weg en verdween achter de deuren. Crosetti ging naar de man met het bord en stelde zich voor, en de man zei dat hij Omar was en voor meneer Mishkin werkte. Hij had opdracht meneer Crosetti en mevrouw Rolly naar het huis van meneer Mishkin te brengen. Ze stonden daar een half uur te wachten terwijl mensen hen haastig voorbijliepen. Toen liep Crosetti terug naar de terminal en keek daar zonder veel hoop om zich heen. Hij ging terug naar de vertrekhal en reed met Omar naar Manhattan, een langzame rit door het vastgelopen verkeer van de ochtendspits. Crosetti kon niet helder denken. Een combinatie van een jetlag en fysieke en emotionele vermoeidheid had zijn hersenen gereduceerd tot een nauwelijks denkende brij, en er ging dan ook drie kwartier overheen (de limousine was inmiddels een halve kilometer van de Midtown Tunnel verwijderd) toen hij bedacht dat hij zijn moeder moest bellen.

'Albert, je hebt het gevonden!'

'Mama, hoe weet je…?'

'Je vriendin was net hier. Ze heeft ons het hele verhaal verteld.'

'Net hier?'

'Ja. Ze kwam met een taxi, omhelsde de kinderen tien minuten lang en ging in dezelfde taxi weer weg.'

'Wat? Ze nam de kinderen niet mee?'

'Nee, ze zei dat ze eerst nog wat te doen had en beloofde dat ze de kinderen over een paar dagen laat halen. Zeg, Albert, het zijn heel leuke kinderen, maar ik hoop dat je er geen gewoonte van maakt om…'

'Heb je het nummer van de taxi genoteerd?' vroeg Crosetti.

'Natuurlijk niet. Hoezo, wou je Patty haar laten volgen?'

'Nee,' loog Crosetti zwakjes.

'Ja, dat wou je wel, en je moet je schamen. Dat komt gevaarlijk dicht bij stalken, schat, en ze is heel charmant, maar het is ook duidelijk dat ze haar eigen leven wil leiden en dat jij geen plaats in dat leven hebt.'

Dat was volkomen waar, maar het was niet iets wat een man van zijn moeder wil horen. Crosetti beëindigde het gesprek onnodig bot. De rest van de rit naar Mishkins huis deed hij vergeefse pogingen niet aan Carolyn Rolly te denken.

Crosetti had een vriend die veel succes had met het regisseren van reclamespotjes, en die vriend had een stijlvol zolderappartement in Soho, maar dat was niets in vergelijking met het appartement van Jake Mishkin. Hij zei daar iets over en merkte op: 'Ik had rechten moeten studeren.'

'Misschien wel,' zei zijn gastheer, 'maar ik denk dat je niet parasitair genoeg bent. Ik geloof dat je helaas een schepper bent en daardoor gedoemd een grote piramide van mensen als ik te financieren. Over scheppers gesproken, waar is het?'

Crosetti trok zijn jasje uit en haalde de envelop tevoorschijn. Mishkin ging naar een lange kloostertafel en legde elk vel papier zorgvuldig neer. Het waren twee rijen van elf papieren vellen.

Ze keken allebei een tijdje in stilte naar de papieren, en toen zei Mishkin: 'Dat is opmerkelijk. Het ziet eruit alsof het vorige week geschreven is.'

'Ze zaten hierin,' zei Crosetti, en hij haalde de buis uit zijn tas. 'Hij was lucht- en waterdicht, dus er was nauwelijks verval of oxidatie. Bracegirdle heeft goed werk geleverd.'

'Ja. Wie weten dat je het toneelstuk hebt gevonden?'

'Nou, er zijn drie mensen in Engeland die weten dat we iets hebben gevonden, maar ze weten niet wat het is, en dan zijn er Carolyn, mijn moeder, ikzelf en ook Klim, denk ik.'

'En waar is Carolyn?'

'Dat weet ik niet. Ze maakte zich op het vliegveld uit de voeten, ging even naar mijn moeders huis om haar kinderen te zien, en vertrok weer.'

'Grote goden! Waarom zou ze zoiets doen?'

Crosetti haalde diep adem. Nu hij het moest uitspreken, merkte hij dat de spieren in zijn keel zich samentrokken. 'Ik denk dat ze naar Shvanov gaat om hem te laten weten wat we hebben gevonden.'

'Shvanov? Wat heeft zij nou met Shvanov te maken?'

Crosetti vertelde hem in het kort wat Carolyn hem in de hotelkamer in Oxford had verteld in de nacht dat ze kiezelsteentjes tegen zijn raam had gegooid. Mishkin was stomverbaasd. 'Je bedoelt dat ze al die tijd voor Shvanov werkte?'

'In zekere in, al denk ik dat Carolyn ook zo ongeveer de hele tijd voor Carolyn werkt. Maar ik heb het gevoel dat hij ook een verhouding met haar heeft.'

'Net als jij, neem ik aan.'

'Ja. Ik dacht dat het dik aan was tussen ons, maar wie zal het zeggen? Heb je iets over je kinderen gehoord?'

'Nee. Ik heb een nummer dat ik kan bellen als ik heb wat zij willen hebben.'

'En dat heb je nu. Ga je ze bellen? Natuurlijk komt Shvanov er gauw genoeg achter. Misschien weet hij het nu al.'

'Ja, maar ik ben er niet zeker van dat Shvanov de kinderen heeft.'

'Wie kan het anders zijn?'

'Zoals ik al zei weet ik het niet zeker, maar ik heb al een tijdje het gevoel dat er anderen in het spel zijn.' Mishkin pakte de titelpagina en keek ernaar, alsof hij alleen door ernaar te kijken plotseling in staat zou zijn het vreemde handschrift te lezen.

'Je maakt je niet erg druk,' zei Crosetti.

'O, ik maak me wel druk. Ik ben alleen niet buiten zinnen.' Hij keek Crosetti aan. 'Je zult wel denken dat ik geen goede vader ben. Ik ben het daarmee eens: dat ben ik inderdaad niet. Ik heb het niet geleerd van mijn eigen vader, en dat schijnt nodig te zijn. En jij, Crosetti? Had jij een goede vader?'

'Ja, die had ik. Ik vond hem de geweldigste man ter wereld.'

'Dan had je geluk. Overleden, hoorde ik.'

'Ja. Hij kwam van het bureau naar huis en zag ergens een paar agenten achter een straatcrimineel aan rennen. Hij stapte uit, sloot zich bij de achtervolging aan, en toen sprong er een slagader. Dood bij aankomst in het ziekenhuis. Ik was twaalf.'

'Ja. Nou, hiermee zijn onze zaken afgesloten. We hebben het niet over een vergoeding voor jou gehad. Wat zou je redelijk vinden?'

Crosetti wilde plotseling ver bij deze man vandaan zijn, ver van het gecompliceerde scenario dat de man vertegenwoordigde. Onwillekeurig dacht hij dat Carolyn gelijk had toen ze het over het opwindende leven had. In een film zou de juiste tekst 'Je bent me niets schuldig' zijn, gevolgd door een deur die werd dichtgegooid, maar in het echte leven zei Crosetti: 'Wat zou je zeggen van tienduizend nu, en nog eens veertig als het echt blijkt te zijn?'

Mishkin knikte. 'Ik stuur je een cheque.'

21

Het sneeuwt op dit moment, een dichte vochtige sneeuw zoals ze die hier in het noordoosten krijgen wanneer het net koud genoeg is voor gewone sneeuw. Ik heb een verkwikkende wandeling in de kou gemaakt en zit weer achter het toetsenbord. Ik ben weer in het botenhuis geweest en heb de oude mahoniehouten speedboot bekeken. Het is een Chris-Craft Deluxe Runabout uit 1947, zes meter lang, vijfennegentig pk, zes cilinders, en zo te zien verkeert hij in prima conditie. Ik heb de tank met een handpomp gevuld met benzine uit een vat van tweehonderd liter. De sleutel zat in het contact en ik heb hem gestart. Na een beetje rochelen maakte hij een mooi bulderend geluid en vulde hij het botenhuis met een wolk van scherpe blauwe rook. Verder heb ik mijn pistool onder het kussen van de bestuurdersstoel gelegd. Of ik een plan heb? Niet echt. Ik bereid me voor op allerlei dingen die kunnen gebeuren. Als je bezoek van gewapende mannen verwacht en je hebt zelf een wapen, dan kun je meteen gaan schieten als ze arriveren, want als je dat niet doet, komen ze binnen en pakken ze je wapen af of je verstopt het ding en hoopt dat je er in geval van nood bij kunt komen. Ik was niet toegerust op een vuurgevecht met een onbekend aantal gangsters, en dus koos ik voor de tweede optie. Ik vraag me af of mijn bezoekers last van de sneeuw hebben.

Om op dit verslag terug te komen (en ik denk dat het nu gauw voorbij is, want het verleden vliegt met grote snelheid richting het heden): toen ik in Zürich met Crosetti had gesproken, moest ik enkele dagen wachten, een doodse tijd, want ik had niets te doen. Ik weet eigenlijk niet meer wat ik deed, behalve dat ik Amalie een paar keer per dag belde om haar te verzekeren dat het eigenlijk heel goed ging en om te vragen of ze iets van de kidnappers had gehoord. Ja, dat had ze. Elke morgen kwamen er videobeelden per e-mail binnen en daarop zag je een kennelijk volkomen ontspannen Niko en Imogen; laatstgenoemde glimlachend alsof haar een geheim grapje was verteld. Ze hadden altijd een krant van die dag in hun handen, en de boodschap die door hen beiden werd uitgesproken, was altijd dezelfde: 'Dag, mammie, het gaat goed met ons. Maak je geen zorgen. Tot gauw.' Uitfadend naar zwart. Geen waarschuwingen, geen bedreigingen, geen indicatie van waar ze werden vastgehouden en door wie. Afgezien daarvan hadden we niets om over te praten, en ik denk dat we allebei opgelucht waren als de verbinding was verbroken.

Toen kwam het telefoontje van Crosetti: ze hadden het Ding zowaar gevonden. Er volgde nog een dag van wachten, en in die tijd sprak ik minstens zes boodschappen in voor mijn broer en mijn zus. Mijn zus reageerde niet, maar laat op die avond belde mijn broer me.

Ik vroeg hem waar hij was en hij zei dat hij bij Amalie in Zürich was en vertelde me hoe het met zijn plan ging. Hij zei dat er de volgende ochtend een luchtpostpakje bij mij zou worden bezorgd en dat ik daarin zou aantreffen wat ik nodig had. Ik vroeg hem opnieuw of hij al wist wie degenen waren die ook in het spel betrokken waren, anderen dan Shvanov, en hij zei dat hij niets te weten was gekomen. Hij had wel het gevoel dat ze contacten hadden met de mensen die grote kunstroven pleegden in Europa, niet het soort mensen dat iets stal om het te verkopen of er losgeld voor te eisen, maar mensen die steenrijke, immorele mensen van een Titiaan of Rembrandt voorzagen, zodat die er in hun eentje van konden genieten. Ik zei dat ik dacht dat die mensen verzonnen waren door schrijvers van goedkope romannetjes en hij verzekerde me dat het niet zo was, dat er beslist sinistere krachten in deze affaire meespeelden en dat zijn plan de enige manier was die hij kon bedenken om ons uit hun greep te verlossen. Ik kreeg de indruk dat hij iets voor me verborgen hield, maar ik kon hem niet onder druk zetten, of misschien was het alleen maar de paranoia die zich altijd meester van me maakt als het om mijn familie gaat.

De volgende dag ontving ik een internationaal FedEx-pakje van Paul, en een tijdje later belde Omar vanaf het vliegveld om te melden dat Crosetti uit het vliegtuig was gestapt. Een uur later kwam Crosetti mijn appartement binnen en gaf hij het aan mij. Natuurlijk had ik Omar, die gewapend was, instructie gegeven Crosetti nauwlettend in de gaten te houden vanaf het moment dat hij de douane gepasseerd was, maar evengoed... Ik weet niet of ik het zelf had kunnen doen: iets waarvan hij dacht dat het minstens tientallen miljoenen dollars waard was en waarvan het ook nog onzeker was wie er de eigenaar van was aan mij over te dragen om twee kinderen te redden die hij nauwelijks kende. Het was duidelijk een fatsoenlijke man, een wandelend verwijt aan het adres van alle mannen van mijn soort, en het zal wel tegen mij pleiten dat ik hem onsympathiek vond. Zoals veel mensen van zijn type had hij ook iets van een sukkel – die Carolyn Rolly had hem blijkbaar om haar vinger gewonden en ik was niet zo heel erg verbaasd toen ik hoorde dat ze al die tijd voor Shvanov had gewerkt. Misschien had ik hem moeten vragen of hij iets over Miranda had gehoord, maar hoe minder mensen wisten dat ik nog steeds belangstelling voor haar had, des te beter het was. Hoe dan ook, we waren niet de beste vrienden. Hij maakte ook goed duidelijk hoe hij over mij dacht, en we werkten onze zaken snel af.

Kort na Crosetti's vertrek ging mijn telefoon. Het was Shvanov. Hij feliciteerde me met het terugvinden van een grote culturele schat en zei dat hij gauw langs zou komen om de papieren op te halen. Ik vroeg naar mijn verdwenen kinderen. Er volgde een lange stilte, en toen zei hij: 'Jake, je beschuldigt mij er steeds van dat ik mensen uit jouw omgeving ontvoer, en ik heb je in alle oprechtheid gezegd dat ik zulke dingen niet doe. Dit begint me te vervelen, weet je.'

'Evengoed, Osip, begrijp je zeker wel dat ik het manuscript niet aan jou kan geven, want de kidnappers eisen het in ruil voor mijn kinderen. Als jij ze niet hebt.'

Hij zei: 'Jake, geloof me, je hebt mijn diepste medeleven en ik zou je graag op alle mogelijke manieren willen helpen, maar dat doet niets af aan onze zakelijke relatie. Dat manuscript is gevonden met behulp van professor Bulstrodes informatie. Die informatie is mijn eigendom en het manuscript is dus ook mijn eigendom.'

'Ik denk dat het je moeite zou kosten om een rechter daarvan te overtuigen.'

Weer een tamelijk lange stilte, en toen zei hij met een stem die enkele decibellen zachter was: 'En ga je tegen me procederen, Jake?' Een humorloos grinniklachje. 'Misschien moet ik tegen jóú gaan procederen.'

'Nou, we leven in een rechtsstaat, tenminste, dat was altijd zo. In tegenstelling tot het land waar jij vandaan komt. In elk geval zal ik niet…'

'Maar Jake, luister: je zult het doen. Je zult het geven.'

'En anders? Dan besteed je het uit om mij te overtuigen?'

'Nee,' zei Shvanov zo zacht dat ik me moest inspannen om hem te horen. 'Ik denk dat ik dit intern afhandel.'

Na dit onbevredigende gesprek wist ik niet goed wat ik moest doen. Ik denk dat het een soort regressie was, dat ik terugviel op de periode kort na de zelfmoord van mijn moeder, toen ik helemaal alleen was, met dit verschil dat ik nu rijk was. Ze zeggen dat liefde je beter door tijden zonder geld heen helpt dan geld je door tijden zonder liefde heen helpt, maar dat is niet helemaal waar heb ik ontdekt. Ik liet Omar met zijn kleine machinepistool bij me komen en zette hem op wacht bij het manuscript. Hij houdt van dat soort dingen en zit vol trucjes om vast te stellen hoe verschillende deelnemers aan een complot zich verraden en om dat met onopvallende signalen door te geven. Daarna ging ik een eindje lopen om misschien iets te gaan eten en drinken in een restaurant aan West Broadway waar ik vaak kom. Zo'n wandeling in mijn eentje brengt altijd helderheid in mijn hoofd.

Hoewel Lower Manhattan de laatste tijd een rommelig allegaartje van winkeltjes is geworden, kun je er nog steeds, vooral op een doordeweekse dag en als het koud is, zonder veel mensen om je heen door veel van de straten lopen. Ik liep in oostelijke richting door Franklin toen een van die afzichtelijke lange witte Cadillac-limousines met rookglazen ruiten voorbij kwam rijden en voor me langs de stoeprand stopte. Het portier aan de kant van het trottoir ging open en er stapte een grote man uit die het achterportier openmaakte. Hij wees naar de deuropening. Ik wilde om hem heen lopen, maar hij ging soepel voor me staan, trok een .22 pistool met een lange loop uit de zak van zijn leren jekker en gebruikte dat om zijn gebaar kracht bij te zetten. Mijn broer zegt dat je altijd veel aandacht moet schenken aan mensen die met dat soort pistolen rondlopen, want iemand die zo'n klein wapen gebruikte, was waarschijnlijk in staat heel nauwkeurig te schieten, bijvoorbeeld door je oog, als het moest, of hij kon je teen erafschieten als je niet deed wat hij zei. De man had een intelligent gezicht met de enigszins verveelde maar ook efficiënte uitdrukking van een professionele hotelportier. Hij had de grote, genadeloze bruine ogen van een zeehond. Ik had meteen het gevoel dat ik met een hogere gangsterrang te maken had dan tot dan toe. Ik stapte in de auto.

Die lange limousines kunnen allerlei indelingen hebben, maar deze was vrij conventioneel. Natuurlijk was er de bestuurdersplaats, met daarachter een normale bank voor het gevolg, in dit geval twee gebruinde kerels met een goed kapsel en de typische gangsteruitdrukking van zelfverzekerde gemeenheid op hun gezicht. Achterin, waar alleen aan de rechterkant portieren zaten, was een min of meer halfronde bank, met de bar, de stereo en de tv zodanig aangebracht dat de grote baas, die normaal gesproken helemaal achterin op die bank zit, ze tot zijn of haar beschikking heeft. Ik stapte in, gevolgd door de man met het pistool, en ik kwam tegenover de grote baas te zitten.

'Waar zijn ze?' vroeg ik.

'Een fraaie manier om je vader te begroeten,' zei hij. '"Waar zijn ze?" Nee: "Hoe gaat het met je, pa, blij je te zien."'

'Je hebt mijn kinderen gekidnapt, je eigen kleinkinderen, en nu verwacht je de liefde van een zoon?'

Hij trok een chagrijnig gezicht en maakte een wegwuivend gebaar dat ik me nog goed van hem herinnerde. 'Wat bedoel je, "gekidnapt"? Ik ben hun *zaideh*, mag ik geen reisje met ze maken?'

'Zonder hun ouders te vertellen waar ze zijn?'

'Ik stuur haar elke dag mooie videobeelden. Heb je die gezien? Vond je dat ze eruitzagen alsof ze gekidnapt waren? Geloof me, ze hebben de tijd van hun leven.'

O, nu kwam het allemaal ineens weer terug. Ik zat er machteloos en gefrustreerd bij, zoals ik er als jongen bij had gezeten toen hij zijn vernuftige redeneringen verzon om iets goed te praten tegenover zijn vrouw en kinderen. Onder die stroom van woorden kwamen de structuren van de realiteit telkens even opzetten om vervolgens weer weg te zakken, en uiteindelijk hadden we altijd het gevoel dat het ónze schuld was. Fatsoenlijke mensen die dit document tot nu toe hebben gelezen, zullen terecht denken dat ik een gewetenloos, egoïstisch stuk vreten ben, maar nu zat er iemand tegenover mij in wie ik mijn meerdere moest erkennen. Op dat miserabele gebied kon ik niet aan hem tippen. Een leven van volslagen egoïsme had hem zo te zien wel goedgedaan, en nu hij tachtig was, zag hij er tien jaar jonger uit. Hij had implantaten en had iets aan de huid rond zijn ogen laten doen, en verder had hij het gelooide gezicht dat rijke oude kerels vaak hebben. Hij leek me sterk genoeg voor nog minstens tien jaar criminaliteit.

'Nou, waar hebben ze die tijd van hun leven?' vroeg ik met een stem die ik zelf nauwelijks herkende, mijn keel dichtgeknepen, mijn hoofd pulserend van de pijn, mijn gezichtsveld rood aan de randen. Ik had het geluid van knarsende tanden in mijn oren. Als ik niet bang was geweest voor een kogel door mijn elleboog, zou ik zijn hoofd ter plekke van zijn romp hebben getrokken.

'Ze zijn hier in New York, in een appartement van een vriend van me op de East Side. Miriam is bij hen.'

Natuurlijk. Daarom was een wereldwijs stadskind als Imogen in Zürich zomaar in een vreemde auto gestapt: de inzittende was geen vreemde geweest, maar haar geliefde tante Miri.

'Dan wil ik ze graag zien,' zei ik.

'Geen probleem. Je haalt het manuscript op, we gaan een eindje rijden, we zien de kinderen, alles in orde.'

'En zo niet, wat dan? Hebben ze dan niet meer de tijd van hun leven? Snij je ze in stukken?'

Hij slaakte een dramatische zucht en zei iets in een taal die ik niet kende; het zal wel Hebreeuws zijn geweest. De gangsters lachten. Tegen mij zei hij: 'Doe niet zo stom. Ik zal niemand kwaad doen. Maar je gaat me dat manuscript toch geven, dat weet jij net zo goed als ik, dus waarom zou je moeilijk gaan doen?'

'En Shvanov? Hij denkt dat het van hem is.'

Weer dat handgebaar. 'Shvanov is niets, een klein woekeraartje dat denkt dat hij een hele grote is.' Hij verhief zijn stem en riep naar de chauffeur: 'Misja, laten we gaan.'

De auto maakte zich soepel van de stoeprand los.

'Waar gaan we heen?' vroeg ik.

'Wat dacht je? Naar jouw huis om dat ding op te halen.'

'Nee,' zei ik.

'Nee? Wat bedoel je, nee?'

'Precies wat ik zeg. Waarom zou ik het aan jou geven? En hoe ben jij eigenlijk bij dit alles betrokken geraakt?'

Hij rolde met zijn ogen en leunde achterover tegen de zachte bank, zijn handen op zijn buik en zijn donkere ogen (de mijne!) op mij gericht met de geamuseerde minachting waarmee hij me mijn hele kindertijd had aangekeken. 'Jake, weet je wat jouw probleem is? Je hebt mijn gezicht en de hersenen van je moeder. Dat was niet de goede combinatie.'

'Rot op!'

'Een voorbeeld. Je zit in een auto met drie kerels die net zo gemakkelijk met hun duimen je oogballen uitdrukken als dat ze hun neus snuiten, en jij gebruikt zulke taal? Tegen mij? Maar omdat je familie bent, word ik niet kwaad. Ik leg je alleen uit hoe het zit. Oké, ik woon in Tel Aviv, ik ben half gepensioneerd, maar ik heb nog steeds mijn belangen. Als een goede zaak zich aandient, laat ik hem niet lopen. Ik heb veel connecties. Nou, wat Shvanov betreft... Drie, vier maanden geleden was hij in Israël. Hij had een sterk verhaal, hij wist iets over de grootste schat aller tijden, maar wilde niet zeggen wat het was. Iedereen dacht dat hij het over goud had, of kunst, want hij praatte met mensen die met dat soort dingen te maken hebben. Ik was nieuwsgierig, en de keer daarna dat ik Miriam zag, vroeg ik haar wat haar vriend Osip in zijn schild voerde, en toen vertelde ze me over Shvanov, dat Bulstrode-type en het Shakespeare-manuscript. Natuurlijk was Bulstrode toen al dood. Ik heb nooit geweten waarom...'

'Shvanov dacht dat hij het manuscript uit Engeland had meegenomen en dat hij het achterhield.'

'Oké, dat is nou precies het probleem met Shvanov,' zei Izzy. 'Hij heeft te losse handjes, hij denkt niet goed na, en dus vermoordde hij juist degene die het manuscript het best zou kunnen vinden. Hoe dan ook, Miriam vertelde me vervolgens dat jij erbij betrokken was, dat jij papieren had die naar dat ding leidden. Ik praatte met wat mensen en we vormden een klein syndicaat. We zetten een operatie in gang, hielden jou en Shvanov in de gaten en keken of we de hand op dat ding konden leggen. En toen zag het ernaar uit dat jij en die spaghettivreter, hoe heet hij...'

'Crosetti.'

'Ja, die; het zag ernaar uit dat jullie het ding op het spoor waren, en dus volgden we jullie…'

'Dus het waren jouw mannen en niet die van Shvanov die mij voor mijn huis overvielen, die bij Crosetti inbraken en die mij dwongen twee mensen dood te schieten?'

Hij haalde zijn schouders op. 'Iemand uit het syndicaat had dat geregeld, en ik moet zeggen: alle waar is naar zijn geld. Deze klotestad zit vol met Russische patsers die nog niet tot tien kunnen tellen. Deze jongens daarentegen zijn van een heel andere klasse, voor het geval je je iets in je hoofd haalt.'

'Maar eerst stuurde je iemand die deed alsof ze Bulstrodes nichtje was en die het manuscript stal dat ik van Bulstrode had gekregen.'

'Ik weet bij god niet waar je het over hebt.'

Ik keek aandachtig naar zijn gezicht. Geen volleerder leugenaar dan Izzy, maar de verwarring op zijn gezicht leek me echt.

'Laat maar,' zei ik. 'Dus jouw bende volgde ons in Europa?'

'Ik heb geen bende, Jake. Izzy de boekhouder, weet je nog wel? Ik heb niets met gewelddadige rottigheid te maken, vroeger niet en nu niet.'

'Wie zijn dan die twee oogbaluitdrukkers in deze auto?'

'Ze werken voor mensen van wie je de naam niet hoeft te weten. Mensen in Israël, mensen in Europa. Ik heb je al verteld dat het een syndicaat is. Shvanov deed een simpel voorstel. Als hij dat ding te pakken kon krijgen, zou het zo authentiek worden verklaard als maar kon – Shvanov had daar de juiste man voor – en dan zouden wij het van hem kopen. Hij vroeg tien miljoen, terwijl het ding misschien honderd, honderdvijftig miljoen waard is, maar wie weet dat?'

'Je wilde het zonder tussenkomst van Shvanov te pakken krijgen, hè?'

'O, het lampje gaat branden. Natuurlijk proberen wij iets in handen te krijgen als het voor het grijpen ligt. Tien miljoen is tien miljoen, en waarom zouden we dat aan die klootzak geven?'

'Waarom stuurden ze jou dan? Ik dacht dat jij boven dit soort werk verheven was.'

'Omdat het om iets gaat wat misschien wel honderdvijftig miljoen dollar waard is en ze iemand wilden sturen die eerlijk was.'

'Jij? Eerlijk?'

Weer een dramatische zucht, een specialiteit van hem. 'Ja, ik. Vertel me eens, advocaat, heb je er ooit bij stilgestaan waarom ik nog in leven ben? Ik zal je vertellen waarom. Ik zit nu al bijna zestig jaar in dit vak en er zijn miljárden dollars door mijn handen gegaan, bijna allemaal onnaspeurbaar, en ik heb er nooit een cent van ingepikt. Als Izzy de boekhouder zegt dat de cijfers kloppen, kloppen ze. Als hij zegt dat ze niet kloppen, worden er kerels gemold. Dit is een vak vol *momsers* die je keel doorsnijden vanwege je schoenen. Dus kijk maar niet zo op me neer!'

'O, neem me vooral niet kwalijk: je hebt een uitmuntende reputatie bij het schuim der mensheid. Je bent van ons weggelopen, stuk verdriet.'

'O, en heb jij dat dan niet gedaan? Het verschil is alleen dat jij het deed omdat je het niet kon laten om achter de wijven aan te gaan, en dat ik het deed omdat ik niet twintig jaar in de bak wilde zitten. Had jij liever gezien dat ik achter de tralies was beland? Hoe had ik jullie dan kunnen onderhouden?'

'Jij hebt ons niet onderhouden.'

'O nee? Heb jij ooit een maaltijd moeten overslaan, heeft het je ooit aan een dak boven je hoofd ontbroken, of een warm bed om in te slapen, speelgoed en kleren? Denk je dat ze drie kinderen kon onderhouden van het salaris dat ze verdiende met het boenen van ziekenhuisvloeren?'

'Ze boende geen vloeren. Ze was administrateur.'

'Kom nou! Maak dat de kat wijs! Ze kon amper de krant lezen. Hoe kon je nou geloven dat zij met medische papieren werkte? Luister, ik stuurde elke verjaardag en elke Kerstmis naar ieder van jullie een kaart met geld erin, en elk jaar kwamen ze terug met "geadresseerde hier onbekend" in haar handschrift. En zonder geld. Ze stoomde ze open, pakte het geld en stuurde ze naar mij terug. Val dood, Izzy!'

'Ik geloof je niet,' zei ik. Mijn maag kwam in opstand en stuwde de gal tot in mijn keel.

'Nou, als jij je hele leven wrok wilt koesteren, moet je dat vooral doen. Intussen zijn we hier in New York. Mensen wonen tegenwoordig in fabrieken; dat is toch niet te geloven? Nou, ga naar boven en haal dat verrekte ding op, en dan – *alivai* – hoef je mijn gezicht nooit meer te zien. Eli, ga met hem mee, zorg dat hij niet struikelt op de trap.'

Toen ik uit de limousine stapte, trilden mijn knieën zo erg van woede dat ik wankelde. Ik moest even tegen mijn buitendeur leunen en mijn handen beefden toen ik de sleutel in het slot stak. Ik ging naar binnen en meneer .22 volgde me op discrete afstand, dat wil zeggen: dichtbij genoeg om een paar kogels in me te pompen als ik hem iets probeerde te flikken. Toen ik bij mijn deur kwam kreeg ik een hoestbui.

'Sorry,' zei ik tegen Eli. 'Ik heb een beetje astma en daar krijg ik last van als ik me opwind.' Hij knikte ongeïnteresseerd naar me en wees naar het slot. Ik maakte de deur open, ging naar binnen en de man volgde me op zijn gebruikelijke zorgvuldige afstand en kreeg een harde klap op zijn hoofd met een gewichtenstaaf. Omar had naast de deur gestaan. Die hoestbui was een van de kleine tekens die Omar had bedacht.

'Wie is het?' vroeg hij.

'Een Israëliër,' zei ik sadistisch, en toen moest ik Omar tegenhouden, anders had hij met zijn voet ook nog een stel ribben van de man gebroken.

Terwijl Omar de man met tape vastbond, ging ik naar mijn archiefkast en haalde daar het Shakespeare-manuscript, mijn laptop, de FedEx-envelop van Paul en mijn Duitse pistool uit.

'Wat doen we nu, baas?' vroeg Omar.

Ik had geen idee, maar het leek me nu van het grootste belang dat ik Izzy niet zijn zin gaf, al wist ik dat het manuscript nep was. Na de onthullingen van de afgelopen minuten had ik mijn eigen plan bedacht, en dat had niets met enig lid van mijn familie te maken. 'Het dak,' zei ik.

Het is een van de eigenaardigheden van dit deel van de stad dat als je eenmaal op het dak van het ene gebouw bent je de hele straat kunt volgen door over lage muurtjes te klimmen. Daarna kun je naar beneden gaan via een van de brandtrappen waarvan deze oude fabrieksgebouwen rijkelijk voorzien zijn. Omdat inbrekers dit ook weten, zijn de deuren naar het dak beveiligd met een alarm, maar hier in New York trekt niemand zich daar iets van aan.

We renden over de daken en daalden af naar Varick Street, uit het zicht van de limousine van mijn vader. Vandaar kwamen we gemakkelijk bij de garage en de Lincoln. Vanuit de auto belde ik Mickey Haas.

'Dat meen je niet,' riep hij uit toen ik hem vertelde wat er aan de hand was. Ik verzekerde hem dat ik het wel degelijk meende en vertelde hem ook iets over het ontcijferen van het geheimschrift en de avonturen van Carolyn en Albert in Warwickshire.

'Allemachtig! Bedoel je dat je alle spionagebrieven hebt gevonden?'

'Ja, en het is een heel verhaal.'

'O, jezus, het duizelt me bijna. Jake, je moet meteen naar mijn kantoor komen. Ik kan dit niet geloven. Je hebt het echte manuscript van een onbekend stuk van Shakespeare in je handen!'

'Op mijn schoot. Maar, Mickey? Ik zit een beetje in de penarie. Weet je nog, die gangsters over wie we het over hadden? Nou, die zitten achter me aan, en een van die bendes wordt geleid door mijn vader.'

'Kom hier maar heen, Jake. Ik meen het, rij maar gewoon naar mijn kantoor…'

'Mickey, je luistert niet. Die mensen zitten achter me aan en ze komen gauw genoeg op het idee dat ik dit ding misschien aan jou wil laten zien, en dan komen ze naar jou toe, vermoorden ons beiden en pikken het in.'

'Maar dit is Hamilton Hall op klaarlichte dag. We deponeren het in de kluis van…'

'Nee, je snapt het niet, man. Luister! Het zijn volslagen gewetenloze mensen met bijna onbeperkte middelen. Als het moet, zouden ze iedereen in Hamilton Hall uit de weg ruimen om dit ding in handen te krijgen.'

'Je maakt een grapje...'

'Dat zeg je steeds, maar het is waar. Tussen dit moment en het moment waarop jij het bestaan en de authenticiteit van dit voorwerp in de openbaarheid brengt, lopen we het gevaar om door die mensen te worden vermoord.'

Of woorden van die strekking. Ik weet nog dat Mickey zich erg druk maakte; hij vloekte en tierde omdat hij de papieren niet meteen mocht zien. Het was goed gespeeld, en dat had ik nooit achter hem gezocht. Ik had altijd gedacht dat ik de acteur was van ons tweeën. Ik vertelde hem mijn plan: ik zou een auto met vierwielaandrijving huren en naar zijn huisje aan Lake Henry gaan. Daar was ik vaak geweest en ik wist hoe ik er moest komen en waar hij de sleutels verstopte. Na een tijdje, misschien na een paar dagen, zou hij daar ook naartoe gaan en het materiaal bekijken, zowel de spionagebrieven op mijn laptop als het manuscript. Hij zou zijn mening geven en monsters nemen van de inkt en het papier om ze in een lab te laten onderzoeken. Als dat was gebeurd, en als was gebleken dat het ding echt was, zouden we naar een neutrale stad rijden, Boston bijvoorbeeld, en een persconferentie houden. Hij ging daarmee akkoord, zoals ik al had verwacht. Voordat ik het telefoongesprek beëindigde, liet ik hem op de bard zweren dat hij absoluut niemand zou vertellen waar ik was en wat we van plan waren; en zodra ik had opgehangen, belde ik een bedrijf aan Broadway bij Waverley dat exotische auto's verhuurde en huurde ik de Escalade die ik al heb genoemd. Binnen een uur zat ik in mijn comfortabele burgertank op de Henry Hudson, op weg naar het noorden.

En hier ben ik dan. Misschien wordt het tijd voor een resumé, maar hoe moet ik dat aanpakken? In tegenstelling tot Richard Bracegirdle ben ik een modern mens en dus ben ik verder van de morele waarheid verwijderd dan hij was. Ik ben nog steeds niet bekomen van mijn gesprek met mijn vader. Zou het waar kunnen zijn wat hij zei? Wie kon ik het vragen? Niet mijn broer of zus. Miriam zou de waarheid nog niet herkennen als die in haar geliposuctioneerde achterste beet, en Paul... Paul zal wel denken dat hij de waarheid beroepshalve in pacht heeft, maar hij staat ook in dienst van een Hogere Waarheid, en zulke mensen zijn vaak geneigd om ter verdediging daarvan te liegen dat ze barsten. Als alles wat ik over mijn verleden dacht nu eens onjuist was? Als ik nu eens een soort fictief personage ben, gevoed met leugens die anderen me uit eigenbelang vertellen, of misschien zonder enig ander doel dan dat ze er een sadistisch genoegen aan beleven? Nu ik alleen ben, en tijdelijk geen enkele maatschappelijke positie inneem, krijg ik steeds meer het gevoel dat alles irreëel is, dat de waanzin steeds meer terrein op mij wint. Misschien ga ik wel hallucineren, wat dat ook mag zijn. Aan de andere kant is het gevoel dat je gek wordt misschien juist een teken dat je dat níét wordt. Als je echt gek wordt lijkt alles volkomen begrijpelijk.

Als je erkent dat je geheugen je bedriegt, wat is dan de grondslag van de realiteit? Als ik over die vraag nadenk, moet ik aan Amalie denken. Voor zover ik weet heeft zij in haar hele leven nooit een echte leugen verteld. Ik bedoel, ik denk wel dat ze zou liegen om iemand te redden, bijvoorbeeld tegen de Gestapo over een verborgen voortvluchtige, maar in andere gevallen niet. Als je voortdurend tegen zulke mensen liegt, houden ze er min of meer mee op om als basis van je realiteit te fungeren, ongeveer zoals een slakje zijn hoorns intrekt, zodat je ronddwaalt in een dicht en ondoorschijnend waas van fictie. Ze doen dat niet met opzet, het hoort bij de onderliggende constructie van het morele universum. En doordat ik op die manier ronddwaal, produceer ik natuurlijk niets anders dan nog meer fictie. Ik ben advocaat, en een advocaat is niets anders dan iemand die wordt ingehuurd om fictie te produceren die op de rechtbank naast de fictie van de advocaat van de tegenpartij wordt gelegd. Vervolgens wordt door de rechters of juryleden beslist welke fictie het meeste overeenkomt met het fictieve beeld dat zij zelf van de wereld hebben en kiezen ze voor een van beide partijen, en daarmee is er gerechtigheid geschied. In mijn privéleven zal ik mensen in de voortdurende geestdodende roman van mijn bestaan blijven verzinnen, Miranda bijvoorbeeld, als de Ultieme Bevredigende Partner (en bij god, ik denk nog steeds aan haar, aan die hersenschim, ik wil haar), en Mickey Haas als de Beste Vriend.

Nou, midden in dit waardeloze gebazel belde zojuist mijn zus. De ontvangst is hier heel goed, want er staat een mast op het terrein, kunstig beschilderd zodat hij op de stam van een naaldboom lijkt. Aldus vallen plannen in duigen. Mijn vader had haar en mijn kinderen in een appartement verborgen dat alleen hijzelf kende, en wat deed ze? Ze verliet dat appartement om naar haar eigen appartement aan Sutton Place te gaan en kleren en andere dingen te halen – haar botox misschien – en nam de kinderen mee, want die hadden er genoeg van om binnen te zitten. Het is onnodig om te zeggen dat Shvanovs mensen daar op haar stonden te wachten en de kinderen ontvoerden. Dus de quasifictieve kidnapping is nu een echte geworden. Dat is vanmorgen vroeg gebeurd. Ze hebben haar vastgebonden en ze werd pas weer bevrijd toen de werkster haar vond. Mijn zus is echt niet zo dom, maar ze vindt het wel belangrijk om er op haar best uit te zien.

Ik had dit niet verwacht. Wat ik wel verwachtte, en nog steeds verwacht, is de komst van allerlei groeperingen die bij de affaire-Bracegirdle betrokken zijn. Mickey zal komen, want hij wil het laatste deel van zijn fantastische zwendel uitvoeren, maar hij zal niet alleen zijn. Voor de goede orde probeer ik me te herinneren wanneer ik voor het eerst begreep dat Mickey de derde partij was over wie we het hadden, de schakel tussen Bulstrode en Shvanov. De geest verzamelt in zijn eigen tempo allerlei stukjes informatie en komt dan met de openbaring. Ik kan me niet voorstellen waarom ik het niet meteen doorhad.

Wie anders kon het zijn? Misschien besefte ik het toen Oliver March ons vertelde hoe Mickey die arme Bulstrode behandelde, of misschien toen ik hoorde dat Shvanov een woekeraar was die veel aan de beurscrash had verdiend, namelijk door geld te lenen aan rijke klootzakken die plotseling blut waren. En is Mickey niet een rijke klootzak met geldproblemen? En is het niet aannemelijk dat zijn vrouwen in de ruzies die hij altijd met hen had hem voor de voeten hebben geworpen dat ik met hen allemaal had geneukt? En zou hij me daarom niet haten en op vreselijke wraak zinnen? Waarom had ik niet aan dit alles gedacht? Omdat ik hem had verzonnen als de Beste Vriend natuurlijk. De Vertrouweling.

Na ons bezoek aan de vervalser Pascoe moet ik diep in mijn hart hebben geweten dat er maar één persoon in mijn omgeving was die de zwendel kon bedenken waarvoor hij zelf was gevraagd om te helpen, de meest vooraanstaande Shakespeare-expert ter wereld, de enige persoon die in contact stond met Shvanov, Bulstrode en Jake 'de Schmuck' Mishkin. Hij staat op het punt een bende joodse gangsters vele miljoenen dollars afhandig te maken, en ik betwijfel zeer of ik hem kan tegenhouden. Op een vreemde manier is hij net als mijn vader: als Izzy zegt dat de cijfers kloppen, kan niemand aan hem twijfelen. Als Mickey zegt dat het Shakespeare is, is dat ook het geval.

Nu blijft het de vraag waarom ik naar zijn vakantiehuis ben gegaan in plaats van me schuil te houden op een van de miljoenen anonieme en onvindbare plaatsen die iemand met geld ter beschikking staan. Het antwoord: omdat ik er genoeg van heb. Ik wil in de realiteit leven. Het kan me niet zoveel schelen of ze me vermoorden, maar ik wil eerst in het rijk van de waarheid komen. Nobele gevoelens, Mishkin, maar er is nog een andere reden. Kortgeleden besefte ik dat het beeld dat Miranda me voorhield – haar kapsel, haar kleding, haar hele uitstraling – was uitgedacht om haar zo sterk mogelijk op mijn vrouw te doen lijken zoals die eruitzag toen ik haar pas leerde kennen. Dat sloeg me van mijn toch al niet stevige voetstuk; dat was het effectballetje dat me te pakken kreeg. En wie wist hoe dat meisje er destijds uitzag, wie had haar in die tijd talloze malen gezien, wie had mij horen zeggen waarom ik op haar viel? Nou, de Beste Vriend natuurlijk. God, wat is dit banaal. Een ook maar enigszins intelligente toekomstige lezer heeft dit al veel eerder zien aankomen dan ik; maar is dat niet de natuur, zien we andermans geheimen niet eerder dan die van onszelf, de splinter in het oog van uw broeder? Ja, die goeie ouwe Mickey liet me erin tuinen, en ik hoop vurig dat hij haar meeneemt als hij wraak komt nemen. Ik zou haar graag nog één keer zien.

22

In de metro kon Crosetti het niet laten om in zichzelf te lachen, maar niet helemaal in zichzelf, waardoor hij de aandacht trok van de andere passagiers. Een vrouw met twee kleine kinderen op sleeptouw ging op een andere plaats zitten. Hij lachte omdat hij opnieuw in de metro zat, nadat hij wekenlang een miljonairsleven had geleid met privéjets en vijfsterrenhotels en een onkostenvergoeding. Hij had zo ongeveer het budget van de *Titanic* tot zijn beschikking gehad en dat was hij zojuist kwijtgeraakt. De tienduizend, misschien zelfs vijftigduizend, dollar zouden wel helpen, als hij ze ooit kreeg. Nee, Mishkin zou betalen. Hij was een gluiperd, maar niet zó'n gluiperd. Dat geld zou Crosetti in staat stellen een tijdje vrij te nemen en aan zijn scenario te werken. Samen met zijn spaargeld zou het misschien ook net genoeg zijn om aan de filmacademie te gaan studeren.

Eigenlijk voelde hij zich dus tamelijk goed toen hij het huis van zijn moeder binnenkwam. Hij werd dan ook onaangenaam verrast door de ontvangst die hij daar kreeg. Het bleek dat Mary Peg het Ding had willen zien. Ze was woedend omdat haar onnozele zoon opníeuw afstand van de schat had gedaan, en bovendien had ze Fanny Dubrowicz verteld dat het manuscript was gevonden en díe trilde nu natuurlijk ook van de spanning. Vergeefs legde Crosetti uit dat minstens twee misdaadbendes onafhankelijk van elkaar achter het manuscript aan zaten, en dat het momenteel een ongeveer even veilig bezit was als een geactiveerde atoombom. Trouwens, Mishkin had alle kosten van het terugvinden en hun beveiliging betaald. Had hij dat niet gedaan, dan zou Crosetti het misschien nooit hebben gevonden of op dit moment wellicht dood in een ondiep Engels graf liggen.

Dat had een ontnuchterende uitwerking op Mary Peg, al was dat van korte duur, en Crosetti moest al zijn opmonterende kwaliteiten inzetten om haar te laten bijdraaien, en Klim eveneens. De kinderen van Carolyn hielpen hem ook. Crosetti bleef voor het avondeten, dat uit spaghetti met gehakt bestond (dat had de afgelopen week vele, vele malen op het menu gestaan, vertrouwde Klim hem toe), en hij vond het verbazingwekkend dat er door enkele toevallige omstandigheden een soort gezin met grootouders en kleinkinderen was ontstaan. Zulke dingen gebeurden bij Dickens aan de lopende band, wist Crosetti, maar in het moderne New York had hij zoiets niet verwacht. Of misschien, dacht hij later, waren alle tijden hetzelfde en borrelde de neiging om een gezin te vormen altijd onder het schuim van egoïsme dat aan de oppervlakte dreef. Mary Peg beschikte blijkbaar over een enorme voorraad grootmoederlijke energie waarop haar natuurlijke nageslacht nooit een beroep had gedaan, want haar kinderen waren immers allemaal nog kinderloos; en Klim had zich ontpopt als een grootvader zoals je die in sprookjes ziet: wat vertelde hij een verhalen, met grappige gezichten en al; wat kon hij goed fluitjes en klein speelgoed snijden; wat konden ze goed paardjerijden op hem, wat kende hij veel grappige liedjes, met al het gepor en gekietel van dien! De kinderen, vooral het kleine meisje Molly, waren helemaal opgebloeid door die goede behandeling, zoals je bij kinderen vaak zag. Ze geloofden impliciet in tovenarij en vonden het niets bijzonders dat ze uit het kasteel van de kwaaie reus naar het land van de goede elfjes waren gebracht.

En Crosetti was blij voor hen allen, al voelde hij zich nu wel een beetje overbodig. En deze ontwikkeling bevestigde dat zijn tijd in het huis van zijn moeder voorbij was. Trouwens, er was geen ruimte meer voor hem. Bovendien vond hij het verontrustend dat Rolly hem vanuit de gezichten van de kinderen aankeek. Hij pakte zijn spullen in, huurde een aanhanger om achter de gezinsauto te bevestigen en was de volgende avond vertrokken, mét Mishkins cheque van tienduizend dollar die 's morgens in een FedEx-envelop was binnengekomen. Niemand drong erop aan dat hij bleef.

Hij was in zijn nieuwe gedeelde appartement dozen aan het uitpakken toen de telefoon in zijn zak trilde. Hij trok de dopjes van zijn headset uit zijn oren en bracht de telefoon naar zijn oor.

'Schrijf dit op. Ik heb dertig seconden.'

'Carolyn?'

'Schrijf dit op. O, god, je moet me helpen!' En nu volgde het adres van een huis aan een meer in de Adirondacks, met instructies hoe hij er kon komen. Crosetti pakte een balpen en noteerde de informatie op de onderkant van zijn linkeronderarm.

'Carolyn, waar ben je? Wat gebeurt er?'

'Kom nou maar en gebruik dit nummer niet. Ze vermoorden...' De rest van de zin ging in ruis verloren.

Niet goed, dacht Crosetti, een cliché zelfs, vooral dat wegvallen van de verbinding. De film zou heel rustig eindigen, bitterzoet, de held die weer naar zijn werk ging, misschien een zinspeling op vrouw en kinderen, het leven dat doorging, of zelfs de suggestie dat Rolly nog leefde, een teaser; maar niet dit banale… Hij dacht minutenlang in die trant, terwijl hij boeken op blankhouten planken zette, maar toen drong de realiteit van het telefoontje tot hem door. Het zweet stond ineens op zijn gezicht en hij moest op de stoffige fauteuil met de kapotte springveren gaan zitten die hij op straat had gevonden. Ze maakt me helemaal gek, dacht hij; nee, zeg dat in de verleden tijd. Oké, ik doe mee, dacht hij, ik ben ook een internationaal georiënteerde, mysterieuze man. Wat heb ik nodig? De Smith & Wesson lag in het huis van zijn moeder, en hij had geen zin om terug te gaan en uit te leggen waarom hij hem nodig had; en als hij eraan dacht dat hij dat ding weer in handen zou hebben… nee, bedankt. Maar hij had bergschoenen. Een zwarte zeemanstrui zoals Richard Widmark droeg. De honkbalpet? Nee, de bivakmuts, veel beter, en het padvinders-mes, en de granaatwerper… nee, grapje, en de oude trouwe zwarte olie-jas, met de modder van het oude Engeland er nog op, portefeuille, sleu-tels, o, een kijker, die mag je niet vergeten, en hé, nu ben ik er helemaal klaar voor om het op te nemen tegen een stel zwaarbewapende Russische gangsters…

'Wat?'

Dat was Beck, een van zijn huisgenoten, die verbaasd vanuit de deur-opening naar hem keek. Hij was een bleek wezen dat als geluidstechnicus werkte en recensies schreef over films die niemand ooit had gezien, be-halve hijzelf of die misschien niet eens bestonden.

'Ik zei niets,' zei Crosetti.

'Ja, je praatte hardop, alsof je kwaad was. Ik dacht dat je iemand bij je had en toen herinnerde ik me dat je alleen was binnengekomen.'

'O, dan praatte ik in mezelf. Ik heb een psychotische aanval. Dat is al-les.'

'Hé, man, je bent de enige niet. Als je een lobotomie nodig hebt, ga ik vast de schroevendraaier slijpen.'

'Het is een meisje,' gaf Crosetti toe. 'Een meisje heeft me gek gemaakt. Ze heeft me gedumpt en nu wil ze dat ik haar ga redden. Het is voor de tweede keer het motief van dumpen en redden.'

'Oké. Ik hou me aan het evangelie volgens Nelson Algren: nooit iemand neuken die meer problemen heeft dan je zelf hebt. Natuurlijk neukte híj met Simone de Beauvoir…'

'Dank je. Dat zal ik in mijn volgende leven onthouden. Intussen moet je doen wat je moet doen. Mag ik je computer gebruiken? Ik heb wat plat-tegronden nodig.'

Hij deed er de gebruikelijke drie kwartier over om uit de stad te komen, maar op de snelweg langs de Tappan Zee maakte hij de verloren tijd goed. De oude Fury was perfect onderhouden. Er zat een 2,8 liter v-8 motor in, en de buitenkant was donkerblauw gelakt en voorzien van de schildjes en stickers die politieagenten gebruiken om aan andere politieagenten te laten weten dat ze van de politie zijn, zodat hun auto's nagenoeg immuun zijn voor bekeuringen, of ze nu rijden of geparkeerd staan. Crosetti voerde de snelheid op naar honderdvijftig kilometer per uur en was in iets meer dan twee uur in Albany. Na nog eens honderdvijftig kilometer en zeventig minuten arriveerde hij in Pottersville, waar hij zijn tank vulde en een afschuwelijke magnetronmaaltijd at uit de shop van het benzinestation. Inmiddels was het donker en sneeuwde het dikke sneeuwvlokken die zo groot als golfballen leken wanneer ze de voorruit troffen, al was het nog wel zo warm dat de sneeuw niet op het asfalt bleef plakken, zodat hij er niet door werd vertraagd. Crosetti was diep weggezakt in de leegte van de snelwegdroom en reed op de automatische piloot. Door zijn hoofd gingen verhaallijnen van films, willekeurige feitjes, nauwelijks samenhangende herinneringen aan gebeurtenissen uit het dagelijks leven, waaronder het meelijwekkend korte aantal dagen waarop hij in het gezelschap van Carolyn Rolly had verkeerd.

State Route 2, die hij een kwartier later insloeg, leek een smalle tunnel van koplamplicht door een geschudde sneeuwbol. Nu hij van de snelweg af was, had Crosetti het gevoel dat hij stilstond. Na wat een onmogelijk lange tijd leek zag hij in de verte eindelijk een paar lichtjes. Dat was New Weimar: twee benzinestations, een paar toeristenvallen, een stuk of wat huizen. Hij zocht naar het bord dat de grindweg naar Lake Henry aangaf. Hij zag het de eerste keer over het hoofd en moest op de besneeuwde weg keren en terugrijden tot hij het had gevonden. Het bord stond scheef en zat vol kogelgaten. Dat deden gewapende streekbewoners om hun woede te koelen op de rijke mensen die het meer in bezit hadden.

Deze tunnel was nog smaller en hier bleef de sneeuw goed liggen, zodat de auto slingerde op de hellingen. De wereld vertraagde; hij had geen besef meer van de tijd. De Fury had een ouderwetse middengolfradio, die de afgelopen tien kilometer alleen maar countrymuziek met veel ruis had laten horen. Hij zette hem uit. Nu was alleen nog het sissen van de ruitenwissers te horen, en het betrouwbare brommen van de zware motor. Een gele flits in de verte, een dubbele pijl: de weg eindigde bij een t-splitsing. Hij deed het lichtje in de auto aan en keek op zijn kaarten. Naar rechts, en kort daarna zag hij een paar brievenbussen, bedekt met een dikke laag natte sneeuw, en daar was ook een wit pad. Hij reed nog een meter of tien door, haalde toen een grote zaklantaarn uit het dashboardkastje en liep over het pad. Het was net drie uur 's nachts geweest.

En daar was het huis: een grote blokhut van echte blokken hout, met een spits dak en een brede veranda langs drie zijden. Door de ramen aan de voorkant viel een zwak licht dat een gelige vlek in de verse sneeuw veroorzaakte. Toen Crosetti om het huis heen liep, zag hij het meer niet zozeer maar voelde hij de aanwezigheid ervan, een absolute zwartheid waar de sneeuw eindigde, met een dunne witte vinger die erin wees: de steiger.

Hij ging voorzichtig het trapje van de veranda op, drukte zijn gezicht tegen het verlichte raam, zag een grote kamer met rustiek meubilair van blank cederhout en bekleed met rood geruite stof, een kolossale natuursteнen haard waarin een vuur laaide, indiaanse kleedjes op de vloer, een elandenkop boven de haard. Een andere wand werd in beslag genomen door een grote ingebouwde boekenkast met een uitgebreid en zo te zien duur geluidssysteem. Geen beweging, geen geluiden. Hij probeerde de deur, die openzwaaide zodra hij de koperen knop omdraaide, ging naar binnen en deed de deur achter zich dicht. Eenmaal binnen hoorde hij boven het ruisen van het vuur uit ook huiselijke geluiden uit een ander deel van het huis: het kletteren van serviesgoed, een man die neuriede. Het huis rook naar cederhout, haardvuur en ook een beetje naar verse koffie. Aan een van de zijkanten van het huis stond een ronde grenenhouten tafel met daarop een laptop die aan stond. Daarnaast lag een bekende dikke kussenenvelop. Crosetti wilde net een blik op het scherm werpen toen Jake Mishkin met een dampende mok de kamer binnenkwam.

Hij bleef abrupt staan en zette grote ogen op. 'Crosetti? Wat doe jij hier?'

'Ik was in de buurt en dacht, ik ga even langs.'

Mishkin glimlachte vaag. 'Dat is een goede tekst. Wil je koffie? Ik heb Ierse whisky in die van mij.'

'Dank je. Dat zou geweldig zijn.'

Mishkin liep naar de keuken terug, maar bleef toen staan, ging naar zijn laptop toe en zette het scherm uit. Crosetti ging op de bank tegenover de haard zitten en gaf wat toe aan zijn vermoeidheid. Hij had het vreemde gevoel dat je hebt na een marathonrit, het gevoel dat je nog achter het stuur zit en met grote snelheid rijdt. Na een paar minuten kwam Mishkin met nog een mok terug. Hij zette hem op de grenen salontafel voor de bank.

'Ik neem aan dat het niet over je cheque gaat,' zei Mishkin toen ze allebei iets hadden gedronken.

'Nee, die heb ik gekregen. Dank je.'

'Waaraan dank ik dan...?'

'Carolyn Rolly. Ik kreeg een paniekerig telefoontje van haar. Ze gaf me dit adres en dus ging ik hierheen.'

'Je reed… wat… acht uur door een sneeuwstorm omdat Carolyn Rolly dat zei?'

'Ja, het is nogal moeilijk uit te leggen.'

'Ware liefde.'

'Nou, dat niet, maar… het is íéts. In feite ben ik gewoon een schmuck.'

'Ik weet hoe dat voelt,' zei Mishkin. 'Maar ze is hier niet en ik moet je erop wijzen dat ik andere bezoekers verwacht. Het kan onaangenaam worden.'

'Je bedoelt Shvanov.'

'En anderen.'

'Bijvoorbeeld?'

'Bijvoorbeeld Mickey Haas, de beroemde Shakespeare-kenner en een goede vriend van mij. We zijn hier in zijn huis. Hij komt hierheen om de authenticiteit van ons manuscript vast te stellen.'

'Ik dacht dat je daar veel technische apparatuur voor nodig had: koolstofdatering, inktanalyse…'

'Ja, maar slimme vervalsers weten wel raad met de inkt en het papier. Wat ze niet kunnen vervalsen is Shakespeares werk, en Mickey is daar de man voor.'

'En hij werkt met Shvanov samen?'

'Dat is een lang verhaal, vrees ik.'

Crosetti haalde zijn schouders op. 'Ik heb tijd genoeg, tenzij je me onder bedreiging van een vuurwapen de sneeuwstorm in stuurt.'

Mishkin keek hem een tijdje aan en Crosetti keek onnatuurlijk lang terug. Ten slotte zuchtte Mishkin en zei hij: 'We hebben meer koffie nodig.'

Nog een pot koffie dus, met whisky erin, en toen hij leeg was, lieten ze de koffie maar achterwege. Ze praatten als vreemden die een schipbreuk of een grote ramp hebben overleefd die wel ongeveer dezelfde sporen bij hen heeft achtergelaten, maar die geen wederzijdse genegenheid heeft gewekt. De twee mannen waren geen vrienden en zouden dat ook nooit worden, maar het voorwerp dat hen bij elkaar had gebracht, in dit huis in deze sneeuwnacht, en dat in een envelop daar op de ronde tafel lag, stelde hen in staat openlijker met elkaar te praten dan ze onder normale omstandigheden zouden doen; en de whisky hielp ook.

Mishkin vertelde hem nu vollediger over zijn betrokkenheid bij Bulstrode, en ook over zijn trieste leven, waarbij hij zichzelf en zijn zonden niet achterwege liet. Toen hij over zijn connectie met de zogenaamde Miranda Kellogg kwam te spreken, en de hoop die hij met betrekking tot haar had gekoesterd, zei Crosetti: 'Volgens Carolyn was ze een actrice die door Shvanov was ingehuurd om jou het manuscript afhandig te maken.'

'Ja, ik dacht al dat het zoiets was. Heb je… Zei Carolyn ook wat er met haar is gebeurd?'

'Ze wist het niet,' zei Crosetti kortaf, en toen sprak hij over zijn eigen familie en over films, de films waar hij van hield en de films die hij wilde maken, en Mishkin was opmerkelijk geïnteresseerd in beide onderwerpen. Hij werd gefascineerd door feiten en wilde weten hoe het was om in een rumoerig en gelukkig gezin op te groeien, en of films werkelijk bepalend waren voor onze gevoelens over ons gedrag en, meer nog, voor onze gevoelens over wat echt was.

'Beslist niet,' wierp Mishkin tegen. 'Het is andersom: filmmakers verwerken populaire ideeën in films.'

'Nee, films komen eerst. Zo had bijvoorbeeld niemand ooit een duel gezien met twee kerels die in de stoffige Main Street van een westernstadje met revolvers tegenover elkaar stonden. Dat is nooit echt gebeurd. Een scenarioschrijver verzon het omdat het een dramatisch effect had. Het is de klassieke Amerikaanse stijlfiguur, verlossing door geweld, en het komt uit films. In het echte wilde westen waren er maar heel weinig handvuurwapens. Ze waren duur en zwaar en alleen idioten droegen ze in een zijholster. Op een paard? Als je in het wilde westen iemand wilde vermoorden, wachtte je op je kans en schoot je hem in zijn rug, meestal met een geweer. Tegenwoordig hebben we massa's handvuurwapens, want films hebben ons geleerd dat een handvuurwapen iets is wat een echte man moet hebben, en nu vermoorden mensen elkaar écht alsof ze fictieve revolverhelden uit het wilde westen zijn. En dat geldt niet alleen voor gangsters. Films zijn eenieders realiteit, voor zover die door menselijke handelingen wordt gevormd: buitenlands beleid, zakenleven, seksuele betrekkingen, gezinsleven, noem maar op. Vroeger was het de Bijbel, maar nu zijn het films. Waarom zijn er stalkers? Omdat we weten dat een jongen moet volhouden en zich belachelijk moet maken totdat het meisje toegeeft dat ze van hem houdt. We hebben het allemaal gezien. Waarom bestaat *date rape*? Omdat de klootzak wacht op het moment waarop verzet in hartstocht overgaat. Hij heeft het Nicole en Reese al vijftig keer zien doen. We nemen steeds kleine beslissingen, dag na dag, en uiteindelijk creëren we een wereld. Deze wereld, of we die nu leuk vinden of niet.'

'Dus scenarioschrijvers zijn de miskende wetgevers van de mensheid.'

'Precies,' zei Crosetti. 'We zitten nu ook in een film. Waarom wachten wij hier in een afgelegen blokhut op een stel gangsters? Dat is idioot. Waarom ligt een manuscript dat honderd miljoen dollar waard is op een tafel in die afgelegen blokhut? Volslagen krankjorum. Ik zal je vertellen waarom. Omdat we allebei een reeks beslissingen hebben genomen, en iedere afzonderlijke beslissing werd geconditioneerd door een filmthema. Als het mysterieuze meisje John Cusack belt en hem vraagt haar te redden, zegt hij niet: "Doe normaal, trut!" Nee, hij beweegt hemel en aarde om haar te redden, want dat staat in het scenario, weet hij; en hier ben ik dus, en naast mij zit William Hurt, de enigszins corrupte, schuldige man die zich nog vastklampt aan fatsoen maar die niet weet of hij wil leven of niet. Hij heeft zichzelf in deze gevaarlijke situatie gebracht om... ja, waarom? O, er is natuurlijk ook nog zíjn mysterieuze meisje, maar het is vooral zelfkastijding, de behoefte aan een grote explosie die hem vernietigt of hem uit zijn dure, onbevredigende leven wegslaat. Volgende week in dit theater.'

'William Hurt. Dat is niet slecht.'

'Nee, en als de gangsters hier komen, zullen ze zich als gangsters in films gedragen, of – maar dat is een subtiliteit die niet vaak wordt gebruikt – ze gedragen zich als het tegenovergestelde van filmgangsters. Dat is het mooie van The Sopranos: filmgangsters die doen alsof ze echte gangsters zijn die naar filmgangsters kijken en hun stijl veranderen om meer op de nepgangsters te lijken, maar zo gaat het in het echt nooit. Het enige waar je zeker van kunt zijn, is dat ze niet authentiek zullen zijn. Er is geen authenticiteit meer over.'

'Amalie is authentiek,' zei Mishkin even later.

'Ja, dat is ze,' beaamde Crosetti. 'Maar Amalie staat los van de cultuur, of misschien is ze met iets anders verbonden, met God wellicht. Uitzonderingen bevestigen de regel, en let wel: zij komt niet in deze film voor.'

'Nee, dat is zo. Maar ik zal je iets vertellen: je vergist je in mij. Ik heb het nu niet over mijn personage, dat van William Hurt, maar over wat ik hier doe. Het is niet zomaar een vage wanhoop. Het maakt deel uit van een verhaal.'

'Ja, maar dat zei ik nou juist...'

'Nee, geen filmverhaal. Het is een plan, een intrige, een manipulatie om ervoor te zorgen dat de schurken hun verdiende loon krijgen.'

'Wat is het? Dat verhaal bedoel ik.'

'Dat ga ik je niet vertellen,' zei Mishkin. 'Ik ga het onthullen als iedereen hier is.'

'Jake, dat is de oudste uitwijkmanoeuvre ter wereld. Komt er daarna verlossing door geweld?'

'Dat hoop ik zeker. Maak je je daar zorgen over?'

'Helemaal niet. Het John Cusack-personage moet ontsnappen en het meisje krijgen. Jij daarentegen overleeft het misschien niet.' Hij gaapte uitgebreid en voegde eraan toe: 'Shit man, dit is fascinerend, maar ik val zowat om. Over een paar uur is het licht en ik moet wat slapen. Jij ziet er trouwens ook niet zo fit uit.'

'Ik red me wel,' zei Mishkin. 'Er zijn boven talloze slaapkamers, de bedden zijn opgemaakt, overal liggen gezellige quilts: doe maar of je thuis bent.'

Hij koos een slaapkamer met uitzicht op het water, trok zijn schoenen uit, ging onder de quilt liggen en was zo vertrokken. Toen hij wakker werd, hoorde hij het kuchende bulderen van een krachtige bootmotor. Hij kwam het bed uit, wreef over zijn ogen en liep naar het raam. Op het meer was iemand onhandig bezig een acht meter lange Bayliner Cruiser aan de steiger te leggen. Ze hadden het canvas dek en de plastic windschermen opgezet, maar Crosetti dacht dat het evengoed vrij koud moest zijn in zo'n trailerboot, die ontworpen was voor gebruik in de zomer. Het sneeuwde niet meer, de lucht was helder als parelmoer, en een oostenwind veroorzaakte schuimkopjes. De onbekwame stuurman probeerde aan de westkant van de steiger aan te leggen, zodat de wind hem natuurlijk wegblies, want de hoge opbouw van de boot fungeerde als zeil. Hij gunde de boot geen tijd om op het roer te reageren, gaf te veel gas, dreunde met de boeg tegen de steiger en stuiterde terug. Hij had terug moeten gaan om het aan de andere kant van de steiger te proberen, waar de wind hem zonder problemen tegen de rubberen stootblokken zou hebben geduwd. Dat waren Crosetti's gedachten, die elke zomer van zijn jeugd met zijn ouders, zussen, neven en nichten op Sheepshead Bay had doorgebracht, gevaarlijk samengepakt op een huurboot van zeven meter lang.

Een man die een leren autojas en stadsschoenen droeg, kwam uit de hut van de boot en liep naar voren over het dek. Hij gleed uit op het natte fiberglas en smakte languit tegen het dek toen de boot voor de zesde keer tegen de steiger stootte. Crosetti dacht dat die clown nog wel even bezig was. Hij ging naar de badkamer, trok zijn bergschoenen aan, voerde een kort mobiel telefoongesprek en ging de trap af naar de keuken. Daar zat Mishkin koffie te drinken.

'Ze zijn er,' zei Crosetti, en hij schonk zichzelf een kopje koffie in. 'Pop-Tarts?'

'Ja, mijn dochter heeft me bedorven toen ze klein was. Neem er ook een paar.'

'Dank je,' zei Crosetti, en hij deed er twee in het broodrooster. 'Is het ze al gelukt om aan te leggen?'

Het keukenraam zat aan de verkeerde kant van het huis, maar als ze er vlak voor gingen staan, konden ze net het begin van de steiger zien. Mishkin tuurde langs de gordijnen van chintz en zei: 'Zo ongeveer. Ze hebben de boeg vastgezet en proberen nu de achtersteven op zijn plaats te krijgen.'

'Het zullen wel betere gangsters dan stuurlieden zijn.'

'Zeker. De gangsters die ik in New York op me afgestuurd kreeg, behoorden tot de middelmaat, al waren ze niet gestuurd door Shvanov. Ik denk dat hij deze keer zijn beste team stuurt. Nou, denk je nog steeds dat het een film is?'

'Nee. Nu je ernaar vraagt: ik word een beetje bang.'

'Je kunt weggaan. Niemand verwacht jou hier.'

'Rolly is er ook nog.'

'Zeker. Nog een laatste advies op grond van films?'

'Ja,' zei Crosetti. 'Welk plan je ook hebt, het zal een gebrek vertonen.'

'Omdat…?'

'Ten eerste kun je niet aan alles denken. Ten tweede moet er in de laatste zes minuten iets gebeuren om de spanning erin te houden.'

'Nou, het wordt tenminste geen vuistgevecht in een leegstaande fabriek. Ik ga onze gasten begroeten.'

Mishkin liep de keuken uit en Crosetti ging naar het raam. Op dat moment werd de motor van de boot uitgezet. Crosetti zag dat ze hem nu hadden aangelegd en dat er mensen aan wal kwamen: de lange man in de leren jas die tegen het dek was gesmakt, een man met een normaal postuur in een camel winterjas met een bontmuts (de Baas), een rugbytype, ook in zwart leer gehuld, die twee kinderen bij zich had, een jongen en een meisje, een vrouw in een witte parka met de capuchon over haar hoofd, een man in een Burberry-jas met een tweedpet op en een gestreepte wollen sjaal om het onderste deel van zijn gezicht, en ten slotte nóg een man in zwart leer, alleen hing zijn jas tot op zijn schenen. Crosetti ging naar de huiskamer. Mishkin porde in het grote vuur dat hij net had gemaakt. Het laaide hoog op en verspreidde de geur van brandende hars door de kamer. De fatale envelop lag nog op de tafel, maar de laptop was weg.

De voordeur vloog open en twee gangsters stampten naar binnen: de grote en die met de lange jas, die een bleek, slecht gevormd gezicht had, net als het monster Pillsbury Doughboy uit *Ghostbusters*. Toen kwam de man binnen van wie Crosetti wist dat het de beroemde Shvanov moest zijn. Hij zei iets in het Russisch tegen zijn jongens en ze grepen Mishkin meteen vast, sloegen hem tegen de grond en begonnen op hem in te beuken. Intussen kwam de rest van het bootgezelschap binnen, voortgeduwd door Dekknecht. Crosetti zag een aantal dingen tegelijk. Ten eerste onderging Mishkin de mishandeling zonder zich te verzetten, al had Crosetti hem in Londen een grote kerel als een frisbee door de lucht zien gooien. Dan de kinderen. Imogen was erg kwaad. Ze wilde haar vader te hulp komen en zou dat ook hebben gedaan, als Dekknecht haar niet had vastgegrepen. Er was iets mis met Niko. Hij hield zijn hoofd onnatuurlijk scheef en zijn handen bewogen in vage kleine patronen. Hij neuriede blijkbaar, of praatte in zichzelf, en hij rook naar braaksel, terwijl daar ook sporen van op de voorkant van zijn parka zaten. Ten slotte de vrouw. Ze had haar capuchon naar achteren geduwd toen ze de kamer binnenkwam en bleek donker haar te hebben dat niet al te schoon was en dat tot aan haar hals kwam. Op haar gezicht tekende zich een diep afgrijzen af toen ze zag wat er met Mishkin werd gedaan. De man in de Burberry-jas keek ook naar de mishandeling, maar niet met afgrijzen, eerder met morbide fascinatie of zelfs voldoening.

Dat alles gebeurde in een korte tijd die langer leek; een interval, wist Crosetti, dat in een film tot meer dan een minuut zou worden uitgerekt. De vrouw schreeuwde tegen Shvanov dat hij er een eind aan moest maken en Shvanov schreeuwde naar haar terug, maar hij zei ook tegen zijn mannen dat ze moesten ophouden. Ze hesen Mishkin aan zijn armen overeind. Hij knipperde met zijn ogen, veegde bloed en speeksel van zijn mond en zei tegen zijn kinderen: 'Het spijt me, kinderen, dit had niet moeten gebeuren. Hebben ze jullie kwaad gedaan?'

Het meisje zei: 'Niet echt. Maar Niko moest overgeven op de boot en hij doet vreemd.'

Shvanov kwam naar voren en sloeg Mishkin hard in zijn gezicht.

'Dit is helemaal jouw schuld, Mishkin,' zei hij. 'Ik probeer op een beschaafde manier iets te verkrijgen wat mij rechtens toekomt, en wat krijg ik? Respect? Nee, ik moet je hiernaartoe achtervolgen, en dat komt me heel slecht uit, en je maakt het ook nog noodzakelijk dat ik kinderen ontvoer. Dat is schandalig. Zoals ik je al eerder heb gezegd, ontvoert Osip Shvanov geen kinderen, maar jij luistert niet. En dit alles is ervan gekomen. Nou, geef me nu eindelijk mijn eigendom, een manuscript van William Shakespeare.'

Maar Mishkin keek naar de vrouw. Hij zei: 'Hallo, Miranda. Waarom heb je je haar veranderd? En je ogen.'

De vrouw zweeg. Shvanov sloeg Mishkin weer in zijn gezicht. De bloedspetters vormden een groot patroon op de muur boven de haard. 'Nee, kijk niet naar haar, kijk mij aan, stomme zak van een advocaat! Waar is mijn eigendom?'

'Het zit in de envelop op die tafel,' zei Crosetti.

Iedereen in de kamer draaide zich naar hem om.

'Wie is dat?' wilde Shvanov weten.

'Dit is Albert Crosetti,' zei Mishkin, 'de man die het oorspronkelijke Bracegirdle-manuscript vond en aan professor Bulstrode verkocht. Tenminste, dat beweert hij.'

Shvanov ging naar de tafel en haalde de inhoud uit de envelop. Hij maakte een gebaar naar de man in de Burberry, die vlug naar hem toe kwam.

Mishkin zei: 'Nu we ons toch aan elkaar voorstellen, Crosetti: dat is professor Mickey Haas, de meest vooraanstaande Shakespeare-expert ter wereld. Tenminste, dat beweert hij.'

Haas nam de stapel papieren van Shvanov over, ging aan de tafel zitten, zette een leesbril op en bestudeerde het eerste papier. Crosetti zag dat zijn handen beefden. Bijna een half uur waren er geen andere geluiden in de kamer te horen dan het knetteren van het haardvuur, het mompelen van de jongen en het ritselen van stijf oud papier.

'Nou? Wat vind je ervan, professor?' vroeg Shvanov.

'Het is verbijsterend! Natuurlijk moet er technisch onderzoek worden gedaan, maar ik heb veel zeventiende-eeuwse manuscripten gezien, en voor zover ik kan nagaan is dit echt. Het papier is goed, de inkt is goed, het handschrift is... Nou, we hebben eigenlijk geen voorbeelden van Shakespeares handschrift, afgezien van een paar handtekeningen, en natuurlijk is er de zogeheten Hand D uit het gedeeltelijke manuscript van een Thomas More-stuk, maar het is zeker, ik bedoel hoogstwaarschijnlijk...'

'Ter zake, professor. Is het een verkoopbaar bezit?'

Haas antwoordde met een vreemde, gespannen stem, met onnatuurlijke precisie: 'Ik denk, ja, de taal, de stijl, mijn god, ja, onder voorbehoud van de tests waarover ik het had, geloof ik dat dit een manuscript van een onbekend toneelstuk van William Shakespeare is.'

Shvanov sloeg Haas hard genoeg op zijn rug om de bril van zijn gezicht te laten springen. 'Goed! Uitstekend!' riep hij uit, en alle gangsters grijnsden.

Toen zei Mishkin: 'Osip, wat verwacht je dan dat hij zegt? Dat manuscript is nep. Hij heeft het zelf allemaal opgezet, samen met de vervalser Leonard Pascoe. Dat kan ik bewijzen.'

Haas sprong uit zijn stoel en snauwde tegen Mishkin: 'Schoft! Wat weet jij ervan? Dit is echt! En als je denkt dat je...'

Shvanov porde Haas hard in zijn arm en de professor zweeg. Toen stapte Shvanov dichter naar Mishkin toe, tot hij de grotere man recht in zijn gezicht keek. 'Welk bewijs heb je?'

'Ik laat het je zien. Zeg dat ze me loslaten.'

Een knikje en ze lieten Mishkin los. Hij ging naar een tijdschriftenrek bij de bank die naast de haard stond en pakte een FedEx-envelop, waaruit hij enige papieren en een cd haalde. Hij zei: 'Eerst het papieren bewijs. Dit…' Hij gaf een papier aan Shvanov. 'Dit is een kopie van het oorspronkelijke Bracegirdle-manuscript. En dit is een papier waarop Leonard Pascoe het handschrift van Bracegirdle heeft vervalst. Zelfs een leek als jij, Osip, kan zien dat die handschriften identiek zijn. Je vriend daar vond een zeventiende-eeuwse brief van een stervende man, legde er met een vervalst handschrift een paar vellen tussen, verzon dat hele gedoe met dat geheimschrift, en zorgde er toen voor dat het zogenaamde toneelstuk gevonden werd op de plaats waar het geheimschrift ons naartoe leidde.'

'Dat is krankzinnig!' riep Haas uit. 'Pascoe zit in de gevangenis.'

'Een vakantieoord,' zei Mishkin. 'Wij zijn daar geweest, zoals de mensen die ons in opdracht van Osip volgden hem vast wel hebben verteld. Osip, vroeg je je niet af waarom we daarheen gingen?'

Crosetti zag Shvanov een snelle blik met Dekknecht wisselen.

'Dit is de reden waarom we erheen gingen,' zei Mishkin. Hij hield de cd omhoog. 'Leonard Pascoe is trots op zijn vakbekwaamheid, en dit was zijn grootste coup. Als hij vrijkomt ligt er een leuk bedragje op hem te wachten, met de complimenten van Mickey, of beter gezegd: met de complimenten van Osip Shvanov, want het geld dat hij gebruikte had hij van jou gekregen. Voor hem was het een prachtige regeling. Hoeveel heeft hij trouwens van je losgekregen?'

'Osip, dit is absurd! Hoe zou ik…?'

'Hou je kop, Haas! Wil je dit schijfje afspelen, Mishkin? Ik hoop voor jou dat het geen stomme truc is.'

Mishkin zette de geluidsinstallatie aan en stopte de cd in de speler. De stem van Leonard Pascoe vulde de kamer en ze luisterden allemaal in stilte. Hij legde uit hoe hij een vervalste brief, een vervalst geheimschrift en allerlei personen had gebruikt om een grootscheeps bedrog te plegen. Toen het voorbij was zei Mishkin: 'Het meisje is in dit geval natuurlijk de mysterieuze Carolyn Rolly, die in de ideale positie verkeerde om het allemaal voor elkaar te krijgen. Ze kende Shvanov goed, wilde erg graag van hem af, en ze had geld nodig om haar kinderen te redden en naar het buitenland te gaan. Ze deed alsof ze het vervalste manuscript in een oud boek ontdekte, bracht onze vriend Crosetti ertoe om het te koop aan te bieden, want we hebben een onschuldig slachtoffer nodig, nietwaar? En gedurende dit hele avontuur was ze steeds weer op de juiste plaats om de operatie een stapje verder te helpen, al veranderde er wel iets aan Pascoe's oorspronkelijke plan. Carolyn hoeft het geld niet te stelen, want ze is al betaald, en trouwens, ze deed het vooral om van Osip Shvanov af te komen. Nou, je hebt het manuscript in handen en de mensen uit Israël die het willen kopen zijn op dit moment in New York. Je verkoopt het aan hen, krijgt je tien miljoen dollar – op grond van de voortreffelijke aanbeveling van professor Haas, wiens schuld daarmee is afbetaald – en iedereen is blij, totdat je kopers het manuscript in de openbaarheid brengen om de buit binnen te halen, want dan blijkt plotseling dat het stuk niet de kwaliteit heeft die we van de bard mogen verwachten, dat het geschreven is door een veel geringere literaire figuur, Mickey Haas bijvoorbeeld, dat het dus een pastiche is. Want jij bent ongeletterd, Osip, en nog buitenlander ook, het ideale slachtoffer dus, zoals onze vriend Pascoe ons zojuist heeft verteld. Shakespeare kan niet worden vervalst, maar jij zou het nooit kunnen zien. En wat denk je dat er met jou gaat gebeuren als je kopers ontdekken dat ze bedrogen zijn?'

Crosetti zag dat Shvanov wit om zijn neus was geworden en dat er een adertje in zijn slaap trilde. Hij zei: 'Hoe weet jij dat de prijs tien miljoen is?'

'Dat heeft mijn vader me verteld. Hij is de man die namens het syndicaat naar New York is gekomen, en zijn lastgevers zullen erg, erg ontevreden over jou zijn.'

'Heb je hem dit verteld?'

'Natuurlijk. En nu vertel ik het jou. Daarom heb ik ervoor gezorgd dat iedereen hier aanwezig is, zodat we het allemaal op een rijtje kunnen zetten. Nou ja, met uitzondering van Carolyn Rolly. Die schijnt eventjes verdwenen te zijn, maar je kunt vast wel de hand op haar leggen.'

Crosetti zag Shvanov verbaasd kijken. Shvanov wees naar de vrouw in de witte parka. 'Wat bedoel je? Dát is Carolyn Rolly.'

'O, Carolyn,' zei Crosetti, half in zichzelf. Niemand hoorde hem. Iedereen keek naar Mishkin, die wankelde alsof hij een klap had gekregen. Zijn hele gezicht zag er verpletterd uit, iets wat niet was veroorzaakt door de slagen van de gangsters. Shvanov zag het en vond het blijkbaar wel amusant.

'Ja, ik kan de hand op haar leggen, zoals jij zegt, Jake,' zei hij, en hij sloeg zijn arm om Rolly heen. 'En moet ik hem geloven, Carolyn? Dat jij met die professor hebt samengespannen om mij te bedriegen? Osip, die jou van de straat haalde, die je onderdak gaf, die je liet zien hoe het is om met een man te zijn.' Met een falsetstem: 'O, neuk me nog eens in mijn reet, schat, dat is zo lekker.'

Hij nam haar kin tussen duim en wijsvinger en bewoog die heen en weer. 'Hè? Heb jij me dit aangedaan, hoer? Ja, misschien wel; het is iets wat je zou doen als je niet meer van je kinderen hield of als je vergat dat ik weet waar in Pennsylvania ze wonen. Maar wie weet wat een hoer zal doen?'

Hij liep naar de tafel waar Haas stond, die met grote ogen naar hem keek – zoals een konijn naar een cobra kijkt – en pakte het manuscript op. Hij streek de randen glad en woog de papieren in zijn hand. 'Maar jij, professor, jij bent geen hoer. Wij hebben een zakelijke relatie, we hebben al die tijd met elkaar te maken gehad, ik heb vertrouwen in jou, van man tot man – hoe kon je dit doen? Ik ben erg teleurgesteld.'

'Hij liegt,' zei Haas. Hij sprak snel, struikelde over zijn woorden. Vanaf de plaats waar hij stond kon Crosetti de knieën van de man letterlijk zien trillen. 'Hij heeft dat allemaal verzonnen om... om je in verwarring te brengen. Hij is erg slim, hij denkt dat hij overal mee weg kan komen, de grote Jake Mishkin, maar nu liegt hij. Dit is een echt toneelstuk, de grootste manuscriptvondst aller tijden. Ik ben de expert, Osip, god nog aan toe, en trouwens, hoe kan ik met die vrouw hebben "samengespannen", zoals jij zegt? Ik heb haar nooit eerder gezien, en dat ik Pascoe opzocht en dit alles regelde... Het is belachelijk... Dit kun je niet geloven. Die papieren in je hand, en het geheimschrift, en alles, het is kostbaar, kostbaar, ik heb nooit kunnen dromen dat ik nog eens de hand op zoiets zou leggen...'

'Hij kende Carolyn Rolly wél,' zei Mishkin. 'Ze studeerde aan Columbia. Bulstrode heeft hen met elkaar in contact gebracht. Vraag het Crosetti maar.'

Crosetti schraapte zijn keel, die aanvoelde alsof hij vol witte bibliotheeklijm zat, en zei: 'Eh, ja. Ze kende Bulstrode absoluut. En Bulstrode kende Haas.'

'Zie je, professor?' zei Shvanov. 'Het klopt niet. En dus denk ik dat hij gelijk heeft. Ik denk dat het allemaal bedrog is, en dat dit papier niets waard is.' Hij nam twee snelle stappen en gooide de stapel papieren in de haard.

Haas slaakte een kreet die uit zijn buik leek te komen, een brute schreeuw van wanhoop en verlies, en rende meteen de kamer door om zich op de haard te storten. Hij greep handenvol papier van het gloeiende hout, kneep met zijn blote handen het vuur uit dat erin had gevreten en gooide de papieren de kamer weer in, als een hond die aarde uit een gat graaft. Sommige bladzijden, zag Crosetti, waren door de trek van de schoorsteen omhooggegaan en zaten tegen de achterkant van de diepe haard geplakt, maar Haas boog zijn hele lichaam over de laaiende houtblokken heen en trok ze los. Intussen bleef hij schreeuwen, en daar hield hij ook niet mee op toen hij zich uit het vuur had teruggetrokken, de hele voorkant van zijn kleren in vlammen, zijn halsdoek een kraag van vuur. Hij draafde in kleine kringetjes rond en sloeg naar de vlammen, zijn gezicht een afschuwelijk zwart-rood masker, zijn bril vervormd en voor een deel gesmolten.

Mishkin greep de brandende professor vast alsof het een holle man was en rende met hem over zijn schouder naar de deur. Dekknecht probeerde hem tegen te houden, maar hij werd opzij geduwd en viel met een dreun op een bijzettafeltje. Eenmaal buiten dook Mishkin in een holte waar de sneeuw relatief diep was en gebruikte er handenvol van om de vlammen te doven. Toen ze sissend waren uitgegaan, gebruikte hij nog meer sneeuw om de rode en gemangelde huid af te koelen die door de verschroeide kleding en op het gezicht te zien was.

Crosetti keek er door de deuropening naar en zag ook dat Dekknecht overeind krabbelde, naar de knielende Mishkin liep en hem hard in zijn ribben schopte. Hij zou daarmee zijn doorgegaan als Shvanov hem niet had teruggeroepen.

'Weet je, dit brengt me op een idee,' zei Shvanov. Tot zijn schrik besefte Crosetti dat de gangster het tegen hem had. Hij begreep meteen dat de man hem een verklaring zou geven, want dat doen filmgangsters altijd tegenover hun slachtoffers, en hij vroeg zich af of gangsters zich in vroeger tijden ook zo gedroegen. Waarschijnlijk wel, dacht hij, want je kwam het ook bij Shakespeare tegen: de schurk die zichzelf rechtvaardigde en er een enorm plezier aan beleefde om het hulpeloze slachtoffer over zijn naderende dood te vertellen. Maar verzón Shakespeare dat, zoals scenarioschrijvers het revolverduel hadden verzonnen? Waarschijnlijk wel. Hij verzon het meeste van wat voor menselijk gedrag doorgaat. Crosetti dwong zichzelf om goed te luisteren naar wat Shvanov zei.

'… vind je dat niet ook? Iedereen zal offers brengen voor iets, maar niet zo'n groot offer, niet het lichaam, zelfs niet voor geld. Voor kinderen misschien.' Nu wierp hij een koele blik op de twee kinderen van Mishkin. 'Of zoals we daarnet hebben gezien, voor dit manuscript. Dus natuurlijk is het echt.'

'U nam een risico,' zei Crosetti.

'Ja, maar een man als ik moet risico's nemen. Dat is ondernemingsgeest. Nu heb ik een beloning.' Hij keek naar zijn twee mannen, die de vellen geschroeid papier bij elkaar zochten. 'En ik denk niet dat een paar brandplekken het manuscript minder waard maken. Het ziet er daardoor juist authentieker uit, denk ik, voor zo'n oud stuk. Maar zoals ik al zei: dat verbranden brengt me op een idee. Professor Haas nodigt zijn goede vriend Mishkin met zijn twee kinderen in zijn vakantiehuis uit, en ook zijn vriend Crosetti met diens vriendin Carolyn, en ze gaan met de speedboot van Haas dat prachtige meer op, al is het koud, want het is zo mooi in de sneeuw. En dan is er opeens een tragische explosie, een benzinelek of zoiets. Ze komen allemaal in de vlammen om en zinken naar de bodem van het meer.'

'Ik begrijp het niet. Ik heb niets met dat bedrog te maken, en Carolyn ook niet.'

'Ja, maar jullie zijn getuigen. Dit is iets Russisch, geloof ik. Stalin heeft ons dit geleerd en we hebben het goed onthouden. In geval van twijfel ontdoe je je van iedereen die... hoe gaat dat woord? Geïmp...'

'Geïmpliceerd.'

'Precies. Iedereen die geïmpliceerd is. Nou, allemaal naar de boot.' Hij greep onder zijn jas, haalde een pistool tevoorschijn en schreeuwde iets in het Russisch naar zijn troepen. Even later liepen ze in een trieste optocht naar de oever van het meer. Voorop liep Mishkin met de kreunende Haas in zijn armen, dan de kinderen van Mishkin, dan Crosetti en Carolyn. De Russen hadden hun wapens in hun handen; Dekknecht een machinepistool en de anderen gewone pistolen. Dekknecht escorteerde de gevangenen naar het botenhuis en liet hen in Haas' speedboot stappen. Doughboy vulde de jerrycan van twintig liter met benzine uit de pomp. Shvanov en de derde moordenaar waren hun eigen boot aan het starten.

Mishkin zette Haas op een hoek van de achterbank en hielp toen de anderen in de boot. Toen Crosetti instapte, fluisterde Mishkin: 'Kun jij dit ding besturen?'

'Ja.'

'Ga dan achter het stuurwiel zitten.' Crosetti deed het en Mishkin ging voorin naast hem zitten.

Doughboy had de jerrycan helemaal gevuld en stapte ermee in de boot, waar hij hem op de achterbank zette. Hij zei iets tegen zijn metgezel en ze lachten allebei, en toen zei hij iets tegen Imogen, greep haar arm en zijn eigen kruis vast en lachte opnieuw. Dekknecht zei iets terug, gooide de lijn van de achtersteven los en ging naar voren om de lijn los te maken die de boeg van de speedboot aan een klamp vasthield. Buiten brulde de motor van de gestarte Bayliner.

Doughboy praatte nog met Imogen, zijn gezicht dicht bij het hare. Ze schreeuwde en probeerde hem weg te duwen. Hij greep haar haar vast, duwde haar hoofd omlaag en trok zijn rits open. Op dat moment greep Mishkin tot grote verbazing van Crosetti onder het kussen van zijn stoel. Hij haalde een Luger tevoorschijn en schoot de man in zijn gezicht. Terwijl Doughboy in elkaar zakte en overboord viel, draaide Mishkin zich om en pompte vijf kogels in de neergeknielde en hevig geschrokken Dekknecht. 'Starten!' beval hij Crosetti. 'Varen!'

Crosetti draaide het sleuteltje om in het contact en de motor kuchte, bulderde; hij zette hem in de versnelling en de speedboot schoot het botenhuis uit.

Toen ze daar over het water vlogen, kwam er een absurde giechellach in hem op. Aan het eind moest er natuurlijk een achtervolging zijn, en nu was het zover. Het duurde even voordat Shvanov en zijn man begrepen wat er gebeurde, maar toen ze zagen dat er geen figuren in zwarte jassen waren die de wacht hielden op de speedboot, zetten ze de achtervolging in. Crosetti wist dat een houten Chris-Craft met een oude v-6-motor het nooit van een moderne Bayliner kon winnen, want die had misschien wel drie keer zoveel PK, maar hij gaf zoveel mogelijk gas en hoopte er het beste van.

De witte boot liep gestaag op hen in, en toen de afstand minder dan twintig meter was, schoot een van de mannen op hen. De kogel vloog over hen heen en maakte een lang roze litteken op het mahoniehouten dek van de speedboot. Achter hen hoorde Crosetti de jongen schreeuwen van angst, boven het bulderen van de motor uit.

Ze gingen snel op een rij beboste eilandjes af die zich vanaf de oostkust uitstrekte. Links van die rij stond een mast met een groen licht in de top. Mishkin trok aan zijn mouw en wees.

'Ga tussen dat baken en het laatste eiland door!' schreeuwde hij. Crosetti trok aan het stuurwiel. De speedboot vloog langs het baken, sloeg met een gierende klap tegen een rots, vloog nog vijftien meter door en zakte toen het koude water in. Crosetti kroop achter het stuurwiel vandaan, greep een drijvend kussen en ging het meer in. Toen hij omkeek zag hij de omgekeerde achtersteven van de speedboot nog net boven het oppervlakte dobberen, met daarachter een voorwerp dat hij eerst niet herkende maar dat even later het voorste deel, ongeveer driekwart, van de Bayliner bleek te zijn, drijvend op zijn kant. Met zijn grotere diepgang moest de achtervolgende boot met een nog hardere klap tegen de rotsen zijn geslagen.

Hij zag een kleiner wit voorwerp, dat hij als Carolyn Rolly's parka herkende. Ze dreef met haar gezicht omlaag. Hij dook onder water, maakte de veters van zijn bergschoenen los, trok ze uit en trapte zich, met het kussen als drijver, naar haar toe. Toen hij bij haar aankwam, zag hij het hoofd van Jake Mishkin met krachtige slagen naar hen toe zwemmen. Samen draaiden ze haar om en legden ze haar met haar hoofd en schouders op het kussen.

'Ik heb haar,' riep Crosetti. *'Waar zijn je kinderen?'*

Op dat moment kwam er een geschokte uitdrukking op het gezicht van de andere man. Hij draaide zich abrupt om en schreeuwde. Op zo'n vijfentwintig meter afstand zagen ze een kleine donkere vorm met veel geplens opduiken, de jongen. Toen verdween hij. Jake zwom in zijn richting, maar het was voor Crosetti duidelijk dat de grote man nooit bij het kind kon komen voordat het te diep gezonken was. Plotseling was er van achter de speedboot een flikkering van water zichtbaar en een snel bewegende figuur: Imogen Mishkin met een volmaakte crawlslag. Ze dook en kwam met haar broer weer boven, hield hem tegen haar borst zoals het Rode Kruis wil dat we met drenkelingen doen, en nam hem op haar rug zwemmend mee naar het dichtstbijzijnde eiland.

Even later waren ze met zijn vijven op het eiland, een brok land niet veel groter dan een flinke keuken. Crosetti legde Rolly op haar rug en blies in haar mond tot ze hoestte en een hoeveelheid water uitbraakte.

'Gaat het, Carolyn?' vroeg hij.

'Koud.'

Hij sloeg zijn arm om haar heen. 'We kunnen onze warmte delen.'

Ze hield zich stijf. 'Ik snap niet dat je ertegen kunt om mij aan te raken.'

'Waarom? Omdat je met andere mannen neukte? Dat wist ik eigenlijk al. Alleen zou ik het wel op prijs stellen als je niet steeds wegliep. Dat is het enige aan jou wat me ergert. En dat liegen. Dat mag ook wel wat minder.'

'Afgezien daarvan ben ik volmaakt.'

'Zo ongeveer. O, daar is de tweede climax.'

Ze keek om en zag Shvanov en zijn handlanger het water uit komen waden. Zo te zien waren ze niet meer gewapend. De handlanger wankelde en bloedde hevig uit een hoofdwond, en Shvanov hield zijn linkerarm bij de elleboog vast, zijn hele gezicht vertrokken van de pijn. Mishkin wachtte tot hun knieën boven het water uit kwamen en waadde toen naar Shvanov toe, weerde een zwakke stomp af, greep hem bij zijn riem en kraag, tilde de man boven zijn hoofd en gooide hem naar de handlanger toe. Beide mannen vielen in het water. Hij deed het nog twee keer tot ze begrepen wat hij bedoelde en wadend en zwemmend naar het volgende eilandje gingen.

'Dat zou je zo niet hebben gedaan, tenzij het een komedie was,' merkte Crosetti op. 'Het zou tot een gevecht op leven en dood tussen de schurk en de eerste bijrolspeler komen en ze zouden allebei sterven; of de schurk zou de eerste bijrolspeler doden en dan op zijn beurt door de held worden gedood. Maar misschien ís dit een komedie. Ik dacht eerst dat het een thriller was. Daar komt de cavalerie. Zoals gewoonlijk zijn ze te laat.'

Een helikopter kwam ratelend in zicht en bleef boven het wrak hangen. In de verte zagen ze een paar grijze boten over het water naderen, elk met een bot in de bek.

'Politie,' zei Crosetti toen hij Carolyn verbaasd zag kijken. 'Ik heb vanmorgen mijn zus de politievrouw gebeld, en die heeft blijkbaar deze redding geregeld.'

'Je had haar gisteravond ook kunnen bellen. Dan had de politie hier staan wachten toen ze aankwamen.'

'Nee, ik moest ze zien aankomen. Als ik de politie er eerder bij had gehaald, zou Shvanov de kinderen hebben vermoord. Of jou. Maar zoals je ziet is het allemaal goed afgelopen.'

'Waar is Haas?' vroeg Carolyn.'

'Shit!' zei Crosetti. Hij ging staan en keek uit over het water. 'Hij is weg. Hij had het niet kunnen overleven, zo ernstig gewond als hij was. En het manuscript is ook weg.'

'Nee,' zei Carolyn. 'Linnenpapier blijft lang in water bewaard, en galinkt is ook goed houdbaar. Dit meer zal wel niet zo diep zijn. Als het manuscript nog in die envelop zat, blijft het goed tot de duikers er zijn.'

'Misschien wel. Maar als Haas dood is, kan het geen komedie zijn.'

'Weet je, jij zou ook volmaakt zijn als je niet de gewoonte had om alles als een film te zien. Als ik ophoud met liegen en weglopen, wil jij daar dan mee ophouden?'

'Afgesproken,' zei hij, en toen hij haar koude lippen kuste, dacht hij: uitfaden naar zwart, opkomende muziek, aftiteling.

23

Ik vond dit document toen ik bestanden naar mijn nieuwe laptop over-
zette en besloot dit nawoord eraan toe te voegen. Natuurlijk zijn veel aspecten van de zaak – het teruggevonden toneelstuk, het wonderbaarlijke
Bracegirdle-Shakespeare-manuscript, de betrokkenheid van Shvanov, de
dingen die in de blokhut zijn gebeurd, het lot van Mickey Haas – tot ver-
velens toe in de openbaarheid gekomen, maar ik wil nog wel een paar losse eindjes wegwerken, zodat wanneer een digitale ontdekkingsreiziger in
de toekomst op dit bestand stuit – zoals wij op de brief van die arme
Bracegirdle zijn gestuit – hij een compleet verhaal aantreft.

Tot mijn spijt moet ik zeggen dat Amalie en ik momenteel, 10 juni, niet
bij elkaar zijn, al koester ik nog hoop. Ze is vaak in New York en dan zijn
we veel bij elkaar en gaan we in alle vriendschap met elkaar om. We zijn
dit jaar naar de paasdienst in de St. Patrick geweest en die trof me diep. Ze
merkte dat en keek me aan met een glimlach die ik in lange tijd niet van
haar had gehad. Misschien had het ook iets te maken met het feit dat ik
nu aan de achtste maand begin van de langste celibataire periode in mijn
leven sinds mevrouw Polansky het met me deed in de personeelskamer
van de Farragut-bibliotheek. Amalie kan het overspel niet meer aan me
ruiken (of voelen, op een mystieke manier), en daardoor draait ze enigszins bij, denk ik. Ik geloof dat ik van mijn vloek verlost begon te raken
toen Crosetti me daar in dat koude water van Lake Henry attent maakte
op het feit dat ik een mythische vrouw probeerde te redden in plaats van
mijn kinderen, en toen ik zag hoe mijn dochter haar leven op het spel zette om haar broer te redden, terwijl ik altijd had gedacht dat ze hem min-
achtte. Op dat moment besefte ik dat ik me misschien vergiste in letterlijk al mijn emotionele relaties, en dat ik niet meer moest proberen slim
te zijn maar gewoon zoveel mogelijk liefde moest voortbrengen als ik in
huis had, of die nu werd beantwoord of niet. Dat heb ik sindsdien geprobeerd.

Tot mijn genoegen kan ik ook zeggen dat ik het optreden van mijn dochter in *Een Midzomernachtsdroom* (een daverend succes trouwens, ze stal de show) zonder misselijkheid heb doorstaan. Hoewel ik misschien nooit een echte theaterliefhebber zal worden, ben ik die neurotische tic blijkbaar kwijt. Ik breng veel tijd met Niko door. Meestal zit ik dan stilletjes bij hem, maar een paar maanden geleden vroeg hij of ik hem wilde leren zwemmen en ook gewichtheffen. Hij wil me nog steeds niet recht in de ogen kijken, maar als ik hem aanraak, deinst hij soms niet meer terug.

Paul is weer in zijn missiehuis, deemoedig en diep getroffen door de dood van Mickey Haas, al heb ik herhaaldelijk tegen hem gezegd dat het mijn schuld was, niet de zijne. Ik had alleen maar de politie hoeven te bellen om hun het hele verhaal te vertellen. Dan zouden ze een onderzoek hebben ingesteld en zouden Pascoe's leugens meteen aan het licht zijn gekomen en zou het allemaal prima zijn afgelopen, de brieven en het stuk authentiek verklaard enzovoort. Die Pascoe! Er komt een Amerikaanse priester bij hem die vraagt of hij iets van een vervalst onbekend stuk van Shakespeare weet en natúúrlijk zegt hij: o, ja, eerwaarde, dat heb ik zelf gemaakt, en voor vijftigduizend vertel ik u het hele verhaal. En Paul trapte erin. Ik denk dat het ook mogelijk is om te slim, te argwanend te zijn.

Miri is met haar bedrijf gestopt, en laat ik hier dan maar vermelden dat het een gerenommeerd callgirlbedrijf was. Shvanov was daar natuurlijk nauw bij betrokken en zijn arrestatie heeft haar bijzonder goedgedaan. Ze is nu veel bij Paul en doet goede werken. Ze ziet er nog steeds fantastisch uit en draagt altijd een met edelstenen bezette crucifix, bij al haar outfits.

Pa zag kans weg te glippen, zoals we van hem gewend zijn; en nu ik hem opnieuw heb ontmoet, moet ik zeggen dat hij niet meer zo als een kanker aan me vreet als vroeger. Of ik de versie van mijn verleden geloof die hij me in die limousine vertelde? Misschien wel. Het doet er niet zoveel meer toe. Ik denk dat ik hem heb vergeven.

Ik mis Mickey Haas. Zelfs een verzonnen beste vriend is beter dan helemaal geen beste vriend. Alle drie zijn vrouwen kwamen naar de begrafenis en we gedroegen ons allemaal zo kunstmatig en beschaafd als maar kon. Uiteindelijk stelde hij zijn vak en zijn artistieke oordeel boven alles en ging hij letterlijk door het vuur om zijn dierbare manuscript te redden. Hoeveel leden van de Modern Language Association kunnen dat zeggen?

Met Crosetti gaat het blijkbaar goed. Ik kwam hem en Carolyn Rolly een week of twee geleden tegen op Canal, even ten oosten van Lafayette, met de twee kinderen. Het was op een zaterdag, en ik was net naar de Chinees geweest met een paar oude studievrienden van me die in de stad waren. Ik stond naar Omar en de Lincoln uit te kijken toen ze er opeens aankwamen. We praatten even met elkaar, al wisten we ons niet goed raad met onze houding. Carolyn heeft de camouflerende donkere kleur uit haar haar gespoeld, want het blond dat ze mij als Miranda liet zien is haar natuurlijke kleur en haar ogen zijn lichtblauw, niet druifgroen zoals ze ze ter ere van Amalie met getinte contactlenzen had gemaakt. Er is geen enkele aantrekkingskracht meer over. Ze wonen samen in het donkerste kunstzinnige Brooklyn, in een heel mooi zolderappartement dat ze met de opbrengst van de Bracegirdle-manuscripten hebben gekocht. Het is hem ook gelukt zijn scenario over de zaak-Bracegirdle te verkopen, waarbij de immense publiciteit rond de zaak hem natuurlijk van pas is gekomen. Hij denkt dat zijn eigen rol echt naar John Cusack zal gaan, al is William Hurt jammer genoeg niet beschikbaar om mijn rol te spelen.

Ik vertelde hem wat ik op mijn werk deed en vertel dat hier nu ook. Ik werkte, en werk, aan de enorme IE-zaak die is voortgekomen uit de vondst van *Mary Koningin van Schotland* van William S. Het oorspronkelijke manuscript is bewijsmateriaal in de zaak tegen Shvanov (moord en ontvoering) en is tijdelijk opgeborgen in een kluis van de gemeente, maar zodra ik het van Crosetti had gekregen, ben ik zo vrij geweest het hele ding digitaal vast te leggen. Daarmee heb ik de bladzijden omgezet in puur intellectueel eigendom, een reeks woorden. Ik ben natuurlijk niet de officiële advocaat, aangezien ik een belangrijke eiser ben in de zaak; Ed Geller vertegenwoordigt mij, en we zijn weer de beste vrienden. In ons gevecht om de rechten op het toneelstuk moeten we het vooral opnemen tegen de Britse kroon, zodat ik nu tot de gelederen van George Washington en de andere stichters van de Verenigde Staten behoor. Mocht de zaak in mijn voordeel uitvallen, dan zal ik misschien voor het eerst rijker zijn dan mijn vrouw; en toen ik in die drukke straat die mogelijkheid ter sprake bracht, kwam er meteen een schuldgevoel bij me op. Dat is mijn nieuwe morele besef en ik ben bang dat ik daar in mijn hoedanigheid van advocaat veel nadeel van zal ondervinden. Ik zei tegen Crosetti dat hij en Carolyn een groot deel verdienden te krijgen van het geld dat het stuk zou opbrengen door de verkoop van het manuscript en het auteursrecht op de tekst. Ze moesten maar eens naar mijn kantoor komen om die zaak te bespreken. Op dat moment manoeuvreerde Omar zich over drie rijbanen en stopte hij netjes langs de stoeprand. Ik vroeg of ik hun een lift kon geven en ze zeiden dat hun adres in Brooklyn was, en ik zei: dat geeft niet, en aan de snelle blik die ze wisselden kon ik zien dat ze eigenlijk liever niet met me wilden omgaan. Ik drong aan, omdat dat nu eenmaal zo hoort, en Crosetti zei: 'Laat maar, Jake, het is Chinatown,' net als in die film, en ik zei: 'Je kijkt er vast al tien jaar naar uit om dat in het echte leven te kunnen zeggen.' Hij lachte en vervolgens lachten we er allemaal om.

Dankbetuiging

De auteur wil graag de weledele heer Thomas D. Selz van Frankfurt Kurnit Klein & Selz bedanken voor zijn uitleg over de mysteries van de wetgeving inzake intellectueel eigendom en voor het uitzicht vanuit zijn kantoor. Afgezien daarvan hij heeft hij niets gemeen met de in intellectueel eigendom gespecialiseerde advocaat in deze roman.